ROAD ATLAS FRANCE

Scale 1:250,000
or 3.95 miles to 1 inch
(2.5km to 1cm)

13th edition November 2010

Original edition printed 1999.

Published by AA Publishing (a trading name of AA Media Limited, whose registered office is Fanum House, Basing View, Basingstoke, Hampshire RG21 4EA, UK.
Registered number 06112600).

ISBN: 978 0 7495 6749 1

A CIP catalogue record for this book is available from The British Library.

Printed in Spain by Printer Industria Grafica S.A., Barcelona.

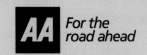

Atlas contents

Town plans

Les bonnes règles de conduite

Centres d'information routière
A votre service 24h/24

CENTRE NATIONAL
DE ROSNY-SOUS-BOIS
http://www.bison-fute.equipement.gouv.fr

0 800 100 200
(appel gratuit depuis un poste fixe)

Postes d'appel d'urgence
APPEL GRATUIT
Où les trouver ?
Sur les routes principales, tous les 4 km ; sur les autoroutes tous les 2 km.

Pour votre sécurité : vitesse limitée

Autoroutes	130 km/h	110 km/h
Voies rapides	110 km/h	100 km/h
Routes	90 km/h	80 km/h
Villes	50 km/h	

La fréquence de l'autoroute
FM 107,7

Les bonnes règles de conduite

Mettez votre ceinture de sécurité.
À l'avant comme à l'arrière, c'est obligatoire.

Il est interdit de conduire avec une alcoolémie ≥ 0,5 g d'alcool par litre de sang (ou 0,25 mg/l d'air expiré).
Ne prenez pas de risque. Ne sous-estimez pas les effets de l'alcool : rétrécissement du champ visuel, diminution des réflexes, altération de l'appréciation des distances...

Ne conduisez pas sous l'emprise de drogues. *Leur consommation est interdite par la loi. Elle augmente considérablement le risque d'accident.*

Soyez prudent en cas de prise de médicaments. *Lisez attentivement la notice et vérifiez leur compatibilité avec l'exercice de la conduite.*

Ne téléphonez pas en conduisant. *Laissez un de vos passagers répondre à votre place ou réglez votre téléphone sur messagerie.*

Faites des pauses fréquentes. *Même si vous êtes reposé, arrêtez-vous 10 à 20 minutes toutes les 2 heures.*

Ayez obligatoirement dans votre véhicule un gilet rétro réfléchissant et un triangle de présignalisation.
Ayez toujours à bord du véhicule, les originaux de votre permis de conduire et des papiers du véhicule (carte grise, attestation d'assurance et certificat de visite technique en cours de validité), c'est obligatoire. En cas de contrôle par les forces de l'ordre, vous devez être en mesure de les présenter.

drive right !

Traffic information centres
Available 24/7

0 800 100 200
(Free phone call)

Emergency call phones
FREE PHONE CALL
Where to find them ?
On main roads every 4 km ; on highways every 2 km.

For your own safety : speed limits

Motorways	130 km/h	110 km/h
Expressways	110 km/h	100 km/h
Mainroads	90 km/h	80 km/h
Towns	50 km/h	

Motorway radio frequency
FM 107,7

Rules at the road

Fasten your seatbelt.
In the front or in the back, it's the law !

Driving under the influence of alcohol is against the law. *A blood-alcohol level of 0.5 grams of alcohol per litre of blood or over (i.e. 0.25 mg/l of air exhaled) exceeds the legal limit. Never take risks ! Don't underestimate the effects of alcohol : reduced field of vision, slower reaction times, impaired assessment of distances...*

Never drive when under the influence of drugs.
Taking drugs is against the law. They considerably increase the risk of an accident.

Be careful if you have to take medication.
Read the instructions carefully and check whether your medication is compatible with driving.

Never phone while driving .
Let one of your passengers answer for you or switch your phone to voicemail.

Take regular breaks.
Even if you feel rested, stop for 10 to 20 minutes every two hours.

Always have a reflective safety vest in your car as well as an emergency warning triangle. *Always have the originals of your driver's license and vehicle papers with you in the car (vehicle title, insurance coverage, certificate of technical inspection), it's the law !*
If stopped by the Police, you'll need to be able to show these papers.

las buenas reglas de conducta

Centro National de
Rosny-sous-bois
A su servicio las 24 horas del día

0 800 100 200
(LLamada gratuita)

Téléphonos de llamada de emergencia
LLAMADA GRATUITA
¿ Donde encontrarlos ?
En las carreteras principales cada 4 km ; En las autopistas cada 2km.

Para su seguridad : velocidad limitada

Autopistas	130 km/h	110 km/h
Vias rápidas	110 km/h	100 km/h
Carreteras	90 km/h	80 km/h
Ciudades	50 km/h	

Frecuencia de la autopista
FM 107,7

Las buenas reglas de conducta

Póngase su cinturón de seguridad.
Tanto en la parte delantera como en la posterior, es obligatorio.

Está prohibido conducir con una alcoholemia ≥ 0,5 g de alcohol por litro de sangre (o 0,25 mg/l de aire espirado).
No se arriesgue. No subestime los efectos del alcohol : estrechamiento del campo visual, disminución de los reflejos, alteración de la apreciación de las distancias...

No conduzca bajo la influencia de drogas.
Su consumo está prohibido por la ley. Estas aumentan considerablemente el riesgo de accidente.

Sea prudente en caso de toma de medicamentos. *Lea atentamente el prospecto y verifique su compatibilidad con el ejercicio de la conducción.*

No telefonee mientras conduce.
Deje que uno de sus pasajeros responda en su lugar o ponga su teléfono en contestador.

Haga pausas frecuentes.
Incluso si se siente descansado, deténgase 10 a 20 minutos cada 2 horas.

Tenga obligatoriamente en su vehículo un chaleco retrorreflectante y un triángulo de señalización.
Usted siempre debe tener a bordo del vehículo los originales de su permiso de conducir y de los papeles del vehículo (permiso de circulación, certificación de seguro y certificado de inspección técnica válidos) : es obligatorio. En caso de control por las fuerzas del orden, usted debe poder presentarlos.

France physique (F)

(NL) Landkaart van Frankrijk
(D) Landkarte Frankreichs
(GB) Physical map of France
Mapa física de Francia (E)
Mappa fisica di Francia (I)

IV
1 : 1 250 000
0 10 20 30 40 50 Km
BREST
RENNES
NANTES
LILLE
LE HAVRE
PARIS
NANCY
BESANÇON
POITIERS
LYON
BORDEAUX
TOULOUSE
MARSEILLE
NICE
IV V VI VII VIII IX X XI XII XIII XIV XV
ÎLE D'OUESSANT
PARC NATUREL MARIN D'IROISE
PRESQU'ÎLE DE CROZON
PARC D'ARMORIQUE
Morlaix
St-Thégonnec
Quimper
Concarneau
Châteaulin
Huelgoat
Douarnenez
Bénodet
Lorient
Vannes
Carnac
PRESQU'ÎLE DE QUIBERON
BELLE ÎLE
St-Nazaire
la Baule-Escoublac
le Croisic
PARC DE BRIÈRE
Redon
Rochefort-en-Terre
Josselin
Pontivy
St-Brieuc
Guingamp
Lannion
Perros-Guirec
Tréguier
Dinan
Dinard
St-Malo
Cancale
le Mont-St-Michel
GOLFE DE ST-MALO
Côte d'Émeraude
Côte de Granit Rose
Fougères
Vitré
Laval
Mayenne
Château-Gontier
Châteaubriant
Segré
Ancenis
Cherbourg-Octeville
Valognes
PARC DES MARAIS DU COTENTIN ET DU BESSIN
Coutances
St-Lô
Bayeux
Vire
Avranches
Granville
BAIE DE LA SEINE
Côte de Nacre
Îles Chausey

UNI
MANCHE
PAS DE CALAIS
FOLKESTONE
Tunnel sous la Manche
DUNKERQUE
CALAIS
Gravelines
Boulogne-sur-Mer
Wimereux
Cap Gris Nez
PARC DES CAPS ET MARAIS D'OPALE
St-Omer
Montreuil
le Touquet-Paris-Plage
Berck
Étaples
Bruay-la-Buissière
Abbeville
AMIENS
Dieppe
Fécamp
Étretat
Cap d'Antifer
LE HAVRE
Honfleur
Deauville
Cabourg
Ouistreham
CAEN
Bayeux
ROUEN
Lisieux
Évreux
Beauvais
PARIS
Versailles
St-Denis
Nanterre
Pontoise
Mantes-la-Jolie
Dreux
Chartres
Rambouillet
Étampes
Évry
ORLÉANS
Alençon
Argentan
Falaise
Bernay
LE MANS
Mortagne-au-Perche
Nogent-le-Rotrou
Châteaudun
Mayenne
PARC DES BOUCLES DE LA SEINE NORMANDE
PARC NATUREL RÉGIONAL DU VEXIN FRANÇAIS
PARC DE LA HAUTE VALLÉE DE CHEVREUSE
PARC DU PERCHE
PARC DE NORMANDIE MAINE
PARC DU GÂTINAIS
BRIGHTON
Hastings
Eastbourne
Newhaven
Worthing
PORTSMOUTH
Côte d'Opale
Côte d'Albâtre
Côte Fleurie
Côte de Nacre

VI
DUNKERQUE
Gravelines
Bray-Dunes
Diksmuide
Torhout
Roeselare (Roulers)
GENT (GAND)
Aalter
St-Niklaas
Lier
Mechelen (Malines)
Lеopoldsburg
Aarschot
Diest
Houthalen
HASSELT
MAASTRICHT
LEUVEN (LOUVAIN)
Sint-Truiden
Tienen
Tongeren (Tongres)
BRUXELLES / BRUSSEL
Aalst (Alost)
Ninove
Geraardsbergen
Oudenaarde
Kortrijk (Courtrai)
Ieper (Ypres)
Poperinge
Bergues
Hondschoote
Bourbourg
Wormhout
Audruicq
St-Omer
Cassel
Steenvoorde
Hazebrouck
Bailleul
Armentières
Halluin
TOURCOING
ROUBAIX
LILLE
Villeneuve-d'Ascq
Tournai (Doornik)
Ronse (Renaix)
Ath
Waterloo
Wavre
Nivelles
Soignies
MONS (BERGEN)
CHARLEROI
NAMUR (NAMEN)
Hannut
Waremme
LIÈGE (LUIK)
Huy
Dinant
Ciney
Marche-en-Famenne
Rochefort
Philippeville
Givet
Vireux-Molhain
Fumay
Revin
Rocroi
Monthermé
Nouzonville
Charleville-Mézières
Sedan
Bouillon
Neufchâteau
Carignan
Mouzon
Stenay
Avioth
BELGIQUE
Lumbres
Arques
Aire-sur-la-Lys
Merville
Estaires
Béthune
Lillers
Bruay-la-Buissière
Houdain
Fruges
Heuchin
St-Pol-sur-Ternoise
Hesdin
Lens
Liévin
Hénin-Beaumont
Seclin
Carvin
Douai
Orchies
St-Amand-les-Eaux
Condé-sur-l'Escaut
Valenciennes
Denain
Marchiennes
PARC SCARPE-ESCAUT
Arras
Vitry-en-Artois
Aubigny-en-Artois
Frévent
Avesnes-le-Comte
Beaumetz-lès-Loges
Cambrai
Bouchain
Le Quesnoy
Bavay
Maubeuge
Jeumont
Hautmont
Berlaimont
Aulnoye-Aymeries
Solre-le-Château
Liessies
Avesnes-sur-Helpe
Trélon
Fourmies
Anor
PARC DE L'AVESNOIS
Landrecies
Maroilles
Le Cateau-Cambrésis
Caudry
Solesmes
Doullens
Acheux-en-Amiénois
Bapaume
Albert
Péronne
Bray-sur-Somme
Corbie
AMIENS
Longueau
Boves
Villers-Bretonneux
Chaulnes
Rosières-en-Santerre
Moreuil
Ailly-sur-Noye
Montdidier
Breteuil
Crèvecoeur-le-Grand
Froissy
St-Just-en-Chaussée
Estrées-St-Denis
Clermont
Liancourt
Creil
Senlis
Chantilly
Beaumont-sur-Oise
L'Isle-Adam
St-Quentin
Bohain-en-Vermandois
Guise
Le Nouvion-en-Thiérache
La Capelle
Hirson
Vervins
Aubenton
Signy-le-Petit
Rumigny
Signy-l'Abbaye
Rozoy-sur-Serre
Montcornet
Marle
Crécy-sur-Serre
Ribemont
Moy-de-l'Aisne
Ham
Nesle
Roye
Noyon
Guiscard
Lassigny
Chauny
Tergnier
La Fère
St-Gobain
Coucy-le-Château-Auffrique
Anizy-le-Château
Laon
Sissonne
Compiègne
Ressons-sur-Matz
Ribécourt-Dreslincourt
Pierrefonds
Attichy
Vic-sur-Aisne
Soissons
Vailly-sur-Aisne
Braine
Fismes
Villers-Cotterêts
Crépy-en-Valois
Nanteuil-le-Haudouin
Ermenonville
La Ferté-Milon
Oulchy-le-Château
Fère-en-Tardenois
Neuilly-St-Front
Château-Thierry
Charly
Condé-en-Brie
Dormans
Châtillon-sur-Marne
Épernay
Ay
REIMS
PARC DE LA MONTAGNE DE REIMS
Verzy
Ville-en-Tardenois
Mourmelon-le-Grand
Bourgogne
Neufchâtel-sur-Aisne
Asfeld
Château-Porcien
Rethel
Novion-Porcien
Poix-Terron
Flize
Tourteron
Le Chesne
Attigny
Vouziers
Machault
Juniville
Buzancy
Grandpré
Monthois
Dun-sur-Meuse
Sivry-sur-Meuse
Montfaucon-d'Argonne
Varennes-en-Argonne
Ville-sur-Tourbe
Clermont-en-Argonne
Verdun
Ste-Menehould
Suippes
Souilly
Châlons-en-Champagne
Courtisols
Ecury-sur-Coole
Triaucourt-en-Argonne
Givry-en-Argonne
Rembercourt-aux-Pots
Pierrefitte-sur-Aire
Revigny-sur-Ornain
Bar-le-Duc
Tronville-en-Barrois
Ligny-en-Barrois
Vitry-le-François
Sermaize-les-Bains
Thiéblemont-Farémont
St-Dizier
Ancerville
Éclaron-Braucourt-Ste-Livière
Wassy
Joinville
Montier-en-Der
Chavanges
Sompuis
Mailly-le-Camp
Sommesous
Vertus
Avize
Montmort
Fère-Champenoise
Sézanne
Esternay
Montmirail
Anglure
Villenauxe-la-Grande
Arcis-sur-Aube
Ramerupt
Méry-sur-Seine
Romilly-sur-Seine
Nogent-sur-Seine
Marigny-le-Châtel
Marcilly-le-Hayer
Troyes
PARC DE LA FORÊT D'ORIENT
Brienne-le-Château
Piney
Lusigny-sur-Barse
Vendeuvre-sur-Barse
Soulaines-Dhuys
Doulevant-le-Château
Doulaincourt-Saucourt
Vignory
Bar-sur-Aube
Colombey-les-Deux-Églises
Andelot-Blancheville
Juzennecourt
Chaumont
Châteauvillain
Arc-en-Barrois
Rolampont
Langres
Bar-sur-Seine
Essoyes
Mussy-sur-Seine
Montigny-sur-Aube
Châtillon-sur-Seine
Les Riceys
Chaource
Ervy-le-Châtel
Flogny-la-Chapelle
St-Florentin
Brienon-sur-Armançon
Tonnerre
Ligny-le-Châtel
Pontigny
Estissac
Aix-en-Othe
Bouilly
Villeneuve-l'Archevêque
Sens
Pont-sur-Yonne
Cerisiers
Villeneuve-sur-Yonne
St-Julien-du-Sault
Joigny
Migennes
Seignelay
Aillant-sur-Tholon
Charny
Château-Renard
Courtenay
Montargis
Ferrières-en-Gâtinais
Bellegarde
Beaune-la-Rolande
Pithiviers
Puiseaux
Malesherbes
Château-Landon
Souppes-sur-Loing
Nemours
Lorrez-le-Bocage-Préaux
Chéroy
Voulx
Moret-sur-Loing
Fontainebleau
Montereau-Fault-Yonne
Bray-sur-Seine
Donnemarie-Dontilly
Nangis
Provins
Melun
Le Châtelet-en-Brie
Vaux-le-Vicomte
Mormant
Guignes
Rozay-en-Brie
Fontenay-Trésigny
Brie-Comte-Robert
Coulommiers
La Ferté-Gaucher
Rebais
La Ferté-sous-Jouarre
Meaux
Crécy-la-Chapelle
Lagny-sur-Marne
Esbly
Claye-Souilly
Dammartin-en-Goële
Chelles
Torcy
Disneyland Paris
Créteil
Boissy-St-Léger
Ozoir-la-Ferrière
Gretz-Armainvilliers
PARIS
Bobigny
St-Denis
Nanterre
Sarcelles
Écouen
Montmorency
Conflans-Ste-Honorine
Méry-sur-Oise
Luzarches
OISE - PAYS DE FRANCE
Palaiseau
Villeneuve-St-Georges
Évry
Corbeil-Essonnes
Arpajon
Montlhéry
Dammarie-les-Lys
La Ferté-Alais
Milly-la-Forêt
PARC DU GÂTINAIS FRANÇAIS
La Chapelle-la-Reine
Étampes
Lorris
Châteauneuf

KÖLN
BONN
HASSELT
MAASTRICHT
AACHEN
Tongeren (Tongres)
LIÈGE (LUIK)
Siegen
Dillenburg
Wetzlar
Limburg
Koblenz
Lahnstein
WIESBADEN
FRANKFURT A.M.
MAINZ
Bad Kreuznach
Idar-Oberstein
Trier
Wittlich
Bernkastel-Kues
Cochem
Mayen
Prüm
Sankt Vith (Saint-Vith)
Malmédy
Eupen
Verviers
Monschau
Schleiden
Euskirchen
Zülpich
Düren
Siegburg
Leverkusen
Gummersbach
Waldbröl
Hachenburg
Montabaur
Bad Homburg
Bad Schwalbach
Rüsselsheim
Bingen
Simmern
Zell
Worms
Grünstadt
Kaiserslautern
LUDWIGSHAFEN
Speyer
Neustadt-an-der-Weinstraße
Landau
Pirmasens
Zweibrücken
Homburg
St. Wendel
Ottweiler
Landstuhl
SAARBRÜCKEN
Saarlouis
Merzig
Saarburg
LUXEMBOURG
Ettelbruck
Diekirch
Echternach
Clervaux
ARLON
Bastogne
Marche-en-Famenne
Rochefort
Neufchâteau
Longwy
Thionville
Metz
Forbach
Sarreguemines
Saverne
Haguenau
Wissembourg
Sarrebourg
NANCY
Lunéville
Toul
Commercy
Bar-le-Duc
Verdun
Pont-à-Mousson
Château-Salins
Baccarat
St-Dié-des-Vosges
Épinal
Remiremont
Gérardmer
Colmar
Sélestat
Molsheim
Obernai
STRASBOURG
Kehl
Offenburg
Baden-Baden
Rastatt
Lahr/Schwarzwald
Emmendingen
FREIBURG I.B.
Triberg
Wolfach
Neufchâteau
Vittel
Contrexéville
Mirecourt
Langres
Luxeuil-les-Bains
Plombières-les-Bains
Munster
Guebwiller
Thann
Mulhouse
ALLEMAGNE
PARC GERMANO-BELGE
PARC GERMANO-LUXEMBOURGEOIS
PARC DE LORRAINE
PARC DES VOSGES DU NORD
PARC DES BALLONS DES VOSGES
PFÄLZERWALD
HOCHTAUNUS
RHEIN-TAUNUS
RHEIN WESTERWALD
VII

VIII
RENNES
NANTES
LA ROCHELLE
BREST
Lorient
Vannes
St-Nazaire
la Roche-sur-Yon
Cholet
Laval
Niort
Saintes
Rochefort
Quimper
Morlaix
Pontivy
Josselin
Redon
Ancenis
Châteaubriant
Segré
Château-Gontier
Vitré
Bressuire
Fontenay-le-Comte
les Sables-d'Olonne
Royan
Lesparre-Médoc
Blaye
Jonzac
Saint-Jean-d'Angély
Marennes
Concarneau
Bénodet
Douarnenez
Châteaulin
Huelgoat
St-Thégonnec
Landerneau
Roscoff
le Folgoët
Carhaix-Plouguer
Ploërmel
Rohan
Loudéac
Auray
Carnac
Quiberon
Challans
Pornic
la Baule-Escoublac
le Croisic
Guérande
Savenay
Rezé
Clisson
Montaigu
Luçon
Marans
Surgères
Oléron
Île de Ré
Île d'Yeu
Île de Noirmoutier
Belle Île
Île de Groix
Île d'Ouessant
Île de Sein
Îles de Glénan
Île d'Houat
Île d'Hoëdic
Presqu'île de Quiberon
Presqu'île de Crozon
Parc Naturel Marin d'Iroise
Parc d'Armorique
Parc de Brière
Côte d'Amour
Côte de Jade
Côte de Granit Rose
Pointe du Raz
Pointe de Penmarc'h
Pointe St-Mathieu
Pointe de Penhir
Pointe du Croisic
Pointe de St-Gildas
Pointe de la Coubre
Pointe de Grave
Pertuis Breton
Pertuis d'Antioche
La Gironde
la Vilaine
la Loire
la Charente
la Sèvre Niortaise
la Mayenne
56 MORBIHAN
44 LOIRE-ATLANTIQUE
49 MAINE-ET-LOIRE
85 VENDÉE
17 CHARENTE-MARITIME
29 FINISTÈRE
33 GIRONDE
53 MAYENNE
A T L A N T I Q U E
N165
E60
N24
N12
N137
E03
A11 - E60
A83
A87
E62
N11
A10 - E05
A837 - E602
N141
N10
A84
N157
E50
A81
N171
D160
Rosslare (Irl.) (en saison)
Cork (Irl.) (en saison)
Plymouth (R.-U.)

IX
LE MANS
ORLÉANS
ANGERS
TOURS
Saumur
Blois
Vierzon
BOURGES
Châtellerault
POITIERS
Châteauroux
Niort
LIMOGES
Angoulême
Guéret
Tulle
Brive-la-Gaillarde
Périgueux
Cognac
Saintes
Sillé-le-Guillaume
la Flèche
Châteaudun
Pithiviers
Vendôme
Chinon
Loches
Parthenay
Bressuire
Montmorillon
le Blanc
Issoudun
Romorantin-Lanthenay
Bellac
Confolens
Rochechouart
Nontron
Ussel
Aubusson
St-Jean-d'Angély
Jonzac
Amboise
Chenonceaux
Chambord
Cheverny
Chaumont-sur-Loire
Futuroscope
Montbazon
Fontevraud-l'Abbaye
Doué-la-Fontaine
Thouars
Loudun
Vouillé
Ruffec
Civray
la Châtre
Valençay
Argenton-sur-Creuse
Uzerche
Egletons
Bourganeuf
Vierzon
Mehun-sur-Yèvre
St-Benoît-sur-Loire
Gien
PARC LOIRE-ANJOU-TOURAINE
PARC DE LA BRENNE
PARC DE MILLEVACHES EN LIMOUSIN
PARC PÉRIGORD-LIMOUSIN
la Loire
la Vienne
le Cher
l'Indre
la Creuse
la Charente
la Sarthe
le Loir
la Dordogne
la Corrèze
53 MAYENNE
72 SARTHE
28 EURE-ET-LOIR
45 LOIRET
41 LOIR-ET-CHER
37 INDRE-ET-LOIRE
79 DEUX-SÈVRES
86 VIENNE
36 INDRE
87 HAUTE-VIENNE
16 CHARENTE
23 CREUSE
19 CORRÈZE
24 DORDOGNE
15 CANTAL
A10-E05
A11-E501
A81-E50
A28
A85-E60
A71
A20-E09
A85-E604
A89-E70
N10
N141
E606
E603
N145 E62
E502

X
Pithiviers
Sens
Montargis
Auxerre
Chaumont
Bar-sur-Aube
Bar-sur-Seine
Châtillon-sur-Seine
Langres
Tonnerre
Avallon
Vézelay
Clamecy
Montbard
Dijon
Beaune
Autun
Château-Chinon
Chalon-sur-Saône
le Creusot
Tournus
Mâcon
Bourg-en-Bresse
Cluny
Paray-le-Monial
Charolles
Digoin
Moulins
Nevers
Bourges
Vierzon
St-Amand-Montrond
Montluçon
Vichy
Roanne
Villefranche-sur-Saône
Lyon
Villeurbanne
Vienne
Clermont-Ferrand
Riom
Thiers
Ambert
Issoire
Brioude
St-Étienne
Montbrison
St-Chamond
Le Puy-en-Velay
Yssingeaux
St-Flour
Salers
Mauriac
Ussel
Romans-sur-Isère
Cosne-Cours-sur-Loire
St-Fargeau
Gien
Lormes
Morvan
Parc Nat. Rég. du Morvan
Parc du Livradois-Forez
Parc des Volcans d'Auvergne
Parc du Pilat
Forêt d'Orient
En Limousin

XI
SUISSE
Épinal
Gérardmer
Colmar
FREIBURG I.B.
Langres
Vesoul
Lure
Belfort
MULHOUSE
Altkirch
BASEL
Rheinfelden
Waldshut
Montbéliard
Delémont
AARAU
Zofingen
SOLOTHURN
BIEL/
BIENNE
BESANÇON
Dole
Pontarlier
NEUCHÂTEL
BERN
FRIBOURG/
FREIBURG
THUN
Interlaken
Grindelwald
Lons-le-Saunier
Louhans
Yverdon-les-Bains
LAUSANNE
Montreux
Sion
Sierre
Brig
Zermatt
Saas-Fee
Thonon-les-Bains
Évian-les-Bains
GENÈVE
Annemasse
Bourg-en-Bresse
Nantua
Annecy
Chamonix-Mont-Blanc
Courmayeur
AOSTA/AOSTE
Albertville
Chambéry
GRENOBLE
St-Jean-de-Maurienne
Modane
TORINO
Ivrea
Biella
PARC DES BALLONS
DES VOSGES
PARC DU HAUT-JURA
PARC DE CHARTREUSE
PARC DE LA VANOISE
PARC DU GRAND PARADIS
DU MASSIF DES BAUGES
LAC LÉMAN

GOLFE DE GASCOGNE

BORDEAUX

Montalivet-les-Bains, Lesparre-Médoc, Hourtin Plage, Hourtin, Carcans Plage, Carcans, Lacanau-Océan, Lacanau, Castelnau-de-Médoc, St-Laurent-Médoc, Pauillac, Blaye, St-Ciers-sur-Gironde, Mirambeau, Jonzac, St-Genis-de-Saintonge, Baignes-Ste-Radegonde, Montendre, Barbezieux-St-Hilaire, Blanzac-Porcheresse, Montmoreau-St-Cybard, Aubeterre-sur-Dronne, Brossac, Chalais, Montlieu-la-Garde, Montguyon, St-Aulaye, la Roche-Chalais, St-Savin, Bourg, Ambès, St-André-de-Cubzac, Guîtres, Coutras, Montpon-Ménestérol, Lussac, Villefranche-de-Lonchat, Libourne, St-Émilion, Fronsac, Carbon-Blanc, Blanquefort, St-Médard-en-Jalles, Branne, Castillon-la-Bataille, Vélines, Ste-Foy-la-Grande, la Force, Créon, Targon, Sauveterre-de-Guyenne, Pellegrue, Sigoulès, Duras, Monségur, Miramont-de-Guyenne, Seyches, la Réole, Marmande, Tonneins, Le Mas-d'Agenais, Bouglon, Grignols, Casteljaloux, Damazan, Aiguillon, Houeillès, Lavardac, Nérac, Mézin, Condom, Montréal, Eauze, Valence-sur-Baïse, Vic-Fezensac, Jegun, Nogaro, Aignan, Plaisance, Montesquiou, Marciac, Mirande, Maubourguet, Miélan, Rabastens-de-Bigorre, Trie-sur-Baïse, Castelnau-Magnoac, Tournay, Lannemezan, Tarbes, Vic-en-Bigorre

Lège-Cap-Ferret, Andernos-les-Bains, Arcachon, Pyla-sur-Mer, Dune du Pilat, Gujan-Mestras, Audenge, Biganos, la Brède, Podensac, Cadillac, St-Macaire, Langon, Villandraut, Bazas, Belin-Béliet, Biscarrosse-Plage, Biscarrosse, Parentis-en-Born, St-Symphorien, Captieux, Pissos, Sore, Labouheyre, Mimizan-Plage, Mimizan, Sabres, Labrit, Morcenx, Roquefort, Barbotan-les-Thermes, Gabarret, Cazaubon, St-Girons-Plage, St-Girons-en-Marensin, Léon, Castets, Moliets-et-Maa, Vieux-Boucau-les-Bains, Soustons, Mont-de-Marsan, Tartas, Villeneuve-de-Marsan, St-Paul-lès-Dax, Dax, Mugron, St-Sever, Grenade-sur-l'Adour, Aire-sur-l'Adour, Riscle, Castelnau-Rivière-Basse, Hossegor, Capbreton, St-Vincent-de-Tyrosse, St-Martin-de-Seignanx, Montfort-en-Chalosse, Hagetmau, Geaune, Amou, Peyrehorade, Arzacq-Arraziguet, Garlin, Thèze, Lembeye

PARC DES LANDES DE GASCOGNE

Côte d'Argent

Anglet, Biarritz, Bayonne, Guéthary, St-Jean-de-Luz, Bidart, Hendaye, Irun, Ustaritz, Bidache, la Bastide-Clairence, Hasparren, Salies-de-Béarn, Sauveterre-de-Béarn, Orthez, Arthez-de-Béarn, Cambo-les-Bains, Espelette, Ascain, Ainhoa, Iholdy, St-Palais, Navarrenx, Mourenx, Monein, Lescar, Morlaàs, PAU, Soumoulou, Gan, Nay, Ossun, Pontacq, St-Pé-de-Bigorre, Lourdes, Bagnères-de-Bigorre, Basilique N.-D. du Rosaire, Grottes de Bétharram, Argelès-Gazost, St-Étienne-de-Baïgorry, St-Jean-Pied-de-Port, Mauléon-Licharre, Tardets-Sorholus, Oloron-Ste-Marie, Aramits, Arette, Arudy, Puerto Ibañeta 1057, Orreaga/Roncesvalles, Port de Larrau, Accous, Laruns, les Eaux-Chaudes, Eaux-Bonnes, Gourette, Col d'Aubisque 1709, Aucun, Pierrefitte-Nestalas, Cauterets, Luz-St-Sauveur, Barèges, la Mongie, Pic du Midi de Bigorre 2876, Col du Tourmalet 2115, Col d'Aspin 1489, Campan, Capvern, la Barthe-de-Neste, St-Laurent-de-Neste, Arreau, Bordères-Louron, Vielle-Aure, St-Lary-Soulan, Col de Peyresourde 1569, Superbagnères, Urdos, Pic du Midi d'Ossau 2884, Col de Somport 1632, Col du Pourtalet 1794, Vignemale 3298, Gavarnie, Cirque de Gavarnie, Tunnel de Bielsa, St-Bertrand-de-Comminges

PARC NATIONAL DES PYRÉNÉES

PARQUE DE ORDESA Y MONTE PERDIDO

DONOSTIA / SAN SEBASTIÁN, Hernani, Eibar, Azpeitia, Doneztebe/Santesteban, Altsasu/Alsasua, Escároz, PAMPLONA/IRUÑA, Estella/Lizarra, Tafalla, Sangüesa, Jaca, Baños de Panticosa, Ainsa, LOGROÑO, Pradejón, El Villar de Arnedo, Calahorra, Arnedo, Alfaro, Uncastillo

E S P A G N E

Autoroutes et routes: A10, N10, E606, A89-E70, N89, A630, A63, A660, E05-E70, A62-E72, A65, D824, A64, E80, A8, E05-E70, A15, N1-E05, N240A, A68, E804, A23

Départements: 33 GIRONDE, 40 LANDES, 64 PYRÉNÉES-ATLANTIQUES, 65 HAUTES-PYRÉNÉES

XIII
Nontron
Ussel
la Tour-d'Auvergne
Mont-Dore
Super-Besse
Issoire
Uzerche
Tulle
Égletons
Brive-la-Gaillarde
Périgueux
Bergerac
Sarlat-la-Canéda
Rocamadour
Gourdon
Figeac
Aurillac
Mauriac
St-Flour
Salers
PARC DES VOLCANS D'AUVERGNE
PARC DES
CAUSSES DU QUERCY
Cahors
Villeneuve-sur-Lot
Marmande
Agen
Nérac
Condom
Montauban
Castelsarrasin
Albi
Rodez
Millau
PARC DES GRANDS CAUSSES
Villefranche-de-Rouergue
Auch
Mirande
TOULOUSE
Castres
PARC DU HAUT LANGUEDOC
Muret
Carcassonne
Narbonne
BÉZIERS
Lodève
Pamiers
Foix
St-Girons
St-Gaudens
Limoux
PARC NAT. RÉG. DES PYRÉNÉES ARIÉGEOISES
PARC DES PYRÉNÉES CATALANES
PARC DE NARBONNAISE EN MÉDITERRANÉE
Bagnères-de-Luchon
PERPIGNAN
Prades
Céret
Amélie-les-Bains-Palalda
Font-Romeu-Odeillo-Via
ANDORRA LA VELLA
la Seu d'Urgell/ Seo de Urgel
PARC D'AIGÜES TORTES I ESTANY DE SANT MAURICI
Figueres / Figueras
E
A89-E70
A20-E09
A62-E72
A61-E80
A64-E80
A66-E09
A9-E15
A75-E11

XIV
ST-ÉTIENNE
St-Chamond
Vienne
GRENOB
PARC DU LIVRADOIS-FOREZ
PARC DU PILAT
PARC DE CHARTREUSE
Issoire
Ambert
Brioude
la Chaise-Dieu
Allanche
St-Flour
le Puy-en-Velay
Yssingeaux
Annonay
Tournon-sur-Rhône
Romans-sur-Isère
Valence
Villard-de-Lans
la Chapelle-en-Vercors
PARC DU VERCORS
Die
Privas
Vals-les-Bains
Aubenas
Largentière
PARC DES MONTS D'ARDÈCHE
Montélimar
Mende
Marvejols
Florac
PARC DES CÉVENNES
Millau
PARC DES GRANDS CAUSSES
le Vigan
Alès
Uzès
Orange
Nyons
Carpentras
Vaison-la-Romaine
AVIGNON
NÎMES
Arles
Salon-de-Provence
PARC DES ALPILLES
PARC NAT. RÉG. DU LUBERON
Apt
Forcalquier
Sisteron
AIX-EN-PROVENCE
MARSEILLE
Aubagne
la Ciotat
Martigues
Istres
PARC DE CAMARGUE
Stes-Maries-de-la-Mer
Aigues-Mortes
MONTPELLIER
Lodève
Sète
BÉZIERS
Narbonne
PARC DE LA NARBONNAISE EN MÉDITERRANÉE
GOLFE DU LION
MÉDITERRANÉE
PERPIGNAN
Canet Plage
St-Cyprien Plage
Argelès-sur-Mer
Collioure
Port-Vendres
Banyuls-sur-Mer
Cerbère
Côte Vermeille
Figueres / Figueras
Annaba (Algérie)
Oran (Algérie)
Alger (Algérie)
Béjaïa (Algérie)
Skikda (Algérie)
Tunis (Tunisie)
Porto-Torres (Sardaigne)
Propriano
Porto-Vecchio
Ajaccio
Calvi
l'Île Rousse
Bastia
Nador (Maroc) (en saison)
Tanger (Maroc)

GRENOBLE
PARC DE CHARTREUSE
Voiron
Voreppe
Villard-de-Lans
Chamrousse
l'Alpe-d'Huez
les Deux-Alpes
PARC DES ÉCRINS
St-Jean-de-Maurienne
Valmorel
Moutiers
la Plagne
Tignes
Val-d'Isère
Courchevel
Méribel-les-Allues
les Menuires
Val-Thorens
PARC DE LA VANOISE
Modane
Tunnel du Fréjus
Valloire
Serre Chevalier
Briançon
Montgenèvre
Sestriere
Orcières-Merlette
Super-Dévoluy
Gap
Embrun
Vars
PARC DU QUEYRAS
St-Véran
Barcelonnette
Pra-Loup
Allos
Auron
Isola 2000
PARC DU MERCANTOUR
Valberg
Digne-les-Bains
Sisteron
Forcalquier
Manosque
Castellane
Moustiers-Ste-Marie
PARC DU VERDON
Gréoux-les-Bains
AIX-EN-PROVENCE
Aubagne
la Ciotat
Bandol
TOULON
la Seyne-sur-Mer
Six-Fours-les-Plages
Hyères
le Lavandou
ÎLES D'HYÈRES
PARC DE PORT CROS
Porquerolles
Île du Levant
Île de Port-Cros
Brignoles
Draguignan
Fréjus
St-Raphaël
Ste-Maxime
St-Tropez
Grimaud
Cannes
Mougins
Grasse
ANTIBES
Juan-les-Pins
Cagnes-sur-Mer
Vence
NICE
Monaco
Monte-Carlo
Menton
Côte d'Azur
ITALIE
TORINO
NOVARA
Vercelli
Casale Monferrato
Asti
Alba
Bra
Pinerolo
Carmagnola
Saluzzo
Fossano
CUNEO
Mondovi
PARCO ALPI MARITIME
PARCO ALTA VALLE PESIO
SAVONA
Finale Ligure
Albenga
Alassio
Imperia
San Remo
XV
Cap Corse
Bastia
Calvi
HAUTE-CORSE
Corte
PARC DE CORSE
Porto
Cargèse
Ajaccio
CORSE-DU-SUD
Propriano
Sartène
Porto-Vecchio
Bonifacio
Solenzara
Aléria
Ghisonaccia

Légende (F)
Verklaring der tekens (NL)
Zeichenerklärung (D)

(GB) Legend
(E) Signos convencionales
(I) Segni convenzionali

F / NL / D		GB / E / I
Autoroute, section à péage (1), Autoroute, section libre (2), Voie à caractère autoroutier (3) Autosnelweg, gedeelte met tol (1), Autosnelweg, tolvrij gedeelte (2), Weg van het type autosnelweg (3) Autobahn, gebührenpflichtiger Abschnitt (1), Autobahn, gebührenfreier Abschnitt (2), Schnellstraße (3)	1 2 3	**Motorway, toll section (1), Motorway, toll-free section (2), Dual carriageway with motorway characteristics (3)** Autopista, tramo de peaje (1), Autopista, tramo libre (2), Autovía (3) Autostrada, tratto a pagamento (1), Autostrada, tratto libero (2), Strada con caratteristiche autostradali (3)
Barrière de péage (1), Aire de service (2), Aire de repos (3) Tolversperring (1), Tankstation (2), Rustplaats (3) Mautstelle (1), Tankstelle (2), Rastplatz (3)	1 2 3	**Tollgate (1), Full service area (2), Rest area - toilets only (3)** Barrera de peaje (1), Área de servicio (2), Área de descanso (3) Stazione a barriera (1), Area di servizio (2), Area di parcheggio (3)
Échangeur : complet (1), partiel (2), numéro Knooppunt : volledig (1), gedeeltelijk (2), nummer Vollanschlußstelle (1), beschränkte Anschlußstelle (2), Autobahnkreuz	1 6 2 73	**Junction : complete (1), restricted (2), number** Acceso : completo (1), parcial (2), número Svincolo : completo (1), parziale (2), numero
Autoroute en construction (1), Radar fixe (2) Autosnelweg in aanleg (1), Verkeersradar (2) Autobahn im Bau (1), Radarkontrollen (2)	1 2	**Motorway under construction (1), Speed camera (fixed radar) (2)** Autopista en construcción (1), Radar (2) Autostrada in costruzione (1), Radar (2)
Route de liaison principale (1), Route de liaison régionale (2), Autre route (3) Hoofdverkeersweg (1), Streekverbindingsweg (2), Andere weg (3) Fernverkehrsstraße (1), Regionale Verbindungsstraße (2), Sonstige Straße (3)	1 2 3	**Main road (1), Regional connecting road (2), Other road (3)** Carretera principal (1), Carretera regional (2), Otra carretera (3) Strada di grande comunicazione (1), Strada di interesse regionale (2), Altra strada (3)
Route en construction Weg in aanleg Straße im Bau		**Road under construction** Carretera en construcción Strada in costruzione
Route irrégulièrement entretenue (1), Chemin (2) Onregelmatig onderhoude weg (1), Pad (2) Nicht regelmäßig instandgehaltene Straße (1), Weg (2)	1 2	**Not regularly maintained road (1), Footpath (2)** Carretera sin revestir (1), Camino (2) Strada di irregolare manutenzione (1), Sentiero (2)
Tunnel (1), Route interdite (2) Tunnel (1), Verboden weg (2) Tunnel (1), Gesperrte Straße (2)	1 2	**Tunnel (1), Prohibited road (2)** Túnel (1), Carretera prohibida (2) Galleria (1), Strada vietata (2)
Distances kilométriques (km), Numérotation : autoroute, type autoroutier Kilometeraanduiding (km), Wegnummers : autosnelweg, van het type autosnelweg Entfernungen in Kilometern (km), Straßennumerierung : Autobahn	E11 5 A75	**Distances in kilometers (km), Road numbering : motorway** Distancia en kilómetros (km), Número : autopista, autovía Distanze chilometriche (km), Numeri delle strade : autostrada
Distances kilométriques sur route, Numérotation : autre route Kilometeraanduiding op wegen, Wegnummers : andere weg Straßenentfernungen in kilometern, Straßennumerierung : sonstige Straße	3 2 5 D197	**Distances in kilometers on road, Road numbering : other road** Distancia en kilómetros por carretera, Número : otra carretera Distanze in chilometri su strada, Numeri delle strade : altra strada
Chemin de fer, gare, arrêt, tunnel Spoorweg, station, halte, tunnel Eisenbahn, Bahnhof, Haltepunkt, Tunnel		**Railway, station, halt, tunnel** Ferrocarril, estación, parada, túnel Ferrovia, stazione, fermata, galleria
Aéroport (1), Aérodrome (2), Liaison maritime (3) Luchthaven (1), Vliegveld (2), Bootdienst met autovervoer (3) Flughafen (1), Flugplatz (2), Autofähre (3)	1 2 3 Bastia	**Airport (1), Airfield (2), Car ferries (3)** Aeropuerto (1), Aeródromo (2), Línea marítima (ferry) (3) Aeroporto (1), Aeroporto turistico (2), Traghetti per auto (3)
Zone bâtie (1), Zone industrielle (2), Bois (3) Bebouwde kom (1), Industriezone (2), Bos (3) Wohngebiet (1), Industriegebiet (2), Wald (3)	1 2 3	**Built-up area (1), Industrial park (2), Woods (3)** Zona edificada (1), Zona industrial (2), Bosque (3) Zona urbanistica (1), Zona industriale (2), Bosco (3)
Limite de département (1), de région (2), limite d'État (3) Grens van departement, gewestgrens (2), Staatsgrens (3) Departements- (1), Region- (2), Staatsgrenze (3)	1 2 3	**Département (1), Region (2), International boundary (3)** Límite de departamento (1), de región (2), Límite de Nación (3) Confine di dipartimento (1), di regione (2), di Stato (3)
Limite de camp militaire (1), Limite de Parc (2) Grens van militair kamp (1), Parkgrens (2) Truppenübungsplatzgrenze (1), Naturparkgrenze (2)	1 2	**Military camp boundary (1), Park boundary (2)** Límite de campo militar (1), Límite de Parque (2) Limite di campo militare (1), Limite di parco (2)
Marais (1), Marais salants (2), Glacier (3) Moeras (1), Zoutpan (2), Gletsjer (3) Sumpf (1), Salzteiche (2), Gletscher (3)	1 2 3	**Marsh (1), Salt marshes (2), Glacier (3)** Marisma (1), Salinas (2), Glaciar (3) Palude (1), Saline (2), Ghiacciaio (3)
Région sableuse (1), Sable humide (2) Zandig gebied (1), Getijdengebied (2) Sandgebiet (1), Gezeiten (2)	1 2	**Dry sand (1), Wet sand (2)** Zona arenosa (1), Arena húmida (2) Area sabbiosa (1), Sabbia bagnata (2)
Cathédrale (1), Abbaye (2), Église (3), Chapelle (4) Kathedraal (1), Abdij (2), Kerk (3), Kapel (4) Dom (1), Abtei (2), Kirche (3), Kapelle (4)	1 2 3 4	**Cathedral (1), Abbey (2), Church (3), Chapel (4)** Catedral (1), Abadía (2), Iglesia (3), Capilla (4) Cattedrale (1), Abbazia (2), Chiesa (3), Cappella (4)
Château (1), Château ouvert au public (2), Musée (3) Kasteel (1), Kasteel open voor publiek (2), Museum (3) Schloss (1), Schlossbesichtigung (2), Museum (3)	1 2 3	**Castle (1), Castle open to the public (2), Museum (3)** Castillo(1), Castillo abierto al público (2), Museo (3) Castello (1), Castello aperto al pubblico (2), Museo (3)
Localité d'intérêt touristique Bezienswaardige plaats Sehenswerter Ort	CAHORS	**Town or place of tourist interest** Localidad de interés turístico Località di interesse turistico
Phare (1), Moulin (2), Curiosité (3), Cimetière militaire (4) Vuurtoren (1), Molen (2), Bezienswaardigheid (3), Militaire begraafplaats (4) Leuchttum (1), Mühle (2), Sehenswürdigkeit (3), Soldatenfriedhof (4)	1 2 3 4	**Lighthouse (1), Mill (2), Place of interest (3), Military cemetery (4)** Faro (1), Molino (2), Curiosidad (3), Cementerio militar (4) Faro (1), Mulino (2), Curiosità (3), Cimitero militare (4)
Grotte (1), Mégalithe (2), Vestiges antiques (3), Ruines (4) Grot (1), Megaliet (2), Historische overblijfselen (3), Ruïnes (4) Höhle (1), Megalith (2), Altertümliche Ruinen (3), Ruinen (4)	1 2 3 4	**Cave (1), Megalith (2), Antiquities (3), Ruins (4)** Cueva (1), Megalito (2), Vestigios antiguos (3), Ruinas (4) Grotta (1), Megalite (2), Vestigia antiche (3), Rovine (4)
Point de vue (1), Panorama (2), Cascade ou source (3) Uitzichtspunt (1), Panorama (2), Waterval of bron (3) Aussichtspunkt (1), Rundblick (2), Wasserfall oder Quelle (3)	1 2 3	**Viewpoint (1), Panorama (2), Waterfall or spring (3)** Vista panorámica (1), Panorama (2), Cascada o fuente (3) Punto di vista (1), Panorama (2), Cascata o sorgente (3)
Station thermale (1), Sports d'hiver (2), Refuge (3), Activités de loisirs (4) Kuuroord (1), Wintersport (2), Schuilhut (3), Recreatieactiviteiten (4) Kurort mit Thermalbad (1), Wintersportort (2), Berghütte (3), Freizeittätigkeiten (4)	1 2 3 4	**Spa (1), Winter sports resort (2), Refuge hut (3), Leisure activities (4)** Estación termal (1), Estación de deportes de invierno (2), Refugio (3), Actividades de ocios (4) Stazione termale (1), Stazione di sport invernali (2), Rifugio (3), Attività di divertimenti (4)
Maison du Parc (1), Réserve naturelle (2), Parc ou jardin (3) Informatiebureau van natuurreservaat (1), Natuurreservaat (2), Park of tuin (3) Informationsbüro des Parks (1), Naturschutzgebiet (2), Park oder Garten (3)	1 2 3	**Park visitor centre (1), Nature reserve (2), Park or garden (3)** Casa del parque (1), Reserva natural (2), Parque o jardín (3) Ufficio d'informazione del Parco (1), Riserva naturale (2), Parco o giardino (3)
Chemin de fer touristique (1), Téléphérique (2) Toeristische trein (1), Kabelspoor (2) Touristische Kleinbahn (1), Seilbahn (2)	1 2	**Tourist railway (1), Aerial cableway (2)** Ferrocarril turístico (1), Teleférico (2) Ferrovia di interesse turistico (1), Teleferica (2)

Source Radars : DSCR - 05/2010. La représentation sur cet atlas des routes, chemins et sentiers relève d'une simple information topographique (description du terrain), sans préjuger du régime juridique qui leur est attaché. Certains d'entre eux peuvent être privés ou d'accès réglementé.

Depuis le 1er janvier 2006, certaines routes nationales sont transférées dans le domaine routier départemental et voient leur numérotation changer.
En attendant la prise en compte de ces changements dans la signalisation routière, le nouveau numéro départemental est accompagné de l'ancien numéro national.

Ex : D7n N7 / D7n N7 — N7 D7n / D7n N7

1: 250 000

0 5 10 km 15 20 25

1
E
F
G
H
PAS DE CALAIS
Tunnel sous la Manche
Dover (Royaume-Uni)
CÔTE D'OPALE
CALAIS
Sangatte
Coquelles
Terminal Eurotunnel
Marck
Oye-Plage
Rés. Nat. du Platier d'Oye
CAP BLANC NEZ
Escalles
Peuplingues
Coulogne
Fréthun
Nielles-lès-Calais
Gare T.G.V.
Bonningues-lès-Calais
Hames-Boucres
Guînes
Andres
Ardres
les Attaques
Wissant
CAP GRIS NEZ
Hervelinghen
St-Inglevert
Audinghen
Tardinghen
Leubringhen
Audembert
Landrethun-le-Nord
Caffiers
Fiennes
Ferques
Marquise
Leulinghen-Bernes
Bazinghen
Audresselles
Ambleteuse
Wimereux
Wimille
Rinxent
Rety
Hardinghen
Licques
Collines
Colembert
Desvres
du Boulonnais
PARC NAT. RÉGIONAL DES CAPS ET MARAIS D'OPALE
BOULOGNE-SUR-MER
ST-MARTIN-BOULOGNE
Nausicaa aquarium
le Portel
Outreau
St-Léonard
St-Étienne-au-Mont
Équihen-Plage
Condette
Hardelot-Plage
Neufchâtel-Hardelot
Nesles
Samer
Dannes
Camiers
Frencq
Longvilliers
le Touquet-Paris-Plage
Étaples
Montreuil
Hucqueliers
Fruges
Lumbres
Tournehem-sur-la-Hem
Nortkerque
Zutkerque
A16
A26
E15
E402
N42
D940
6
7

2
A
B
C
D
1
2
3
4
5
6
7
8
Dover (Royaume-Uni)
DUNKERQUE
Malo les Bains
Leffrinckoucke
Zuydcoote
Bray-Dunes
De Panne (la Panne)
Sint-Idesbald
Oostduinkerke
Adinkerke
Veurne (Furnes)
Réserve de West-Hock
Rés. Nat. de la Dune Marchand
Ghyvelde
St-Pol-sur-Mer
Fort-Mardyck
Grande-Synthe
Coudekerque-Branche
Téteghem
Uxem
Les Moëres
De Moeren
Bulskamp
Grand--Fort-Philippe
Loon--Plage
Gravelines
St-Georges-sur-l'Aa
Cappelle-la-Grande
Coudekerque--Village
Armbouts--Cappel
Craywick
Spycker
Hoymille
Warhem
Hondschoote
Bergues
Bierne
Brouckerque
Steene
Quaëdypre
Killem
Rexpoëde
St-Folquin
Bourbourg
St-Omer--Capelle
Vieille-Église
Pitgam
Crochte
Socx
West--Cappel
Oost--Cappel
Beveren
Roesbrugge--Haringe
Looberghe
Bissezeele
Wylder
Drincham
Cappelle--Brouck
Ste-Marie--Kerque
St-Pierre--Brouck
Eringhem
Esquelbecq
Bambecque
Herzeele
Zegerscappel
Wormhout
Houtkerque
Audruicq
Ruminghem
Bollezeele
Millam
Merckeghem
Volckerinckhove
Watten
Blockhaus d'Éperlecques
Rubrouck
Arnèke
Ledringhem
Winnezeele
Watou
Poperinge
Wulverdinghe
Lederzeele
Broxeele
Ochtezeele
Zermezeele
Oudezeele
Hardifort
Steenvoorde
St-Laurent
Nordausques
Bayenghem--lès-Éperlecques
Éperlecques
Houlle
Moulle
Serques
Tilques
St-Momelin
Nieurlet
Buysscheure
Noordpeene
Wemaers--Cappel
Zuytpeene
Cassel
Mont Cassel
Terdeghem
Godewaersvelde
Boeschepe
Eecke
Moringhem
Zudausques
Salperwick
Clairmarais
St-Martin--au-Laërt
St-Omer
Bavinchove
St-Sylvestre--Cappel
Caëstre
Flêtre
St-Jans--Cappel
Méteren
Tatinghem
Longuenesse
Arques
Renescure
Ebblinghem
Staple
Hondeghem
Wallon--Cappel
Hazebrouck
Borre
Pradelles
Strazeele
Merris
Quelmes
Acquin--Westbécourt
Lumbres
Setques
Wisques
Hallines
Wizernes
Blendecques
Campagne-lès-Wardrecques
Wardrecques
Lynde
Sercus
Esquerdes
Helfaut
Heuringhem
Racquinghem
Blaringhem
Morbecque
Vieux-Berquin
le Doulieu
Wavrans--sur-l'Aa
Elnes
Pihem
Remilly--Wirquin
Quiestède
Roquetoire
Steenbecque
Neuf--Berquin
Ecques
Wittes
Bœseghem
Wismes
Ouve--Wirquin
Herbelles
Inghem
Cléty
Clarques
Rebecques
Thiennes
Merville
Estaires
Dohem
Thérouanne
Mametz
Aire-sur-la-Lys
Haverskerque
la Gorgue
Merck--St-Liévin
Avroult
St--Venant
St-Floris
Calonne-sur--la-Lys
Lestrem
Fauquembergues
Delettes
Isbergues
Lambres
Guarbecque
Enguinegatte
Coyecques
Enquin--les-Mines
Liettres
Rombly
Mazinghem
Ham--en-Artois
Robecq
Vieille--Chapelle
Audincthun
Norrent--Fontes
Busnes
la Couture
Dennebrœucq
Bomy
Erny--St-Julien
Mont--Bernanchon
Hinges
Richebourg
Locon
Mencas
Fléchin
Ligny--lès-Aire
Lillers
Gonnehem
Essars
Festubert
Vincly
Matringhem
Westrehem
Auchy--au-Bois
Lières
Oblinghem
Vendin--lès-Béthune
Chocques
BÉTHUNE
Radinghem
Laires
Ames
Givenchy-lès--la-Bassée
Senlis
Beaumetz--lès-Aire
Febvin--Palfart
Fontaine--lès-Hermans
Amettes
Burbure
Annezin
Beuvry
Coupelle--Vieille
Lugy
Nédonchel
Nédon
Ferfay
Allouagne
Fouquereuil
Cuinchy
Fruges
Bailleul--lès-Pernes
Lozinghem
Auchel
Fouquières--lès-Béthune
Verquigneul
Lisbourg
Prédefin
Fiefs
Aumerval
Floringhem
Cauchy--à-la-Tour
Marles--les-Mines
Hesdigneul--lès-Béthune
Verquin
Labourse
Noyelles--lès-Vermelles
Coupelle--Neuve
Verchin
Fontaine--lès-Boulans
Sachin
Pernes
Calonne--Ricouart
Drouvin--le-Marais
Nœux--les-Mines
Vermelles
Heuchin
Canlers
Ruisseauville
Crépy
Équirre
Boyaval
Pressy
Camblain--Châtelain
Divion
Bruay--la-Buissière
Haillicourt
Ruitz
Houchin
Mazingarbe
Ambricourt
Bergueneuse
Tangry
Marest
Maisnil
Barlin
Azincourt
Tramecourt
FLANDRE
MONTS DE FLANDRE
A16
A25
A26
E40
E42
E15
N39
N225

Koekelare
Ichtegem
Torhout (Thourout)
Wingene
Ruiselede
Kortemark
Lichtervelde
Diksmuide (Dixmude)
Pittem
Tielt
Ardooie
Houthulst
Staden
Hooglede
Lo-Reninge
Dentergem
Roeselare (Roulers)
Meulebeke
Ingelmunster
Oostrozebeke
Zulte
Izegem
Langemark-Poelkapelle
Wielsbeke
Lendelede
Waregem
Moorslede
Zonnebeke
Deerlijk
Kuurne
Harelbeke
Ledegem
Ieper (Ypres)
Kortrijk (Courtrai)
Zwevegem
Wevelgem
Menen (Menin)
Wervik
Heuvelland
Comines-Warneton (Komen-Waasten)
Mesen (Messines)
Comines
Mouscron (Moeskroen)
Avelgem
Tourcoing
Roubaix
Wattrelos
Estaimpuis
Pecq
Nieppe
Armentières
Pérenchies
Lambersart
Lomme
Lille
Villeneuve-d'Ascq
Mons-en-Barœul
Marcq-en-Barœul
Loos
Haubourdin
Wavrin
Seclin
La Bassée
Annœullin
Carvin
Templeuve
Rumes
Brunehaut
Tournai
Antoing
Wingles
Oignies
Orchies
Lille-Lesquin
Ramskapelle
Vleteren
Poperinge
Halluin
Hem
Lannoy
Croix
Wasquehal
Lesquin
Ronchin
Fretin
Cysoing
Baisieux
Bouvines
Phalempin
Libercourt
Pont-à-Marcq
Mouchin
Sameon
Lecelles
Maulde
Mortagne-du-Nord

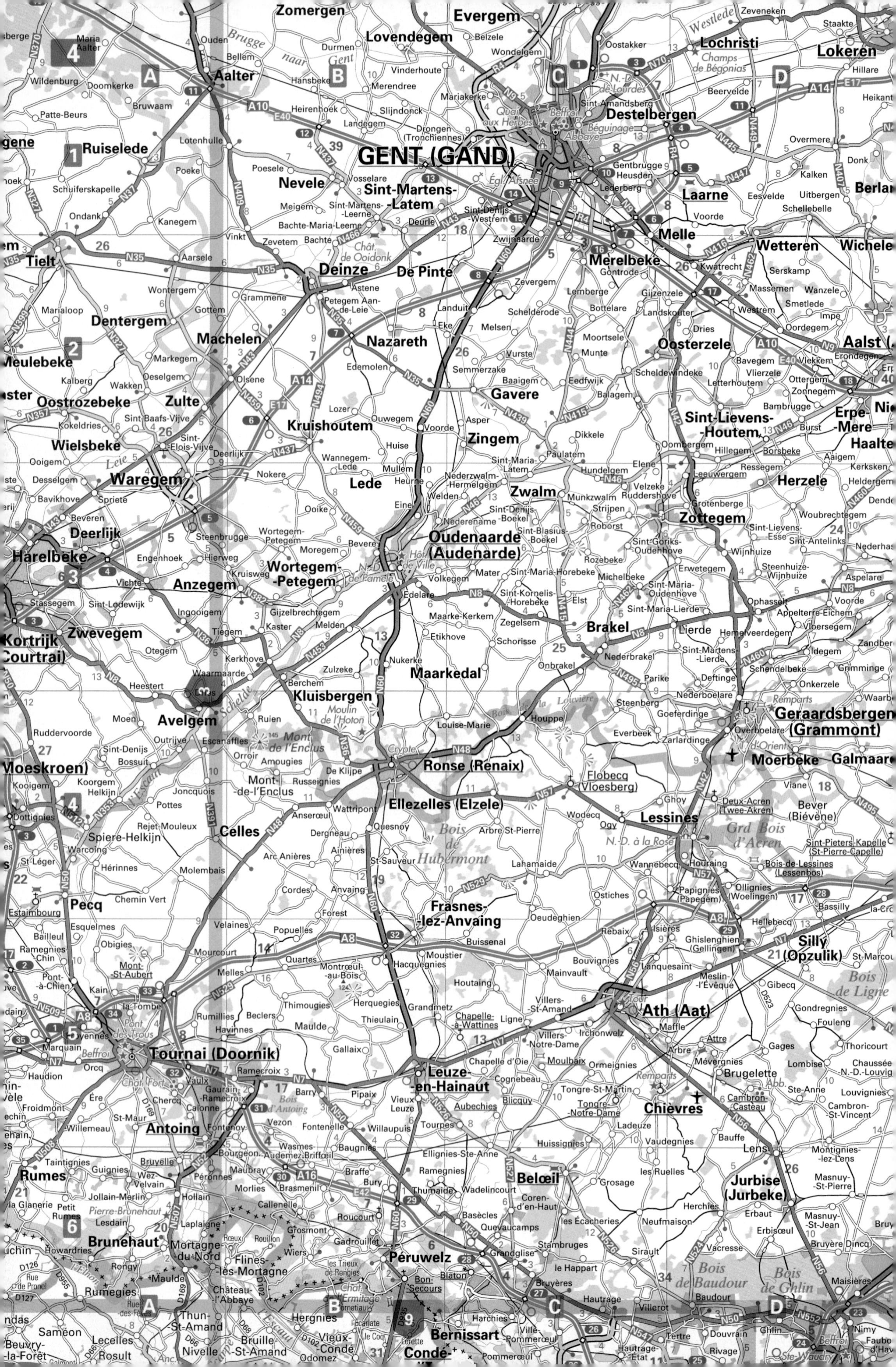

Zomergen
Evergem
Lovendegem
Lochristi
Lokeren
Aalter
Maria Aalter
Wildenburg
Doomkerke
Bruwaam
Patte-Beurs
Brugge naar Gent
Durmen
Vinderhoute
Merendree
Hansbeke
Heirenhoek
Slijndonck
Landegem
Drongen (Tronchiennes)
Mariakerke
Wondelgem
Belzele
Oostakker
Champs de Bégonias
N.-D. de Lourdes
Sint-Amandsberg
Destelbergen
Beervelde
Heikant
Hillare
Staakte
Zeveneken
Westlede
Quai aux Herbes
Beffroi
Béguinage
Abbaye
GENT (GAND)
Ruiselede
Lotenhulle
Poesele
Nevele
Vosselare
Sint-Martens-Latem
Sint-Martens-Leerne
Meigem
Bachte-Maria-Leerne
Deurle
Sint-Denijs-Westrem
Égl. Afsnee
Gentbrugge
Heusden
Ledeberg
Laarne
Voorde
Eesvelde
Kalken
Uitbergen
Schellebelle
Overmere
Donk
Berlare
Schuiferskapelle
Poeke
Kanegem
Ondank
Tielt
Vinkt
Zevenem
Bachte
Aarsele
Zwijnaarde
Melle
Merelbeke
Gontrode
Wetteren
Wichelen
Kwatrecht
Serskamp
Massemen
Wanzele
Smetlede
Impe
Oordegem
Westrem
Dentergem
Marialoop
Wontergem
Grammene
Gottem
Deinze
Astene
Petegem Aan-de-Leie
Châl. de Ooidonk
De Pinte
Zevergem
Landuit
Eke
Scheldlerode
Melsen
Lemberge
Bottelare
Gijzenzele
Landskouter
Dries
Oosterzele
Machelen
Nazareth
Vurste
Moortsele
Munte
Scheldewindeke
Bavegem
Vlierzele
Letterhoutem
Vlekkem
Erondegem
Ottergem
Zonnegem
Aalst
Meulebeke
Kalberg
Wakken
Markegem
Oeselgem
Olsene
Edemolen
Semmerzake
Baaigem
Eedfwijk
Balagem
Gavere
Oostrozebeke
Zulte
Sint-Baafs-Vijve
Kokeldries
Lozer
Ouwegem
Kruishoutem
Voorde
Asper
Dikkele
Bambrugge
Sint-Lievens-Houtem
Erpe-Mere
Burst
Haaltert
Wielsbeke
Sint-Elois-Vijve
Deerlijk
Huise
Zingem
Paulatem
Hillegem
Borsbeke
Aaigem
Kerksken
Heldergem
Ooigem
Leie
Waregem
Nokere
Wannegem-Lede
Mullem
Heurne
Lede
Sint-Maria-Latem
Nederzwalm-Hermelgem
Hundelgem
Oombergem
Elene
Leeuwergem
Ressegem
Herzele
Desselgem
Bavikhove
Spriete
Ooike
Eine
Welden
Zwalm
Munkzwalm
Ruddershove
Velzeke
Strijpen
Grotenberge
Woubrechtegem
Beveren
Deerlijk
Harelbeke
Steenbrugge
Wortegem-Petegem
Moregem
Nederename
Sint-Denijs-Boekel
Sint-Blasius-Boekel
Roborst
Zottegem
Sint-Lievens-Esse
Sint-Antelinks
Engenhoek
Hierweg
Kruisweg
Bevere
Oudenaarde (Audenarde)
Hôtel de Ville
N.-D. de Pamele
Rozebeke
Sint-Goriks-Oudenhove
Wijnhuize
Steenhuize-Wijnhuize
Aspelare
Vichte
Anzegem
Volkegem
Mater
Sint-Maria-Horebeke
Michelbeke
Erwetegem
Sint-Maria-Oudenhove
Stasegem
Sint-Lodewijk
Gijzelbrechtegem
Edelare
Sint-Kornelis-Horebeke
Elst
Sint-Maria-Lierde
Ophasselt
Voorde
Appelterre-Eichem
Vloersegem
Kortrijk (Courtrai)
Zwevegem
Ingooigem
Kaster
Melden
Maarke-Kerkem
Zegelsem
Brakel
Lierde
Hemelveerdegem
Tiegem
Otegem
Kerkhove
Etikhove
Schorisse
Nederbrakel
Sint-Martens-Lierde
Idegem
Zandbergen
Heestert
Waarmaarde
Zulzeke
Nukerke
Maarkedal
Onbrakel
Parike
Deftinge
Schendelbeke
Grimminge
Berchem
Kluisbergen
Steenberge
Nederboelare
Onkerzele
Remparts
Waarbeke
Moen
Avelgem
Moulin de l'Hotond
Bois de la Louvière
Houppe
Goeferdinge
Geraardsbergen (Grammont)
Ruddervoorde
Outrijve
Ruien
Louise-Marie
Everbeek
Zarlardinge
Overboelare
Moerbeke
Galmaarden
Sint-Denijs
Bossuit
Escanaffles
Mont de l'Enclus
Orroir
Amougies
Crypte
Ronse (Renaix)
Flobecq (Vloesberg)
Moeskroen
Kooigem
Koorgem
Helkijn
Joncquois
Mont-de-l'Enclus
Russeignies
De Klijpe
Ellezelles (Elzele)
Ghoy
Deux-Acren (Twee-Akren)
Viane
Bever (Biévène)
Dottignies
Pottes
Anseroeul
Wattripont
Quesnoy
Bois de Hubermont
Arbre
St-Pierre
Wodecq
Ogy
Lessines
N.-D. à la Rose
Grd Bois d'Acren
Sint-Pieters-Kapelle (St-Pierre-Capelle)
Spiere-Helkijn
Rejet-Mouleux
Celles
Dergneau
Ainières
Warcoing
St-Léger
Hérinnes
Molembais
Arc Anières
St-Sauveur
Lahamaide
Wannebecq
Houraing
Bois-de-Lessines (Lessenbos)
Pecq
Chemin Vert
Cordes
Anvaing
Frasnes-lez-Anvaing
Ostiches
Papignies (Papegem)
Ollignies (Woelingen)
Bassilly
Estaimbourg
Esquelmes
Forest
Velaines
Popuelles
Oeudeghien
Rebaix
Isières
Hellebecq
Bailleul
Obigies
Ghislenghien (Gellingen)
Silly (Opzulik)
Ramegnies-Chin
Mont-St-Aubert
Mourcourt
Quartes
Buissenal
Moustier
Hacquegnies
Montroeul-au-Bois
Bouvignies
Lanquesaint
Meslin-l'Évêque
Gibecq
Bois de Ligne
Pont-à-Chin
Kain
Melles
Mainvault
Villers-St-Amand
Houtaing
Herquegies
Grandmetz
Chapelle-à-Wattines
Ligne
Ath (Aat)
Gondregnies
Fouleng
La Tombe
Pont des Trous
Rumillies
Havinnes
Beclers
Thimougies
Thieulain
Maulde
Maffle
Villers-Notre-Dame
Irchonwelz
Attre
Gages
Thoricourt
Marquain
Beffroi
Tournai (Doornik)
Orcq
Gallaix
Chapelle-à-Oie
Moulbaix
Ormeignies
Arbre
Mévergnies
Brugelette
Lombise
Chaussée-N.-D.-Louvignies
Haudion
Ramecroix
Vaulx
Gaurain-Ramecroix
Barry
Pipaix
Vieux Leuze
Leuze-en-Hainaut
Cognebeau
Aubechies
Blicquy
Tongre-St-Martin
Tongre-Notre-Dame
Remparts
Chièvres
Cambron-Casteau
Ste-Anne
Louvignies
Cambron-St-Vincent
Froidmont
Ère
Chercq
Calonne
Bois d'Antoing
Vezon
Fontenelle
Willaupuis
Tourpes
Ladeuze
Vaudegnies
Bauffe
Willemeau
St-Maur
Antoing
Fontenoy
Wasmes-Audemez-Briffoeil
Baugnies
Ellignies-Ste-Anne
Huissignies
Lens
Montignies-lez-Lens
Taintignies
Guignies
Bruyelle
Bourgeon
Maubray
Braffe
Bury
Ramegnies
Beloeil
Grosage
les Ruelles
Jurbise (Jurbeke)
Masnuy-St-Pierre
Rumes
Wez-Velvain
Péronnes
Morlies
Brasmenil
Thumaide
Wadelincourt
Coren-d'en-Haut
Erbaut
Masnuy-St-Jean
La Glanerie
Petit Rumes
Jollain-Merlin
Hollain
Callenelle
Roucourt
Basècles
Quevaucamps
les Écacheries
Neufmaison
Herchies
Erbisoeul
Bruyère Dincq
Pierre-Brunehaut
Lesdain
Laplaigne
Roeux
Rouillon
Grosmont
Gadrouillet
Grandglise
Stambruges
Sirault
Vacresse
Brunehaut
Howardries
Mortagne-du-Nord
Flines-lès-Mortagne
Wiers
Péruwelz
Bon-Secours
Blaton
le Happart
Bois de Baudour
Bois de Ghlin
Maisières
Rongy
Maulde
Rumegies
Château-l'Abbaye
Chât. de l'Ermitage
Bruyères
Hautrage
Villerot
Baudour
Thun-St-Amand
Hergnies
Harchies
Ville-Pommeroeul
Ghlin
Nimy
Sameon
Lecelles
Rosult
Beuvry-la-Forêt
Nivelle
Bruille-St-Amand
Vieux-Condé
Odomez
Bernissart
Condé
Pommeroeul
Hautrage-Etat
Tertre
Douvrain
Rivage
Ste-Waudru
Beffroi
Scheldt
Escaut
Schelde
A10
E40
A14
E17
A8
A16
E42
N60
N8
N48
N57
N7
N50
N56

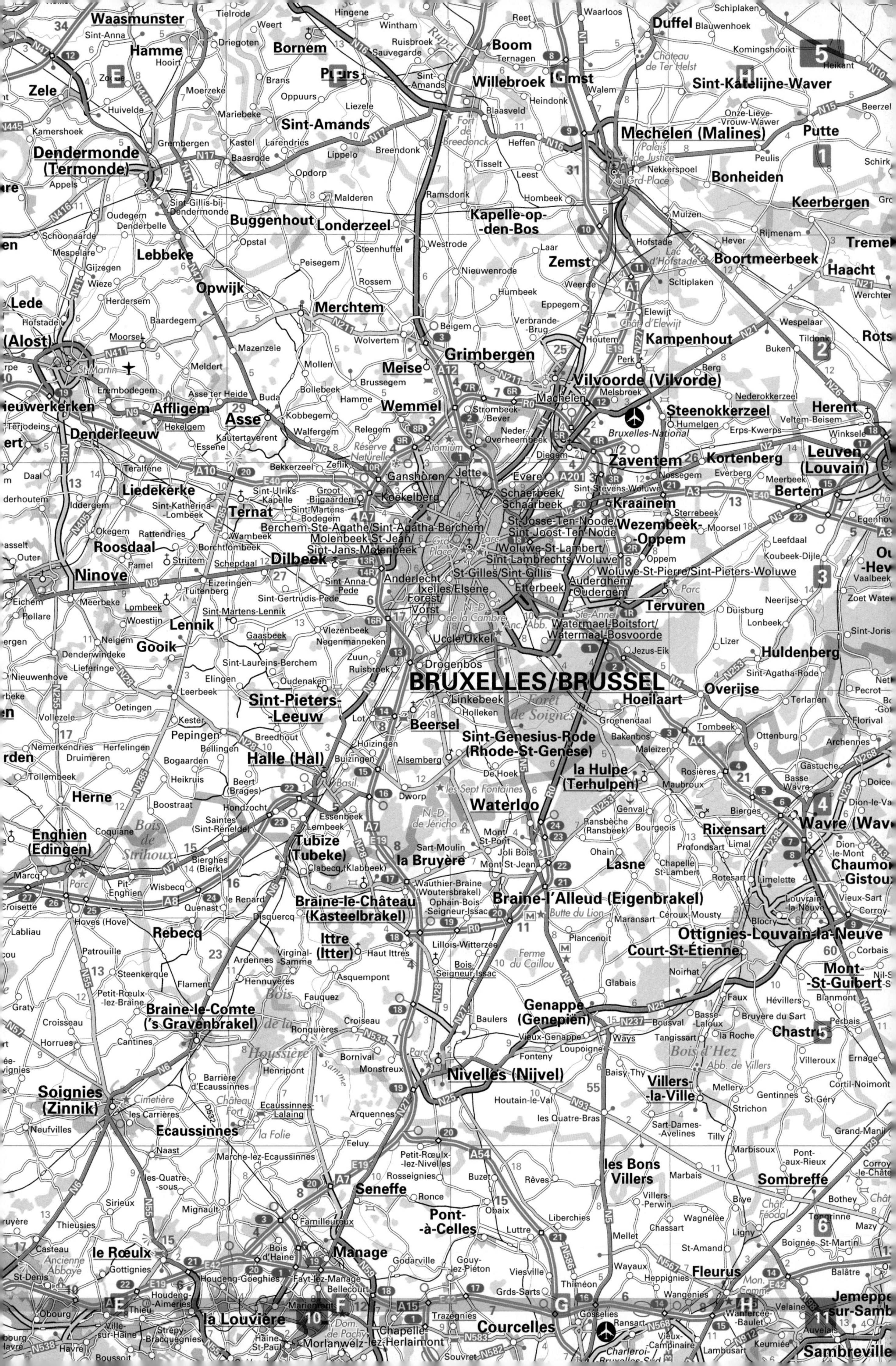

Waasmunster
Hamme
Zele
Bornem
Puurs
Boom
Willebroek
Duffel
Sint-Katelijne-Waver
Mechelen (Malines)
Putte
Sint-Amands
Dendermonde
(Termonde)
Bonheiden
Keerbergen
Buggenhout
Londerzeel
Kapelle-op-den-Bos
Zemst
Boortmeerbeek
Haacht
Lebbeke
Opwijk
Merchtem
Lede
(Alost)
Kampenhout
Grimbergen
Meise
Vilvoorde (Vilvorde)
Affligem
Asse
Wemmel
Steenokkerzeel
Herent
Denderleeuw
Zaventem
Kortenberg
Leuven
(Louvain)
Liedekerke
Ternat
Kraainem
Bertem
Wezembeek-Oppem
Roosdaal
Dilbeek
Ninove
Tervuren
Lennik
Gooik
BRUXELLES/BRUSSEL
Huldenberg
Overijse
Hoeilaart
Sint-Pieters-Leeuw
Beersel
Sint-Genesius-Rode
(Rhode-St-Genèse)
Halle (Hal)
la Hulpe
(Terhulpen)
Herne
Waterloo
Rixensart
Wavre
Enghien
(Edingen)
Tubize
(Tubeke)
la Bruyère
Lasne
Braine-le-Château
(Kasteelbrakel)
Braine-l'Alleud (Eigenbrakel)
Rebecq
Ottignies-Louvain-la-Neuve
Ittre
(Itter)
Court-St-Étienne
Mont-St-Guibert
Braine-le-Comte
('s Gravenbrakel)
Genappe
(Genepiën)
Chastre
Nivelles (Nijvel)
Villers-la-Ville
Soignies
(Zinnik)
Ecaussinnes
les Bons Villers
Sombreffe
Seneffe
Pont-à-Celles
le Rœulx
Manage
Fleurus
la Louvière
Courcelles
Jemeppe-sur-Sambre
Sambreville
Morlanwelz
Chapelle-lez-Herlaimont
Bruxelles-National
Charleroi-Bruxelles-Sud
Forêt de Soignes
Bois de Strihoux
Bois d'Hez
E40
E19
E42
A12
R0

6
A
B
C
D
1
2
3
4
Montreuil
Berck
Berck-Plage
Merlimont
Merlimont-Plage
Bagatelle Parc d'Attractions
Rang-du-Fliers
Verton
Groffliers
Waben
Baie de l'Authie
Fort-Mahon-Plage
Aquaclub de Belle-Dune
Quend-Plage
Quend
MARQUENTERRE
St-Quentin-en-Tourmont
Rue
Parc Ornithologique du Marquenterre
Rés. Nat. de la Baie de Somme
CÔTE PICARDE
le Hourdel
le Crotoy
St-Valery-sur-Somme
Cayeux-sur-Mer
Noyelles-sur-Mer
Nampont
Bernay-en-Ponthieu
Crécy-en-Ponthieu
Nouvion
Forest-l'Abbaye
Abbeville
Ault
Onival
Lanchères
Pendé
Boismont
Brutelles
Friville-Escarbotin
V I M E U
Mers-les-Bains
le Tréport
Eu
Criel-sur-Mer
Manoir de Briançon
Étalondes
Feuquières-en-Vimeu
Chépy
Moyenneville
Oust-Marest
Dargnies
Beauchamps
Incheville
Gamaches
Vismes
Oisemont
Blangy-sur-Bresle
Bouttencourt
Foucarmont
Londinières
Envermeu
Douvrend
St-Quentin-au-Bosc
Penly
Biville-sur-Mer
Tocqueville-sur-Eu
Touffreville-sur-Eu
Allery
Hallencourt
Huppy
St-Maxent
Aumâtre
Senarpont
St-Maulvis
Villers-Campsart
Neuville-Coppegueule
Beaucamps-le-Vieux
Sorrus
Ecuires
Brimeux
Maintenay
Argoules
Dominois
Vron
Arry
Machy
Ligescourt
Dompierre-sur-Authie
Forest-Montiers
Favières
Ponthoile
Grand-Laviers
Cambron
Yonval
Mareuil-Caubert
Épagne-Épagnette
Doudelainville
Frucourt
Allery
A16
A28
E402
18
19
17

Bruay-Buissière
Barlin
Haillicourt
Houchin
Ruitz
Maisnil-lès-Ruitz
Hersin-Coupigny
Mazingarbe
Vermelles
Hulluch
Wingles
Bénifontaine
Estevelles
Vendin-le-Vieil
Pont-à-Vendin
Loos-en-Gohelle
Grenay
Bully-les-Mines
Sains-en-Gohelle
LENS
Courrières
Harnes
Oignies
Ostricourt
Thumeries
Moncheaux
Faumont
Auchy-lez-Orchies
Bersée
Coutiches
Bouvignies
Flines-lez-Raches
Râches
Anhiers
Lallaing
Pecquencourt
Montigny-en-Ostrevent
Leforest
Roost-Warendin
Courcelles-lès-Lens
Auby
Flers-en-Escrebieux
Evin-Malmaison
Raimbeaucourt
Dourges
Noyelles-Godault
Montigny-en-Gohelle
HENIN-BEAUMONT
Noyelles-sous-Lens
Loison-sous-Lens
Annay
Fouquières-lès-Lens
Sallaumines
Billy-Montigny
Méricourt
Rouvroy
Drocourt
Eleu-dit-Leauwette
Avion
LIÉVIN
Angres
Aix-Noulette
Bouvigny-Boyeffles
Fresnicourt-le-Dolmen
Servins
Gauchin-Légal
Estrée-Cauchy
Caucourt
Gouy-Servins
Ablain-St-Nazaire
Souchez
Givenchy-en-Gohelle
Vimy
Nécr.Nat. N.-D. de Lorette
Colline de Lorette
Mingoval
Camblignuel
Villers-Châtel
Camblain-l'Abbé
Villers-au-Bois
Carency
Neuville-St-Vaast
Thélus
Farbus
Willerval
Arleux-en-Gohelle
Acheville
Bois-Bernard
Izel-lès-Équerchin
Quiéry-la-Motte
Esquerchin
Cuincy
DOUAI
Lauwin-Planque
Waziers
Sin-le-Noble
Dechy
Guesnain
Lambres-lez-Douai
Courchelettes
Masny
Lewarde
Auberchicourt
Savy-Berlette
Aubigny-en-Artois
Agnières
Capelle-Fermont
Acq
Mont-St-Eloi
Frévin-Capelle
Écoivres
Tilloy-lès-Hermaville
Hermaville
Haute-Avesnes
Agnez-lès-Duisans
Marœuil
Étrun
Anzin-St-Aubin
Habarcq
Duisans
Ste-Catherine
St-Nicolas
Roclincourt
Écurie
Bailleul-Sir-Berthoult
Oppy
Neuvireuil
Fresnoy-en-Gohelle
Fresnes-lès-Montauban
Vitry-en-Artois
Biache-St-Vaast
Brebières
Corbehem
Gouy-sous-Bellonne
Férin
Goeulzin
Cantin
Roucourt
Erchin
Villers-au-Tertre
Noyelle-Vion
Noyellette
Gouves
Montenescourt
Lattre-St-Quentin
Dainville
ARRAS
Athies
Fampoux
Gavrelle
St-Laurent-Blangy
Feuchy
Rœux
Plouvain
Pelves
Hamblain-les-Prés
Noyelles-sous-Bellonne
Bellonne
Sailly-en-Ostrevent
Tortequesne
Estrées
Arleux
Brunémont
Bugnicourt
Fressain
Aubigny-au-Bac
Hauteville
Wanquetin
Warlus
Berneville
Achicourt
Agny
Tilloy-lès-Mofflaines
Monchy-le-Preux
Boiry-Notre-Dame
Étaing
Lécluse
Hamel
Palluel
Écourt-St-Quentin
Aubencheul-au-Bac
Oisy-le-Verger
Fressies
Gouy-en-Artois
Beaumetz-lès-Loges
Simencourt
Wailly
Beaurains
Neuville-Vitasse
Guémappe
Wancourt
Rémy
Éterpigny
Haucourt
Récourt
Saudemont
Dury
Rumaucourt
Sauchy-Cauchy
Sauchy-Lestrée
Épinoy
Monchiet
Rivière
Ficheux
Mercatel
St-Martin-sur-Cojeul
Héninel
Vis-en-Artois
Chérisy
Fontaine-lès-Croisilles
Hendecourt-lès-Cagnicourt
Villers-lès-Cagnicourt
Baralle
Marquion
Bourlon
Basseux
Bailleulval
Blairville
Boisleux-St-Marc
Hénin-sur-Cojeul
Boiry-Becquerelle
Croisilles
Bullecourt
Cagnicourt
Riencourt-lès-Cagnicourt
Buissy
Sains-lès-Marquion
Raillencourt-Ste-Olle
Sailly-lez-Cambrai
Haynecourt
La Herlière
La Cauchie
Bailleulmont
Hendecourt-lès-Ransart
Ransart
Adinfer
Boiry-Ste-Rictrude
Boisleux-au-Mont
Boyelles
Boiry-St-Martin
St-Léger
Écoust-St-Mein
Quéant
Pronville
Inchy-en-Artois
Fontaine-N.-D.
Humbercamps
Pommier
Berles-au-Bois
Monchy-au-Bois
Moyenneville
Hamelincourt
Noreuil
Lagnicourt-Marcel
Mœuvres
Anneux
Proville
Audiempre
St-Amand
Bienvillers-au-Bois
Douchy-lès-Ayette
Ayette
Courcelles-le-Comte
Ervillers
Gomiécourt
Mory
Vaulx-Vraucourt
Morchies
Louverval
Boursies
Graincourt-lès-Havrincourt
Cantaing-sur-Escaut
Noyelles-sur-Escaut
Souastre
Foncquevillers
Hannescamps
Essarts-lès-Bucquoy
Bucquoy
Ablainzevelle
Achiet-le-Grand
Béhagnies
Sapignies
Favreuil
Beugnâtre
Doignies
Demicourt
Flesquières
Marcoing
Bayencourt
Gommecourt
Hébuterne
Achiet-le-Petit
Bihucourt
Beugny
Lebucquière
Beaumetz-lès-Cambrai
Hermies
Havrincourt
Ribécourt-la-Tour
Coigneux
Sailly-au-Bois
Courcelles-au-Bois
Puisieux
Biefvillers-lès-Bapaume
Grévillers
Frémicourt
Vélu
Colincamps
Serre
Miraumont
Irles
Avesnes-lès-Bapaume
Bancourt
Haplincourt
Bertincourt
Trescault
Villers-Plouich
Auchonvillers
Beaumont-Hamel
Pys
Warlencourt-Eaucourt
Bapaume
Riencourt-lès-Bapaume
Villers-au-Flos
Ruyaulcourt
Metz-en-Couture
La Vacquerie
Mailly-Maillet
Beaucourt-sur-l'Ancre
Grandcourt
Ligny-Thilloy
Le Sars
Beaulencourt
Barastre
Bus
Neuville-Bourjonval
Gouzeaucourt
Banteux
Bantouzelle
Gonnelieu
Forceville
Englebelmer
Hamel
Courcelette
Thiepval
Mémorial Brit.
Le Transloy
Rocquigny
Ytres
Léchelle
Hédauville
Mesnil-Martinsart
Authuille
Martinpuich
Gueudecourt
Flers
Lesbœufs
Étricourt-Manancourt
Fins
Honnecourt-sur-Escaut
Villers-Guislain
Bouzincourt
Ovillers-la-Boisselle
Pozières
Bazentin
Longueval
Ginchy
Morval
Mesnil-en-Arrouaise
Sailly-Saillisel
Équancourt
Sorel
Heudicourt
Épehy
Senlis-le-Sec
Aveluy
La Boisselle
Contalmaison
Guillemont
Albert
Millencourt
Laviéville
Bécourt
Fricourt
Mametz
Montauban-de-Picardie
Combles
Maurepas
Rancourt
Nurlu
Liéramont
Guyencourt-Saulcourt
Lempire
Ronssoy
Le Catelet
Bony
Méaulte
Bécordel-Bécourt
Carnoy
Hardecourt-aux-Bois
Moislains
Aizecourt-le-Bas
Saulcourt
Templeux-le-Guérard
Ribemont-sur-Ancre
Buire-sur-l'Ancre
Dernancourt
Ville-sur-Ancre
Maricourt
Curlu
Bouchavesnes-Bergen
Aizecourt-le-Haut
Longavesnes
Villers-Faucon
Templeux-la-Fosse
Hargicourt
Villeret
Belvédère de Vaux
Treux
Méricourt-l'Abbé
Morlancourt
Bray-sur-Somme
Suzanne
Éclusier-Vaux
Hem-Monacu
Feuillères
Cléry-sur-Somme
Allaines
Driencourt
Marquaix
Roisel
Hesbécourt
Bussu
Tincourt-Boucly
Hamelet
Hervilly
Jeancourt
Le Verguier
Vaux-sur-Somme
La Neuville-lès-Bray
Étinehem
Cappy
Frise
Herbécourt
Halles
Ste-Radegonde
Péronne
Buire-Courcelles
Doingt
Montigny
Sailly-Laurette
Sailly-le-Sec
Chipilly
Dompierre-Becquincourt
Biaches
Flaucourt
Barleux
La Chapelette
Mesnil-Bruntel
Cartigny
Brusle
Hancourt
Bouvincourt-en-Vermandois
Vraignes-en-Vermandois
Bernes
Fléchin
Vendelles
Vadancourt
Maissemy
Pontru
Le Hamel
Cerisy
Morcourt
Méricourt-sur-Somme
Chuignolles
Chuignes
Fontaine-lès-Cappy
Assevillers
Belloy-en-Santerre
Villers-Carbonnel
Éterpigny
St-Cren
Estrées-en-Chaussée
Poeuilly
Soyécourt
Vermand
SANTERRE
Lamotte-Warfusée
Proyart
Foucaucourt-en-Santerre
Fay
Estrées-Deniécourt
Berny-en-Santerre
Brie
Estrées-Mons
Devise
Tertry
Caulaincourt
Attilly
Holnon
Bayonvillers
Framerville-Rainecourt
Harbonnières
Herleville
Soyécourt
Fresnes-Mazancourt
St-Christ-Briost
Athies
Monchy-Lagache
Trefcon
Francilly-Selency
Wiencourt-l'Équipée
Guillaucourt
Vauvillers
Vermandovillers
Ablaincourt-Pressoir
Misery
Cizancourt
Ennemain
Douvieux
Beauvois-en-Vermandois
Savy
Ignaucourt
La Maison Rouge
Marchélepot
Épénancourt
Falvy
Lanchy
Hyencourt
Guizancourt
Méraucourt

Orchies
Landas
Saméon
Lecelles
Rosult
Beuvry-la-Forêt
Thun-St-Amand
Nivelle
Hergnies
Bruille-St-Amand
Vieux-Condé
Odomez
Bernissart
Condé-sur-l'Escaut
St-Ghislain
Boussu
Quaregnon
Jemappes
Hautrage-État
Tertre
Douvrain
Ghlin
St-Amand-les-Eaux
Millonfosse
Fresnes-sur-Escaut
Escautpont
Thivencelle
Hensies
Crespin
Quiévrain
PARC NAT. RÉG. SCARPE-ESCAUT
Mais. du Parc
Hasnon
Warlaing
Marchiennes
Wandignies-Hamage
Réserve Ornithologique
Bruay-sur-l'Escaut
Raismes
Onnaing
Vicq
Quiévrechain
Quarouble
Élouges
Dour
Wasmes
Colfontaine
Frameries
Rieulay
Wallers
Aubry-du-Hainaut
Petite-Forêt
Beuvrages
Anzin
St-Saulve
Rombies-et-Marchipont
Fenain
Hélesmes
Erre
Hornaing
Bellaing
Oisy
VALENCIENNES
Honnelles
Marly
Somain
Haveluy
Hérin
Wavrechain-sous-Denain
la Sentinelle
Estreux
Saultain
Curgies
Sebourg
Gussignies
Bellignies
Abscon
Escaudain
Denain
Aniche
Rouvignies
Haulchin
Prouvy
Aéroport de Valenciennes-Denain
Trith-St-Léger
Aulnoy-lez-Valenciennes
Famars
Jenlain
Wargnies-le-Grand
Bavay
Lourches
Mastaing
Rœulx
Neuville-sur-Escaut
Douchy-les-Mines
Thiant
Maing
Préseau
Artres
Maresches
Villers-Pol
Wargnies-le-Petit
St-Waast
Bermeries
Monchaux-sur-Écaillon
Quérénaing
Marquette-en-Ostrevant
Bouchain
Noyelles-sur-Selle
Verchain-Maugré
Sepmeries
Orsinval
Amfroipret
Gommegnies
Mecquignies
Neuf-Mesnil
Lieu-St-Amand
Wavrechain-sous-Faulx
Hordain
Haspres
Vendegies-sur-Écaillon
Sommaing
Ruesnes
Bermerain
le Quesnoy
Villereau
Avesnes-le-Sec
Saulzoir
St-Martin-sur-Écaillon
Beaudignies
Potelle
Jolimetz
Pont-sur-Sambre
Paillencourt
Thun-l'Évêque
Iwuy
Villers-en-Cauchies
Montrécourt
Escarmain
Capelle
Ghissignies
Louvignies-Quesnoy
Forêt Notre-Dame des Flaquettes
Bachant
Aulnoye-Aymeries
Haussy
Vertain
Romeries
Salesches
Raucourt-au-Bois
Locquignol
Berlaimont
St-Aubert
Avesnes-les-Aubert
St-Vaast-en-Cambrésis
St-Python
Solesmes
Neuville-en-Avesnois
Englefontaine
Hecq
Sassegnies
Leval
Escaudœuvres
Rieux-en-Cambrésis
Beaurain
Poix-du-Nord
Vendegies-au-Bois
Forêt de Mormal
Monceau-St-Waast
Cauroir
Boussières-en-Cambrésis
St-Hilaire-lez-Cambrai
CAMBRAI
Carnières
Quiévy
Briastre
Croix-Caluyau
Robersart
Preux-au-Bois
Noyelles-sur-Sambre
Dompierre-sur-Helpe
Awoingt
Bévillers
Beauvois-en-Cambrésis
Viesly
Bousies
Forest-en-Cambrésis
Fontaine-au-Bois
Taisnières-en-Thiérache
Niergnies
Estourmel
Cattenières
Béthencourt
Neuvilly
Landrecies
Maroilles
St-Hilaire-sur-Helpe
Rumilly-en-Cambrésis
Wambaix
Fontaine-au-Pire
Caudry
Inchy
Beaumont-en-Cambrésis
Montay
Pommereuil
Marbaix
Séranvillers-Forenville
Crèvecœur-sur-l'Escaut
Esnes
Haucourt-en-Cambrésis
Troisvilles
le Cateau-Cambrésis
le Favril
Grand-Fayt
Petit-Fayt
Cartignies
Avesnes-sur-Helpe
les Rues-des-Vignes
Ligny-en-Cambrésis
Montigny-en-Cambrésis
Bertry
Reumont
Bazuel
Ors
Boulogne-sur-Helpe
Caullery
Clary
Maurois
Catillon-sur-Sambre
la Groise
Prisches
Walincourt-Selvigny
Honnechy
St-Benin
St-Souplet
Mazinghien
Beaurepaire-sur-Sambre
Étrœungt
Malincourt
Maretz
Élincourt
St-Martin-Rivière
Barzy-en-Thiérache
Villers-Outréaux
Busigny
Molain
Ribeauville
Rejet-de-Beaulieu
Fesmy-le-Sart
Bergues-sur-Sambre
le Nouvion-en-Thiérache
Floyon
Fontenelle
Larouillies
Aubencheul-aux-Bois
Serain
Vaux-Andigny
la Vallée-Mulâtre
Wassigny
Boué
Papleux
Prémont
Becquigny
Étreux
la Flamengrie
Gouy
Beaurevoir
la Neuville-lès-Dorengt
Esquéhéries
Mennevret
Vénérolles
Hannapes
Bohain-en-Vermandois
Brancourt-le-Grand
Dorengt
Buironfosse
la Capelle
Bellicourt
Estrées
Montbrehain
Ramicourt
Fresnoy-le-Grand
Petit-Verly
Leschelle
Nauroy
Joncourt
Seboncourt
Tupigny
Iron
Lavaqueresse
Lerzy
Magny-la-Fosse
Sequehart
Aisonville-et-Bernoville
Grougis
Grand-Verly
Lesquielles-St-Germain
Étaves-et-Bocquiaux
Vadencourt
Crupilly
Froidestrées
Bellenglise
Levergies
Englancourt
Lehaucourt
Fontaine-Uterte
Croix-Fonsommes
Villers-lès-Guise
Chigny
Erloy
Sorbais
Fonsommes
Monceau-sur-Oise
Malzy
Lesdins
Remaucourt
Essigny-le-Petit
Montigny-en-Arrouaise
Noyales
Proix
Guise
Flavigny-le-Grand-et-Beaurain
Romery
Proisy
Marly-Gomont
Autreppes
St-Algis
Fieulaine
Macquigny
Wiège-Faty
Omissy
Fontaine-Notre-Dame
Hauteville
Audigny
Haution
Morcourt
Fayet
ST-QUENTIN
Bernot
Colonfay
le Sourd
la Vallée-au-Blé
Laigny
Homblières
Harly
Marcy
Neuvillette
Puisieux-et-Clanlieu
Voulpaix
Fontaine-lès-Vervins
Mesnil-St-Laurent
Regny
Thenelles
Mont-d'Origny
Origny-Ste-Benoite
Sains-Richaumont
Lemé
St-Pierre-lès-Franqueville
le Hérie-la-Viéville
Gauchy

Mons (Bergen)
la Louvière
Courcelles
CHARLEROI
Gosselies
Ransart
Jumet
Charleroi-Bruxelles-Sud
Trazegnies
Chapelle-lez-Herlaimont
Morlanwelz
Fontaine-l'Évêque
Binche
Estinnes
Anderlues
Montignies-le-Tilleul
Lobbes
Thuin
Gerpinnes
Ham-sur-Heure-Nalinnes
Erquelinnes
Jeumont
MAUBEUGE
Feignies
Quévy
Beaumont
Walcourt
Philippeville
Cerfontaine
Froidchapelle
Chimay
Couvin
Mariembourg
Nismes
Rocroi
Avesnes-sur-Helpe
Sains-du-Nord
Fourmies
Trélon
Momignies
Hirson
Signy-le-Petit
Regniowez
Vervins
la Capelle
Martigny
Aubenton
Hautmont
Solre-le-Château
Sars-Poteries
Dourlers
Felleries
Liessies
Eppe-Sauvage
Moustier-en-Fagne
Wallers-en-Fagne
Clairfayts
Sivry-Rance
Rance
Macon
Baives
Anor
Glageon
Féron
Wignehies
Rocquigny
Sémeries
Avesnelles
Cousolre
Colleret
Recquignies
Rousies
Ferrière-la-Grande
Obrechies
Damousies
Maubert-Fontaine
Tremblois-lès-Rocroi
Rimogne
L'AVESNOIS
Forêt de Rance
Bois de Chimay
Forêt d'Hirson
Bois de Fontaine
Lac du Val Joly
Parc Départemental du Val Joly
Forêt Dom. de Trélon
Étang de Virelle
Grotte de Neptune
E44
N2
N5
N40
N53
N90
N99

NAMUR (NAMEN)
Sambreville
Floreffe
Fosse-la-Ville
Aiseau-Presles
Profondeville
Mettet
Florennes
Assesse
Gesves
Ohey
Perwez
Hamois
Ciney
Yvoir
Anhée
Dinant
Onhaye
Hastière
Givet
Beauraing
Houyet
Rochefort
Wellin
Tellin
Viroinval
Vireux-Molhain
Vireux-Wallerand
Aubrives
Hierges
Montigny-sur-Meuse
Haybes
Fumay
Revin
Laifour
Monthermé
Deville
Bogny-sur-Meuse
Nouzonville
Renwez
Montcornet
Gedinne
Bièvre
Vresse-sur-Semois
Paliseul
Daverdisse
Maissin
Libin
Bouillon
Sautour
Doische
Chooz
Fromelennes
Vencimont
Croix d'Enfer
Vallée de la Semois
Bois de Rienne
Bois de St-Remacle
Bois de Mohimont
Bois de Transinne
Bois de Surice
Forêt de Nismes
Centrale Electrique
Fortifications
Fort de Charlemont
Grotte de Nichet
Grottes de Han
Han-sur-Lesse
Parc de Lesse et Lomme
Château-Regnault
Roche à Sept Heures
Longue Roche
Les Quatre Fils Aymon
Roche aux Sept Villages
Tombeau du Géant
Saut des Sorcières
Lac des Vieilles Forges
Roche de la Faligeotte
Mont Malgré Tout
Calvaire du Maquis des Manises
Ardoisières la Platale
Roche de l'Uf
Fantasticable
Roche des Grands Ducs
E411
A4
N4
N40
N95
N97
E
F
G
H
11
1
2
3
4
5
6
24

CAP DE LA HAGUE
A
B
C
D
1
2
3
4
5
6
Goury
St-Germain-des-Vaux
Port
Auderville
Omonville-la-Petite
Omonville-la-Rogue
Digulleville
Baie Ecalgrain
Jobourg
Mais. de J. Prévert
Éculleville
Mais. de F. Millet
Rocher du Castel-Vendon
Nez de Jobourg
Hameau Dannery
Usine de retraitement
Gréville-Hague
Landemer
Urville-Nacqueville
Herqueville
Beaumont-Hague
Man. de Dur-Écu
Dom. de Nacqueville
Querqueville
le Petit Beaumont
Ruines Mégalithiques les Pouquelées
Branville-Hague
la Houlgate
Tonneville
Hainneville
Vauville
Rés. Nat. de la Mare de Vauville
Ste-Croix-Hague
Équeurdreville-Hainneville
Planétarium
Nouainville
Champ de Tir de Biville
Anse de Vauville
Biville
Acqueville (l'Église)
Flottemanville-Hague
Calv. des Dunes
le Pont des Sablons
Pénitot
Vasteville
Héauville
Sideville
Martinvast
Teurthéville-Hague
Domaine de Beaurepaire
Parc Floral
Hardinvast
Tollevast
Clairefontaine
Siouville-Hague
la Croix Cosme
Baudretot
Virandeville
Diélette
Helleville
St-Christophe-du-Foc
Centrale Électrique de Flamanville
la Petite Siouville
Flamanville
le Bois
Couville
St-Martin-le-Gréard
Brix
Cap de Flamanville
Tréauville
Sotteville
Manoir de la Grande Maison
Breuville
Hameau Fouquet
Bricquebosq
Benoîtville
Houel
les Pieux
Rauville-la-Bigot
la Caudière
Sottevast
le Lieu Jourdan
la Belle Étoile
Bréval
Grosville
Anse de Sciotot
St-Germain-le-Gaillard
St-Martin-le-Hébert
le Rozel
le Vauvicard
Abb. N.-D. de Grâce
la Luzerne du Bas
Rocheville
Pierreville
Quettetot
la Croix Morain
Bricquebec
le Pou
Surtainville
le Vrétot
la Scye
Sénoville (l'Épivent)
les Perques
Baubigny (l'Église)
la Vente aux Saulniers
Man. de Gonneville
Sortosville-en-Beaumont (Hameau-Costard)
le Valdécie
St-Jacques-de-Néhou
la Vallée de Beaubigny
St-Pierre-d'Arthéglise
les Moitiers-d'Allonne
Masse de Romond
la Haye-d'Ectot
St-Maurice-en-Cotentin
le Pont-aux-Moines
Saint-Peter-Port (Guernesey)
Carteret
Barneville-Carteret
Fierville-les-Mines
Cap de Carteret
Phare de Carteret
St-Jean-de-la-Rivière
le Mesnil
Besneville
Barneville-Plage
St-Georges-de-la-Rivière
Taillepied
Chât. d'Olonde
St-Siméon
Gennetot
Baptistère
Portbail
St-Lô-d'Ourville
Canville-la-Rocque
Chât. d'Omonville
Varreville
Lindbergh-Plage
Denneville
Denneville-la-Plage
St-Rémy-des-Landes
Baudreville
la Poudrière
Surville
Glatigny
Bretteville-sur-Ay
la Plage
St-Germain-sur-Ay-Plage
St-Germain-sur-Ay
le Gué de l'Orme
Créances
Printania-Plage
Armanville-Plage
Pirou
Pirou-Plage
Chât. de Pirou
la Grande Maresquière
Geffosses
Anneville-sur-Mer
Vichard
Gouville-
Montsurvent
Dublin (Irlande)
Rosslare (Irlande)
Poole (R.-U.)
Portsmouth (R.-U.)
Fort de l'Ouest
Fort de Chavagnac
Fort de l'Île Pelée
CHERBOURG-OCTEVILLE
Abb. du Vœu
Fort des Flamands
Statue de Napoléon
Mon.
Fort du Roule
Tourlaville
Octeville
le Saussey
la Loge
la Glacerie
la Maison Bertrand
Manoir de Barville
Croix de la Flague
Voie de la Liberté
les Landes
Cap Lévi
Phare du Cap Lévi
Fermanville
Cosqueville
Menhirs
le Brick
Maupertus-sur-Mer
Carneville
St-Pierre-Église
Bretteville
Cherbourg-Maupertus
la Rue
Théville
Clitourp
Digosville
Gonneville
Brillevast
les Aunays
les Hauts-Vents
le Mesnil-au-Val
le Theil
les Écoles
Hameau Valognes
Hameau Gallis
Hameau Bonhomme
la Saire
le Doucet
Parc Animalier
le Poteau
Hameau Mouchel
Hameau au Comte
Teurthéville-Bocage
Hameau Dubost
Montaigu-la-Brisette
Saussemesnil
les Planques
la Coucourie
la Galiserie
Chât. de Chiffrevast
St-Joseph
Tamerville
Lande de Beaumont
Pont Rilly
la Gloire
Valognes
St-Germain-de-Tournebut
Huberville
la Brique
Hôtel de Beaumont
Ruines Romaines d'Alauna
Hôpital
Anc. Abb.
Yvetot-Bocage
St-Cyr
Négreville
Morville (la Croix-de-la-Chaire)
Sortosville
Lieusaint
Flottemanville (le Ruage)
Éroudeville
Hémevez
Hameau du Mesnil
l'Étang-Bertrand
Colomby
Village Ste-Anne
Urville
Écausseville
Magneville (le Férage)
Hameau Gravot
le Ham (le Val)
les Fourquettes
Golleville
Biniville
Cim. All.
la Gare
Fresville
la Merderet
Ste-Colombe
Orglandes
Hauteville-Bocage (Village-des-Fontaines)
Gourbesville
Néhou
Reigneville-Bocage
Amfreville
la Saudre
Crosville-sur-Douve
Gueutteville
St-Sauveur-le-Vicomte
Rauville-la-Place
la Bonneville
Picauville
Étienville
les Hautes Portes
Catteville
la Douve
Neuville-en-Beaumont
Rés. Nat. des Marais de la Sensurière et de l'Adriennerie
les Moitiers-en-Bauptois
Beuzeville-la-Bastille
Varenguebec
Vindefontaine
Cretteville
Houtteville
St-Sauveur-de-Pierrepont
Doville
l'Auvrairie
Prétot-Ste-Suzanne
Chât. de Francquetot
St-Nicolas-de-Pierrepont
Neufmesnil
Coigny (les Asselines)
Anc. Abb. de Blanchelande
les Novailles
la Rue du Bocage
Bolleville
Lithaire
St-Jores
Baupte
le Hamel du Marais
St-Symphorien-le-Valois
la Haye-du-Puits
Mont Castre
Camp Romain
la Roquette
Montgardon
Mobecq
le Plessis-Lastelle (Beau-Coudray)
Hameau Biémont
Gerville-la-Forêt
Nerduit
DES MARAIS
Angoville-sur-Ay
le Pautet
Gorges
Carbassue
Fenouillère
Vesly
Laulne
Bléhou
Gonfreville
Longueville
la Boetterie
Pissot
St-Patrice-de-Claids
Nay
Lessay
la Doderie
St-Germain-sur-Sèves
Raids
les Sèves
la Banserie
le Haut Mesnil
la Martinerie
le Buisson
Millières
Bourgogne
la Feuillie
Périers
St-Sébastien-de-Raids
Lande de Lessay
l'Éventard
la Gislarderie
St-Martin-d'Aubigny
Corbuchon
Vaudrimesnil
St-Aubin-du-Perron
le Haut de Bingard
St-Michel-de-la-Pierre
la Ronde Haye
St-Sauveur-Lendelin
Montcuit
les Mares
le Grand Taute
Muneville-le-Bingard
N13
E03
E46
D901
D45
D64
D650
D900
D2
D24
D15
D971
D72
D394
D434
D53
D652
D136
D337
D306
D650
D903
D67
D137
D147
D127
D130
D42
D146
D126
D167
D419
D902
D62
D4
D23
D117
D517
D131
D66
D266
D513
D522
D242
D166

36
37

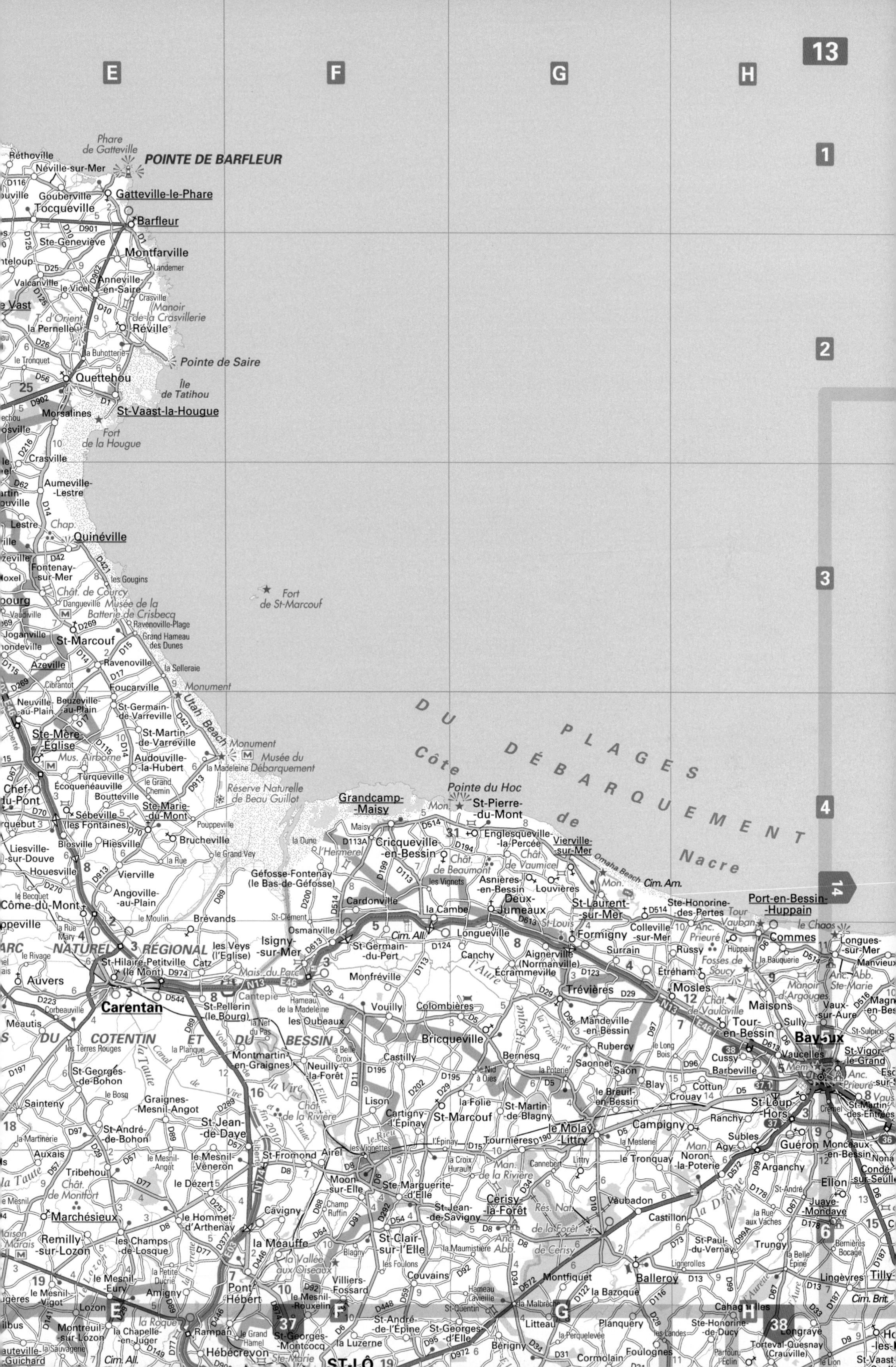
13
E
F
G
H
1
2
3
4
5
6
14
37
38
Phare de Gatteville
POINTE DE BARFLEUR
Réthoville
Néville-sur-Mer
Gatteville-le-Phare
Gouberville
Tocqueville
Barfleur
Ste-Geneviève
Montfarville
Landemer
Anneville-en-Saire
le Vicel
Valcanville
Crasville
Manoir de la Crasvillerie
T. d'Orient
la Pernelle
Réville
la Buhotterie
Pointe de Saire
le Tronquet
Quettehou
Île de Tatihou
Morsalines
St-Vaast-la-Hougue
Fort de la Hougue
Crasville
Aumeville-Lestre
Lestre
Chap.
Quinéville
Fontenay-sur-Mer
les Gougins
Chât. de Courcy
Dangueville
Musée de la Batterie de Crisbecq
Ravenoville-Plage
Fort de St-Marcouf
Vaudville
Joganville
St-Marcouf
Grand Hameau des Dunes
Azeville
Ravenoville
la Selleraie
Cibrantot
Foucarville
Monument
Neuville-au-Plain
Beuzeville-au-Plain
St-Germain-de-Varreville
Utah Beach
Ste-Mère-Église
St-Martin-de-Varreville
Monument
Musée du Débarquement
Mus. Airborne
Audouville-la-Hubert
la Madeleine
Chef-du-Pont
Écoquenéauville
le Grand Chemin
Turqueville
Boutteville
Réserve Naturelle de Beau Guillot
Ste-Marie-du-Mont
Sébeville (les Fontaines)
Pouppeville
Liesville-sur-Douve
Blosville
Hiesville
Brucheville
le Grand Vey
Houesville
Vierville
Angoville-au-Plain
la Rue
Côme-du-Mont
le Becquet
le Moulin
Brévands
les Veys (l'Église)
Isigny-sur-Mer
Catz
St-Hilaire-Petitville (le Mont)
PARC NATUREL RÉGIONAL DES MARAIS DU COTENTIN ET DU BESSIN
Auvers
Carentan
Corbeauville
Méautis
St-Pellerin (le Bourg)
Cantepie
les Terres Rouges
la Taute
St-Georges-de-Bohon
le Bosq
Graignes-Mesnil-Angot
Sainteny
St-André-de-Bohon
St-Jean-de-Daye
la Martinerie
Auxais
le Mesnil-Angot
le Mesnil-Véneron
Tribehou
Chât. de Montfort
le Dézert
Marchésieux
le Hommet-d'Arthenay
Remilly-sur-Lozon
les Champs-de-Losque
le Mesnil-Eury
la Petite Ducrie
Amigny
le Mesnil-Vigot
Lozon
Montreuil-sur-Lozon
la Chapelle-en-Juger
la Sauvagerie
Cim. All.
Rampan
le Grand Hamel
Hébécrevon
Pont-Hébert
la Meauffe
Cavigny
St-Fromond
Airel
Montmartin-en-Graignes
Neuilly-la-Forêt
la Vire
Chât. de la Rivière
Grandcamp-Maisy
Maisy
la Dune
l'Hermerel
Géfosse-Fontenay (le Bas-de-Géfosse)
Cricqueville-en-Bessin
Chât. de Beaumont
les Vignets
Pointe du Hoc
St-Pierre-du-Mont
Englesqueville-la-Percée
Vierville-sur-Mer
Chât. de Vaumicel
Omaha Beach
Cim. Am.
Asnières-en-Bessin
Louvières
Deux-Jumeaux
St-Laurent-sur-Mer
Cardonville
St-Clément
Osmanville
la Cambe
Cim. All.
Longueville
St-Germain-du-Pert
Canchy
Monfréville
l'Aure
Hameau de la Madeleine
les Oubeaux
Vouilly
Colombières
Bricqueville
la Belle Croix
Castilly
Bernesq
le Nid à Oies
Lison
Cartigny-l'Épinay
St-Marcouf
la Folie
St-Martin-de-Blagny
le Molay-Littry
Tournières
Moon-sur-Elle
Ste-Marguerite-d'Elle
la Croix Hurault
Man. de la Rivière
Cerisy-la-Forêt
Res. Nat. de la Forêt de Cerisy
St-Jean-de-Savigny
Champ Ruffin
St-Clair-sur-l'Elle
la Maumisière
Anc. Abb.
la Vallée aux Oiseaux
Blagny
les Foulons
Couvains
Villiers-Fossard
le Mesnil-Rouxelin
Hameau Lavieille
Montfiquet
la Malbrèche
St-Quentin
St-André-de-l'Épine
St-Georges-Montcocq
St-Georges-d'Elle
la Luzerne
Bérigny
Litteau
la Perquelevée
Planquery
la Bazoque
Balleroy
Cormolain
Foulognes
les Landes
Ste-Marie
ST-LÔ
Vaubadon
Castillon
Formigny
Aignerville (Normanville)
Écrammeville
Surrain
Trévières
Mandeville-en-Bessin
Rubercy
Saonnet
Saon
la Poterie
Blay
le Long Bois
le Breuil-en-Bessin
Colleville-sur-Mer
Ste-Honorine-des-Pertes
Tour Vauban
Anc. Prieuré
Russy
Étréham
Fosses de Soucy
Mosles
Chât. de Vaulaville
Tour-en-Bessin
Port-en-Bessin-Huppain
Huppain
Commes
le Chaos
la Bauquerie
Longues-sur-Mer
Manvieux
Anc. Abb. Ste-Marie
Manoir d'Argouges
Maisons
Vaux-sur-Aure
Sully
Magny-en-Bessin
St-Sulpice
Bayeux
Vaucelles
Mém.
Cussy
Barbeville
Cottun
Crouay
St-Vigor-le-Grand
Anc. Prieuré
St-Loup-Hors
Crémel
St-Martin-des-Entrées
Campigny
Ranchy
le Tronquay
la Meslerie
Sûbles
Noron-la-Poterie
Agy
Man.
Guéron
Monceaux-en-Bessin
Arganchy
la Drôme
St-André
Ellon
Condé-sur-Seulles
Juaye-Mondaye
la Rue aux Vaches
Trungy
St-Paul-du-Vernay
Lignerolles
Bernières Bocage
la Belle Épine
Lingèvres
Tilly
Cim. Brit.
Cahagnolles
Ste-Honorine-de-Ducy
Longraye
Torteval-Quesnay (Crauville)
St-Vaast
le Lion
Parfouru l'Éclin
Côte de Nacre
PLAGES DU DÉBARQUEMENT
N13
E46
N174
E03
D514
D613

14
A
B
C
D
1
2
3
4
5
6
13
BAIE
DE LA SEINE
PLAGES DU DÉBARQUEMENT
Côte de Nacre
Côte
Gold Beach
Juno Beach
Sword Beach
Réserve Naturelle de la Falaise du Cap Romain
Portsmouth (R.-U.)
Arromanches-les-Bains
Longues-sur-Mer
Manvieux
Tracy-sur-Mer
St-Come-de-Fresné
Asnelles
Meuvaines
Ver-sur-Mer
Courseulles-sur-Mer
Bernières-sur-Mer
Graye-sur-Mer
Ste-Croix-sur-Mer
Langrune-sur-Mer
St-Aubin-sur-Mer
Luc-sur-Mer
Lion-sur-Mer
Hermanville-sur-Mer
Colleville-Montgomery
Ouistreham
Riva Bella
Merville-Franceville-Plage
Cabourg
Houlgate
Villers-sur
Dives-sur-Mer
Auberville
Gonneville-sur-Mer
Magny-en-Bessin
Vaux-sur-Aure
Ryes
Bazenville
Crépon
Villiers-le-Sec
Colombiers-sur-Seulles
Banville
Reviers
Douvres-la-Délivrande
Sommervieu
St-Vigor-le-Grand
Vienne-en-Bessin
Esquay-sur-Seulles
St-Gabriel-Brécy
Creully
Tierceville
Amblie
Bény-sur-Mer
Fontaine-Henry
Basly
Cresserons
Plumetot
Périers-sur-le-Dan
Anguerny
Colomby-sur-Thaon
Thaon
Mathieu
St-Aubin-d'Arquenay
Bénouville
Ranville
Amfreville
Bréville-les-Monts
Sallenelles
Gonneville-en-Auge
Varaville
Petiville
Brucourt
Grangues
Périers-en-Auge
Cricqueville-en-Auge
St-Martin-des-Entrées
Vaux-sur-Seulles
Martragny
Rucqueville
Cully
le Fresne-Camilly
Villons-les-Buissons
Cairon
Lasson
Coulombs
Ste-Croix-Grand-Tonne
Secqueville-en-Bessin
Rosel
Cambes-en-Plaine
Epron
Biéville-Beuville
Blainville-sur-Orne
Hérouvillette
Escoville
Bavent
Ducy-Ste-Marguerite
Audrieu
Loucelles
Bretteville-l'Orgueilleuse
St-Contest
Authie
Rots
Hérouville-St-Clair
Colombelles
CAEN
Touffréville
Sannerville
Troarn
Basseneville (St-Richer)
Dozulé
Putot-en-Auge
Goustranville
Chouain
Brouay
Putot-en-Bessin
le Mesnil-Patry
Norrey-en-Bessin
Bucéels
Cristot
Tilly-sur-Seulles
Fontenay-le-Pesnel
Carpiquet
Caen-Carpiquet
St-Germain-la-Blanche-Herbe
St-Manvieu-Norrey
Cheux
Juvigny-sur-Seulles
Hottot-les-Bagues
Vendes
Tessel
Tourville-sur-Odon
Mouen
Verson
Bretteville-sur-Odon
Louvigny
Cormelles-le-Royal
Mondeville
Giberville
Démouville
Cuverville
Banneville-la-Campagne
Emiéville
St-Pair
St-Samson
St-Pierre-du-Jonquet
St-Ouen-du-Mesnil-Oger
Hotot-en-Auge
Beuvron-en-Auge
Victot-Pontfol
Cléville
Méry-Corbon
Corbon
St-Vaast-sur-Seulles
Grainville-sur-Odon
Mondrainville
Fontaine-Etoupefour
Eterville
Fleury-sur-Orne
Ifs
Hubert-Folie
Soliers
Grentheville
Cagny
Frénouville
Bourguébus
Bellengreville
Vimont
Argences
Canteloup
Croissanville
Bissières
Monts-en-Bessin
Noyers-Bocage
Missy
Baron-sur-Odon
Gavrus
Bougy
Maltot
St-André-sur-Orne
St-Martin-de-Fontenay
Esquay-Notre-Dame
Feuguerolles-Bully
Fontenay-le-Marmion
Tilly-la-Campagne
Chicheboville
Moult
Airan
Magny-le-Freule
Bièville-Quétiéville
St-Louet-sur-Seulles
Villy-Bocage
Villers-Bocage
Tournay-sur-Odon
le Locheur
Évrecy
Avenay
Vieux
Amayé-sur-Orne
May-sur-Orne
Rocquancourt
Garcelles-Secqueville
Conteville
Billy
Cesny-aux-Vignes
Mézidon-Canon
Ouézy
Parfouru-sur-Odon
Epinay-sur-Odon
Landes-sur-Ajon
Vacognes-Neuilly
Ste-Honorine-du-Fay
Maizet
Laize-la-Ville
Clinchamps-sur-Orne
Mutrécy
Fresney-le-Puceux
Banneville-sur-Ajon
Préaux-Bocage
Trois-Monts
Boulon
St-Laurent-de-Condel
Cintheaux
St-Aignan-de-Cramesnil
Poussy-la-Campagne
Fierville-Bray
St-Sylvain
Vieux-Fumé
Percy-en-Auge
Longvillers
Maisoncelles-sur-Ajon
le Mesnil-au-Grain
St-Agnan-le-Malherbe
Montigny
Goupillières
Grimbosq
Bretteville-sur-Laize
Gouvix
Urville
Cauvicourt
Soignolles
Magny-la-Campagne
Thiéville
St-Georges-d'Aunay
Bauquay
Courvaudon
la Caine
Aunay-sur-Odon
Ouffières
les Moutiers-en-Cinglais (le Hameau Huc)
Barbery
Grainville-Langannerie
Bretteville-le-Rabet
le Bû-sur-Rouvres
Maizières
Condé-sur-Ifs
Ernes
Bonnemaison
Hamars
Curcy-sur-Orne
Croisilles
Fresney-le-Vieux
Espins
Cesny-Bois-Halbout
Moulines
St-Germain-le-Vasson
Estrées-la-Campagne
Rouvres
Ouilly-le-Tesson
St-Pierre-sur-Dives
Vendeuvre
Roucamps
Campandré-Valcongrain
Mont Pinçon
Thury-Harcourt
Acqueville
Fontaine-le-Pin
Potigny
Soumont-St-Quentin
la Brèche du Diable
Sassy
Olendon
Perrières
Jort
Courcy
le Plessis-Grimoult
St-Martin-de-Sallen
Culey-le-Patry
Esson
Donnay
Meslay
Tournebu
Caumont
Mémorial de Caen
Festyland
PAYS

LE HAVRE
Ste-Adresse
CAP DE LA HEVE
Montivilliers
Harfleur
Octeville-sur-Mer
Cauville-sur-Mer
Heuqueville
Gonfreville-l'Orcher
St-Romain-de-Colbosc
Bolbec
Lillebonne
Tancarville
Quillebeuf-sur-Seine
Notre-Dame-de-Gravenchon
Réserve Naturelle de l'Estuaire de la Seine
Pont de Normandie
Pont de Tancarville
Honfleur
Côte de Grâce
Fleurie
Trouville-sur-Mer
Deauville
Villerville
Touques
Pont-Audemer
Beuzeville
Pont-l'Évêque
Canapville
Beaumont-en-Auge
Blangy-le-Château
Cormeilles
Lieurey
Lisieux
Moyaux
Thiberville
Orbec
Broglie
Bernay
Livarot
Crèvecœur-en-Auge
St-Germain-de-Livet
PARC NAT. RÉG.
Marais-Vernier
D A U G E

16
A
B
C
D
1
2
3
4
5
6
LA MANCHE
CÔTE D'ALBÂTRE
Centrale Électrique de Paluel
Veulettes-sur-Mer
St-Martin-aux-Buneaux
Auberville-la-Manuel
Paluel
les Petites Dalles
Butot-Vénesville
Malleville-les-Grès
Vittefleur
les Grandes Dalles
St-Pierre-en-Port
Vinnemerville
Canouville
Écretteville-sur-Mer
Sassetot-le-Mauconduit
Criquetot-le-Mauconduit
Clasville
Életot
Ouainville
Senneville-sur-Fécamp
Ste-Hélène-Bondeville
Ancretteville-sur-Mer
Cany-Barville
N.-D. du Salut
Fécamp
Palais Bénédictine
Angerville-la-Martel
Theuville-aux-Maillots
Bertreville
Bertheauville
Colleville
Thérouldeville
Criquebeuf-en-Caux
St-Léonard
Valmont
Gerponville
Toussaint
Ourville-en-Caux
Vattetot-sur-Mer
Yport
Contremoulins
Bénouville
Froberville
Ganzeville
Tourville-les-Ifs
Thiergeville
Riville
Beuzeville-la-Guérard
Falaise d'Amont
Étretat
Épreville
Thiétreville
Sorquainville
Falaise d'Aval
Châl. des Aygues
Bordeaux-St-Clair
les Loges
Gerville
Bec-de-Mortagne
Cleuville
Cap d'Antifer
Phare d'Antifer
la Place
le Tilleul
Maniquerville
Mentheville
Daubeuf-Serville
Limpiville
Ypreville-Biville
Thiouville
la Poterie-Cap-d'Antifer
Fongueusemare
Auberville-la-Renault
Annouville-Vilmesnil
Normanville
Beaurepaire
Pierrefiques
Cuverville
Bretteville-du-Grand-Caux
Bénarville
Bennetot
Ste-Marguerite-sur-Fauville
Bruneval
Ste-Marie-au-Bosc
Villainville
Sausseuzemare-en-Caux
Grainville-Ymauville
Angerville-Bailleul
Tocqueville-les-Murs
Fauville-en-Caux
Port Pétrolier du Havre-Antifer
Gonneville-la-Mallet
Écrainville
Goderville
St-Jouin-Bruneval
Criquetot-l'Esneval
Gonfreville-Caillot
St-Maclou-la-Brière
Hattenville
Bermonville
Anglesqueville-l'Esneval
Bornambusc
Vattetot-sous-Beaumont
Yébleron
Auzouville-Auberbosc
Ricarville
Heuqueville
Vergetot
Bréauté
Bernières
St-Martin-du-Bec
Turretot
Manneville-la-Goupil
Mirville
Bolleville
Cléville
Cauville-sur-Mer
St-Sauveur-d'Émalleville
Houquetot
Rouville
Raffetot
Foucart
Buglise
Mannevillette
N.-D.-du-Bec
Hermeville
Virville
Beuzeville-la-Grenier
Nointot
Bolleville
Alvimare
Angerville-l'Orcher
Lanquetot
Écqueville
Rolleville
St-Gilles-de-la-Neuville
Parc-d'Anxtot
Bolbec
Trouville
Octeville-sur-Mer
St-Barthélemy
Fontenay
Épouville
Manéglise
Graimbouville
St-Jean-de-la-Neuville
Beuzevillette
Montivilliers
Sainneville
Étainhus
Gruchet-le-Valasse
Lintot
Grand-Camp
St-Andrieux
St-Martin-du-Manoir
Gommerville
les Trois Pierres
St-Eustache-la-Forêt
la Trinité-du-Mont
St-Nicolas-de-la-Haie
le Havre-Octeville
Fontaine-la-Mallet
Épretot
St-Laurent-de-Brèvedent
St-Romain-de-Colbosc
St-Antoine-la-Forêt
Auberville-la-Campagne
Anquetierville
Harfleur
Gainneville
Mélamare
Lillebonne
CAP DE LA HÈVE
Ste-Adresse
Rogerville
St-Aubin-Routot
St-Vincent-Cramesnil
la Remuée
la Cerlangue
St-Jean-de-Folleville
la Frénaye
Oudalle
Sandouville
St-Nicolas-de-la-Taille
LE HAVRE
Gonfreville-l'Orcher
St-Vigor-d'Ymonville
Tancarville
Notre-Dame-de-Gravenchon
Quillebeuf-sur-Seine
Val des Fontaines
Pont de Tancarville
St-Aubin-sur-Quillebeuf
Norville
Réserve Naturelle de l'Estuaire de la Seine
Petiville
St-Maurice-d'Ételan
Pont de Normandie
Honfleur
Berville-sur-Mer
Pointe de la Roque
St-Samson-de-la-Roque
le Marais Vernier
Vieux-Port
Aizier
Côte de Grâce
Fatouville-Grestain
Conteville
Marais-Vernier
Trouville-la-Haule
Villerville
Cricquebœuf
Pennedepie
Équemauville
la Rivière-St-Sauveur
Ablon
St-Pierre-du-Val
Foulbec
Ste-Opportune-la-Mare
St-Thurien
Tocqueville
Bourneville
Barneville-la-Bertran
Gonneville-sur-Honfleur
Fiquefleur-Équainville
Bouquelon
Trouville-sur-Mer
Deauville
Côte Fleurie
Portsmouth (R.-U.)
PARC NAT. RÉG. DES BOUCLES DE LA SEINE NORMANDE
A29
A131
E44
E05

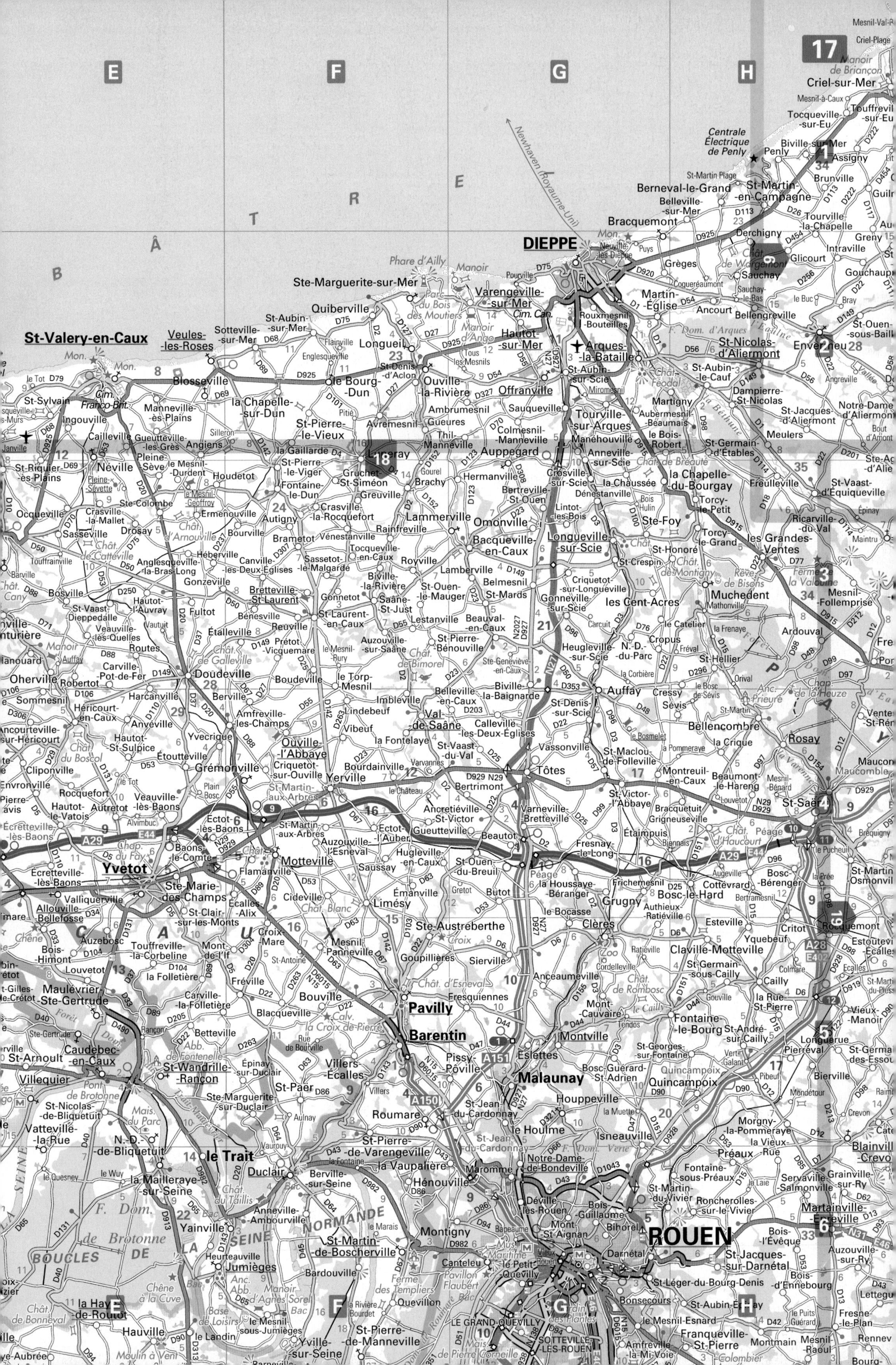
17
E
F
G
H
B
Â
T
R
E
Newhaven (Royaume-Uni)
Criel-sur-Mer
Centrale Électrique de Penly
Penly
Biville-sur-Mer
Berneval-le-Grand
St-Martin-en-Campagne
Belleville-sur-Mer
Bracquemont
DIEPPE
Phare d'Ailly
Ste-Marguerite-sur-Mer
Varengeville-sur-Mer
Quiberville
St-Aubin-sur-Mer
St-Valery-en-Caux
Veules-les-Roses
Sotteville-sur-Mer
Blosseville
Longueil
le Bourg-Dun
Ouville-la-Rivière
Offranville
Hautot-sur-Mer
Arques-la-Bataille
Martin-Église
Rouxmesnil-Bouteilles
St-Nicolas-d'Aliermont
Envermeu
Tourville-sur-Arques
Martigny
Sauqueville
la Chapelle-sur-Dun
St-Pierre-le-Vieux
Avremesnil
Gueures
Ambrumesnil
Auppegard
Luneray
18
la Gaillarde
Angiens
Néville
Houdetot
Gruchet-St-Siméon
Greuville
Brachy
Hermanville
Omonville
Lammerville
Bacqueville-en-Caux
Longueville-sur-Scie
Ste-Foy
la Chapelle-du-Bourgay
Torcy-le-Grand
Torcy-le-Petit
les Grandes-Ventes
Muchedent
les Cent-Acres
St-Crespin
St-Honoré
Cany
Bosville
Ocqueville
Sasseville
Drosay
Bourville
Autigny
Brametot
Gonzeville
Bretteville-St-Laurent
Gonnetot
St-Laurent-en-Caux
Lestanville
Auzouville-sur-Saâne
Beauval-en-Caux
St-Pierre-Bénouville
Gonneville-sur-Scie
Heugleville-sur-Scie
Auffay
Cropus
St-Hellier
Ardouval
Bellencombre
Rosay
Doudeville
Fultot
Étalleville
Reuville
Boudeville
le Torp-Mesnil
Imbleville
Val-de-Saâne
Biville-la-Baignarde
St-Denis-sur-Scie
Vassonville
Tôtes
Anvéville
Yvecrique
Amfreville-les-Champs
Ouville-l'Abbaye
Yerville
Grémonville
Étoutteville
Hautot-St-Sulpice
Bourdainville
St-Maclou-de-Folleville
Montreuil-en-Caux
St-Saëns
Yvetot
Motteville
Ectot-l'Auber
Auzouville-l'Esneval
Hugleville-en-Caux
Varneville-Bretteville
Beautot
St-Victor-l'Abbaye
Fresnay-le-Long
Ste-Marie-des-Champs
Allouville-Bellefosse
Flamanville
Cideville
Limésy
Émanville
Bosc-le-Hard
Grugny
Clères
Cottévrard
Cailly
Rocquemont
19
Auzebosc
Touffreville-la-Corbeline
Mont-de-l'If
Croix-Mare
Mesnil-Panneville
Ste-Austreberthe
Sierville
Anceaumeville
Claville-Motteville
Yquebeuf
Maulévrier-Ste-Gertrude
Caudebec-en-Caux
St-Arnoult
Villequier
Louvetot
la Folletière
Fréville
Bouville
Blacqueville
Pavilly
Barentin
Fresquiennes
Mont-Cauvaire
Montville
Fontaine-le-Bourg
St-André-sur-Cailly
Longuerue
Pierreval
St-Wandrille-Rançon
Villers-Écalles
St-Paër
Pissy-Pôville
Eslettes
Malaunay
Quincampoix
Houppeville
Isneauville
Préaux
Blainville-Crevon
le Trait
Duclair
St-Pierre-de-Varengeville
la Vaupalière
le Houlme
Notre-Dame-de-Bondeville
Maromme
Hénouville
Déville-lès-Rouen
Bois-Guillaume
Mont-St-Aignan
Bihorel
ROUEN
Darnétal
St-Jacques-sur-Darnétal
Martainville-Épreville
Montigny
Canteleu
le Petit-Quevilly
St-Martin-de-Boscherville
Jumièges
Yainville
la Mailleraye-sur-Seine
Vatteville-la-Rue
N.-D.-de-Bliquetuit
St-Nicolas-de-Bliquetuit
BOUCLES DE LA SEINE NORMANDE
F. Dom. de Brotonne
Bardouville
Quevillon
la Haye-de-Routot
Hauville
Yville-sur-Seine
St-Pierre-de-Manneville
LE GRAND-QUEVILLY
SOTTEVILLE-LÈS-ROUEN
Bonsecours
St-Léger-du-Bourg-Denis
St-Aubin-Épinay
le Mesnil-Esnard
Franqueville-St-Pierre
Amfreville-la-Mi-Voie
Montmain
Mesnil-Raoul
Fresne-le-Plan
A29
A28
A150
A151
E44
E46
N27
N29
N15

18
A
B
C
D
35
Malleville-les-Grès
Néville
Luneray
Auppegard
Anneville-sur-Scie
la Chapelle-du-Bourgay
Cany-Barville
Ocqueville
Houdetot
Fontaine-le-Dun
Lammerville
Ouvilleville
Longueville-sur-Scie
Ste-Foy
Torcy-le-Grand
les Grandes-Ventes
Bacqueville-en-Caux
Grainville-la-Teinturière
Doudeville
Auffay
Bellencombre
Rosay
Muchedent
les Cent-Acres
Val-de-Saâne
Ouville-l'Abbaye
Yerville
Tôtes
St-Saëns
Yvetot
Motteville
Limésy
Clères
Bosc-le-Hard
Claville-Motteville
Pavilly
Barentin
Maulévrier-Ste-Gertrude
Caudebec-en-Caux
St-Wandrille-Rançon
Villequier
Malaunay
Montville
Quincampoix
Le Trait
Duclair
Maromme
Déville-lès-Rouen
Bois-Guillaume
ROUEN
Darnétal
Jumièges
St-Martin-de-Boscherville
Canteleu
Le Petit-Quevilly
Sotteville-lès-Rouen
La Haye-de-Routot
Hauville
Bourneville
Routot
Bouquetot
Bourg-Achard
Grand-Couronne
Oissel
Boos
Montfort-sur-Risle
Elbeuf
Caudebec-lès-Elbeuf
St-Pierre-lès-Elbeuf
Pont-de-l'Arche
Val-de-Reuil
Le Vaudreuil
Brionne
Louviers
Incarville
LE NEUBOURG
A13
A28
A29
A150
A151
A154
E402
E46
15
17
40
41

19
20
41
42
E
F
G
H
Londinières
Fréauville
Smermesnil
Foucarmont
Villers-sous-Foucarmont
St-Léger-aux-Bois
St-Martin-au-Bosc
Coppegueule
Beaucamps-le-Vieux
Hornoy-le-Bourg
Vraignes-lès-Hornoy
Ste-Agathe-d'Allermont
St-Vaast-d'Équiqueville
Croixdalle
Osmoy-St-Valery
Bailleul-Neuville
Clais
Fesques
Baillolet
Aubermesnil-aux-Érables
Rétonval
Richemont
Aubéguimont
Vieux-Rouen-sur-Bresle
St-Germain-sur-Bresle
Beaucamps-le-Jeune
Lafresguimont-St-Martin (Lafresnoye)
Bettembos
Offignies
Lamaronde
Croixrault
Landes-Vieilles-et-Neuves
Ellecourt
Morienne
Marques
Gauville
Aumale
Morvillers-St-Saturnin
Caulières
Éplessier
Lignières-Châtelain
Saulchoy-sous-Poix
Meigneux
Ste-Segrée
Marlers
Fourcigny
Quincampoix-Fleuzy
Escles-St-Pierre
Thieulloy-la-Ville
Équennes-Éramecourt
Hescamps
Méréaucourt
Fouilloy
Gourchelles
Romescamps
Bures-en-Bray
Mesnières-en-Bray
Mesnil-Follemprise
Lucy
Vatierville
Ménonval
le Caule-Ste-Beuve
Ste-Beuve-en-Rivière
St-Germain-sur-Eaulne
Auvilliers
Nullemont
Mortemer
Illois
Haudricourt
St-Valery
Lannoy-Cuillère
Fresles
St-Martin-l'Hortier
Pommeréval
Quièvrecourt
Bully
Neufchâtel-en-Bray
Graval
Flamets-Frétils
Ronchois
Bouelles
Nesle-Hodeng
Ventes-St-Rémy
Esclavelles
Neuville-Ferrières
St-Saire
Massy
Beaussault
Conteville
Abancourt
St-Thibault
Sarcus
Élencourt
Daméraucourt
Grandvilliers
Maucomble
Fontaine-en-Bray
Mesnil-Mauger
Blargies
Criquiers
Moliens
Broquiers
Bosc-Mesnil
Bradiancourt
Ste-Geneviève
Compainville
le Thil-Riberpré
Gaillefontaine
Haucourt
Formerie
Bouvresse
Monceaux-l'Abbaye
Feuquières
Brombos
Briot
Thieuloy-St-Antoine
St-Martin-Osmonville
Neufbosc
Montérolier
Sommery
Mathonville
Beaubec-la-Rosière
Serqueux
Forges-les-Eaux
Roncherolles-en-Bray
Mauquenchy
Boutavent
Mureaumont
St-Arnoult
Hautbos
Campeaux
Grumesnil
Canny-sur-Thérain
St-Samson-la-Poterie
Rocquemont
Estouteville-Écalles
Bosc-Bordel
Bosc-Roger-sur-Buchy
Buchy
la Bellière
Pommereux
Longmesnil
St-Michel-d'Halescourt
Loueuse
Omécourt
St-Deniscourt
Thérines
St-Maur
Ste-Croix-sur-Buchy
Vieux-Manoir
Bosc-Édeline
la Ferté-St-Samson
Rouvray-Catillon
Saumont-la-Poterie
Haussez
Doudeauville
Villers-Vermont
Héricourt-sur-Thérain
Ernemont-Boutavent
Fontenay-Torcy
Roy-Boissy
Morvillers
Grémévillers
Bois-Héroult
Sigy-en-Bray
Ménerval
Gancourt-St-Étienne
Bazancourt
Sully
Escames
Songeons
St-Germain-des-Essourts
Ernemont-sur-Buchy
Bois-Guilbert
Argueil
Mésangueville
Dampierre-en-Bray
Buicourt
Gerberoy
Lachapelle-sous-Gerberoy
Héronchelles
la Chapelle-St-Ouen
Fry
Hodeng-Hodenger
St-Quentin-des-Prés
Hécourt
Molagnies
Cuy-St-Fiacre
Wambez
Vrocourt
Hanvoile
Martincourt
Crillon
Haucourt
Boissay
Rebets
la Hallotière
le Mesnil-Lieubray
Blainville-Crevon
St-Aignan-sur-Ry
le Héron
Nolléval
Beauvoir-en-Lyons
Bremontier-Merval
Gournay-en-Bray
Hannaches
Glatigny
Lhéraule
Grainville-sur-Ry
Ry
Morville-sur-Andelle
Elbeuf-sur-Andelle
Elbeuf-en-Bray
Ferrières-en-Bray
Villers-sur-Auchy
Senantes
Villembray
St-Denis-le-Thiboult
Croisy-sur-Andelle
la Haye
la Feuillie
Avesnes-en-Bray
Bosc-Hyons
Ernemont-la-Villette
Blacourt
Hodenc-en-Bray
Savignies
Lachapelle-aux-Pots
Auzouville-sur-Ry
Vascœuil
Perruel
Letteguives
les Hogues
le Tronquay
Bézancourt
Fleury-la-Forêt
Bosquentin
Montroty
Neuf-Marché
St-Germer-de-Fly
St-Pierre-es-Champs
Cuigy-en-Bray
Espaubourg
St-Aubin-en-Bray
Fresne-le-Plan
Renneville
Perriers-sur-Andelle
Lyons-la-Forêt
Beauficel-en-Lyons
Lilly
Bézu-la-Forêt (Maurepas)
Martagny
Bouchevilliers
Puiseux-en-Bray
le Coudray-St-Germer
Ons-en-Bray
Lalandelle
Villers-St-Barthélemy
Bourg-Beaudouin
Vandrimare
Charleval
Rosay-sur-Lieure
Morgny
Mesnil-sous-Vienne
Talmontiers
Lalande-en-Son
Fleury-sur-Andelle
Ménesqueville
Touffreville
la Neuve-Grange
Longchamps
Mainneville
Amécourt
Sérifontaine
le Vauroux
Radepont
Grainville
Gaillardbois-Cressenville
Lisors
Puchay
Doudeauville-en-Vexin
Sancourt
Heudicourt
Hébécourt
Flavacourt
Labosse
la Houssoye
Amfreville-les-Champs
Bacqueville
Mesnil-Verclives
Écouis
Saussay-la-Campagne
Coudray
Nojeon-en-Vexin
St-Denis-le-Ferment
Bazincourt-sur-Epte
Éragny-sur-Epte
Boutencourt
le Vaumain
Porcheux
Jouy-sous-Thelle
Houville-en-Vexin
Fresne-l'Archevêque
le Thil
Étrépagny
Bézu-St-Éloi
Villers-sur-Trie
Énencourt-Léage
Thibivillers
Hardivillers-en-Vexin
Heuqueville
Cuverville
Corny
Farceaux
Boisemont
Hacqueville
Bernouville
Gisors
Trie-Château
Trie-la-Ville
Énencourt-le-Sec
Bachivillers
Vatteville
Daubeuf-près-Vatteville
Suzay
Richeville
Ste-Marie-de-Vatimesnil
Chauvincourt-Provemont
Neaufles-St-Martin
Chaumont-en-Vexin
Boissy-le-Bois
la Roquette
le Thuit
les Andelys
Harquency
Gamaches-en-Vexin
Villers-en-Vexin
Dangu
Courcelles-lès-Gisors
Chambors
Loconville
Reilly
Mouflaines
les Thilliers-en-Vexin
Noyers
Vesly
Lattainville
Delincourt
Fay-les-Étangs
Bernières-sur-Seine
Vézillon
Forêt-la-Folie
Cantiers
Boury-en-Vexin
Vaudancourt
Boubiers
Liancourt-St-Pierre
Tourly
Tosny
Guitry
Guerny
Montjavoult
Bouafles
Villers-sur-le-Roule
Guiseniers
Autheverne
Cahaignes
St-Clair-sur-Epte
Parnes
Hadancourt-le-Haut-Clocher
Lierville
Monneville
Lavilletertre
Courcelles-sur-Seine
Hennezis
Tourny
Fours-en-Vexin
Château-sur-Epte
Buhy
la Chapelle-en-Vexin
Montagny-en-Vexin
Fontenay
Forêt Domaniale de Lyons
N O R M A N D
V E X I N
B R A Y

20
A
B
C
D
7
Hornoy-le-Bourg
Quevauvillers
Courcelles-sous-Moyencourt
Prouzel
Dury
Sains-en-Amiénois
St-Fuscien
Boves
Cottenchy
Hébécourt
Moyencourt-lès-Poix
Namps-Maisnil (Namps-au-Val)
Poix-de-Picardie
Croixrault
Plachy-Buyon
Rumigny
St-Sauflieu
Grattepanche
Dommartin
Remiencourt
Moreuil
Thennes
Démuin
Fouencamps
Thézy-Glimont
Hailles
Villers-aux-Érables
Oresmaux
Guyencourt-sur-Noye
Jumel
Ailly-sur-Noye
Rouvrel
Morisel
Frémontiers
Blangy-sous-Poix
Velennes
Conty
Fleury
Essertaux
Chaussoy-Epagny
Flers-sur-Noye
Louvrechy
Sauvillers-Mongival
Braches
la Neuville-Sire-Bernard
Contoire
Pierrepont-sur-Avre
Brassy
Courcelles-sous-Thoix
Thoix
Offoy
Dargies
Belleuse
Monsures
Fransures
Rogy
Lawarde-Mauger-l'Hortoy
Chirmont
Sourdon
Thory
Aubvillers
Hargicourt
Bouillancourt-la-Bataille
la Faloise
Hallivillers
Esclainvillers
Malpart
Sommereux
Beaudéduit
Lavacquerie
Croissy-sur-Celle
Quiry-le-Sec
Folleville
Paillart
Grivesnes
Marestmontiers
Gratibus
Coullemelle
Courtemanche
Cantigny
Fontaine-sous-Montdidier
Mesnil-St-Georges
Bonneuil-les-Eaux
Esquennoy
Rouvroy-les-Merles
Villers-Tournelle
Fontaine-Bonneleau
Catheux
Blancfossé
Conteville
Choqueuse-les-Bénards
Fléchy
Breteuil
Tartigny
Rocquencourt
Sérévillers
le Cardonnois
Ayencourt
Cormeilles
le Saulchoy
Doméliers
Villers-Vicomte
Hardivillers
Vendeuil-Caply
Broyes
Bacouël
le Mesnil-St-Firmin
Plainville
Chepoix
Royaucourt
Welles-Pérennes
Dompierre
Domfront
Hétomesnil
Crèvecœur-le-Grand
le Gallet
Viefvillers
le Crocq
Troussencourt
Maisoncelle-Tuilerie
Beauvoir
Bonvillers
la Hérelle
Mory-Montcrux
Sains-Morainvillers
Ferrières
Godenvillers
Marseille-en-Beauvaisis
Haute-Épine
Rothois
Oursel-Maison
Francastel
Rotangy
Puits-la-Vallée
St-André-Farivillers
Ste-Eusoye
Auchy-la-Montagne
Froissy
Campremy
Ansauvillers
Gannes
Crèvecoeur-le-Petit
Brunvillers-la-Motte
Maignelay-Montigny
Coivrel
Achy
Oudeuil
Blicourt
Luchy
Lachaussée-du-Bois-d'Écu
Noirémont
Noyers-St-Martin
Thieux
Wavignies
Quinquempoix
St-Omer-en-Chaussée
Pisseleu
Maulers
la Neuville-St-Pierre
Muidorge
Juvignies
Abbeville-St-Lucien
Reuil-sur-Brêche
Bucamps
Catillon-Fumechon
St-Just-en-Chaussée
Plainval
Ravenel
St-Martin-aux-Bois
Crillon
Milly-sur-Thérain
Troissereux
Maisoncelle-St-Pierre
Fontaine-St-Lucien
Lafraye
Montreuil-sur-Brêche
le Quesnel-Aubry
le Plessier-sur-Bulles
Nourard-le-Franc
le Plessier-sur-St-Just
Léglantiers
Guignecourt
Haudivillers
Essuiles
le Mesnil-sur-Bulles
St-Remy-en-l'Eau
Valescourt
Angivillers
La Neuville-Roy
Savignies
Velennes
Nivillers
Bulles
Fournival
Lieuvillers
Pronleroy
Cressonsacq
Erquinvillers
Tillé
Beauvais-Tillé
BEAUVAIS
Fouquerolles
le Fay-St-Quentin
Rémérangles
Avrechy
Cuignières
Noroy
St-Paul
Goincourt
Therdonne
Laversines
Litz
Étouy
Airion
Lamécourt
Rémécourt
Maimbeville
aux Marais
Allonne
St-Martin-le-Noeud
Rochy-Condé
Bresles
la Rue-St-Pierre
la Neuville-en-Hez
Fitz-James
Erquery
St-Aubin-sous-Erquery
Rainvillers
Troussures
St-Léger-en-Bray
Warluis
Bailleul-sur-Thérain
Montreuil-sur-Thérain
Villers-St-Sépulcre
F. Dom. de Hez-Froidmont
Agnetz
Clermont
Breuil-le-Sec
Breuil-le-Vert
Nointel
Catenoy
Auneuil
Frocourt
Berneuil-en-Bray
Auteuil
Abbecourt
Hermes
Berthecourt
Thury-sous-Clermont
St-Félix
Ansacq
Neuilly-sous-Clermont
Bailleval
Sacy-le-Grand
Villotran
St-Sulpice
Ponchon
Hodenc-l'Évêque
Heilles
Noailles
Angy
Cambronne-lès-Clermont
Rantigny
Liancourt
Verderonne
Beaumont-les-Nonains
la Neuville-Garnier
Silly-Tillard
Mouchy-le-Châtel
Mouy
Jouy-sous-Thelle
la Neuville-d'Aumont
le Coudray-sur-Thelle
Valdampierre
Ressons-l'Abbaye
Cauvigny
Bury
Rousseloy
Mogneville
Cinqueux
Monceaux
Villers-St-Paul
Balagny-sur-Thérain
Laigneville
Ste-Geneviève
Ully-St-Georges
Foulangues
Montherlant
Laboissière-en-Thelle
Corbeil-Cerf
Fresneaux-Montchevreuil
St-Crépin-Ibouvillers
Andeville
Novillers
Mello
St-Vaast-lès-Mello
Nogent-sur-Oise
Montataire
CREIL
Verneuil-en-Halatte
Lormaison
Cires-lès-Mello
Maysel
Cramoisy
Lachapelle-St-Pierre
Mortefontaine-en-Thelle
Thiverny
Fresne-Léguillon
Fleury
Ivry-le-Temple
Villeneuve-les-Sablons
Méru
Neuilly-en-Thelle
Ercuis
Blaincourt-lès-Précy
St-Leu-d'Esserent
Aumont-en-Halatte
Anserville
Dieudonne
Crouy-en-Thelle
Villers-sous-St-Leu
St-Maximin
Apremont
Vineuil-St-Firmin
Courteuil
Senlis
Monts
Hénonville
Amblainville
Eschès
Fosseuse
Bornel
Puiseux-le-Hauberger
Précy-sur-Oise
Chantilly
Lavilletertre
Neuville-Bosc
Berville
Chavençon
Belle-Église
Fresnoy-en-Thelle
Morangles
PARC
42
43

Athies
Monchy-Lagache
Francilly-Selency
Vauvillers
Vermandovillers
Misery
Cizancourt
Ennemain
Beauvois-en-Vermandois
Savy
Ablaincourt-Pressoir
Marchélepot
Épénancourt
Falvy
Lanchy
Vaux-en-Vermandois
Étreillers
Caix
Lihons
Chaulnes
Hyencourt-le-Grand
Licourt
Croix-Moligneaux
Ugny-l'Équipée
Germaine
Fluquières
Dallon
Rosières-en-Santerre
Méharicourt
Chilly
Pertain
Omiécourt
Morchain
Pargny
Villecourt
Foreste
Fontaine-lès-Clercs
Grugies
Castres
Vrély
Maucourt
Hallu
Punchy
Potte
Matigny
Douilly
Villers-St-Christophe
Douchy
Contescourt
Essigny-le-Grand
Warvillers
Fonches-Fonchette
Mesnil-St-Nicaise
Béthencourt-sur-Somme
Rouy-le-Petit
Happencourt
Seraucourt-le-Grand
le Quesnel
Beaufort-en-Santerre
Fouquescourt
Hattencourt
Curchy
Rouy-le-Grand
Voyennes
Sancourt
Bray-St-Christophe
Folies
Rouvroy-en-Santerre
Fransart
Liancourt-Fosse
Étalon
Nesle
Offoy
Aubigny-aux-Kaisnes
Tugny-et-Pont
Artemps
Parvillers-le-Quesnoy
la Chavatte
Herly
Pithon
Dury
St-Simon
Bouchoir
Fresnoy-lès-Roye
Languevoisin-Quiquery
Breuil
Eppeville
Ham
Sommette-Eaucourt
Clastres
Arvillers
Damery
Crémery
Rethonvillers
Billancourt
Hombleux
Ollezy
Montescourt-Lizerolles
Goyencourt
Marché-Allouarde
Buverchy
Muille-Villette
Jussy
Davenescourt
Erches
Andechy
Gruny
Biarre
Grécourt
Esmery-Hallon
Annois
Villers-lès-Roye
Balâtre
Cressy-Omencourt
Moyencourt
Brouchy
Cugny
Flavy-le-Martel
Warsy
Guerbigny
Roye
Carrépuis
Golancourt
Villeselve
l'Échelle-St-Aurin
St-Mard
Solente
Ercheu
Libermont
Flavy-le-Meldeux
Frières-Faillouël
Armancourt
Laucourt
Roiglise
Champien
Ognolles
Beaumont-en-Beine
la Neuville-en-Beine
Lignières
Dancourt-Popincourt
Margny-aux-Cerises
le Plessis-Patte-d'Oie
Berlancourt
Fréniches
Marquivillers
Grivillers
Beaulieu-les-Fontaines
Ugny-le-Gay
Villequier-Aumont
Laboissière-en-Santerre
Verpillières
Frétoy-le-Château
Guiscard
Montdidier
Amy
Avricourt
Écuvilly
Campagne
Muirancourt
Faverolles
Tilloloy
Beuvraignes
Quesmy
Beaugies-sous-Bois
Guivry
Commenchon
Piennes-Onvillers
Fescamps
Bus-la-Mésière
Crapeaumesnil
Catigny
Maucourt
Béthancourt-en-Vaux
Caumont
Viry-Noureuil
Remaugies
Fresnières
Candor
Sermaize
Bussy
Crisolles
Caillouël-Crépigny
Neuflieux
Boulogne-la-Grasse
Conchy-les-Pots
Lagny
Genvry
Grandrû
Marest-Dampcourt
Ognes
Chauny
Canny-sur-Matz
Beaurains-lès-Noyon
Mondescourt
Abbecourt
Sinceny
Rollot
Hainvillers
Porquéricourt
Béhéricourt
Salency
Baboeuf
le Frestoy-Vaux
Roye-sur-Matz
Lassigny
Dives
Vauchelles
Noyon
Appilly
Bichancourt
Autreville
Biermont
Laberlière
Cuy
Suzoy
Larbroye
Ployron
Mortemer
Orvillers-Sorel
Gury
Plessis-de-Roye
Évricourt
Morlincourt
Brétigny
Quierzy
Manicamp
Tricot
Courcelles-Epayelles
Ricquebourg
Thiescourt
Ville
Pont-l'Évêque
Varesnes
la Neuville-sur-Ressons
Cannectancourt
Chiry-Ourscamp
Passel
Sempigny
Pontoise-lès-Noyon
Bourguignon-sous-Coucy
Cuvilly
Méry-la-Bataille
Lataule
Ressons-sur-Matz
Mareuil-la-Motte
Élincourt-Ste-Marguerite
Champs
Belloy
Margny-sur-Matz
Cuts
Camelin
Besmé
St-Paul-aux-Bois
Ménévillers
Vandélicourt
Cambronne-lès-Ribécourt
Pimprez
Caisnes
Blérancourt
Marqueglise
Chevincourt
Machemont
Ribécourt-Dreslincourt
Carlepont
St-Aubin
Selens
Pont-St-Mard
Neufvy-sur-Aronde
Gournay-sur-Aronde
Marest-sur-Matz
Vignemont
Antheuil-Portes
Mélicocq
Bailly
Tracy-le-Val
Nampcel
Moyenneville
Monchy-Humières
Villers-sur-Coudun
Thourotte
Montmacq
St-Léger-aux-Bois
Audignicourt
Braisnes
Giraumont
Montmartin
Coudun
Longueil-Annel
le Plessis-Brion
Tracy-le-Mont
Moulin-sous-Touvent
Vassens
Epagny
Vézaponin
Grandvillers-aux-Bois
Hémévillers
Francières
Baugy
Bienville
Janville
Autrêches
Morsain
Lachelle
Clairoix
Choisy-au-Bac
Remy
Margny-lès-Compiègne
St-Crépin-aux-Bois
St-Pierre-lès-Bitry
Nouvron-Vingré
Estrées-St-Denis
Venette
Rethondes
Berneuil-sur-Aisne
St-Christophe-à-Berry
Tartiers
Moyvillers
Cuisy-en-Almont
Vauxrezis
Attichy
Bitry
Fontenoy
Vic-sur-Aisne
Berny-Rivière
Osly-Courtil
Pommiers
Arsy
Jaux
COMPIÈGNE
Couloisy
Jaulzy
Canly
Trosly-Breuil
Cuise-la-Motte
Croutoy
Ressons-le-Long
Ambleny
Pernant
Blincourt
Jonquières
Vieux-Moulin
Grandfresnoy
le Fayel
Armancourt
le Meux
Hautefontaine
St-Bandry
Sacy-le-Petit
Longueil-Ste-Marie
F. DOM.
St-Jean-aux-Bois
Montigny-Lengrain
Saconin-et-Breuil
Chevrières
Lacroix-St-Ouen
Pierrefonds
Chelles
Laversine
Bazicourt
Rivecourt
St-Étienne-Roilaye
Cutry
Houdancourt
DE COMPIÈGNE
Cœuvres-et-Valsery
Missy-aux-Bois
St-Sauveur
Retheuil
Mortefontaine
Dommiers
Verberie
Saintines
Béthisy-St-Pierre
Taillefontaine
Vivières
St-Pierre-Aigle
Montgobert
Chaudun
Rhuis
Orrouy
Gilocourt
Morienval
Bonneuil-en-Valois
Puiseux-en-Retz
Pontpoint
St-Vaast-de-Longmont
Roberval
Villeneuve-sur-Verberie
Béthisy-St-Martin
Néry
Béthancourt-en-Valois
Glaignes
Fresnoy-la-Rivière
Éméville
Haramont
Longpont
Villers-St-Frambourg
Raray
Vez
Villers-Cotterêts
Corcy
Brasseuse
Rocquemont
Séry-Magneval
Feigneux
Largny-sur-Automne
Louâtre
Ognon
Rully
Trumilly
Russy-Bémont
Vaumoise
Dampleux
Chamant
Barbery
Auger-St-Vincent
Duvy
Crépy-en-Valois
Vauciennes
Coyolles
Faverolles
Ancienville
Mont-l'Évêque
Montépilloy
Fresnoy-le-Luat
Rouville
Gondreville
Boursonne
Oigny-en-Valois
Silly-la-Poterie
Chouy
Lévignen
Ormoy
Ivors

22
27
9
A
B
C
D
Harly
Marcy
Mont-d'Origny
Origny-Ste-Benoite
Thenelles
Regny
Mesnil-St-Laurent
Neuville-St-Amand
Itancourt
Puisieux-et-Clanlieu
Sains-Richaumont
Lemé
Voulpaix
Fontaine-lès-Vervins
Le Hérie-la-Viéville
Chevennes
Franqueville
Rougeries
Gercy
Landifay-et-Bertaignemont
Grugies
Castres
Contescourt
Essigny-le-Grand
Urvillers
Châtillon-sur-Oise
Mézières-sur-Oise
Sissy
Ribemont
Pleine-Selve
Parpeville
Villers-le-Sec
Monceau-le-Neuf-et-Faucouzy
Marfontaine
Housset
Vohariès
T H I E R A
Gronard
Houry
Lugny
Rogny
Prisces
Berlancourt
la Neuville-Housset
Sons-et-Ronchères
Séry-lès-Mézières
Berthenicourt
Alaincourt
Benay
Cerizy
Hinacourt
Mo-de-l'Aisne
Chevresis-Monceau
Surfontaine
Châtillon-lès-Sons
Thiernu
Marle
Montigny-sous-Marle
Cilly
Bosmont-sur-Serre
Marcy-sous-Marle
Bois-lès-Pargny
la Ferté-Chevresis
Gibercourt
Ly-Fontaine
Brissy-Hamégicourt
Renansart
Montigny-sur-Crécy
Pargny-les-Bois
Erlon
Voyenne
Remigny
Vendeuil
Brissay-Choigny
Nouvion-le-Comte
Nouvion-et-Catillon
Crécy-sur-Serre
Dercy
Autremencourt
St-Pierremont
la Neuville-Bosmont
Mennessis
Liez
Mayot
Achery
Anguilcourt-le-Sart
Travecy
Courbes
Mesbrecourt-Richecourt
Assis-sur-Serre
la Serre
Mortiers
Toulis-et-Attencourt
Froidmont-Cohartille
Montigny-le-Franc
Cuirieux
Éboulea
Tergnier
la Fère
Danizy
Remies
Pouilly-sur-Serre
Chalandry
Barenton-sur-Serre
Vesles-et-Caumont
Grandlup-et-Fay
Pierrepont
Goudelancourt-lès-Pierrepont
Beautor
Charmes
Versigny
Monceau-lès-Leups
Couvron-et-Aumencourt
Chéry-lès-Pouilly
Verneuil-sur-Serre
Mâchecourt
Rogécourt
Barenton-Cel
Missy-lès-Pierrepont
Chivres-en-Laonnois
Condren
Deuillet
Andelain
Fressancourt
Vivaise
Aulnois-sous-Laon
Barenton-Bugny
Monceau-le-Waast
Servais
Bertaucourt-Epourdon
Chauny
Sinceny
Amigny-Rouy
Fourdrain
Brie
Crépy
Besny-et-Loizy
Liesse-Notre-Dame
St-Gobain
St-Nicolas-aux-Bois
Chambry
LAON
Athies-sous-Laon
Samoussy
Gizy
Marchais
Sissonne
Barisis
Septvaux
Bucy-lès-Cerny
Cerny-lès-Bucy
Molinchart
Cessières
la Croisette
Eppes
Coucy-lès-Eppes
Fresnes
Suzy
Laniscourt
Clacy-et-Thierret
Mons-en-Laonnois
Folembray
Verneuil-sous-Coucy
Prémontré
Coucy-la-Ville
Faucoucourt
Bourguignon-sous-Montbavin
Vaucelles-et-Beffecourt
Chivy-lès-Étouvelles
Étouvelles
Parfondru
Veslud
Festieux
Mauregny-en-Haye
Montaigu
Courtrizy-et-Fussigny
Bassoles-Aulers
Wissignicourt
Merlieux-et-Fouquerolles
Royaucourt-et-Chailvet
Vorges
Bruyères-et-Montbérault
St-Erme-Outre-et-Ramecourt
Coucy-le-Château-Auffrique
Brancourt-en-Laonnois
Anizy-le-Château
Lizy
Chaillevois
Quincy-Basse
Nouvion-le-Vineux
Presles-et-Thierny
Chérêt
Orgeval
Montchâlons
Aubigny-en-Laonnois
Cuny
Jumencourt
Landricourt
Laval-en-Laonnois
Arrancy
Pont-St-Mard
Pinon
Chavignon
Urcel
Monthenault
Martigny-Courpierre
Bièvres
Ployart-et-Vaurseine
St-Thomas
Aizelles
Goudelancourt-lès-Berrieux
Berrieux
Crécy-au-Mont
Vauxaillon
Vaudesson
Monampteuil
Lierval
Colligis-Crandelain
Chermizy-Ailles
Ste-Croix
Epagny
Leuilly-sous-Coucy
Allemant
Chevregny
Trucy
Pancy-Courtecon
Chamouille
Bouconville-Vauclair
Corbeny
Vézaponin
Bagneux
Neuville-sur-Margival
Pargny-Filain
Filain
Neuville-sur-Ailette
Cerny-en-Laonnois
Bieuxy
Juvigny
Terny-Sorny
Laffaux
Nanteuil-la-Fosse
Ostel
Braye-en-Laonnois
Craonne
Juvincourt-et-Damary
Leury
Clamecy
Margival
Vuillery
Aizy-Jouy
Vendresse-Beaulne
Oulches-la-Vallée-Foulon
Craonnelle
La Ville-aux-Bois-lès-Pontavert
Vauxrezis
Chavigny
Braye
Sancy-les-Cheminots
Vailly-sur-Aisne
Moussy-Verneuil
Paissy
Vassogne
Cuffies
Crouy
Vregny
Celles-sur-Aisne
Soupir
Moulins
Cuissy-et-Geny
Jumigny
Pontavert
Pasly
Bucy-le-Long
Condé-sur-Aisne
Chavonne
Pargnan
Beaurieux
Chaudardes
Pommiers
SOISSONS
Chivres-Val
Presles-et-Boves
Cys-la-Commune
St-Mard
Pont-Arcy
Bourg-et-Comin
Œuilly
Cuiry-lès-Chaudardes
Maizy
Concevreux
Missy-sur-Aisne
Villeneuve-St-Germain
Venizel
Chassemy
Brenelle
Dhuizel
Viel-Arcy
Villers-en-Prayères
Révillon
Muscourt
Roucy
Cormicy
Mercin-et-Vaux
Vauxbuin
Courmelles
Billy-sur-Aisne
Ciry-Salsogne
Vasseny
Longueval-Barbonval
Glennes
Meurival
Guyencourt
Cauroy-lès-Hermonville
Belleu
Septmonts
Acy
Serches
Braine
Courcelles-sur-Vesles
Vauxcéré
Serval
Merval
Blanzy-lès-Fismes
Ventelay
Berzy-le-Sec
Ploisy
Noyant-et-Aconin
Rozières-sur-Crise
Augy
Couvrelles
Paars
Romain
Bouvancourt
Hermonville
Villers-Franqueux
Chaudun
Buzancy
Ambrief
Cerseuil
Limé
Perles
Fismes
Courlandon
Basilieux-lès-Fismes
Montigny-sur-Vesle
Pévy
MASSIF DE ST-THIERRY
Nampteuil-sous-Muret
Chacrise
Quincy-sous-le-Mont
Bazoches-sur-Vesles
Ville-Savoye
Magneux
Breuil
Trigny
Prouilly
Villemontoire
Muret-et-Crouttes
Lesges
Jouaignes
Tannières
Mont-Notre-Dame
St-Thibaut
St-Gilles
Unchair
Hourges
Jonchery-sur-Vesle
Vierzy
Parcy-et-Tigny
Droizy
Maast-et-Violaine
Cuiry-Housse
Lhuys
Mont-St-Martin
Vandeuil
Branscourt
Muizon
Villers-Hélon
Louâtre
Hartennes-et-Taux
Launoy
Arcy-Ste-Restitue
Bruys
Chéry-Chartreuve
Courville
Crugny
Serzy-et-Prin
Savigny-sur-Ardres
Rosnay
Gueux
Courcelles-Sapicourt
le Plessier-Huleu
Mont-sur-Courville
Treslon
Janvry
Germigny
St-Rémy-Blanzy
Beugneux
Loupeigne
Mareuil-en-Dôle
Arcis-le-Ponsart
Brouillet
Faverolles-et-Coëmy
Tramery
Coulommes-la-Montagne
Billy-sur-Ourcq
Grand-Rozoy
Cramaille
Saponay
Dravegny
Lhéry
Poilly
Méry-Prémecy
St-Euphraise-et-Clairizet
Oulchy-la-Ville
Oulchy-le-Château
Seringes-et-Nesles
Coulonges-Cohan
Lagery
Aubilly
Rozet-St-Albin
Bruyères-sur-Fère
Fère-en-Tardenois
Sarcy
Bligny
Bouilly
44
45
41

REIMS
Rethel
Montcornet
Rozoy-sur-Serre
Signy-l'Abbaye
Château-Porcien
Asfeld
Juniville
Bétheny
Tinqueux
Cormontreuil
Attigny
Liart
Rumigny
Aubenton

24
Nouzonville
Joigny-sur-Meuse
Rochers des Grands Ducs
Gespunsart
Bagimont
Rochehaut
Frahan
Botassart
Sensenruth
Bouillon
Harcy
Montcornet
Arreux
Neufmanil
Pussemange
Sugny
Poupehan
Corbion
Rocher du Pendu
Vallée
La Roche Lecomte
Forêt de Muno
Houldizy
Tournes
Damouzy
Aiglemont
Montcy-N.-D.
Gernelle
Haudrecy
Belval
Warcq
CHARLEVILLE-MÉZIÈRES
St-Marcel
Prix-lès-Mézières
Villers-Semeuse
Lumes
Vivier-au-Court
Vrigne-aux-Bois
St-Menges
Illy
Fleigneux
la Chapelle
Villers-Cernay
Pouru-aux-Bois
Francheval
Bosseval-et-Briancourt
Ville-sur-Lumes
Issancourt-et-Rumel
Fagnon
Warnécourt
Évigny
la Francheville
Nouvion-sur-Meuse
Donchery
Glaire
Floing
Givonne
Sedan
Daigny
Balan
la Moncelle
Douzy
Pouru-St-Remy
Messincourt
Gruyères
Mondigny
les Ayvelles
Chalandry-Elaire
Boulzicourt
Flize
Dom-le-Mesnil
Villers-sur-Bar
Bazeilles
Champigneul-sur-Vence
St-Pierre-sur-Vence
Guignicourt-sur-Vence
Yvernaumont
Étrépigny
Boutancourt
Hannogne-St-Martin
Sapogne-et-Feuchères
Cheveuges
Wadelincourt
Noyers-Pont-Maugis
Thelonne
Remilly-Aillicourt
Mairy
Brévilly
Tétaigne
Sachy
Carignan
Blagny
Tailly
Barbaise
Raillicourt
Montigny-sur-Vence
Balaives-et-Butz
Élan
Villers-le-Mont
Poix-Terron
Singly
St-Aignan
Chéhéry
Bulson
Angecourt
Villers-devant-Mouzon
Amblimont
Euilly-et-Lombut
Mouzon
Villers-le-Tourneur
Villers-le-Tilleul
Omicourt
Haraucourt
la Horgne
Mazerny
Vendresse
Chémery-sur-Bar
Maisoncelle-et-Villers
Raucourt-et-Flaba
Autrecourt-et-Pourron
Vaux-lès-Mouzon
Omont
Baâlons
Bouvellemont
St-Loup-Terrier
Chagny
la Neuville-à-Maire
Artaise-le-Vivier
Moulins-St-Hubert
Malandry
Wagnicourt
Chesnois-Auboncourt
Jonval
Louvergny
Sauville
la Besace
Yoncq
Autréville-St-Lambert
Olizy-sur-Chiers
Guincourt
Marquigny
la Sabotterie
Tourteron
le Mont-Dieu
Stonne
Létanne
Pouilly-sur-Meuse
Inor
Nepvant
Lametz
Tannay
les Grandes-Armoises
la Berlière
Beaumont-en-Argonne
Luzy-St-Martin
Martincourt-sur-Meuse
Suzanne
Sy
Cesse
le Chesne
les Petites-Armoises
Oches
Stenay
St-Lambert-et-Mont-de-Jeux
Montgon
Verrières
Sommauthe
Laneuville-sur-Meuse
Neuville-Day
Semuy
Rilly-sur-Aisne
Attigny
Brieulles-sur-Bar
St-Pierremont
Vaux-en-Dieulet
Beaufort-en-Argonne
Voncq
les Alleux
Autruche
Belval-Bois-des-Dames
Beauclair
Wiseppe
Ste-Vaubourg
Terron-sur-Aisne
Noirval
Authe
Fossé
Nouart
Halles-sous-les-Côtes
Saulmory-et-Villefranche
Chuffilly-Roche
Vandy
Quatre-Champs
Belleville-et-Châtillon-sur-Bar
Germont
Bar-lès-Buzancy
Coulommes-et-Marqueny
Vrizy
Ballay
Toges
Harricourt
Buzancy
Montigny-devant-Sassey
Sassey-sur-Meuse
Chardeny
Grivy-Loisy
Boult-aux-Bois
Thénorgues
Mont-devant-Sassey
Quilly
Mars-sous-Bourcq
Vouziers
la Croix-aux-Bois
Briquenay
Bayonville
Villers-devant-Dun
Milly
Tourcelles-Chaumont
Longwé
Verpel
Doulcon
Dun-sur-Meuse
Bourcq
Falaise
Imécourt
Aincreville
Cléry-le-Petit
Ste-Marie
Contreuve
Sugny
Savigny-sur-Aisne
Beffu-et-le-Morthomme
Landres-et-St-Georges
Bantheville
Cléry-le-Grand
Liny-devant-Dun
Semide
Mont-St-Martin
St-Morel
Olizy-Primat
Grandpré
Champigneulle
St-Juvin
Cunel
Brieulles-sur-Meuse
Vilosnes-Haraumont
Brécy-Brières
Chevières
Sommerance
Romagne-sous-Montfaucon
Monthois
Challerange
Termes
Senuc
Marcq
Cornay
Fléville
Gesnes-en-Argonne
Nantillois
Liry
Mouron
Vaux-lès-Mouron
Grandham
Exermont
Cierges-sous-Montfaucon
Septsarges
Marvaux-Vieux
Montcheutin
Chatel-Chéhéry
Épinonville
Aure
Lançon
Autry
Apremont
Baulny
Charpentry
Montfaucon-d'Argonne
Cuisy
Manre
Ardeuil-et-Montfauxelles
Séchault
Bouconville
Très
Montblainville
Véry
Malancourt
Gratreuil
Condé-lès-Autry
Binarville
Varennes-en-Argonne
Cheppy
Fontaine-en-Dormois
Cernay-en-Dormois
Servon-Melzicourt
Rouvroy-Ripont
Vauquois
Avocourt
Esnes-en-Argonne
Boureuilles
Massiges
Ville-sur-Tourbe
Suippes
Vienne-le-Château
Montzéville
46
47

25
E
F
G
H
Forêt d'Herbeumont
Herbeumont
Forêt de Chiny
Forêt d'Anlier
Chiny
Semois
Défilé du Paradis
Florenville
Habay
Habay-la-Neuve
Habay-la-Vieille
Léglise
Arlon (Aarlen)
Attert
Redange
Steinfort
Étalle
Tintigny
Virton
Messancy
Aubange
Pétange
Mont-St-Martin
Longwy
Differdange
Herserange
Musson
St-Léger
Meix-devant-Virton
Rouvroi
Avioth
Montmédy
Forêt de Merlanvaux
Abbaye d'Orval
Marville
Longuyon
Louppy-sur-Loison
Juvigny-sur-Loison
Damvillers
Spincourt
Étain
Bouligny
Joudreville
Piennes
Mairy-Mainville
Mont-Bonvillers
Audun-le-Roman
Fillières
Serrouville
Villerupt
Tiercelet
Hussigny-Godbrange
Cons-la-Grandville
Pierrepont
St-Pierrevillers
Mangiennes
Azannes-et-Soumazannes
F. Dom. de Spincourt
Douaumont
Charny-sur-Meuse
Verdun
Sivry-sur-Meuse
Consenvoye
Champneuville
Conflans-en-Jarnisy
Olley
Warcq
Fort de Vaux
Ossuaire
Mémorial
N4
N40
N81
N82
N83
N87
N88
N18
N43
E44
A4
A28
D643
D618

26
LUXEMBOURG
Capellen
Mamer
Strassen
Bertrange
Garnich
Dippach
Clémency
Bascharage
Sanem
Mondercange
Esch-sur-Alzette
Schifflange
Kayl
Dudelange
Bettembourg
Hesperange
Leudelange
Reckange-sur-Mess
Sandweiler
Schuttrange
Contern
Waldbredimus
Dalheim
Frisange
Roeser
Weiler-la-Tour
Mondorf-les-Bains
Remich
Stadtbredimus
Lenningen
Wormeldange
Schengen
Remerschen
Perl
Apach
Sierck-les-Bains
Contz-les-Bains
Rodemack
Roussy-le-Village
Zoufftgen
Volmerange-les-Mines
Villerupt
Audun-le-Tiche
Thil
Aumetz
Tressange
Boulange
Audun-le-Roman
Algrange
Fontoy
Knutange
Nilvange
Hayange
Serémange-Erzange
Florange
Hettange-Grande
Manom
THIONVILLE
Yutz
Cattenom
Kœnigsmacker
Basse-Ham
Veckring
Guénange
Uckange
Fameck
Richemont
Moyeuvre-Grande
Rombas
Amnéville
Hagondange
Mondelange
Talange
Maizières-lès-Metz
Marange-Silvange
Jœuf
Homécourt
Briey
Auboué
Woippy
METZ
Montigny-lès-Metz
Moulins-lès-Metz
Longeville-lès-Metz
Ars-sur-Moselle
Jussy
Gorze
Novéant-sur-Moselle
Corny-sur-Moselle
Marly
Jarny
Mars-la-Tour
Chambley-Bussières
Boulay-Moselle
Courcelles-Chaussy
Rémilly
Vigy
Metzervisse
Kédange-sur-Canner
Hombourg-Budange
Bouzonville
Freistroff
Ars-Laquenexy
Peltre
Mécleuves
Verny
Chérisey
Pagny-sur-Moselle
Lorry-Mardigny
48
49

NATURPARK SAAR HUNSRÜCK
Schwarzwälder Hochwald
Saarburg
Mettlach
Merzig
Dillingen
Saarlouis
Losheim
Weiskirchen
Wadern
Nonnweiler
Nohfelden
Türkismühle
Bostalstausee
Tholey
Sankt Wendel
Ottweiler
Neunkirchen
Schmelz
Lebach
Eppelborn
Heusweiler
Püttlingen
Völklingen
SAARBRÜCKEN
Sankt Ingbert
Friedrichsthal
Saarbrücken-Ensheim
Bouzonville
Creutzwald
Boulay-Moselle
Petite-Rosselle
Stiring-Wendel
FORBACH
Behren-lès-Forbach
L'Hôpital
Freyming-Merlebach
Hombourg-Haut
St-Avold
Faulquemont
Sarreguemines
Puttelange-aux-Lacs
Sarralbe
Centrale Électrique Émile Huchet
Complexe Carbochimique de Carling-St-Avold
Monastère de St-Mauritius
Symposium de Sculpture
E
F
G
H
27
28
49
50

28
A
B
C
D
Heimbach
Weiersbach
Berglangenbach
Leitzweiler
Rohrbach
Fohren-Linden
Mettweiler
Rückweiler
Berschweiler
Hahnweiler
Wolfersweiler
Freisen
Eckersweiler
Eitzweiler
Asweiler
Reichweiler
Gehweiler
Reitscheid
Schwarzerden
Pfeffelbach
Oberkirchen
Herchweiler
Grügelborn
Haupersweiler
Albessen
Roschberg
Osterbrücken
Leitersweiler
Selchenbach
Langenbach
Konken
Hoof
Marth
Urweiler
Niederkirchen
Bubach
Werschweiler
Saal
Dörrenbach
Fürth
Lautenbach
Remmesfurth
Steinbach
Münchwies
Hangard
Frankenholz
Oberbexbach
Bexbach
Wellesweiler
Niederbexbach
Kohlhof
Limbach
Haus Furpach
Kirkel-Neuhäusel
Hassel
Lautzkirchen
Vestiges Antiques
Alschbach
Niederwürzbach
Blieskastel
Biesingen
Aßweiler
Ballweiler
Ehlingen
Erfweiler-Ehlingen
Wolfersheim
Rubenheim
Herbitzheim
Bebelsheim
Gersheim
Reinheim
Niedergailbach
Blies-Ebersing
Bliesbruck
Obergailbach
Ruines Gallo-Romaines
Parc Archéologique de Bliesbruck-Reinheim
Woelfling-lès-Sarreguemines
Gros-Réderching
Achen
Etting
Kalhausen
Schmittviller
Rahling
Oermingen
Dehlingen
Voellerdingen
Rathsweiler
Dennweiler-Frohnbach
Oberalben
Frohnbach
Körborn
Blaubach
Ruthweiler
Diedelkopf
Kusel
Ehweiler
Bledesbach
Schellweiler
Etschberg
Hüffler
Wahnwegen
Hereschweiler-Pettersheim
Krottelbach
Frohnhofen
Steinbach am Glan
Altenkirchen
Ohmbach
Breitenbach
Dittweiler
Dunzweiler
Schmittweiler
Waldmohr
Höchen
Jägersburg
Websweiler
Kleinottweiler
Homburg
Altstadt
Beeden
Schwarzenbach
Wörschweiler
Einöd
Bierbach
Webenheim
Mimbach
Blickweiler
Hengstbach
Breitfurt
Böckweiler
Altheim
Bliesdalheim
Neualtheim
Walsheim
Seyweiler
Brenschelbach
Peppenkum
Medelsheim
Riesweiler
Ormersviller
Volmunster
Epping
Erching
Rimling
Nousseviller-lès-Bitche
Bettviller
Hottviller
Petit-Réderching
Fort Casso
Rohrbach-lès-Bitche
Bining
Siersthal
Lambach
Enchenberg
Lemberg
Montbronn
St-Louis-lès-Bitche
Meisenthal
Soucht
Goetzenbruck
Mouterhouse
Butten
Ratzwiller
Julian
Eschenau
Glan
Horschbach
Ulmet
Erdesbach
Patersbach
Bedesbach
Altenglan
Rammelsbach
Friedelhausen
Rutsweiler am Glan
Mühlbach am Glan
Haschbach
Föckelberg
Theisbergstegen
Godelhausen
Gimsbach
Eisenbach-Matzenbach
Rehweiler
Liebsthal
Quirnbach-Bad Kusel
Henschtal
Münchweiler
Bettenhausen
Niedermohr
Nanzdietschweiler
Schrollbach
Börsborn
Dietschweiler
Brücken
Gries
Hütschenhausen
Spesbach
Sand
Elschbach
Schönenberg-Kubelberg
Miesau
Hauptstuhl
Eichelscheiderhof
Bruchmühlbach
Vogelbach
Lamsborn
Bechhofen
Reiskirchen
Homburg-Nord
Bruchhof
Sanddorf
Rosenkopf
Wiesbach
Käshofen
Kleinbundenbach
Großbundenbach
Kirrberg
Mörsbach
Oberauerbach
Niederauerbach
Ernstweiler
Zweibrücken
Bubenhausen
Ixheim
Wattweiler
Rimschweiler
Mittelbach
Althornbach
Hornbach
Mauschbach
Schweyen
Loutzviller
Breidenbach
Bousseviller
Lengelsheim
Schorbach
Bitche
Reyersviller
Éguelshardt
Aschbach
Gumbsweiler
Hinzweiler
Elzweiler
Welchweiler
Oberweiler im Tal
Schneeweiderhof
Bosenbach
Niederstaufenbach
Oberstaufenbach
Reichenbach
Neunkirchen am Potzberg
Matzenbach
Fockenberg-Limbach
Reuschbach
Kottweiler-Schwanden
Obermohr
Weltersbach
Kazenbach
Langwieden
Martinshöhe
Gerhardsbrunn
Sickingter Höhe
Labach
Knoop-Labach
Krahenberg
Biedershausen
Wallhalben-Oberhausen
Winterbach
Schmitshausen
Herschberg
Niederhausen
Reifenberg
Battweiler
Contwig
Stambach
Rieschweiler-Mühlbach
Dellfeld
Höheischweiler
Nünschweiler
Walshausen
Windsberg
Kleinsteinhausen
Großsteinhausen
Dietrichingen
Riedelberg
Bottenbach
Rolbing
Walschbronn
Waldhouse
Schweix
Liederschiedt
Roppeviller
Hanviller
Haspelschiedt
Camp de Bitche
Fort de Simserhof
Lac de Hasselfurt
Forêt Domaniale de Lemberg
Forêt Domaniale de Mouterhouse
Philippsbourg
Baerenthal
Oberbronn
Niederbronn-les-Bains
Wolfstein
Oberweiler-Tiefenbach
Immetshausen
Roßbach in der Pfalz
Rutsweiler an der Lauter
Kreimbach
Eßweiler
Rothselberg
Jettenbach
Frankelbach
Kollweiler
Albersbach
Schwedelbach
Reichenbachsteegen
Schwanden
Mackenbach
Steinwenden
Miesenbach
Ramstein-Miesenbach
Landstuhl
Kindsbach
Bann
Oberarnbach
Mittelbrunn
Obernheim-Kirchenarnb
Kirchenarnbach
Hettenhausen
Harsberg
Saalstadt
Schauerberg
Zeselberg
Weselberg
Hermersberg
Höheinöd
Thaleischweiler-Fröschen
Maßweiler
Thalfröschen
Höhmühlbach
Petersberg
Fehrbach
Hengsberg
Gersbach
Winzeln
Pirmasens
Niedersimten
Erlenbrunn
Ober Simten
Stausteinerhof
Vinningen
Kröppen
Trulben
Hilst
Hochstellerhof
Ketterrichhof
Eppenbrunn
Hohelist
Schöntal
Ludwigswinkel
le Flibustier
Sturzelbronn
Forêt Dom. de Sturzelbronn
Obersteinbach
Niedersteinbach
Dambach
Windstein
Langensoultzbach
VOSGES DU NORD
PARC NATUREL RÉGIONAL DES VOSGES DU NORD
Hefersweiler
Relsberg
Morbach
Niederkirchen
Heimkirchen
Wörsbach
Schallodenbach
Kaulbach
Olsbrücken
Sulzbachtal
Obersulzbach
Eulenbis
Pörrbach
Erzenhausen
Künbörncheshof
Weilerbach
Rodenbach
Siegelbach
Reichswald
Stookborn
Erfenbach
Katzweiler
Sambach
Hirschhorn
Otterbach
Otterberg
Lauerhof
Mehlbach
Schneckenhausen
Gundersweiler
Schweisweiler
Hochstein
Gehrweiler
Winnweiler
Heiligenmoschel
Höringen
Potzbach
Drahanthalhof
Baalborn
Erlenbach
Gehrsweilerhof
Waldhof
Morlautern
KAISERSLAUTERN
Hohenecken
Dansenberg
Mölschbach
Stelzenberg
Quiedersbach
Krickenbach
Linden
Schoop
Trippstadt
Neuhöferthal
Horbach
Schmalenberg
Lauberhof
Geiselberg
Heltersberg
Steinalben
Waldfischbach-Burgalben
Burgalben
Leimen
Clausen
Donsieders
Merzalben
Rodalben
Riegelbrunnerhof
Neuhof
Siedlung am Sommerwald
Pfälzer Wald
Münchweiler an der Rodalbe
Hinterweidenthal
Ruppertsweiler
Ruhbank
Lemberg
Salzwoog
Langmühle
Glashütte
Dahn
Erfweiler
Château de Drachenfels
Schweiler-Bärenbach
Rumbach
Fischbach bei Dahn
Petersbächel
Gebüg
Hirschthal
Schönau-Pfalz
Château de Wasigenstein
Château du Petit-Arnsberg
Château de Froensbourg
Château de Lutzelhardt
Château de Schoeneck
Château de Wineck
Château du Vieux-Windstein
Château du Nouveau-Windstein
Château de Waldeck
Château de Falkenstein
Château de Hohenfels
Château de Wasenbourg
Château de Grand-Arnsbourg
Forêt de Hanau
Grand Wintersberg
Ligne Maginot
Froeschwiller
Woerth
Goersdorf
Preuschdorf
Lembach
Wingen
Mattstall
Lampertsloch
Eisenschmitt
Alsenbrück-Langmeil
Leithöfe
Lohnsfeld
50
51
27
NATURPARK

29
Grünstadt
Eisenberg
Frankenthal
MANNHEIM
LUDWIGSHAFEN AM RHEIN
Bad Dürkheim
Neustadt an der Weinstraße
Haßloch
Speyer
Schifferstadt
Landau in der Pfalz
Germersheim
Philippsburg
KARLSRUHE
Ettlingen
Wissembourg
Kandel
Lauterbourg
PFÄLZERWALD
Bienwald
Unterer Mundat Wald
RHEIN
Kerzenheim
Rodenbach
Obersülzen
Heuchelheim
Beindersheim
Ebertsheim
Dirmstein
Laumersheim
Gerolsheim
Börrstadt
Imsbach
Breunigweiler
Tiefenthal
Münchweiler
Gonbach
Ramsen
Hettenleidelheim
Sausenheim
Neuleiningen
Battenberg
Bissersheim
Kirchheim an der Weinstraße
Weisenheim am Sand
Flomersheim
Wattenheim
Bobenheim am Berg
Drackenheim
Lambsheim
Eppstein
Studernheim
Neuhemsbach
Wiesenheim am Berg
Herxheim am Berg
Freinsheim
Oggersheim
Carlsberg
Altleiningen
Kallstadt
Leistadt
Birkenheide
Maxdorf
Alsenborn
Hertlingshausen
Erpolzheim
Enkenbach
Ungstein
Ruchheim
Diemersteine
Rahnfels
Ellerstadt
Fußgönheim
Maudach
Fischbach
Châtᵃ de Hardenburg
Abb. de Limburg
Gönnheim
Schauernheim
Mutterstadt
Altrip
Rheinau
Hochspeyer
Frankenstein
Wachenheim an der Weinstraße
Friedelsheim
Rödersheim-Gronau
Assenheim
Neuhofen
Limburgerhof
Forst an der Weinstraße
Niederkirchen-Deidesheim
Hochdorf
Dannstadt
Rohrhof
Weidenthal
Drachenfels
Deidesheim
Meckenheim
Waldsee
Brühl
Waldleiningen
Konigsbach an der Weinstraße
Ruppertsberg
Böhl
Ketsch
Neidenfels
Lindenberg
Gimmeldingen
Otterstadt
Frankeneck
Mußbach an der Weinstraße
Esthal
Lambrecht
Iggelheim
Harzofen
Elmstein
Appenthal
Lachen-Speyerdorf
Châtᵃ de Hambach
Hambach an der Weinstraße
Dudenhofen
Lachen
Hanhofen
Iggelbach
Kalmit
Diedesfeld
Geinsheim
Altrußheim
Harthausen
Gerghausen
Maikammer
Duttweiler
Gommersheim
Heiligenstein
Neulußheim
Kirrweiler
Martin
Altdorf
Oberhausen-Rheinhausen
Kesselberg
Château de Rietburg
Edenkoben
Vennigen
Böbingen
Freisbach
Schwegenheim
Taubensuhl
Rhodt unter Rietburg
Freimersheim
Mechtersheim
Weyher in der Pfalz
Großfischlingen
Weingarten
Edesheim
Ramberg
Rossberg
Hainfeld
Westheim
Lingenfeld
Pfälzische Volksheilstatte
Burrweiler
Roschbach
Hochstadt
Lustadt
Rheinsheim
Flemlingen
Dernbach
Gleisweiler
Walsheim
Essingen
Eußerthal
Zeiskam
Frankweiler
Böchingen
Knöringen
Hermersbergerhof
Kehrenkopf
Nußdorf
Bornheim
Albersweiler
Gräfenhausen
Dammheim
Godramstein
Huttenheim
Rinnthal
Annweiler am Trifels
Siebeldingen
Wilgartswiesen
Queichhambach
Sarnstall
Ottersheim bei Landau
Bellheim
Rußheim
Birkweiler
Ranschbach
Arzheim
Queichheim
Offenbach an der Queich
Knittelsheim
Sondernheim
Ilbesheim bei Landau
Mörlheim
Neudorf
Spirkelbach
Wernersberg
Châtᵃ Trifels
Leinsweiler
Lug
Bindersbach
Eschbach
Wollmesheim
Graben
Liedolsheim
Waldrohrbach
Mörzheim
Impflingen
Rülzheim
Hördt
Dettenheim
Völkersweiler
Dimbach
Châtᵃ d'Eschbach
Schwanheim
Waldhambach
Göcklingen
Herxheimweyher
Kuhardt
Hochstetten
Gossersweiler
Darstein
Münchweiler
Heuchelheim
Insheim
Herxheim bei Landau
Stein
Appenhofen
Rohrbach
Linkenheim-Hochstetten
Oberschlettenbach
Klingenmünster
Klingen
Hardtwald
Silz
Billigheim-Ingenheim
Ingenheim
Hayna
Leimersheim
Schindhard
Blankenborn
Mühlhofen
Hatzenbühl
Gleiszellen-Gleishorbach
Rheinzabern
Neupotz
Friedrichstal
Busenberg
Vorderweidenthal
Steinweiler
Erlenbach bei Kandel
Leopoldshafen
Niederhorbach
Pleisweiler-Oberhofen
Bethof
Barbelroth
Winden
Kapellen-Drusweiler
Birkenhördt
Jockgrim
Erlenbach bei Dahn
Eggenstein
Böllenborn
Oberhausen
Hergersweiler
Blankenloch
Bad Bergzabern
Dierbach
Bundenthal
Dörrenbach
Minfeld
Wörth
Oberotterbach
Vollmersweiler
Neureut
Büchig
Bienwaldhütte
Oberer Mundat
Niederotterbach
Freckenfeld
Schaidt
Bobenthal
Rechtenbach
Steinfeld
Maximiliansau
Kapsweyer
Schweigen-Rechtenbach
Remparts
Hagenbach
Schweighofen
Altenstadt
Büchelberg
Mon. à la Bataille de Geisberg
Rott
Oberhoffen-lès-Wissembourg
Climbach
Steinseltz
Obere Ringgasse
Cleebourg
Ouvrage Four à Chaux
Drachenbronn-Birlenbach
Riedseltz
Neulauterburg
Berg
Neuburg am Rhein
Schleithal
Scheibenhard
Salmbach
Neuburgweier
Rüppurr
Ingolsheim
Seebach
Ouvrage de Schœnenbourg
Rheinstetten
Niederlauterbach
Keffenach
Siegen
Au am Rhein
Memmelshoffen
Neewiller-près-Lauterbourg
Lobsann
Hunspach
Niederseebach
Retschwiller
Schœnenbourg
Oberlauterbach
Elchesheim-Illingen
Soultz-sous-Forêts
Trimbach
Kaidenbourg
Durmersheim
Ettlingenweier
Bruchhausen
Hoffen
Aschbach
Wintzenbach
Mothern
Crœttwiller
Stundwiller
Eberbach-Seltz
Bietigheim
Oberweier
Spessart
Busenbach

A
B
C
D
1
2
3
4
5
6
Île d'Ouessant
Phare du Stiff
Phare de Créac'h
Frugullou
Niou Uhella
Notre-Dame de Bon Voyage
Ouessant (Lampaul)
Feunteun Velen
Passage du Fromveur
Phare de la Jument
Île-Molène
Île Molène
Réserve Naturelle d'Iroise
Île de Béniguet
le Conquet
POINTE DE ST-MATHIEU
Abbaye
St-Mathieu
Lochrist
Plougonvelin
le Trez Hir
Trébabu
Locmaria-Plouzané
Plouzané
Ploumoguer
Illien
Kerhornou
Pointe de Corsen
Phare de Trézien
Ruscumunoc
Plouarzel
Kerescar
Lampaul-Plouarzel
Erragounan
Perros
Lanildut
Phare de Aber Ildut
Melon
Porspoder
Radenoc
Argenton
Kerazant
Menhirs
Manoir de Bel-air
Landunvez
Plourin
Brélès
Kergroadès
Lanvénec
Lanrivoaré
St-Renan
Menhir de Kerloas
Lamber
Kerlazou
Trégorff
Guilers
Bohars
Penfeld
Milizac
Lanner
Guipronvel
Tréouergat
Menhir de Kervignen
Plouguin
Ploudalmézeau
Lampaul-Ploudalmézeau
Portsall
Kersaint
Trémazan
Chât.
Pointe de Landunvez
Tréglonou
Tariec
Coat-Méal
Bourg-Blanc
Kerviniou
Goue
Restic
les Trois Curés
St-Pabu
Lannilis
Landéda
Coum
Morgan
Aber Benoît
Aber-Wrac'h
Presqu'île Ste-Marguerite
Plouguerneau
St-Cava
Kelerdut
Île Vierge
Phare de l'Île Vierge
LES CÔTE DES ABERS
Le Bouguen
Arsenal
St-Pierre-Quilbignon
Kerarmazé
la Trinité
Ste-Anne-du-Portzic
Porsmilin
Trégana
Pointe du Petit Minou
Goulet de Brest
Pointe des Espagnols
RADE DE BRE
Roscanvel
Lanvernazal
Fort
Quélern
N.-D. de Rocamadour
Camaret-sur-Mer
Tour Vauban
St-Fiacre
Taladerc'h
Lanvéoc
Alignements de Lagatjar
Monument
POINTE DE PEN-HIR
les Tas de Pois
PRESQU'ÎLE DE
Gaoulac'h
Crozo
Pointe de Dinan
Morgat
Pointe des Grottes
Grottes
la Palue
St-Hernot
Maison des Minéraux
Cap de la Chèvre
Rostudel
PARC NATUREL MARIN D'IROISE
D27
D28
D168
D26
D5
D38
D67
D105
D205
D789
D85
D68
D3
D128
D113
D13
D355
D55
D155
D887
D308
D8
D255
D71
D126
A
B
C
D

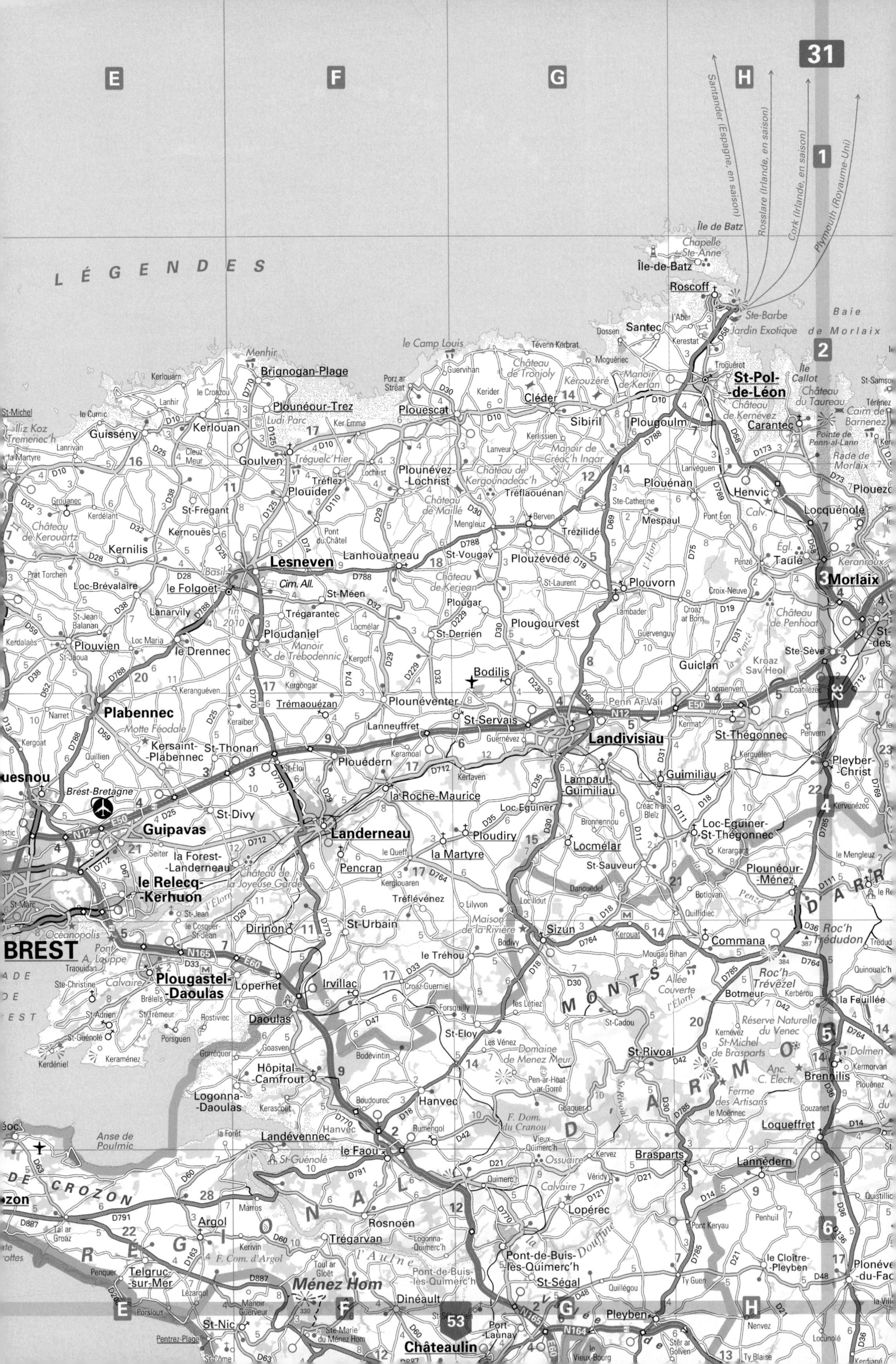
31
E
F
G
H
1
2
3
4
5
6
LÉGENDES
Santander (Espagne, en saison)
Rosslare (Irlande, en saison)
Cork (Irlande, en saison)
Plymouth (Royaume-Uni)
Île de Batz
Chapelle Ste-Anne
Île-de-Batz
Roscoff
Ste-Barbe
Jardin Exotique
Baie de Morlaix
Santec
Dossen
Kerestat
Île Callot
Château du Taureau
St-Pol-de-Léon
Château de Kernévez
Carantec
Cairn de Barnenez
Pointe de Penn-al-Lann
Rade de Morlaix
Tévenn Kerbrat
Moguériec
Château de Tronjoly
Kérouzéré
Manoir de Kerlan
Le Camp Louis
Porz ar Stréat
Guervihan
Cléder
Sibiril
Plougoulm
Plouescat
Menhir
Brignogan-Plage
Kerlouan
Plounéour-Trez
Ludi Parc
Guissény
Iliz Koz
Goulven
Tréguelc'Hier
Tréflez
Lochrist
Plounévez-Lochrist
Château de Kergounadeac'h
Manoir de Créac'h Ingar
Tréflaouénan
Plouénan
Henvic
Locquénolé
Château de Maillé
Berven
Trézilidé
Mespaul
Plouider
St-Frégant
Kernouës
Kernilis
Château de Kerouartz
Lesneven
Lanhouarneau
St-Vougay
Plouzévédé
Penzé
Taulé
Morlaix
Basil.
le Folgoët
Cim. All.
St-Méen
Château de Kerjean
Plouvorn
Château de Penhoat
Loc-Brévalaire
Lanarvily
Trégarantec
Plougar
Plougourvest
Ploudaniel
Manoir de Trébodennic
St-Derrien
Plouvien
le Drennec
Guiclan
Ste-Sève
Kroaz Sav Heol
Bodilis
Plabennec
Motte Féodale
Trémaouézan
Plounéventer
St-Servais
Penn Ar Vali
Landivisiau
St-Thégonnec
Kersaint-Plabennec
St-Thonan
Lanneuffret
Plouédern
la Roche-Maurice
Lampaul-Guimiliau
Guimiliau
Pleyber-Christ
Brest-Bretagne
Guipavas
St-Divy
Landerneau
Ploudiry
Loc-Eguiner
Loc-Eguiner-St-Thégonnec
la Forest-Landerneau
Château de la Joyeuse Garde
Pencran
la Martyre
Locmélar
le Relecq-Kerhuon
St-Sauveur
Plounéour-Ménez
Océanopolis
BREST
Dirinon
St-Urbain
Tréflévénez
Maison de la Rivière
Sizun
Commana
Roc'h Trédudon
Pont A. Louppe
Plougastel-Daoulas
Loperhet
Irvillac
le Tréhou
Roc'h Trévézel
Botmeur
La Feuillée
Daoulas
St-Eloy
Domaine de Menez Meur
Réserve Naturelle du Venec
St-Michel de Brasparts
St-Rivoal
MONTS D'ARRÉE
Allée Couverte
Hôpital-Camfrout
Logonna-Daoulas
Hanvec
Ferme des Artisans
Brennilis
Anc. C. Electr.
Dolmen
Anse de Poulmic
Landévennec
F. Dom. du Cranou
Loqueffret
le Faou
St-Guénolé
Rumengol
Brasparts
Lannédern
Ossuaire
Calvaire
Lopérec
CROZON
Argol
Rosnoën
Trégarvan
F. Com. d'Argol
Pont-de-Buis-lès-Quimerc'h
Le Cloître-Pleyben
Telgruc-sur-Mer
Ménez Hom
St-Ségal
Dinéault
Pleyben
Plonévez-du-Faou
St-Nic
Ste-Marie du Ménez Hom
Châteaulin
Port-Launay
53
32
PARC NATUREL RÉGIONAL D'ARMORIQUE
N12
N165
N164
E50
E60

32
A
B
C
D
1
2
3
4
5
6
LES SEPT ÎLES
Réserve Naturelle des Sept Îles
Île aux Moines
CÔTE DE GRANIT ROSE
Maison de Plougrescant
Île Tomé
Trégastel-Plage
Ste-Anne
Ploumanac'h
Perros-Guirec
Landrellec
la Clarté
Port-Blanc
Buguélès
le Roudour
Station Ornithologique
Île Grande
Trégastel
Was Wenn
St-Quay-Perros
Trélévern
Trévou-Tréguignec
Kergall
Penvénan
Kéralio
Penvern
Station de télécom spatiales
Louannec
Plouguiel
Menh.
St-Uzec
Planétarium
Mabiliès
St-Nicolas
Trébeurden
Pleumeur-Bodou
Châtl. de Kerduel
Kermaria-Sulard
Coatréven
Camlez
Tréguier
Pointe de Bihit
le Rusquet
Trézény
Lochrist
Baie de Morlaix
Pointe de Primel
Rochers
Beg-Léguer
Servel
Lannion
la Roche-Derrien
Primel-Trégastel
Baie de Lannion
Pointe de Séhar
Locquémeau
le Léguer
Lanmérin
Langoat
Diben
Plougasnou
St-Jean-du-Doigt
Kéravilin
le Yaudet
Loguivy
St-Marc
Châtl. de Kerivon
Rospez
St-Samson
Prajou
Trédrez-Locquémeau
Ploulec'h
Quemperven
Térénez
Cairn de Barnenez
Fontaine
Corvez
Locquirec
Keranroux
Kerjean Huellan
Buhulien
Châtl. de Coat Frec
Caouënnec-Lanvézéac
Lanvézéac
Mantallot
Berhet
Notre-Dame des Joies
St-Michel-en-Grève
Ploubezre
Kerfons
Guimaëc
Ploumilliau
Kerrod
Rade de Morlaix
Kerméléhen
Kermouster
Kergreïz
le Grand-Rocher
le Clandy
Château de Tonquédec
Confort
Trévoazan
St-Efflam
Plestin-les-Grèves
Manoir de Kerauzern
la Lande
Kerel
Cavan
Prat
Coatascorn
Plouezoc'h
Kernitron
Lanmeur
Tréduder
Château de Kergrist
Tonquédec
Kerinec
Keraudy
Calv.
Kerauzern
Bardérou
quénolé
le Dourduff en Mer
Pen ar Guer
Château de Lesmaës
Plouzélambre
le Run
Kernalégan
Trézélan
Château de Rosanbo
Kervern
Lannéven
Bois de la Roche
les Sept Saints
Pluzunet
Landebaëron
Ploujean
Plouégat-Guérand
Lanvellec
Morlaix
Château de Kervézec
l'Armorique
Bégard
Garlan
Trémel
le Loc'h
Ste-Geneviève
Château de Kermerzit
Plufur
Plouaret
Guénézan
Armoripark
Lanleya
St-Nicolas
Lez Elaouën
le Vieux-Marché
Botlézan
St-Laurent
le Douron
Trégrom
St-Éloi
St-Martin-des-Champs
la Chapelle-du-Mur
Uzel
Plouégat-Moysan
la Gare
la Trinité
Pédernec
St-Fiacre
Tromorgant
Plouigneau
St-Carré
Pavédir
Kerléo
Maudez
Kermarc
la Croix-de-Pierre
le Ponthou
Plounérin
Keranfloc'h
Ménez Bré
St-Hervé
Château de Lesquiffiou
Keramanac'h
Plounévez-Moëdec
Louargat
St-Europe
ar Réchou
Locmaria
Plourin-lès-Morlaix
St-Éloy
Tréglamus
Kermadec
le Fumé
Porz an Park
Kervoënou
Plougonven
St-Modez
Belle-Isle-en-Terre
Pleyber-Christ
Manoir de Mezédern
Botsorhel
Guerlesquin
Kerroué Braz
Moulin de Traou Hi
Pen an Coat Bleiz
Quelern
Loguivy-Plougras
Loc-Envel
Guernalin
le Danouët
Kervénézec
Keranguéven
Plougras
Château
Kerviou
le Cloître-St-Thégonnec
Lannéanou
Croaz Christ
Beffou
Calvaire
Gurunhuel
Mousteru
Croaz Joncour
le Dresnay
Kergalaon
Kerambellec
Kergorre
Croaz ar Rouz
Kermoyec Vraz
St-Jean
le Mengleuz
Kervézec
Créac'h-Pluen
Lan Meur
Kermeur
Pengalet
Quénéquélen
Plougonver
Belle Vue
Coat Forn
ARRÉE
le Briou
Bouillard
Louscoat Huellan
Treusvern
le Relecq
Rochers du Cragou
Kersauz
Lohuec
la Chapelle-Neuve
la Croix Kermen
Kerambuan
Logoray
Roc'h Trédudon
Bolazec
Pont-Melvez
Guerduel
Kernon
Tredudon
Scrignac
Hellès
l'Aulne
Kergorn Braz
Le Gollot
Fontaine
St-Houarneau
Kernévez
la Croix Rouge
Kerdaniel
Calanhel
Pestivien
Berrien
Cosquer-Jehan
Quinoualc'h
Liorzou
Quefforc'h
Lesmaës
Bulat-Pestivien
la Feuillée
Plourac'h
St-Treffin
Kerbalen
Quénéguen
Trefflay
St-Norgant
Goas Halec
Lemézec
Izella
Kerbouzard
Callac
Lestrédiec
Burtulet
Maël-Pestivien
Dolmen
Chaos
Kervao
St-Ambroise
Plusquellec
Kerscouarc'h
Notre-Dame des Cieux
le Liorzou
Trévénec
Landerc'h
Kermorvan
Toull Bleï
St-Gildas
le Bourg Neuf
St-Servais
Coat Maël
Kerien
Plouénez
Huelgoat
le Guilly
Landujen
Kerbernès
Kermorvan
Manoir du Rusquec
Locmaria-Berrien
la Mine
Carnoët
Château de Rosviliou
Kersollec
le Croaz-Hent
Peumerit-Quintin
Duault
Coat Cléven
Poullaouen
Pont Lochrist
Blérem ar Sal
la Croix Tasset
le Guiaudet
St-Herbot
Gorges du Corong
Plouyé
Kerbizien
la Boissière-Buis
le Guellec
St-Nicodème
St-Antoine
Lanrivain
Calvaire
Trémélec
Locarn
Quistillic
l'Ellez
le Frostel
Trémargat
Gorges de Toul-Goulic
Collorec
Pont Gaulois
Trébrivan
Plounévézel
Rhun
Coat Cod
Treffrin
la Croix Neuve
Kerguémarec
Petit Paris
Quinquis Saliou
Kergrist-Moëlou
St-Nicolas-du-Pélem
Cristivel
Pénity-St-Laurent
Kergloff
Kergonan
Plonévez-du-Faou
Leign ar Menez
l'Aulne
Maël-Carhaix
Quillou Guéguen
St-Coudan
Kerbiquet
le Moustoir
Lustruyen
Plounévez-Quintin
Nothere
la Villeneuve
Carhaix-Plouguer
Keroguiou
Quéhélec
le Croasty
St-Lubin
Ste-Tréphine
Lannac'h
Botaval
St-Éloy
Notre-Dame de Folgoat
Lansalaün
Landeleau
Cléden-Poher
Carhaix
Tréveller
Pennoën
Paule
Lanhellen
Kermabjeffroy
31
54
N12
E50

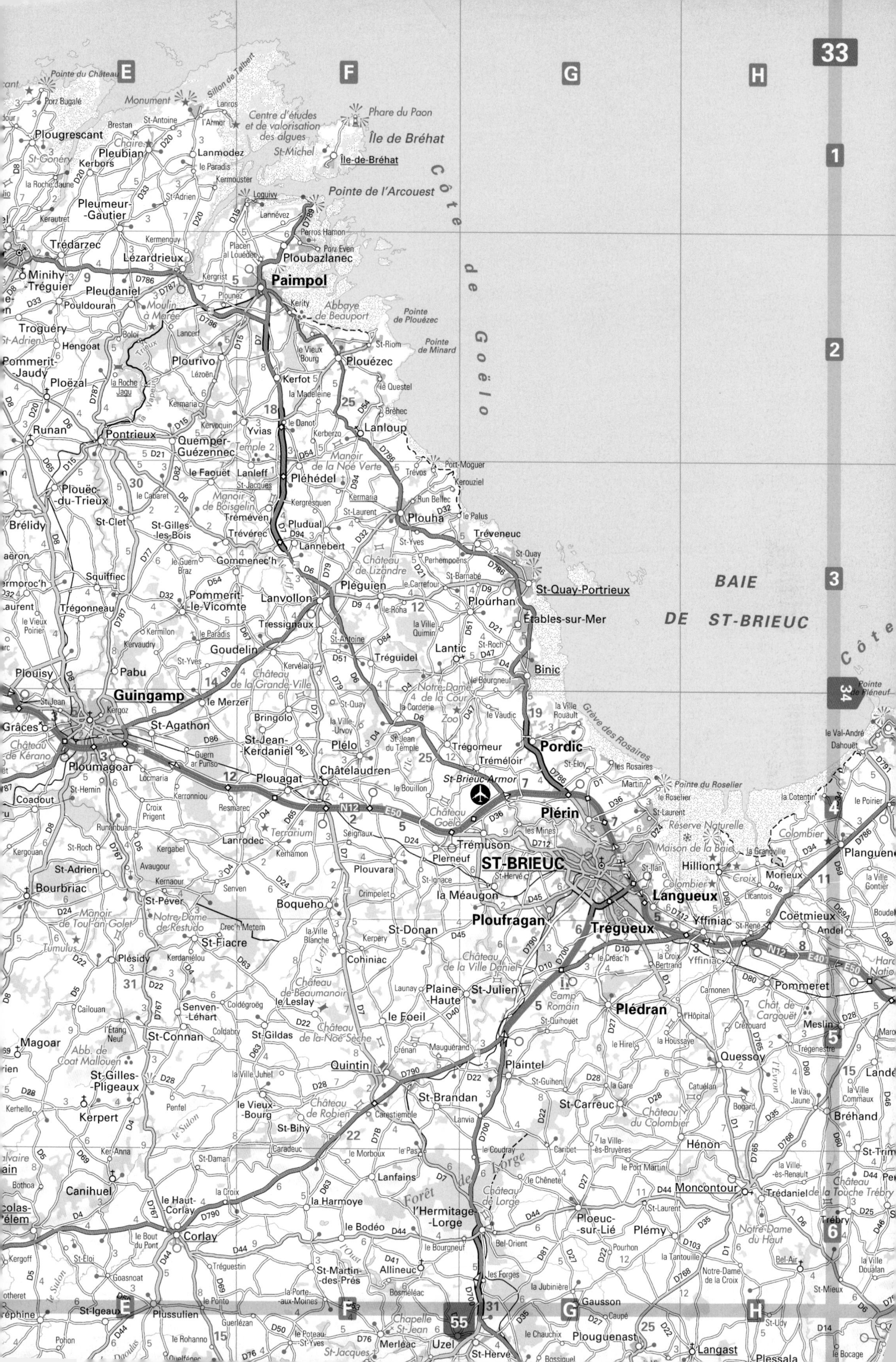
E
F
G
H
1
2
3
4
5
6
34
55
Pointe du Château
Monument
Sillon de Talbert
Porz Bugalé
Plougrescant
Brestan
St-Antoine
Lanros
l'Armor
Centre d'études
et de valorisation
des algues
Phare du Paon
Île de Bréhat
Île-de-Bréhat
St-Michel
Chaire
Pleubian
Kerbors
Lanmodez
le Paradis
Kermouster
la Roche Jaune
Pleumeur-
-Gautier
St-Adrien
Loguivy
Pointe de l'Arcouest
Lannévez
Côte de Goëlo
Kerautret
Perros Hamon
Porz Even
Ploubazlanec
Tréguier
Trédarzec
Lézardrieux
Kermenguy
Placen
al Louédec
Minihy-
-Tréguier
Pleudaniel
Kergrist
Paimpol
Plounez
Kerity
Abbaye
de Beauport
Pointe
de Plouézec
Pouldouran
Moulin
à Marée
Troguéry
Boloï
Lancerf
Pointe
de Minard
St-Riom
Hengoat
le Vieux
Bourg
Plouézec
Pommerit-
-Jaudy
Plourivo
Lézoën
Kerfot
Ploëzal
la Roche
Jagu
le Questel
la Madeleine
Kermaria
Bréhec
Runan
Pontrieux
Kervoquin
Yvias
le Danot
Lanloup
Quemper-
Guézennec
Temple
Kerberzo
Manoir
de la Noë Verte
Port-Moguer
Kerouziel
Trévos
le Faouët
Lanleff
Plouëc-
-du-Trieux
St-Jacques
Pléhédel
le Cabaret
Manoir
de Boisgelin
Kergresquen
Run Bellec
Kermaria
Brélidy
St-Clet
Tréméven
St-Laurent
Plouha
le Palus
St-Gilles-
-les-Bois
Trévérec
Pludual
Lannebert
Tréveneuc
St-Yves
Gommenec'h
le Guern
Braz
Château
de Lizandre
Perhempoens
St-Quay
Squiffiec
St-Barnabé
St-Quay-Portrieux
Pléguien
le Carrefour
BAIE
DE ST-BRIEUC
Pommerit-
-le-Vicomte
Lanvollon
Plourhan
Trégonneau
Tressignaux
le Roha
Étables-sur-Mer
le Vieux
Poirier
Kermilon
le Paradis
la Ville
Quimin
St-Roch
Kervaudry
Goudelin
St-Antoine
Lantic
Côte
Pointe
de Pléneuf
Tréguidel
Plouisy
Pabu
St-Yves
Château
de la Grande-Ville
Kervélard
Notre-Dame
de la Cour
le Bourgneuf
Binic
Guingamp
le Merzer
St-Quay
la Corderie
le Vaudic
la Ville
Rouault
St-Jean
Bringolo
la Ville-
-Urvoy
Zoo
Grève des Rosaires
Kergoz
Grâces
St-Agathon
St-Jean-
-Kerdaniel
Plélo
St-Jean
du Temple
Trégomeur
Pordic
le Val-André
Dahouët
Château
de Kerano
Guern
ar Punso
Tréméloir
St-Éloy
les Rosaires
Ploumagoar
Locmaria
Plouagat
Châtelaudren
St-Brieuc-Armor
Martin
Pointe du Roselier
Coadout
St-Hernin
Kerronniou
le Bouillon
le Roselier
la Cotentin
le Poirier
Croix
Prigent
Resmarec
Château
Goëlo
Plérin
St-Laurent
Runahbuan
Terrarium
Seignaux
les Mines
Réserve Naturelle
Colombier
Kergabel
Lanrodec
Trémuson
Maison de la Baie
Kergouan
St-Roch
Avaugour
Kerhamon
Plerneuf
ST-BRIEUC
St-Ilan
Hillion
la Granville
Planguenoual
St-Adrien
Kernaour
Plouvara
St-Ignace
St-Hervé
Croix
Morieux
la Ville
Gontier
Bourbriac
St-Péver
Senven
Crimpelet
la Méaugon
Colombier
Langueux
Licantois
Manoir
de Toul-an-Golet
Notre-Dame
de Restudo
Boqueho
Ploufragan
Yffiniac
Coëtmieux
Boudel
Crec'h Metern
St-René
Andel
Tumulus
St-Fiacre
la Ville
Blanche
Kerpery
St-Donan
Trégueux
Plésidy
Kerdaniélou
Cohiniac
le Créac'h
la Croix
Bertrand
Yffiniac
Château
de la Ville Daniel
Château
de Beaumanoir
Camp
Romain
Carnonen
Pommeret
Cailouan
Senven-
-Léhart
Coldégroëg
le Leslay
Plaine-
-Haute
St-Julien
Plédran
Magoar
l'Étang
Neuf
St-Connan
Coldabry
St-Gildas
Château
de la Noë Sèche
le Foeil
St-Quihouët
l'Hôpital
Château de
Cargouët
Meslin
Abb. de
Coat Mallouen
Crénan
Mauguérand
le Hirel
Crézouard
la Houssaye
Trégenestre
Lande
St-Gilles-
-Pligeaux
la Ville Juhel
Quintin
Plaintel
Quessoy
St-Guihen
Catuélan
la Gare
Kerhello
Kerpert
Penfel
le Vieux-
-Bourg
Château
de Robien
Carestiemble
St-Brandan
St-Carreuc
le Vau
Jaune
la Ville
Commaux
Château
du Colombier
Bogard
Bréhand
St-Bihy
Lanvia
la Ville-
-ès-Bruyères
Ker-Anna
St-Daman
Caradeuc
le Morboux
le Pas
le Coudray
Caribet
Hénon
St-Trim
Forêt de Lorge
le Port Martin
la Ville-
-ès-Renault
Bothoa
Canihuel
Lanfains
le Chênete
Moncontour
Trédaniel
Château
de la Touche Trébry
la Croix
Château
de Lorge
St-Laurent
le Haut-
-Corlay
la Harmoye
l'Hermitage-
-Lorge
Trébry
le Bodéo
Ploeuc-
-sur-Lié
Plémy
Notre-Dame
du Haut
Corlay
le Bout
du Pont
Bel-Orient
le Bourgneuf
Pourhon
la Tantouille
Bel-Air
la Ville
Doualan
Kergoff
St-Éloi
Goasnoat
Tréguestin
St-Martin-
-des-Prés
Allineuc
les Forges
Notre-Dame
de la Croix
St-Mieux
Bosméléac
la Jubinière
la Porte-
-aux-Moines
le Ponto
Gausson
Caupé
St-Igeaux
Plussulien
Chapelle
St-Jean
Guerlézan
St-Udy
le Poteau-
-St-Yves
le Chauchix
Plouguenast
Merléac
Uzel
Pohon
le Rohanno
St-Jacques
St-Hervé
Bossiguel
Langast
Plessala
le Bocage
N12
E50
E401
D786
D787
D7
D700
D790
D712
D767
D765

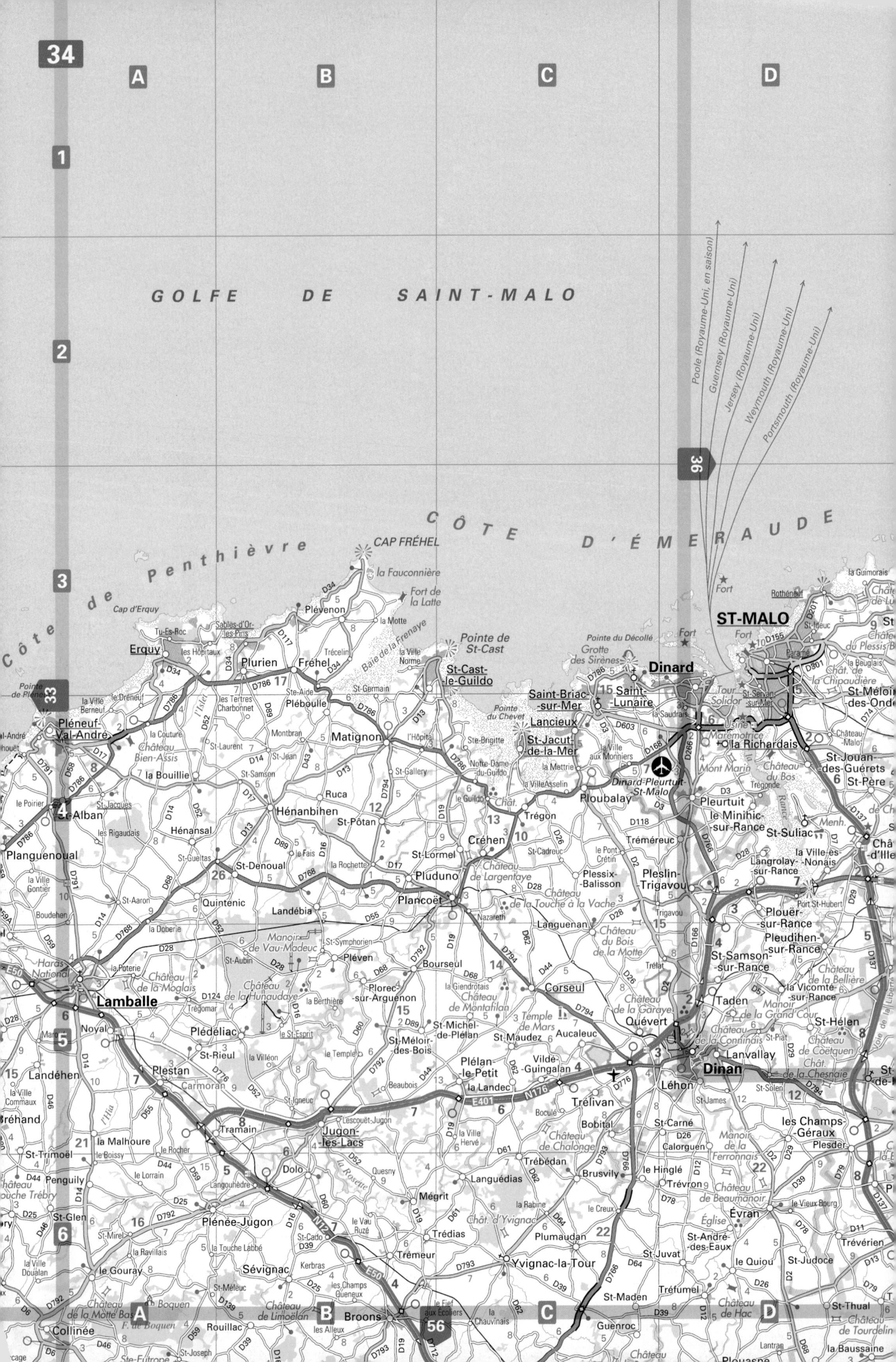

34
A
B
C
D
1
2
3
4
5
6
GOLFE DE SAINT-MALO
Poole (Royaume-Uni, en saison)
Guernsey (Royaume-Uni)
Jersey (Royaume-Uni)
Weymouth (Royaume-Uni)
Portsmouth (Royaume-Uni)
36
CÔTE D'ÉMERAUDE
Côte de Penthièvre
CAP FRÉHEL
la Fauconnière
Fort de la Latte
Cap d'Erquy
Plévenon
la Motte
Baie de la Frenaye
Pointe de St-Cast
St-Cast-le-Guildo
Tu-Es-Roc
Sables-d'Or-les-Pins
Erquy
les Hôpitaux
Plurien
Fréhel
Trécelin
la Ville Norme
Pointe de Pléneuf
33
la Ville Berneuf
le Dreneuf
Pléneuf-Val-André
Ste-Aide
Pléboulle
les Tertres Charbonnet
St-Germain
Matignon
l'Hôpital
Montbran
la Couture
Château Bien-Assis
St-Laurent
St-Jean
la Bouillie
St-Samson
Ste-Brigitte
Notre-Dame-du-Guildo
St-Gallery
Ruca
le Poirier
St-Jacques
St-Alban
les Rigaudais
Hénanbihen
Hénansal
St-Pôtan
le Guildo
Château
Trégon
Créhen
Planguenoual
St-Gueltas
St-Denoual
le Fais
la Rochette
St-Lormel
Pluduno
Château de Largentaye
la Ville Gontier
St-Aaron
Quintenic
Landébia
Plancoët
Boudehen
la Doberie
Nazareth
Manoir de Vau-Madeuc
St-Symphorien
Haras National
la Poterie
Château de la Moglais
St-Aubin
Pléven
Bourseul
Château de la Hunaudaye
la Giendrotais
Château de Montafilan
Lamballe
Trégomar
la Berthière
Plorec-sur-Arguenon
Noyal
Pledéliac
le St-Esprit
St-Michel-de-Plélan
St-Rieul
la Villéon
le Temple
St-Méloir-des-Bois
Maroué
Landéhen
Plestan
Carmoran
la Ville Commaux
Beaubois
Plélan-le-Petit
la Landec
St-Igneuc
Tramain
Lescouët-Jugon
Jugon-les-Lacs
Bréhand
la Malhoure
le Boissy
le Rocher
St-Trimoël
le Lorrain
Dolo
Quesny
la Rosette
la Ville Hervé
Penguily
Château Touche Trébry
Langourhèdre
Mégrit
St-Glen
Plénée-Jugon
St-Mirel
la Ravillais
la Touche Labbé
St-Cado
le Vau Ruzé
Trédias
Trémeur
la Ville Doualan
le Gouray
Sévignac
Kerbras
St-Méleuc
les Champs Queneux
Château de la Motte Basse
Boquen
F. de Boquen
Château de Limoëlan
Broons
le Fief aux Écoliers
la Chauvinais
56
Collinée
Rouillac
les Alleux
St-Joseph
Ste-Eutrope
Pointe du Décollé
Grotte des Sirènes
Dinard
Saint-Briac-sur-Mer
Saint-Lunaire
Pointe du Chevet
Lancieux
St-Jacut-de-la-Mer
la Saudrais
la Ville aux Monniers
la Mettrie
la VilleAsselin
Dinard-Pleurtuit-St-Malo
Ploubalay
St-Cadreuc
le Pont Crétin
Plessix-Balisson
Château de la Touche à la Vache
Languenan
Château du Bois de la Motte
Trélat
Corseul
Temple de Mars
Château de la Garaye
Quévert
Aucaleuc
St-Maudez
Vildé-Guingalan
Trélivan
Bobital
Boculé
Château de Chalonge
Trébédan
Brusvily
Languédias
la Rabine
Châtt. d'Yvignac
Plumaudan
Yvignac-la-Tour
St-Maden
Guenroc
Château
Fort
ST-MALO
Rothéneuf
la Guimorais
Château de Lu...
St-Ideuc
Château du Plessis-B...
Paramé
la Beuglais
Chât. de la Chipaudière
St-Servan-sur-Mer
Tour Solidor
Usine Marémotrice
la Richardais
St-Méloir-des-Ondes
Château-Malo
St-Jouan-des-Guérets
St-Père
Mont Marin
Château du Bois
Trégonde
Pleurtuit
le Minihic-sur-Rance
St-Suliac
Menh.
Trémereuc
Pleslin-Trigavou
Trigavou
Langrolay-sur-Rance
la Ville-ès-Nonais
Châ...-d'Ille
Port St-Hubert
Plouër-sur-Rance
Pleudihen-sur-Rance
St-Samson-sur-Rance
Château de la Bellière
la Vicomté-sur-Rance
Taden
Manoir de la Grand Cour
Château de la Conninais
St-Piat
St-Hélen
Château de Coëtquen
Lanvallay
Dinan
Chât. de la Chesnaie
Léhon
St-Solen
St-James
les Champs-Géraux
St-Carné
Calorguen
Manoir de la Ferronnais
Plesder
le Hinglé
Trévron
Château de Beaumanoir
le Creux
Évran
le Vieux Bourg
Église
St-André-des-Eaux
St-Juvat
le Quiou
St-Judoce
Trévérien
Tréfumel
Château de Hac
St-Thual
Château de Tourdelin
Lantran
la Baussaine
E50
E401
N176
N12

35
E
F
G
H
Hauteville-sur-Mer
Hérenguerville
Quettreville-sur-Sienne
St-Denis-le-Vêtu
Roncey
Annoville
Trelly
Guéhébert
Lingreville
Muneville-sur-Mer
le Mesnil-Aubert
Grimesnil
St-Denis-le-Gast
la Planche Guillemette
Lengronne
Bricqueville-sur-Mer
Cérences
la Baleine
Grande Île
Îles Chausey
St-Martin-de-Bréhal
Bréhal
Chanteloup
Gavray
Vallée de la Sienne
le Castillon
le Mesnil-Amand
Coudeville-sur-Mer
le Loreur
Bréville-sur-Mer
le Mesnil-Rogues
le Mesnil-Garnier
Donville-les-Bains
Longueville
Hudimesnil
Anctoville-sur-Boscq
St-Sauveur-la-Pommeraye
la Meurdraquière
le Mesnil-Villeman
Fleury
Granville
Pointe du Roc
Remparts
Équilly
Zoo
Champrepus
Beauchamps
le Tanu
Folligny
St-Pair-sur-Mer
St-Planchers
St-Jean-des-Champs
Hocquigny
la Lande-d'Airou
St-Aubin-des-Préaux
la Haye-Pesnel
Bourguenolles
le Petit Kairon
St-Pierre-Langers
Anc. Abb. de la Lucerne
Jullouville
la Lucerne-d'Outremer
Champcervon
la Mouche
Bouillon
le Bourgeais
Édenville
St-Michel-des-Loups
les Chambres
Carolles
Angey
la Roche-Normande
Sartilly
Ste-Pience
Cabane Vauban
Champeaux
St-Jean-le-Thomas
Montviron
Subligny
le Luot
Falaises de Champeaux
Lolif
Chavoy
Plomb
Pointe du Grouin
Île des Landes
Champcey
Basse Cancale
Dragey-Ronthon
Bacilly
Marcey-les-Grèves
St-Jean-de-la-Haize
Tirepied
BAIE
Château de Lupin
Pointe de la Chaîne
Châț. de Brion
Ponts
St-Brice
St-Coulomb
Cancale
Bec d'Andaine
Vains
St-Senier-sous-Avranches
la Godefroy
Genêts
DU MONT-ST-MICHEL
Anc. Prieuré de St-Léonard
Mon. Patton
Avranches
St-Loup
Vauléraut
les Portes Rouges
la Chaussée
le Val-St-Père
St-Martin-des-Champs
le Mont-St-Michel
St-Benoît-des-Ondes
Bas-Courtils
St-Quentin-sur-le-Homme
Céaux
Pontaubault
la Gouesnière
Hirel
le Vivier-sur-Mer
Cherrueix
Courtils
Ducey
la Fresnais
Palluel
Huisnes-sur-Mer
Ossuaire Allemand
Poilley
Servon
Précey
les Gasniers
St-Broladre
Beauvoir
Ardevon
Juilley
Notre-Dame de l'Espérance
St-Marcan
Roz-sur-Couesnon
St-Georges-de-Gréhaigne
Tanis
Mont-St-Michel
St-Aubin-de-Terregatte
St-Guinoux
Lillemer
Mont-Dol
Crollon
Châteauneuf-d'Ille-et-Vilaine
Baguer-Pican
Macey
St-Senier-de-Beuvron
Roz-Landrieux
Dol-de-Bretagne
Sains
Pontorson
Vergoncey
Miniac-Morvan
Plerguer
Baguer-Morvan
Menhir de Champ Dolent
Pleine-Fougères
la Croix-Avranchin
Villiers-le-Pré
Château de la Paluelle
Montjoie-St-Martin
Aucey-la-Plaine
Epiniac
la Boussac
Vessey
St-James
Anc. Abbaye
Vieux-Viel
Sougéal
le Tronchet
Trans-la-Forêt
Sacey
Carnet
Tressé
Montanel
Argouges
Port Miniature de Villecartier
Bonnemain
Broualan
le Ferré
St-Pierre-de-Plesguen
Lanhélin
la Fontenelle
Poilley
Lourmais
Cuguen
Antrain
St-Ouen-la-Rouërie
Château de Bonne Fontaine
Coglès
la Selle-en-Coglès
Montours
Château de la Bourbansais
Meillac
Trémeheuc
Bazouges-la-Pérouse
Tremblay
Noyal-sous-Bazouges
Pleugueneuc
Combourg
le Châtellier
Lanrigan
St-Brice-en-Coglès
St-Étienne-en-Coglès
St-Germain-en-Coglès
Château du Logis
la Chapelle-aux-Filtzméens
Rimou
St-Léger-des-Prés
Marcillé-Raoul
St-Domineuc
Romazy
Chauvigné
St-Marc-le-Blanc
St-Rémy-du-Plain
Québriac
Dingé
Château du Moulinet
Trimer
Base de Loisirs
St-Christophe-de-Valains
le Tiercent
Baillé
St-Hilaire-des-Landes
St-Sauveur-des-Landes
Tinténiac
Sens-de-Bretagne
Vieux-Vy-sur-Couesnon
Feins
Romagné
57
58
A84
E401
N176
N175

37
38
35
58
E
F
G
H
ST-LÔ
St-Sauveur-Lendelin
le Mesnilbus
Montcuit
Hauteville-la-Guichard
Lozon
Montreuil-sur-Lozon
la Chapelle-en-Juger
Rampan
Hébécrevon
Agneaux
St-Georges-Montcocq
la Luzerne
St-André-de-l'Épine
St-Georges-d'Elle
Litteau
Planquery
Bérigny
Cormolain
le Mesnil-Amey
Marigny
St-Gilles
Canisy
le Lorey
Cambernon
Camprond
Monthuchon
Cametours
Quibou
St-Ébremond-de-Bonfossé
Gourfaleur
Baudre
Candol
la Barre-de-Semilly
St-Pierre-de-Semilly
St-Germain-d'Elle
N.-D.-d'Elle
Montrabot
Sallen
St-Jean-des-Baisants
Rouxeville
Précorbin
Vidouville
Lamberville
Bieville
la Vacquerie
Caumont-l'Éventé
Sept-Vents
Cahagnes
Coutances
Savigny
Carantilly
St-Martin-de-Bonfossé
Ste-Suzanne-sur-Vire
Condé-sur-Vire
St-Amand
la Lande-sur-Drôme
Dampierre
le Perron
Coutcy
Belval
Dangy
Nicorps
Cerisy-la-Salle
Montpinchon
Ouville
St-Samson-de-Bonfossé
St-Romphaire
le Mesnil-Raoult
les Roches de Ham
Torigni-sur-Vire
Placy-Montaigu
St-Jean-des-Essartiers
St-Ouen-des-Besaces
Soulles
le Mesnil-Herman
le Mesnil-Opac
Brectouville
Notre-Dame-de-Cenilly
Moyon
Troisgots
Giéville
St-Martin-des-Besaces
Roncey
St-Denis-le-Vêtu
St-Martin-de-Cenilly
la Haye-Bellefond
Fervaches
Domjean
Guilberville
Brémoy
Trelly
Guéhébert
Grimesnil
le Guislain
Tessy-sur-Vire
St-Louet-sur-Vire
la Ferrière-Harang
St-Denis-Maisoncelles
St-Pierre-Tarentaine
Mesnil-Aubert
Villebaudon
Chevry
Fourneaux
Beuvrigny
St-Denis-le-Gast
Hambye
Maupertuis
Beaucoudray
Malloué (le Hameau Farin)
Mont-Bertrand
le Tourneur
Lengronne
Mont Robin
Percy
Montabot
Gouvets
Bures-les-Monts (la Cour de Bas)
Campeaux
le Bény-Bocage
Gavray
Sourdeval-les-Bois
Pont-Farcy
Ste-Marie-Outre-l'Eau
Pont-Bellanger
St-Martin-Don
Carville
St-Vigor-des-Monts
Ste-Marie-Laumont
Montchamp
St-Charles-de-Percy
le Mesnil-Amand
Montaigu-les-Bois
le Chefresne
Margueray
Vallée de la Vire-Gouvets
Landelles-et-Coupigny
Beaumesnil
la Graverie
le Mesnil-Rogues
le Mesnil-Garnier
la Colombe
la Bloutière
Montbray
Morigny
Campagnolles
le Mesnil-Robert
Étouvy
Coulonces
Presles
le Mesnil-Villeman
Fleury
Sept-Frères
le Mesnil-Benoist
Burcy
Équilly
Beslon
Courson
le Mesnil-Caussois
Chênedollé
Villedieu-les-Poêles
Mesnil-Clinchamps
Vire
Vaudry
Beauchamps
Champrepus
St-Aubin-des-Bois
St-Sever-Calvados
Roullours
Viessoix
le Tanu
la Lande-d'Airou
Ste-Cécile
St-Maur-des-Bois
Fontenermont
St-Manvieu-Bocage
la Haye-Pesnel
Bourguenolles
Chérencé-le-Héron
la Chapelle-Cécelin
Boisyvon
Champ-du-Boult
Maisoncelles-la-Jourdan
la Mouche
Rouffigny
la Trinité
Coulouvray-Boisbenâtre
le Gast
St-Germain-de-Tallevende-la-Lande-Vaumont
Champcervon
St-Martin-le-Bouillant
Truttemer-le-Grand
les Chambres
la Chaise-Baudouin
St-Jean-du-Corail-des-Bois
St-Michel-de-Montjoie
Ste-Pience
les Loges-sur-Brécey
St-Laurent-de-Cuves
Gathemo
Truttemer-le-Petit
le Ménil-Ciboult
Subligny
le Luot
Braffais
St-Nicolas-des-Bois
N.-D.-de-Livoye
St-Pois
Vengeons
Chavoy
St-Georges-de-Livoye
Brécey
Perriers-en-Beauficel
Lingeard
Beauficel
St-Christophe-de-Chaulieu
Chaulieu
Plomb
Tirepied
Vernix
le Mesnil-Gilbert
St-Jean-de-la-Haize
les Cresnays
Cuves
Sourdeval
St-Jean-des-Bois
Ponts
St-Brice
la Gohannière
Brouains
Chérencé-le-Roussel
le Fresne-Poret
St-Senier-sous-Avranches
la Godefroy
le Mesnil-Adelée
le Mesnil-Tôve
Yvrandes
St-Ovin
le Petit-Celland
le Grand-Celland
Bellefontaine
Avranches
St-Loup
Juvigny-le-Tertre
le Mesnil-Ozenne
St-Barthélemy
St-Clément-Rancoudray
Ger
le Val-St-Père
St-Martin-des-Champs
la Chapelle-Urée
Reffuveille
le Mesnil-Rainfray
Marcilly
le Neufbourg
St-Quentin-sur-le-Homme
Chasseguey
la Bazoge
Mortain
Romagny
Pontaubault
les Chéris
Isigny-le-Buat
Fontenay
Lonlay-l'Abbaye
Ducey
Poilley
Précey
Martigny
le Mesnillard
Bion
Juilley
Chèvreville
Milly
St-Jean-du-Corail
St-Georges-de-Rouelley
Mont-St-Michel
Parigny
St-Aubin-de-Terregatte
N.-D.-du-Touchet
Barenton
St-Senier-de-Beuvron
St-Laurent-de-Terregatte
Virey
St-Hilaire-du-Harcouët
Villechien
Lapenty
Husson
St-Cyr-du-Bailleul
la Croix-Avranchin
St-Martin-de-Landelles
les Loges-Marchis
St-Symphorien-des-Monts
Ste-Marie-du-Bois
St-Roch-sur-Égrenne
Montjoie-St-Martin
Hamelin
Moulines
Ferrières
le Teilleul
St-Mars-d'Égrenne
St-James
St-Brice-de-Landelles
Buais
Savigny-le-Vieux
Carnet
Argouges
St-Georges-de-Reintembault
Monthault
Heussé
Passais
le Ferré
Mellé
Louvigné-
Normandie
E401
A84
N174
N176

E
F
G
H
39
40
14
15
59
60
Lisieux
Ouilly-le-Vicomte
Rocques
Fumichon
Ouilly-du-Houley
Firfol
St-Désir
Beuvillers
Glos
Cambremer
Crèvecœur-en-Auge
le Mesnil-Mauger
Mézidon-Canon
St-Pierre-sur-Dives
Vendeuvre
Jort
Bernières-d'Ailly
Ouville-la-Bien-Tournée
Vieux-Pont-en-Auge
Livarot
St-Michel-de-Livet
St-Germain-de-Livet
Auquainville
Fervaques
Tordouet
Orbec
la Vespière
Broglie
Thiberville
Duranville
Préaux-St-Sébastien
Moutiers-Hubert
Vimoutiers
Crouttes
Camembert
Lisores
Canapville
Ticheville
le Sap
Monnai
Montreuil-l'Argillé
Villers-en-Ouche
la Ferté-Frênel
Trun
Chambois
Mont-Ormel (la Panthelière)
Mardilly
St-Evroult-de-Montfort
Gacé
Argentan
Silly-en-Gouffern
le Pin-au-Haras
Exmes
le Bourg-St-Léonard
Courménil
Cisai-St-Aubin
Échauffour
Lignères
St-Germain-de-Clairefeuille
Nonant-le-Pin
le Merlerault
Ste-Gauburge-Ste-Colombe
Almenêches
Médavy
St-Christophe-le-Jajolet
Mortrée
Sées
Courtomer
Moulins-la-Marche
Bazoches-sur-Hoëne
la Lande-de-Goult
Tanville
Forêt Domaniale d'Écouves
Aunay-les-Bois
Essay
Coulonges-sur-Sarthe
A28
E402
A88
N26
N138
N158
D613
D579
D16

40
A
B
C
D
18
39
15
60
61
le Neubourg
Bernay
Harcourt
Serquigny
Beaumont-le-Roger
Beaumesnil
Évreux
Conches-en-Ouche
la Ferrière-sur-Risle
Rugles
Breteuil
l'Aigle
Verneuil-sur-Avre
Damville
Tillières-sur-Avre
Brezolles
la Ferté-Vidame
Senonches
Tourouvre
Francheville
Montigny-sur-Avre
Chaise-Dieu-du-Theil
St-Elier
Pays d'Ouche
Forêt de Conches
Forêt de Breteuil
Forêt d'Évreux
Fontaine-la-Soret
Nassandres
Menneval
Broglie
Chamblac
Gisay-la-Coudre
la Barre-en-Ouche
Bois-Normand-près-Lyre
la Neuve-Lyre
la Vieille-Lyre
Ambenay
St-Sulpice-sur-Risle
Bourth
Chandai
Pullay
Bâlines
Courteilles
Rueil-la-Gadelière
Chennebrun
Armentières-sur-Avre
Beauche
Morvilliers
Lamblore
Maillebois
Jaudrais
la Puisaye
Autheuil
Malétable
Moulicent
Soligny-la-Trappe
Lignerolles
la Ventrouze
Randonnai
Crulai
Irai
Normandel
Bresolettes
Buis-sur-Damville
Grandvilliers
Manthelon
Claville
Cesseville
Vitot
Iville
Crosville-la-Vieille
Tournedos-Bois-Hubert
Louversey
Gaudreville-la-Rivière
Angerville-la-Campagne
Corneuil
Prudemanche
Laons
Crucey-Villages
Boissy-lès-Perche
Rohaire
Marchainville
la Lande-sur-Eure
Neuilly-sur-Eure
N12
N13
N26
D840

Gaillon
Vernon
Giverny
MANTES-LA-JOLIE
Mantes-la-Ville
Limay
Magny-en-Vexin
Pacy-sur-Eure
Ménilles
Douains
Rosny-sur-Seine
Bonnières-sur-Seine
Vétheuil
La Roche-Guyon
PARC NATUREL RÉGIONAL
Forêt de Vernon
Ivry-la-Bataille
Anet
Ézy-sur-Eure
Bréval
Septeuil
Houdan
Épône
Maule
DREUX
Vernouillet
Nonancourt
St-Rémy-sur-Avre
Nogent-le-Roi
Coulombs
Épernon
Maintenon
Montfort-l'Amaury
St-Léger-en-Yvelines
Poigny-la-Forêt
Châteauneuf-en-Thymerais
Tremblay-les-Villages
Crécy-Couvé
Villemeux-sur-Eure
Bû
Abondant
Saussay
Bueil
Breuilpont
St-André-de-l'Eure
Évreux
Autheuil-Authouillet
Heudreville-sur-Eure
la Croix-St-Leufroy
Aubevoye
Courcelles-sur-Seine
Tourny
Écos
Guernes
Gargenville
Issou
Porcheville
Thoiry
Gambais
Bazainville
Richebourg
Orgerus
Longnes
Dammartin-en-Serve
Condé-sur-Vesgre
Bourdonné
Gazeran
Hermeray
Raizeux
Droue-sur-Drouette
Pierres
Yermenonville
Gas
Serazereux
Marcilly-sur-Eure
Marcilly-la-Campagne
Grossoeuvre
Chambray
Jouy-sur-Eure
Garennes-sur-Eure
A13
N12
N13
N154
E05
18
19
41
61
62
E
F
G
H

42
19
20
A
B
C
D
VEXIN FRANÇAIS
PARC NATUREL RÉGIONAL DU VEXIN FRANÇAIS
Chantilly
Gouvieux
Chambly
Beaumont-sur-Oise
Persan
L'Isle-Adam
Parmain
Luzarches
Marines
Santeuil
Osny
PONTOISE
CERGY-PONTOISE
CERGY
Meulan
LES MUREAUX
VERNEUIL-SUR-SEINE
TRIEL-SUR-SEINE
Conflans-Ste-Honorine
Herblay
Montmorency
St-Denis
BOBIGNY
Épône
Maule
POISSY
St-Germain-en-Laye
NANTERRE
PARIS
Beynes
PLAISIR
VERSAILLES
ST-QUENTIN-EN-YVELINES
TRAPPES
les Essarts-le-Roi
le Perray-en-Yvelines
St-Rémy-lès-Chevreuse
PALAISEAU
ORSAY
LES ULIS
Massy
Paris-Orly
CRÉTEIL
PARC NATUREL RÉGIONAL DE LA HAUTE VALLÉE DE CHEVREUSE
Rambouillet
Limours
Clairefontaine-en-Yvelines
Rochefort-en-Yvelines
St-Arnoult-en-Yvelines
ÉVRY
CORBEIL
Lisses
BRÉTIGNY-SUR-ORGE
ARPAJON
ÉGLY
62
63
41

Senlis
Apremont
Vineuil-St-Firmin
Courteuil
Mont-l'Évêque
Montépilloy
Fresnoy-le-Luat
St-Vincent
Gondreville
Rouville
Lévignen
Ormoy-le-Davien
Boursonne
Oigny-en-Valois
43
La Ferté-Milon
Avilly-St-Léonard
20
E
F
G
H
21
Fontaine-Chaalis
Baron
Rosières
Ormoy-Villers
Péroy-les-Gombries
Boissy-Fresnoy
Bargny
Cuvergnon
Betz
Thury-en-Valois
Autheuil-en-Valois
Marolles
Forêt de Chantilly
Pays de France
Thiers-sur-Thève
Pontarmé
Orry-la-Ville
Versigny
Montlognon
Anc. Abb. de Chaalis
Montagny-Ste-Félicité
Nanteuil-le-Haudouin
Villers-St-Genest
Antilly
La Villeneuve-sous-Thury
Mareuil-sur-Ourcq
Parc Astérix
La Chapelle-en-Serval
Fosses
Survilliers
Mortefontaine
Plailly
Ermenonville
Silly-le-Long
Ver-sur-Launette
Ève
Le Plessis-Belleville
Ognes
Chèvreville
Bouillancy
Réez-Fosse-Martin
Acy-en-Multien
Rouvres-en-Multien
Rosoy-en-Multien
Varinfroy
Neufchelles
Montigny-l'Allier
Crouy-sur-Ourcq
Marly-la-Ville
St-Witz
Vémars
Othis
Lagny-le-Sec
Oissery
Brégy
Vincy-Manœuvre
May-en-Multien
Dammartin-en-Goële
Moussy-le-Neuf
Longperrier
St-Pathus
Forfry
Douy-la-Ramée
Puisieux
Le Plessis-Placy
Coulombs-en-Valois
Chennevières-lès-Louvres
Villeron
Rouvres
Marchémoret
St-Mard
St-Soupplets
Gesvres-le-Chapitre
Marcilly
Trocy-en-Multien
Vendrest
Moussy-le-Vieux
Villeneuve-sous-Dammartin
Le Mesnil-Amelot
Montgé-en-Goële
Juilly
Cuisy
Monthyon
Barcy
Étrépilly
Lizy-sur-Ourcq
Ocquerre
Roissy-en-France
Paris-Charles de Gaulle
Thieux
Vinantes
Le Plessis-l'Évêque
Chambry
Congis-sur-Thérouanne
Isles-lès-Meldeuses
Mary-sur-Marne
Cocherel
Mitry-Mory
Compans
Nantouillet
Le Plessis-aux-Bois
Iverny
Villeroy
Penchard
Varreddes
Germigny-l'Évêque
Armentières-en-Brie
Tancrou
Jaignes
Tremblay-en-France
Villepinte
St-Mesmes
Charny
Chauconin-Neufmontiers
Crégy-lès-Meaux
Poincy
Trilport
Changis-sur-Marne
Ussy-sur-Marne
Aulnay-sous-Bois
Sevran
Villeparisis
Gressy
Messy
Claye-Souilly
MEAUX
Fublaines
St-Jean-les-Deux-Jumeaux
Sammeron
Jouarre
Livry-Gargan
Vaujours
Annet-sur-Marne
Charmentray
Fresnes-sur-Marne
Précy-sur-Marne
Trilbardou
Villenoy
Nanteuil-lès-Meaux
Montceaux-lès-Meaux
Sept-Sorts
Signy-Signets
Coubron
Courtry
Villevaudé
Le Pin
Jablines
Vignely
Isles-lès-Villenoy
Mareuil-lès-Meaux
Boutigny
St-Fiacre
Villemareuil
Les Pavillons-sous-Bois
Clichy-sous-Bois
Le Raincy
Montfermeil
Carnetin
Lesches
ESBLY
Condé-Ste-Libiaire
Quincy-Voisins
Vaucourtois
Pierre-Levée
Bondy
Villemomble
Gagny
Chelles
Brou-sur-Chantereine
Pomponne
Thorigny-sur-Marne
Coupvray
Chalifert
Dampmart
Chessy
Montry
Sancy
La Haute-Maison
Rosny-sous-Bois
Neuilly-Plaisance
Vaires-sur-Marne
St-Thibault-des-Vignes
Lagny-sur-Marne
Montévrain
St-Germain-sur-Morin
Couilly-Pont-aux-Dames
Coulommes
Bouleurs
Gournay-sur-Marne
Champs-sur-Marne
Neuilly-sur-Marne
Noisiel
Torcy
Gouvernes
Bussy-St-Martin
Conches-sur-Gondoire
Disneyland® Paris
Coutevroult
Magny-le-Hongre
Villiers-sur-Morin
Crécy-la-Chapelle
Maisoncelles-en-Brie
Le Perreux-sur-Marne
Bry-sur-Marne
Noisy-le-Grand
Bussy-St-Georges
Guermantes
Chanteloup-en-Brie
Serris
Jossigny
Bailly-Romainvilliers
Voulangis
Giremoutiers
Aulnoy
Marne-la-Vallée
Lognes
Collégien
Ferrières-en-Brie
Villeneuve-St-Denis
Guérard
Mouroux
Pommeuse
Coulommiers
Villiers-sur-Marne
Champigny-sur-Marne
Le Plessis-Trévise
Croissy-Beaubourg
Émerainville
Tigeaux
Dammartin-sur-Tigeaux
La Celle-sur-Morin
Villeneuve-le-Comte
Chennevières-sur-Marne
Pontault-Combault
Roissy-en-Brie
Pontcarré
Mortcerf
Faremoutiers
St-Maur-des-Fossés
Ormesson-sur-Marne
La Queue-en-Brie
Ozoir-la-Ferrière
Neufmoutiers-en-Brie
St-Augustin
Chailly-en-Brie
Bonneuil-sur-Marne
Noiseau
Sucy-en-Brie
Favières
La Houssaye-en-Brie
Hautefeuille
Mauperthuis
Beautheil
Boissy-St-Léger
Lésigny
Tournan-en-Brie
Crèvecoeur-en-Brie
Lumigny-Nesles-Ormeaux
Pézarches
Touquin
Saints
Amillis
Marolles-en-Brie
Santeny
Férolles-Attilly
Gretz-Armainvilliers
Les Chapelles-Bourbon
Marles-en-Brie
Villecresnes
Mandres-les-Roses
Servon
Chevry-Cossigny
Presles-en-Brie
Fontenay-Trésigny
Le Plessis-Feu-Aussoux
Vaudoy-en-Brie
Brunoy
Boussy-St-Antoine
Brie-Comte-Robert
Liverdy-en-Brie
Châtres
Voinsles
Épinay-sous-Sénart
Périgny
Varennes-Jarcy
Grisy-Suisnes
Rozay-en-Brie
Bernay-Vilbert
Combs-la-Ville
Quincy-sous-Sénart
Coubert
Courquetaine
Chaumes-en-Brie
Pécy
Jouy-le-Châtel
Tigery
Évry-Grégy-sur-Yerre
Solers
Ozouer-le-Voulgis
Verneuil-l'Étang
Argentières
Courtomer
La Chapelle-Iger
Lieusaint
Moissy-Cramayel
Soignolles-en-Brie
Guignes
Beauvoir
Courpalay
St-Germain-lès-Corbeil
Limoges-Fourches
Lissy
Yèbles
Aubepierre-Ozouer-le-Repos
Gastins
St-Just-en-Brie
St-Pierre-du-Perray
Réau
Montereau-sur-le-Jard
Andrezel
Mormant
Quiers
Clos-Fontaine
Sénart
Savigny-le-Temple
Nandy
Crisenoy
Champeaux
Grandpuits-Bailly-Carrois
Châteaubleau
Vieux-Champagne
Saintry-sur-Seine
63
St-Germain-Laxis
Voisenon
Fouju
Bombon
64
La Croix-en-Brie
Nangis
Cesson
Vert-St-Denis
Rubelles
St-Méry
Blandy
St-Ouen

44
21
22
A
B
C
D
1
2
3
4
5
6
43
64
65
Oulchy-le-Château
Fère-en-Tardenois
Coulonges-Cohan
La Ferté-Milon
Neuilly-St-Front
Coincy
Château-Thierry
Dormans
Marigny-en-Orxois
Condé-en-Brie
Nogent-l'Artaud
la Ferté-sous-Jouarre
Jouarre
la Chapelle-Monthodon
Orbais-l'Abbaye
St-Cyr-sur-Morin
Montmirail
Fromentières
Rebais
Villeneuve-sur-Bellot
Boissy-le-Châtel
la Ferté-Gaucher
Esternay
Sézanne
Jouy-le-Châtel
Villiers-St-Georges
Nesle-la-Reposte
Villenauxe-la-Grande
Provins
Autoroute de l'Est européen
T.G.V. Est européen
Forêt de Ris
Forêt de Vassy
Forêt Dom. du Gault
F. Dom. des Loges à Gond
F. Dom. de la Traconne
Chemin de fer touristique de la Traconne
Forêt Domaniale de Jouy
Monument de la Victoire de la Marne
Nécr. Nat.
Grand Morin
Petit Morin
la Marne
l'Aube

Cormontreuil
Taissy
Sillery
Prunay
Aubérive
Nécr. Nat. Cim.All.
45
Prosnes
Baconnes
Chap. Russe
Fort St Hilaire
Mourmelon-le-Grand
Camp
Mourmelon-le-Petit
Livry-Louvercy
Louvercy
Bouy
Vadenay
Cuperly
Dampierre-au-Temple
St-Hilaire-au-Temple
St-Étienne-au-Temple
Prémecy
Aubilly
Jouy-lès-Reims
Sarcy
Bligny
Ville-Dommange
Sacy
Gare de Champagne-Ardenne T.G.V.
Trois-Puits
Champfleury
Villers-aux-Nœuds
Montbré
Puisieux
Ville-Tardenois
Chambrecy
Chaumuzy
Marfaux
Chamery
Écueil
Villers-Allerand
Rilly-la-Montagne
Ludes
Mailly-Champagne
Verzenay
Verzy
Villers-Marmery
Beaumont-sur-Vesle
Val-de-Vesle (Thuisy)
Sept-Saulx
les Petites-Loges
Pourcy
Champlat-et-Boujacourt
Jonquery
la Neuville-aux-Larris
Cuchery
Nanteuil-la-Forêt
Courtagnon
Sermiers
Chigny-les-Roses
PARC NATUREL RÉGIONAL DE LA MONTAGNE DE REIMS
Faux de Verzy
Germaine
Ville-en-Selve
Maison du Bûcheron
Louvois
Trépail
Reims-Champagne
Billy-le-Grand
Vaudemange
Belval-sous-Châtillon
Cormoyeux
St-Imoges
Romery
Fleury-la-Rivière
Villers-sous-Châtillon
Reuil
Venteuil
Hautvillers
Cumières
Damery
Champillon
Dizy
Tauxières-Mutry
Mutry
Fontaine-sur-Ay
Avenay-Val-d'Or
Mutigny
Magenta
Ay
Bouzy
Ambonnay
Isse
Tours-sur-Marne
Condé-sur-Marne
Bisseuil
Mareuil-sur-Ay
Boursault
Vauciennes
Mardeuil
ÉPERNAY
Pierry
Moussy
Chouilly
Plivot
Oiry
Cherville
Athis
Jâlons
Aigny
Vraux
Juvigny
Aulnay-sur-Marne
Matougues
la Veuve
les Grandes-Loges
Grands Traquiers
CHÂLONS-EN-CHAMPAGNE
Recy
St-Gibrien
St-Martin-sur-le-Pré
Fagnières
St-Memmie
St-Martin-d'Ablois
Vinay
Brugny-Vaudancourt
Chavot-Courcourt
Parc du Sourdon
Monthelon
Cuis
Cramant
Avize
les Istres-et-Bury
Flavigny
Champigneul-Champagne
Villers-le-Château
Mancy
Morangis
Grauves
Moslins
Oger
le Mesnil-sur-Oger
Magenta
St-Mard-lès-Rouffy
Rouffy
Pocancy
St-Pierre
la Garenne
Thibie
Compertrix
Coolus
Sarry
le Baizil
Forêt de Brugny
Bois d'Argensolle
Forêt de la Charmoye
Gionges
Villers-aux-Bois
Chaltrait
Vouzy
Villeneuve-Renneville-Chevigny
Soulières
Vertus
Voipreux
Chaintrix-Bierges
Sogny-aux-Moulins
Chepy
Givry-lès-Loisy
Étréchy
Beaunay
Loisy-en-Brie
Bergères-lès-Vertus
Vélye
Cheniers
Bardolle
Ecury-sur-Coole
Mairy-sur-Marne
Étoges
Férebrianges
Congy
Trécon
Germinon
Nuisement-sur-Coole
Breuvery-sur-Coole
St-Quentin-sur-Coole
Togny-aux-Bœufs
Vitry-la-Ville
Toulon la Montagne
Val-des-Marais (Coligny)
Mont Aimé
Pierre-Morains
Villeseneux
Soudron
Cernon
Coizard-Joches
Vert-Toulon (Vert-la-Gravelle)
Courjeonnet
Villevenard
Marais de Saint-Gond
Clamanges
Vatry
Bussy-Lettrée
Coupetz
Écury-le-Repos
Morains
Bannes
Broussy-le-Petit
Broussy-le-Grand
Mondement-Montgivroux
Normée
Lenharrée
Vassimont-et-Chapelaine
Dommartin-Lettrée
Faux-Vésigneul
Fère-Champenoise
Haussimont
Allemant
Sommesous
Soudé
Coole
Connantray-Vaurefroy
St-Loup
Linthes
Cim. All.
Connantre
Euvy
Montépreux
Linthelles
St-Remy-sous-Broyes
Corroy
Ognes
Gourgançon
Semoine
Poivres
Sompuis
Gaye
Pleurs
Marigny
Anglure-Courcelles
Mailly-le-Camp
Camp de Mailly
Salon
Villiers-Herbisse
Champ-l'Épée
Faux-Fresnay
Thaas
la Chapelle-Lasson
Champ-Carreau
Herbisse
Trouans
St-Ouen-Domprot
Courcemain
St-Saturnin
Champfleury
Dosnon
Marsangis
Grandville
Anglure
Vouarces
Allibaudières
Granges-sur-Aube
Boulages
Plancy-l'Abbaye
Viâpres-le-Petit
Champigny-sur-Aube
Lhuître
Brébant
Corbeil
Longueville-sur-Aube
Ormes
Abbaye sous Plancy
A4
E17
E50
A26
N4
N44
N77

46
23
24
A
B
C
D
Aubérive
Nécr. Nat. Cim. All.
Suippes
La Main de Massiges
Massiges
Ville-sur-Tourbe
Vienne-le-Château
Nécr. Nat. Calv.
Boureuilles
St-Hilaire-le-Grand
Souain-Perthes-lès-Hurlus
Maucourt-le-Mesnil-lès-Hurlus
Virginy
Malmy
St-Thomas-en-Argonne
Vienne-la-Ville
Lachalade
Neuvilly-
Fort St Hilaire
Jonchery-sur-Suippe
Wargemoulin-Hurlus
Berzieux
Florent-en-Argonne
le Claon
Laval-sur-Tourbe
Courtémont
Moiremont
le Neufour
Suippes
Camp de Mourmelon
St-Jean-sur-Tourbe
Dommartin-sous-Hans
la Neuville-au-Pont
Clermont-en-Argonne
Somme-Suippe
Nécr. Nat.
Hans
Maffrécourt
les Islettes
Somme-Tourbe
Somme-Bionne
Chaudefontaine
Ste-Menehould
Braux-Ste-Cohière
Valmy
Mon. Kellerman
Valmy le Moulin
Futeau
Fontaine d'Olive
Bussy-le-Château
Cuperly
la Croix-en-Champagne
Dommartin-Dampierre
Argers
Verrières
la Noblette
la Cheppe
Camp d'Attila
St-Remy-sur-Bussy
la Chapelle-Felcourt
Gizaucourt
Élise-Daucourt
Voilemont
Châtrices
Auve
St-Mard-sur-Auve
Beaulieu-en-Argonne
St-Étienne-au-Temple
Tilloy-et-Bellay
Mont-de-Charme
Rapsécourt
Braux-St-Remy
Villers-en-Argonne
Passavant-en-Argonne
Brizeaux
Mont de Charme
Dampierre-le-Château
Sivry-Ante
Herpont
Éclaires
Courtisols
le Vieil-Dampierre
Forêt de Belval
Somme-Vesle
L'Épine
Dommartin-Varimont
Épense
la Neuville-aux-Bois
Seuil-d'Argonne (Triaucourt-en-Arg
les Charmontois
Poix
Remicourt
Belval-en-Argonne
St-Memmie
Noirlieu
Somme-Yèvre
Givry-en-Argonne
le Châtelier
Marson
Moivre
Contault (Contault-le-Maupas)
St-Mard-sur-le-Mont
Moncetz-Longevas
Coupéville
le Fresne
Chepy
St-Jean-sur-Moivre
Sommeilles
Noyers-Auzécourt (Noyers-le-Val)
Laheycourt
Villotte-devant-Lo
Francheville
Dampierre-sur-Moivre
Bussy-le-Repos
Possesse
St-Germain-la-Ville
St-Jean-devant-Possesse
Nettancourt
Charmont
Louppy-le-Château
Vésigneul-sur-Marne
Pogny
Vanault-le-Châtel
Vernancourt
Villers-aux-Vents
Togny-aux-Bœufs
Vitry-la-Ville
Omey
la Chaussée-sur-Marne
Vanault-les-Dames
Bettancourt-la-Longue
Vroil
Brabant-le-Roi
Laimont
Cheppes-la-Prairie
St-Martin-aux-Champs
Songy
Aulnay-l'Aître
Bassu
Revigny-sur-Ornain
Neuville-sur-Ornain
Lisse-en-Champagne
Sogny-en-l'Angle
Villers-le-Sec
Rancourt-sur-Ornain
Ablancourt
St-Amand-sur-Fion
Vavray-le-Petit
Val-de-Vière (Doucey)
Alliancelles
Contrisson
Bassuet
Heiltz-le-Maurupt
Remennecourt
Vassincourt
Val-d'Orna (Mussey
Soulanges
St-Lumier-en-Champagne
Vavray-le-Grand
Heiltz-l'Évêque
Jussecourt-Minecourt
Sermaize-les-Bains
Andernay
Mognéville
Couvonges
Pringy
Faux-Vésigneul
St-Quentin-les-Marais
Changy
Drouilly
Outrepont
le Buisson
Pargny-sur-Saulx
Loisy-sur-Marne
Merlaut
Vitry-en-Perthois
Ponthion
Bignicourt-sur-Saulx
Étrepy
Maurupt-le-Montois
Beurey-sur-Saulx
Maisons-en-Champagne
Couvrot
Plichancourt
Brusson
Robert-Espagne
Cheminon
Dompremy
Blesme
Reims-la-Brûlée
Favresse
Blacy
St-Lumier-la-Populeuse
Trois-Fontaines-l'Abbaye
Lisle-en-Rigault
Vitry-le-François
Marolles
Vauclerc
Haussignémont
Scrupt
la Noue
Glannes
Huiron
Frignicourt
Écriennes
Thiéblemont-Farémont
F. Dom. le Vauhalaise
Courdemanges
Luxémont-et-Villotte
St-Vrain
St-Eulien
Baudonvilliers
Châtelraould-St-Louvent
Bignicourt-sur-Marne
Heiltz-le-Hutier
Vouillers
Villiers-en-Lieu
Sommelonne
Blaise-sous-Arzillières
Norrois
Matignicourt-Goncourt
ST-DIZIER
Chancenay
Humbauville
Cloyes-sur-Marne
Orconte
Perthes
Bettancourt-la-Ferrée
le Meix-Tiercelin
les Rivières-Henruel
Isle-sur-Marne
Sapignicourt
Hallignicourt
Hauteville
St-Chéron
Arzillières-Neuville
Moncetz-l'Abbaye
Larzicourt
Ambrières
Moëslains
Ancerville
Monts Torlors
Bussy-aux-Bois
St-Remy-en-Bouzemont-St-Genest-et-Isson
Arrigny
Laneuville-au-Pont
Marnaval
Roches-sur-Marne
Écollemont
Valcourt
Somsois
Gigny-Bussy (Gigny-aux-Bois)
Landricourt
Centre Nautique
Ste-Marie-du-Lac-Nuisement
Eurville-Bienville
Lignon
Brandonvillers
Éclaron-Braucourt-Ste-Livière
Humbécourt
Forêt du Val
Chapelaine
Réserve Ornithologique
Drosnay
Lac du Der-Chantecoq
Corbeil
66
67
Allichamps
Giffaumont-Champaubert
Margerie-Hancourt
Outines
Louvemont
St-Utin
A4
E50
N4
N44

Verdun
Belleville-sur-Meuse
Thierville-sur-Meuse
Pal. Épiscopal
Centre Mondial de la Paix
Citad.
Béthelainville
Fromeréville-les-Vallons
Dombasle-en-Argonne
Sivry-la-Perche
Récicourt
Aubréville
Jouy-en-Argonne
Brabant-en-Argonne
Brocourt-en-Argonne
Nixéville-Blercourt
Dugny-sur-Meuse
Haudainville
Belrupt-en-Verdunois
Moulainville
Eix
Moranville
Blanzée
Grimaucourt-en-Woëvre
Warcq
Herméville-en-Woëvre
Gussainville
Buzy-Darmont
Parfondrupt
Bois de la Ronce
Châtillon-sous-les-Côtes
Watronville
Ronvaux
Haudiomont
Ville-en-Woëvre
Hennemont
Pintheville
Maizeray
Harville
Pareid
Riaville
Manheulles
Fresnes-en-Woëvre
Marchéville-en-Woëvre
St-Hilaire-en-Woëvre
Saulx-lès-Champlon
Jonville
Doncourt-aux-Templiers
Verdun-St-Nicolas
Landrecourt-Lempire
Ville-sur-Cousances
les Souhesmes-Rampont (Souhesme-la-Grande)
Rarécourt
Vadelaincourt
Lemmes
Ancemont
Dieue-sur-Meuse
Sommedieue
Rupt-en-Woëvre
Génicourt-sur-Meuse
les Éparges
St-Remy-la-Calonne
Tresauvaux
Combres-sous-les-Côtes
Herbeuville
Hannonville-sous-les-Côtes
Mouilly
Dommartin-la-Montagne
Thillot
Avillers-Ste-Croix
Froidos
Lavoye
Julvécourt
Osches
Senoncourt-les-Maujouy
les Monthairons
Ippécourt
Souilly
Autrécourt-sur-Aire
Musée de la Voie Sacrée
St-André-en-Barrois
Villers-sur-Meuse
Ambly-sur-Meuse
Ranzières
Vaux-lès-Palameix
St-Maurice-sous-les-Côtes
Troyon
Dompierre-aux-Bois
Récourt-le-Creux
Tilly-sur-Meuse
Bouquemont
Seuzey
Hattonchâtel
Waly
Foucaucourt-sur-Thabas
Nubécourt
Heippes
Rambluzin-et-Benoite-Vaux
Gare de Meuse T.G.V.
Évres
Beausite (Beauzée-sur-Aire)
Woimbey
Lacroix-sur-Meuse
Lamorville
Vigneulles-lès-Hattonchâtel
Anc. Abb. de l'Étanche
les Trois-Domaines (Issoncourt)
Thillombois
Bannoncourt
Pretz-en-Argonne
Courcelles-sur-Aire
Neuville-en-Verdunois
Courouvre
Lahaymeix
Rouvrois-sur-Meuse
Dompcevrin
Chaillon
Valbois (Varvinay)
Nonsard-Lamarche
Heudicourt-sous-les-Côtes
Vaubecourt
Rembercourt-Sommaisne (Rembercourt-aux-Pots)
Chaumont-sur-Aire
Maizey
Buxières-sous-les-Côtes
Lac de Madine
Érize-la-Petite
Longchamps-sur-Aire
Pierrefitte-sur-Aire
Fresnes-au-Mont
les Paroches
Chauvoncourt
St-Mihiel
Falaises
Montsec
Lisle-en-Barrois
les Hauts-de-Chée (Condé-en-Barrois)
Nicey-sur-Aire
Ville-devant-Belrain
Rupt-devant-St-Mihiel
Bislée
Varnéville
Loupmont
Raival (Rosnes)
Belrain
Érize-la-Brûlée
Villotte-sur-Aire
Kœur-la-Grande
Kœur-la-Petite
Han-sur-Meuse
Apremont-la-Forêt
Bouconville-sur-Madt
Seigneulles
Gimécourt
Baudrémont
Courcelles-en-Barrois
Sampigny
Mécrin
St-Julien-sous-les-Côtes
Chardogne
Vavincourt
Rumont
Levoncourt
Lavallée
Érize-St-Dizier
Lignières-sur-Aire
Dagonville
Ménil-aux-Bois
Pont-sur-Meuse
Girauvoisin
Broussey-Raulecourt
Frémeréville-sous-les-Côtes
Behonne
Naives-Rosières (Naives-devant-Bar)
Vadonville
Grimaucourt-près-Sampigny
Boncourt-sur-Meuse
Lérouville
Vignot
Geville (Jouy-sous-les-Côtes)
Fains-Véel
BAR-LE-DUC
Remparts
Géry
Cousances-lès-Triconville
Loisey-Culey
Resson
Commercy
Chonville-Malaumont
Euville
Combles-en-Barrois
Savonnières-devant-Bar
Salmagne
Erneville-aux-Bois (Ernecourt)
Longeville-en-Barrois
Silmont
Guerpont
Tannois
Tronville-en-Barrois
Willeroncourt
Nançois-le-Grand
St-Aubin-sur-Aire
Saulvaux (Saulx-en-Barrois)
Laneuville-au-Rupt
Sorcy-St-Martin
Troussey
Brillon-en-Barrois
Nançois-sur-Ornain
Velaines
Ligny-en-Barrois
Ménil-la-Horgne
Void-Vacon
Pagny-sur-Meuse
Haironville
Montplonne
Nant-le-Grand
Méligny-le-Grand
Bazincourt-sur-Saulx
Maulan
Chanteraine (Morlaincourt)
Ourches-sur-Meuse
Rupt-aux-Nonains
Lavincourt
Stainville
Nant-le-Petit
Méligny-le-Petit
Naives-en-Blois
St-Germain-sur-Meuse
Ugny-sur-Meuse
Givrauval
Menaucourt
Boviolles
Longeaux
Nantois
Naix-aux-Forges
Sites Archéologiques
Marson-sur-Barboure
Bovée-sur-Barboure
Broussey-en-Blois
Sauvoy
Aulnois-en-Perthois
Ménil-sur-Saulx
Fouchères-aux-Bois
Reffroy
Cousances-les-Forges
le Bouchon-sur-Saulx
Villers-le-Sec
St-Amand-sur-Ornain
Villeroy-sur-Méholle
Vaucouleurs
Chalaines
Tréveray
St-Joire
Mauvages
Savonnières-en-Perthois
Juvigny-en-Perthois
Dammarie-sur-Saulx
Hévilliers
Demange-aux-Eaux
Montigny-lès-Vaucouleurs
Neuville-lès-Vaucouleurs
Narcy
Brauvilliers
Couvertpuis
Morley
Baudignécourt
Delouze-Rosières
Burey-en-Vaux
Bayard-sur-Marne
Vestiges d'Aqueduc Gallo-Romain
Biencourt-sur-Orge
Badonvilliers-Gérauvilliers
Épiez-sur-Meuse
Sepvigny
Champougny
Fontaines-sur-Marne
Ribeaucourt
Houdelaincourt
Montiers-sur-Saulx
Maxey-sur-Vaise
Taillancourt

48
25
A
B
C
D
1
2
3
4
5
6
68
69
METZ
NANCY
Woippy
Montigny-lès-Metz
Pont-à-Mousson
Pompey
Liverdun
Toul
Conflans-en-Jarnisy
Jarny
Mars-la-Tour
Gravelotte
Ars-sur-Moselle
Jouy-aux-Arches
Gorze
Novéant-sur-Moselle
Pagny-sur-Moselle
Thiaucourt-Regniéville
Dieulouard
Nomeny
Solgne
Verny
Pange
Champigneulles
Frouard
Laxou
Villers-lès-Nancy
Vandœuvre-lès-Nancy
Saulxures-lès-Nancy
Essey-lès-Nancy
Jarville-la-Malgrange
St-Nicolas-de-Port
Rosières-aux-Salines
Neuves-Maisons
Pont-St-Vincent
Messein
Ludres
Fléville-devant-Nancy
Flavigny-sur-Moselle
Richardménil
Domgermain
Blénod-lès-Toul
Foug
Écrouves
Dommartin-lès-Toul
Villey-le-Sec
Chaudeney-sur-Moselle
Pierre-la-Treiche
Sexey-aux-Forges
Gondreville
Fontenoy-sur-Moselle
Lucey
Bruley
Ménil-la-Tour
Royaumeix
Rosières-en-Haye
Saizerais
Domèvre-en-Haye
Beaumont
Flirey
Montsec
Essey-et-Maizerais
Vigneulles-lès-Hattonchâtel
Ville-sur-Yron
Vionville
Chambley-Bussières
Jaulny
LORRAINE
Metz-Nancy-Lorraine
Gare de Lorraine T.G.V.
Forêt de Haye
Mont St-Quentin
Peltre
Jury
Marly
Augny
Fleury
Cheminot
Malzéville
Maxéville
Tomblaine
Seichamps
Lenoncourt
Art-sur-Meurthe
Varangéville
Pulnoy
Houdemont
Heillecourt
Chaligny
Chavigny
Maron
Bainville-sur-Madon
Méréville
Pulligny
Ceintrey
Voinémont
Crévéchamps
Velle-sur-Moselle
Allain
Bagneux
Colombey
Vannes-le-Châtel
Sepvigny
Gibeaumeix
Uruffe
Lay-St-Remy
Ugny-sur-Meuse
Troussey
Trondes
Lagney
Boucq
Sanzey
Mandres-aux-Quatre-Tours
Broussey-Raulecourt
Xivray-Marvoisin
Seicheprey
Richecourt
Lahayville
St-Baussant
Pannes
Euvezin
Xammes
Rembercourt-sur-Mad
Arnaville
Vandières
Norroy-lès-Pont-à-Mousson
Blénod-lès-Pont-à-Mousson
Maidières
Montauville
Atton
Mousson
Ste-Geneviève
Loisy
Bezaumont
Landremont
Belleau
Millery
Custines
Malleloy
Faulx
Montenoy
Moivrons
Leyr
Eulmont
Lay-St-Christophe
Bouxières-aux-Dames
Bouxières-aux-Chênes
Amance
Agincourt
Dommartemont
Laneuveville-devant-Nancy
Lupcourt
Azelot
Ville-en-Vermois
Manoncourt-en-Vermois
Coyviller
Tonnoy
Ferrières
Vigneulles
Saffais
Lorry-Mardigny
Pommérieux
Coin-sur-Seille
Chérisey
Goin
Buchy
Vigny
Pagny-lès-Goin
Louvigny
Longeville-lès-Metz
Moulins-lès-Metz
Scy-Chazelles
Lessy
Plappeville
Lorry-lès-Metz
Saulny
Amanvillers
Châtel-St-Germain
Rozérieulles
Vernéville
Doncourt-lès-Conflans
Batilly
Giraumont
Labry
Hatrize
Boncourt
Jeandelize
Friauville
Bruville
St-Marcel
Rezonville
Tronville
Puxieux
Sponville
Xonville
Hagéville
Allamont
Brainville
Hannonville-Suzémont
Labeuville
Latour-en-Woëvre
Jonville-en-Woëvre
Doncourt-aux-Templiers
Woël
Lachaussée
Dampvitoux
Dommartin-la-Chaussée
Charey
St-Julien-lès-Gorze
Waville
Onville
Vandelainville
Bayonville-sur-Mad
Villecey-sur-Mad
Prény
Vilcey-sur-Trey
Viéville-en-Haye
Limey-Remenauville
Lironville
Fey-en-Haye
Mamey
Martincourt
Gézoncourt
Manonville
Noviant-aux-Prés
Bernécourt
Grosrouvres
Minorville
Tremblecourt
Manoncourt-en-Woëvre
Avrainville
Andilly
Jaillon
Aingeray
Bouvron
Francheville
Villey-St-Étienne
Sexey-les-Bois
Velaine-en-Haye
Hamonville
Ansauville
Beney-en-Woëvre
Bouillonville
Vittonville
Champey-sur-Moselle
Lesménils
Port-sur-Seille
Morville-sur-Seille
Raucourt
Éply
Clémery
Abaucourt
Létricourt
Chenicourt
Aulnois-sur-Seille
Ajoncourt
Arraye-et-Han
Armaucourt
Lanfroicourt
Bey-sur-Seille
Brin-sur-Seille
Jeandelaincourt
Sivry
Bratte
Villers-lès-Moivrons
Mailly-sur-Seille
Secourt
Sailly-Achâtel
St-Jure
Fleury
Pournoy-la-Grasse
Orny
Mécleuves
Courcelles-sur-Nied
Laquenexy
Ars-Laquenexy
Marsilly
Colligny
Maizery
Ogy
Coincy
Montoy-Flanville
Noisseville
Servigny-lès-Ste-Barbe
Ste-Barbe
Glatigny
Retonfey
Vany
Failly
Chieulles
Malroy
Charly-Oradour
Nouilly
Mey
Vantoux
St-Julien-lès-Metz
Hayes
Rémilly
Luppy
Tragny
Thimonville
Moncheux
Juville
Foville
Liocourt
Thézey-St-Martin
Alaincourt-la-Côte
Craincourt
Lemoncourt
Fossieux
Malaucourt
Manhoué
Aboncourt-sur-Seille
Cerville
Buissoncourt
Réméréville
Velaine-sous-Amance
Laneuvelotte
Champenoux
Dommartin-sous-Amance
Laître-sous-Amance
Crépey
Germiny
Thélod
Parey-St-Césaire
Houdelmont
Autrey
Pierreville
Xeuilley
Frolois
Marthemont
Thuilley-aux-Groseilles
Viterne
Maizières
Ochey
Moutrot
Gye
Bicqueley
Charmes-la-Côte
Mont-le-Vignoble
Crézilles
Bulligny
Rigny-la-Salle
Rigny-St-Martin
Choloy-Ménillot
Pagney-derrière-Barine
Laneuveville-derrière-Foug
Allamps
Barisey-la-Côte
Pagny-la-Blanche-Côte
Taillancourt
Domptail-en-l'Air
Hussonville

49
50
26
27
69
70
E
F
G
H
Freyming-Merlebach
Hombourg-Haut
St-Avold
Faulquemont
Porcelette
Complexe Carbochimique de Carling-St-Avold
Centrale Électrique Émile Huchet
Longeville-lès-St-Avold
Boucheporn
Narbéfontaine
Momerstroff
Bisten-en-Lorraine
Obervisse
Condé-Northen
Helstroff
Varize
Bannay
Brouck
Hallering
Marange-Zondrange
Zimming
Courcelles-Chaussy
Bionville-sur-Nied
Haute-Vigneulles
Bambiderstroff
Fouligny
Raville
Servigny-lès-Raville
Laudrefang
Valmont
Tritteling-Redlach
Folschviller
Teting-sur-Nied
Guinglange
Flétrange
Elvange
Créhange
Hémilly
Villers-Stoncourt
Chanville
Ancerville
Voimhaut
Vittoncourt
Arriance
Mainvillers
Adaincourt
Many
Herny
Thicourt
Thonville
Han-sur-Nied
Vatimont
Arraincourt
Béchy
Flocourt
St-Epvre
Holacourt
Brulange
Suisse
Landroff
Harprich
Bérig-Vintrange
Vallerange
Virming
Baudrecourt
Chenois
Lesse
Destry
Baronville
Morhange
Racrange
Rodalbe
Bermering
Bénestroff
Marthille
Villers-sur-Nied
Bréhain
Achain
Bellange
Pévange
Haboudange
Dalhain
Conthil
Zarbeling
Lidrezing
Vannecourt
Burlioncourt
Sotzeling
Château-Voué
Obreck
Wuisse
Puttigny
Vaxy
Gerbécourt
Amelécourt
Lubécourt
Château-Salins
Hampont
Guébestroff
Vergaville
Dieuze
Val-de-Bride
St-Médard
Haraucourt-sur-Seille
Mulcey
Marsal
Morville-lès-Vic
Salonnes
Vic-sur-Seille
Moyenvic
Chambrey
Grémecey
Attilloncourt
Pettoncourt
Moncel-sur-Seille
Mazerulles
Bezange-la-Grande
Sornéville
Xanrey
Lezey
Juvelize
Blanche-Église
Guéblange-lès-Dieuze
Donnelay
Juvrecourt
Bezange-la-Petite
Ley
Ommeray
Moncourt
Bourdonnay
Arracourt
Athienville
Réchicourt-la-Petite
Coincourt
Xures
Bures
Parroy
Lagarde
Bathelémont-lès-Bauzemont
Serres
Valhey
Bauzemont
Hénaménil
Mouacourt
Vaucourt
Courbesseaux
Gellenoncourt
Drouville
Einville-au-Jard
Raville-sur-Sânon
Bienville-la-Petite
Crion
Sionviller
Bonviller
Xousse
Emberménil
Laneuveville-aux-Bois
Haraucourt
Maixe
Crévic
Sommerviller
Dombasle-sur-Meurthe
Flainval
Deuxville
Anthelupt
Hudiviller
Vitrimont
Jolivet
Chanteheux
Croismare
Marainviller
Lunéville
Moncel-lès-Lunéville
Thiébauménil
Manonviller
Bénaménil
Domjevin
Blémerey
Vého
Reillon
Fréménil
St-Martin
Héribéviller
Ogéviller
Buriville
Réclonville
Laronxe
St-Clément
Chenevières
Hablainville
Vaxainville
Montigny
Reherrey
Ste-Pôle
Badonviller
Mignéville
Ancerviller
Neuviller-lès-Badonviller
St-Maurice-aux-Forges
Xermaménil
Fraimbois
Damelevières
Rehainviller
Hériménil
Mont-sur-Meurthe
Blainville-sur-l'Eau
Charmois
Lamath
Romain
Forêt Domaniale de Parroy
PARC NATUREL RÉGIONAL DE LORRAINE
Macheren
Lachambre
Altviller
Biding
Vahl-Ebersing
Laning
Lelling
Lixing-lès-St-Avold
Pontpierre
Guessling-Hémering
Vahl-lès-Faulquemont
Adelange
Boustroff
Viller
Bistroff
Eincheville
Grostenquin
Freybouse
Erstroff
Frémestroff
Hellimer
Diffembach-lès-Hellimer
Petit-Tenquin
Gréning
Nelling
Léning
Francaltroff
Insming
Réning
Vittersbourg
Albestroff
Neufvillage
Montdidier
Vahl-lès-Bénestroff
Nébing
Munster
Givrycourt
Torcheville
Lhor
Insviller
Guinzeling
Molring
Marimont-lès-Bénestroff
Bourgaltroff
Bassing
Domnom-lès-Dieuze
Guébling
Bidestroff
Cutting
Lostroff
Loudrefing
Mittersheim
Rorbach-lès-Dieuze
Zommange
Lindre-Haute
Lindre-Basse
Guermange
Tarquimpol
Desseling
Assenoncourt
Gelucourt
Fribourg
Rhodes
Languimberg
Azoudange
Maizières-lès-Vic
Moussey
Réchicourt-le-Château
Avricourt
Igney
Foulcrey
Remoncourt
Amenoncourt
Leintrey
Autrepierre
Gondrexon
Repaix
Gogney
Chazelles-sur-Albe
Blâmont
Verdenal
Barbas
Harbouey
Domèvre-sur-Vezouze
Halloville
Nonhigny
Montreux
Parux
Petitmont
Val-et-Châtillon
Cirey-sur-Vezouze
Frémonville
Tanconville
Bertrambois
Hattigny
Fraquelfing
Ibigny
Richeval
St-Georges
Gondrexange
Hertzing
Héming
Sarrebourg
Diane-Capelle
Kerprich-aux-Bois
Langatte
Haut-Clocher
Dolving
Gosselming
St-Jean-de-Bassel
Belles-Forêts (Bising)
Niederstinzel
Diedendorf
Vibersviller
Altwiller
Harskirch
Honskirch
Kirviller
Hazembourg
Kappelkinger
Le Val-de-Guéblange
Sarralbe
Holving
Willerwald
Richeling
Hilsprich
Rémering-lès-Puttelange
Puttelange-aux-Lacs
St-Jean-Rohrbach
Maxstadt
Leyviller
Altrippe
Valette
Barst
Cappel
Hoste
Henriville
Farschviller
Seingbouse
Guenviller
Betting
Béning-lès-St-Avold
Cocheren
Rosbruck
Folkling
Bousbach
Tenteling
Théding
Farébersviller
Metzing
Diebling
Hundling
Nousseviller-St-Nabor
Woustviller
Ernestviller
Grundviller
Keskastel
Forêt Dom. de Fénétrange
Sarreguemines

50
A
B
C
D
Sarreguemines
Frauenberg
Bliesbruck
Parc Archéologique de Bliesbruck-Reinheim
Volmunster
Breidenbach
Bousseviller
Lengelsheim
Hanviller
Liederschiedt
Roppeviller
Eppenbrunn
Rimling
Nousseviller-lès-Bitche
Zetting
Neufgrange
Rémelfing
Sarreinsming
Wiesviller
Woelfling-lès-Sarreguemines
Bettviller
Hottviller
Schorbach
Haspelschiedt
Bitche
Camp de Bitche
Sturzelbronn
Obersteinbach
Hambach
Siltzheim
Gros-Réderching
Petit-Réderching
Fort Casso
Rohrbach-lès-Bitche
Bining
Achen
Wittring
Etting
Kalhausen
Herbitzheim
Oermingen
Schmittviller
Enchenberg
Lemberg
Reyersviller
Éguelshardt
Siersthal
Lambach
Montbronn
St-Louis-lès-Bitche
Meisenthal
Soucht
Goetzenbruck
Mouterhouse
Philippsbourg
Baerenthal
Niederbronn-les-Bains
Oberbronn
Reichshoffen
PARC NATUREL RÉGIONAL DES VOSGES DU NORD
Rahling
Dehlingen
Butten
Ratzwiller
Vœllerdingen
Lorentzen
Domfessel
Diemeringen
Volksberg
Rosteig
Reipertswiller
Wingen-sur-Moder
Lichtenberg
Wimmenau
Offwiller
Sarre-Union
Sarrewerden
Harskirchen
Mackwiller
Rimsdorf
Thal-Drulingen
Berg
Frohmuhl
Puberg
Hinsbourg
Tieffenbach
Zittersheim
Adamswiller
Struth
Petersbach
Erckartswiller
Sparsbach
Ingwiller
Drulingen
la Petite-Pierre
Weinbourg
Lohr
Weiterswiller
Obersoultzbach
Uttwiller
Niedersoultzbach
Pfaffenhoffen
Bouxwiller
Fénétrange
Postroff
Hirschland
Veckersviller
Siewiller
Schœnbourg
Neuwiller-lès-Saverne
Dossenheim-sur-Zinsel
Eschbourg
Pfalzweyer
Hangviller
Kirrberg
Rauwiller
Bickenholtz
Berling
Vescheim
Vilsberg
Ernolsheim-lès-Saverne
Steinbourg
Hattmatt
Gottesheim
Bossendorf
Wittersheim
Mommenheim
Schwindratzheim
Hochfelden
Phalsbourg
St-Jean-Saverne
Eckartswiller
Saverne
Col de Saverne
Dettwiller
Monswiller
Ottersthal
Réding
Lutzelbourg
Hommarting
Sarrebourg
Buhl-Lorraine
Niderviller
Arzviller
Garrebourg
Haselbourg
Hesse
Dabo
Walscheid
Abreschviller
St-Quirin
Marmoutier
Wasselonne
Westhoffen
Molsheim
Mutzig
Altorf
Oberhaslach
Niederhaslach
Urmatt
Grendelbruch
Grandfontaine
Rosheim
Raon-sur-Plaine
Luvigny
Vexaincourt
Turquestein-Blancrupt
Engenthal-le-Bas
Wangenbourg-Engenthal
Truchtersheim
Duppigheim
Strasbourg-Entzheim
70
71
27
28
44
49

51
Wissembourg
Kandel
Wörth
Maximiliansau
KARLSRUHE
Lauterbourg
Neuburg am Rhein
Rheinstetten
Durmersheim
Elchesheim-Illingen
Au am Rhein
Bietigheim
Steinmauern
Ötigheim
Muggensturm
Rastatt
Kuppenheim
Gaggenau
Baden-Baden
Sinzheim
Bühl
Bühlertal
Ottersweier
Achern
Sasbach
Sasbachwalden
Kappelrodeck
Seebach
Ottenhöfen im Schwarzwald
Oberkirch
Lautenbach
Oppenau
Renchen
Appenweier
Offenburg
Kehl
STRASBOURG
SCHILTIGHEIM
Bischheim
Illkirch-Graffenstaden
Willstätt
Rheinau
Gambsheim
la Wantzenau
Brumath
Bischwiller
HAGUENAU
Soufflenheim
Sessenheim
Drusenheim
Rheinmünster
Lichtenau
Hügelsheim
Karlsruhe Baden-Baden
Seltz
Beinheim
Rœschwoog
Fort-Louis
Betschdorf
Soultz-sous-Forêts
Hunspach
Hoffen
Hatten
Surbourg
Walbourg
Morsbronn-les-Bains
Wœrth
Niedersteinbach
Wingen
Lembach
Climbach
Riedseltz
Seebach
Schleithal
Salmbach
Forêt de Haguenau
Bienwald
Badener Höhe
Hornisgrinde
Hoher Öchsenkopf
Schliffkopf
Pfälzerkopf
LE RHIN
A35
A5
A4
A65
B3
B36
B500

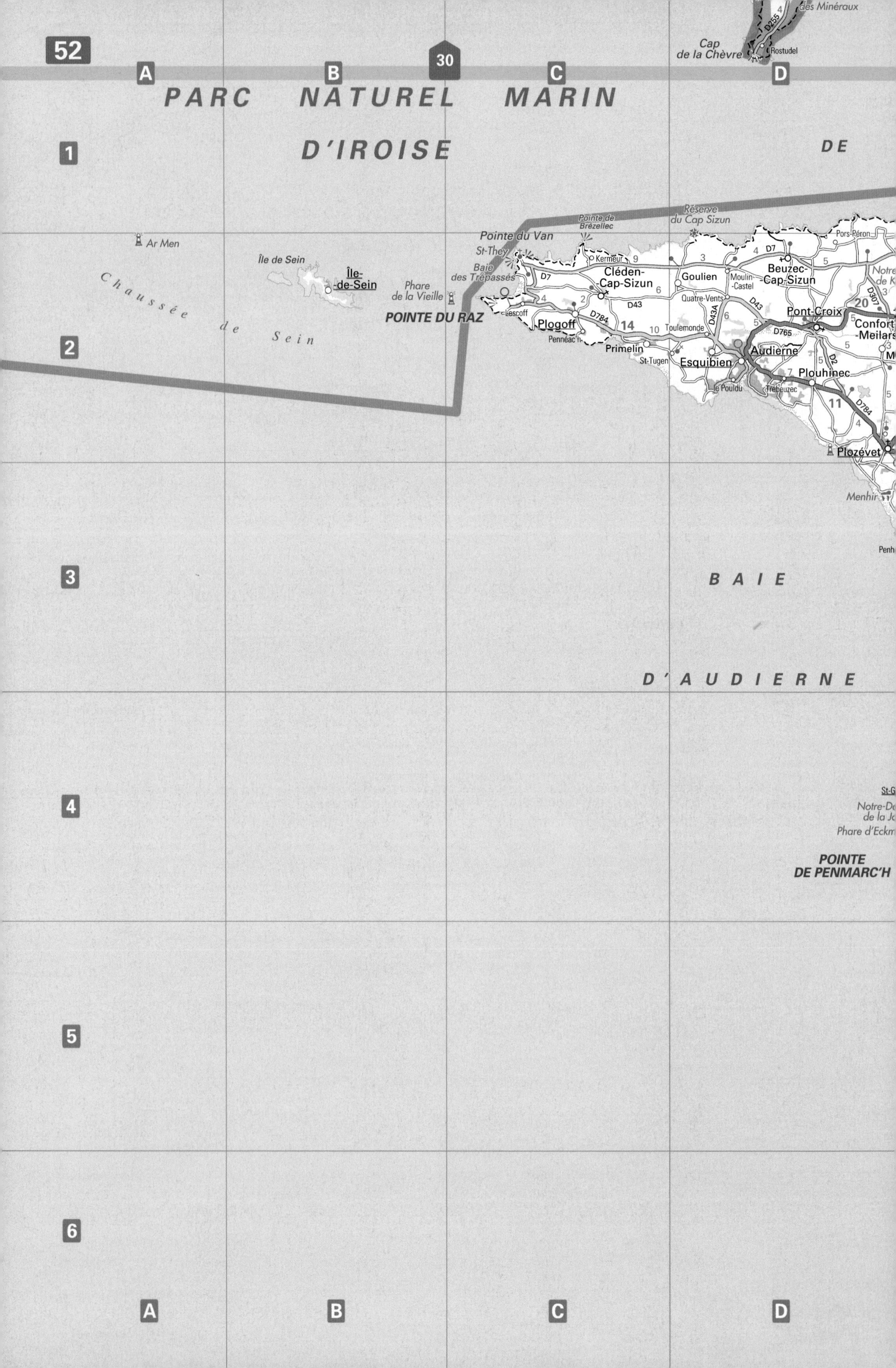
PARC NATUREL MARIN
D'IROISE
DE
Cap
de la Chèvre
Rostudel
des Minéraux
Ar Men
Île de Sein
Île-
-de-Sein
Chaussée de Sein
Phare
de la Vieille
POINTE DU RAZ
Pointe du Van
St-They
Baie
des Trépassés
Lescoff
Plogoff
Pennéac'h
Pointe de
Brézellec
Réserve
du Cap Sizun
Kermeur
Cléden-
-Cap-Sizun
Goulien
Moulin-
-Castel
Beuzec-
-Cap-Sizun
Pors-Péron
Quatre-Vents
Pont-Croix
Confort
-Meilars
Primelin
Toulemonde
St-Tugen
Esquibien
Audierne
Plouhinec
Le Pouldu
Trébeuzec
Plozévet
Menhir
BAIE
D'AUDIERNE
Notre-D
de la J
Phare d'Eckm
POINTE
DE PENMARC'H

55
56
72
73
E
F
G
H
St-Igeaux
Plussulien
Uzel
Merléac
St-Hervé
Plouguenast
Langast
Plessala
Laniscat
St-Mayeux
St-Gelven
Caurel
St-Gilles-Vieux-Marché
le Quillio
St-Thélo
Grâce-Uzel
la Motte
St-Gouéno
St-Gilles-du-Mené
St-Guen
Mûr-de-Bretagne
Lac de Guerlédan
Forêt de Quénécan
Trévé
St-Caradec
St-Connec
St-Aignan
Ste-Brigitte
Loudéac
Plémet
Laurenan
Hémonstoir
Kergrist
Neulliac
Cléguérec
Croixanvec
St-Gérand
St-Gonnery
St-Maudan
St-Barnabé
la Chèze
la Ferrière
Coëtlogon
Séglien
Malguénac
Pontivy
Noyal-Pontivy
Gueltas
St-Étienne-du-Gué-de-l'Isle
Plumieux
la Trinité-Porhoët
le Sourn
Rohan
Bréhan
Guern
Kerfourn
Crédin
le Cambout
Mohon
Forêt de Lanouée
St-Thuriau
Melrand
Bieuzy
Moustoir-Remungol
Naizin
Pleugriffet
les Forges
Lanouée
Réguiny
Pluméliau
Radenac
Josselin
St-Barthélemy
Remungol
Lantillac
Buléon
Guégon
Quistinic
Moréac
Guénin
St-Allouestre
Baud
la Chapelle-Neuve
Locminé
Guéhenno
Plumelin
Bignan
Camors
Moustoir-Ac
Cruguel
Lizio
St-Jean-Brévelay
Plumelec
Colpo
LANDES
Sérent
Pluvigner
Brandivy
Plaudren
Trédion
St-Guyomard
Landaul
Grand-Champ
Locmaria-Grand-Champ
Locqueltas
Plumergat
Brech
Monterblanc
Elven
Meucon
Ste-Anne-d'Auray
St-Nolff
Plescop
Auray
Pluneret
St-Avé
Treffléan
la Vraie-Croix
Ploemel
Ploeren
Plougoumelen
Questembert
Bono
VANNES
N164
N24
N165
E60

56
34
A
B
C
D
Collinée
Broons
Rouillac
Guenroc
Plouasne
la Baussaine
St-Jacut-du-Mené
Langourla
Éréac
Caulnes
Guitté
Château de Beaumont
Becherel
Longaulnay
St-Pern
Château de Caradeuc
Château du Parc
Ste-Eutrope
St-Joseph
le Pont du Breuil
Recouvrance
Val de Rance
Château de Couëllan
Alignements
la Reculais
Mérillac
Pentray
le Châtelier
Château de la Bruyère
Lanrelas
Plumaugat
St-Jouan-de-l'Isle
la Chapelle-Blanche
Médréac
Miniac-sous-Becherel
St-Gilles-du-Mené
St-Vran
les Ronceaix
la Hartelois
St-Régent
Quédillac
Irodouër
Landujan
Laurenan
St-Launeuc
F. de la Hardouinais
le Meu
la Hatterie
Quéneleuc
la Prévostais
Lannelou
St-M'Hervon
Château de Montauban
Vélo-Rail
Merdrignac
Trémorel
les Treize Chênes
St-Méen-le-Grand
le Crouais
la Chapelle-du-Lou
le Lou-du-Lac
Château de la Perronnaye
la Ville Cocatrie
Couëplin
Gomené
Loscouët-sur-Meu
Montauban-de-Bretagne
le Jardret
la Biliais
Roquetton
Lequidy
la Ville Oréal
Couesmelan
St-Onen-la-Chapelle
Boisgervilly
le Garun
Pleumeleuc
Bédée
la Nouaye
St-Uniac
le Vot
le Lancras
la Poterais
Pays de Rennes
Coëtlogon
Landual
Ménéac
le Bos Tarju
Illifaut
Montfort-sur-Meu
Breteil
Brignac
Gaël
Muel
St-Maugan
Iffendic
Grand Guénan
le Validée
Quiliac
Donjon
le Pont Ruelland
Lesné
le Bouillon
Carénan
le Breil Oréal
St-Brieuc-de-Mauron
le Coudray Mathuau
Bléruais
St-Gonlay
le Domaine de Trémelin
Talensac
la Ville Jaudouin
le Louya
Évriguet
Ville Geffray
Mauron
St-Léry
Base de Loisirs
St-Malon-sur-Mel
le Clos du Tertre
Riolo
la Croix
la Mulotière
le Coudray Baillet
Kerbigot
le Faux
le Bran
Comper
Mohon
Concoret
le Bois de la Roche
Monterfil
le Verger
Telhouët
St-Péran
Guilliers
la Saudraie
Riochon
Paimpont
Serein
Parc
Treffendel
la Ville Coquelin
Fontaine de Barenton
Coganne
Cossinade
le Bouix
Quelneuc
St-Malo-des-Trois-Fontaines
Forêt de Paimpont
Trédéal
Paimpont-Brocéliande
Kersamson
Néant-sur-Yvel
Tréhorenteuc
Ancienne Abbaye
Plélan-le-Grand
St-Thurial
Château de Loyat
Beauvais
Léhéneuc
la Grée-St-Laurent
Henlé
Trégadoret
Val sans retour
les Métairies
Loyat
les Forges de Paimpont
la Chapelle ès Chèvres
Hellean
la Joie Notre-Dame
Étang au Duc
St-Laurent
Château Trécesson
Beignon
le Plessis
Maxent
Baulon
la Croix-Helléan
Taupont
Breil du Coq
le Champ du Tour
la Pyramide
le Vieux Bourg
Ploërmel
Campénéac
Coëtquidan
le Thélin
St-Malo-de-Beignon
Lemheuc
Colonne des Trente
la Ville Morhan
la Ragotière
Gourhel
Coëtquidan École de St-Cyr
Bellevue
Folle Ville
Malville
Loutehel
Bovel
Campel
Bel-Air
St-Servant
Rochers de la Ville Bouquet
Guillac
Brocéliande
Augan
St-Jean de Villenars
la Belle Alouette
la Chapelle-Bouëxic
Pléidy
Quily
Travoléon
l'Oyon
Porcaro
St-Étienne
Guer
Brangolo
Guignen
Montertelot
Monterrein
le Binio
Craon
les Brulais
Deleix
le Plessis Thuaux
le Crévy Château
la Faraudais
Château de Coëtbo
Mernel
le Roc-St-André
Monteneuf
Comblessac
Maure-de-Bretagne
la Chapelle-Caro
St-Abraham
Caro
Réminiac
St-Germain
la Gajal
le Grand Village
la Telhaie
Missiriac
Trignac
St-Séglin
Lohéac
Bellion
Bourgeix
Tréal
le Vieux Bourg
Lieuron
Malestroit
Ruffiac
le Temple
Quelneuc
la Nouëraie
Maquis de la Nouette
St-Marcel
Foveno
St-Laurent-sur-Oust
St-Nicolas-du-Tertre
Carentoir
Bruc-sur-Aff
Guipry
la Claie
Zoo
Landrouais
Guyomard
Bohal
la Tayée
la Danais
Noyal
Pipriac
Port de Guipry
la Vieille Forêt
Bellevue
Landes de Lanvaux
la Corblaie
la Chapelle-Gaceline
Malon
Couesmé
St-Congard
Dolmen du Tréal
les Émailleries
Pleucadeuc
la Tronçonnais
la Gacilly
Sixt-sur-Aff
St-Just
St-Ganton
Kerlac
St-Martin-sur-Oust
Alignements Mégalithiques
Combray
le Cours
Carhon
Kermarie
Cournon
la Porte
Quénahé
Molac
les Fougerêts
Craon
la Rochelle
Port de Roche
l'Arz
St-Gravé
la Brisselaie
l'Oust
Glénac
Trobert
le Lindeul
le Pont d'Arz
Peillac
Renac
Kermaté
Rochefort-en-Terre
Bains-sur-Oust
Bel-Air
Pluherlin
St-Jacut-les-Pins
St-Vincent-sur-Oust
la Chapelle-de-Brain
Elven
Malansac
la Méhiais
l'Ardoise
Parc de Préhistoire
le Vieux Bourg
Ste-Marie
Painfaut
Brain-sur-Vilaine
Beslé
St-Perreux
Massérac
la Vilaine
Questembert
73
74
Lanvaux

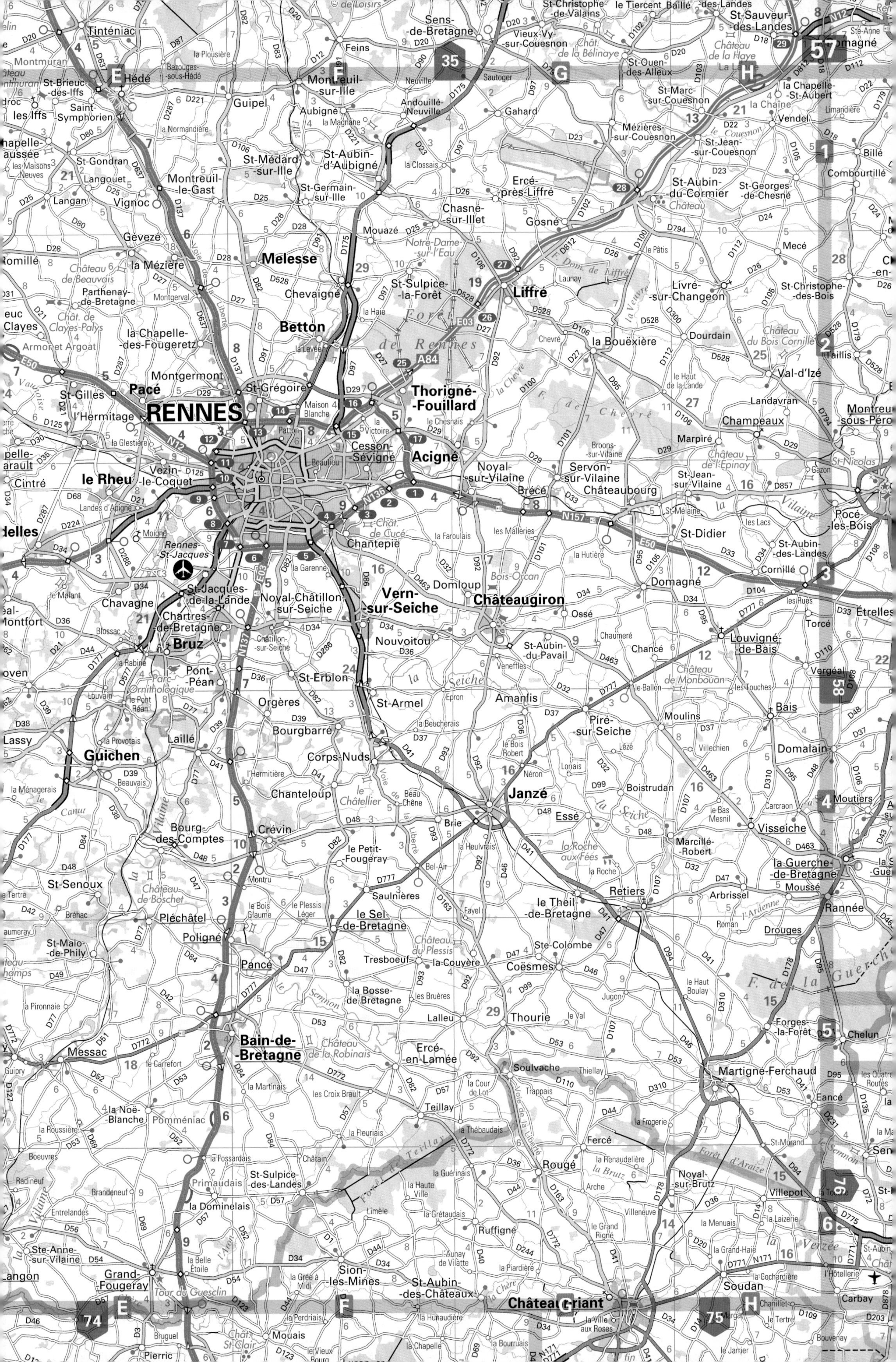

57
35
74
75
76
58
E
F
G
H
Tinténiac
Hédé
St-Brieuc-des-Iffs
les Iffs
Saint-Symphorien
Montmuran
Bazouges-sous-Hédé
la Plousière
Guipel
Sens-de-Bretagne
Feins
Montreuil-sur-Ille
Aubigné
Andouillé-Neuville
Vieux-Vy-sur-Couesnon
Château de la Bélinaye
St-Christophe-de-Valains
le Tiercent
Baillé
St-Sauveur-des-Landes
Romagné
St-Ouen-des-Alleux
Château de la Haye
St-Marc-sur-Couesnon
la Chapelle-St-Aubert
la Chaîne
Vendel
Gahard
Mézières-sur-Couesnon
St-Jean-sur-Couesnon
Billé
Combourtillé
St-Aubin-du-Cormier
St-Georges-de-Chesné
St-Médard-sur-Ille
St-Aubin-d'Aubigné
St-Germain-sur-Ille
la Clossais
Montreuil-le-Gast
St-Gondran
Langouet
Langan
Vignoc
Ercé-près-Liffré
Chasné-sur-Illet
Gosné
Mouazé
Notre-Dame-sur-l'Eau
Gévezé
la Mézière
Melesse
Château de Beauvais
Romillé
Parthenay-de-Bretagne
Chevaigné
St-Sulpice-la-Forêt
Liffré
Livré-sur-Changeon
Mecé
St-Christophe-des-Bois
Clayes
Chât. de Clayes-Palys
la Chapelle-des-Fougeretz
Betton
Forêt de Rennes
la Bouëxière
Dourdain
Château du Bois Cornillé
Val-d'Izé
Armor et Argoat
Montgermont
St-Grégoire
Pacé
St-Gilles
l'Hermitage
RENNES
Thorigné-Fouillard
Maison Blanche
Patton
la Victoire
Cesson-Sévigné
Acigné
le Chesnais
Beaulieu
Landavran
Champeaux
Montreuil-sous-Pérou
Marpiré
Château de l'Epinay
la Glestière
le Rheu
Vezin-le-Coquet
Cintré
Noyal-sur-Vilaine
Brécé
Servon-sur-Vilaine
Châteaubourg
St-Jean-sur-Vilaine
St-Melaine
Broons-sur-Vilaine
Landes d'Apigné
Chât. de Cucé
Chantepie
la Faroulais
les Mallerie
St-Didier
les Lacs
Pocé-les-Bois
St-Aubin-des-Landes
Cornillé
Rennes-St-Jacques
Moigné
St-Jacques-de-la-Lande
Chavagne
le Molant
la Garenne
Noyal-Châtillon-sur-Seiche
Vern-sur-Seiche
Domloup
Bois-Orcan
Châteaugiron
Domagné
les Rues
Torcé
Étrelles
Ossé
Mordelles
Montfort
Chartres-de-Bretagne
Bruz
Châtillon-sur-Seiche
Nouvoitou
St-Aubin-du-Pavail
Chaumeré
Chancé
Louvigné-de-Bais
Château de Monbouan
Vergéal
Blossac
la Rabine
Pont-Péan
Parc Ornithologique
St-Erblon
Veneffles
Epron
Orgères
St-Armel
Amanlis
le Ballon
les Touches
Bais
Louvain
le Pont Réan
Laillé
la Provotais
Guichen
Lassy
Bourgbarré
la Beucherais
Piré-sur-Seiche
Moulins
Villechien
Domalain
Corps-Nuds
l'Hermitière
le Bois Robert
Lézé
Loriais
Néron
Boistrudan
Beauvais
la Ménagerais
Chanteloup
le Châtellier
Beau Chêne
Janzé
Essé
le Bas Mesnil
Carcraon
Visseiche
Moutiers
Bourg-des-Comptes
Crévin
Brie
la Heulvrais
la Roche aux Fées
la Roche
Marcillé-Robert
la Guerche-de-Bretagne
le Petit-Fougeray
Bel-Air
St-Senoux
Château de Boschet
Montru
Saulnières
Fayel
le Theil-de-Bretagne
Retiers
Arbrissel
Mousse
Rannée
Bréhac
Pléchâtel
le Bois Glaume
le Plessis Léger
le Sel-de-Bretagne
Roman
Drouges
St-Malo-de-Phily
Poligné
Pancé
Château du Plessis
Tresboeuf
la Couyère
Ste-Colombe
Coësmes
F. de la Guerche
la Bosse-de-Bretagne
les Bruères
Jugon
le Haut Boulay
la Pironnaie
Lalleu
Thourie
le Val
Forges-la-Forêt
Chelun
Messac
le Carrefour
Bain-de-Bretagne
Château de la Robinais
Ercé-en-Lamée
Soulvache
Thiellay
Martigné-Ferchaud
Guipry
la Martinais
les Croix Brault
la Cour de Lot
Trappais
la Frogerie
Eancé
les Quatre Routes
la Noë-Blanche
Pomméniac
Teillay
la Roussière
la Fleuriais
la Thébaudais
Ferçé
St-Morand
Boeuvres
la Fossardais
Châtain
Forêt du Teillay
Rougé
la Renaudelière
la Bruz
Forêt d'Araize
Radineuf
Primaudais
St-Sulpice-des-Landes
la Guérinais
Noyal-sur-Brutz
Arche
Villepot
la Touche
Brandeneuf
la Dominelais
la Haute Ville
Villeneuve
la Laizerie
Entrelandes
Limèle
la Grétaudais
le Grand Rigné
la Menuais
Ruffigné
la Grand-Haie
Ste-Anne-sur-Vilaine
la Belle Etoile
l'Aunay de Vilatte
la Piardière
Soudan
la Cochardière
l'Hôtellerie
Langon
Grand-Fougeray
Tour du Guesclin
la Grée à Midi
Sion-les-Mines
St-Aubin-des-Châteaux
Châteaubriant
Chanillet
Carbay
le Tertre
la Ville aux Roses
la Perdriais
la Hunaudière
Margat
Chât. St-Clair
Bruguel
Mouais
le Vieux Bourg
la Chapelle
la Bourrais
Bouvenay
Pierric
le Jarrier
N12
N136
N137
N157
N171
E03
E50
A84

58
37
38
35
57
76
A
B
C
D
St-Georges-de-Reintembault
Louvigné-du-Désert
Mellé
Poilley
Villamée
Landivy
Fougerolles-du-Plessis
Heussé
Mantilly
Passais
l'Épinay-le-Comte
St-Fraimbault
Désertines
St-Simeón
Soucé
St-Aubin-Fosse-Louvain
Pontmain
Parigné
la Bazouge-du-Désert
St-Mars-sur-la-Futaie
la Dorée
Vieuvy
Lesbois
Couesmes-Vaucé
le Pas
Landéan
Levaré
Hercé
Gorron
St-Ellier-du-Maine
St-Berthevin-la-Tannière
Colombiers-du-Plessis
Brecé
le Loroux
Montaudin
Carelles
Lécousse
Laignelet
Larchamp
Fougères
la Chapelle-Janson
St-Mars-sur-Colmont
Oisseau
Romagné
Beaucé
Fleurigné
Javené
St-Denis-de-Gastines
Châtillon-sur-Colmont
la Selle-en-Luitré
la Pellerine
Ernée
St-Georges-Buttavent
Parigné-sur-Braye
Billé
Luitré
Vautorte
Mayenne
Combourtillé
Parcé
Dompierre-du-Chemin
St-Pierre-des-Landes
Montenay
St-Baudelle
Montreuil-des-Landes
Châtillon-en-Vendelais
Placé
Contest
Juvigné
Chailland
Alexain
Princé
Montautour
St-Hilaire-du-Maine
la Bigottière
St-Germain-d'Anxure
la Croixille
St-Germain-le-Guillaume
Balazé
St-M'Hervé
la Baconnière
Martigné-sur-Mayenne
Montreuil-sous-Pérouse
Bourgon
le Bourgneuf-la-Forêt
Andouillé
Sacé
la Bazouge-des-Alleux
Vitré
la Chapelle-Erbrée
Launay-Villiers
St-Ouën-des-Toits
Montflours
Châlons-du-Maine
St-Germain-le-Fouilloux
Gesnes
St-Jean-sur-Mayenne
Pocé-les-Bois
Erbrée
Bréal-sous-Vitré
St-Pierre-la-Cour
Port-Brillet
Olivet
Louverné
la Chapelle-Anthenaise
le Genest-St-Isle
Mondevert
la Brûlatte
Changé
Laval-Bonchamp
Étrelles
Argentré-du-Plessis
la Gravelle
Loiron
St-Berthevin
LAVAL
Bonchamp-lès-Laval
Argentré
Louvigné
Soulgé-sur-Ouette
le Pertre
St-Cyr-le-Gravelais
Ruillé-le-Gravelais
Ahuillé
St-Germain-du-Pinel
Brielles
Beaulieu-sur-Oudon
Montjean
Montigné-le-Brillant
l'Huisserie
Forcé
Gennes-sur-Seiche
Entrammes
Parné-sur-Roc
Bazougers
Moutiers
Availles-sur-Seiche
Cuillé
St-Poix
Courbeveille
Nuillé-sur-Vicoin
Méral
Astillé
Maisoncelles-du-Maine
la Selle-Guerchaise
Gastines
Laubrières
Cossé-le-Vivien
Origné
Rannée
Fontaine-Couverte
le Bignon-du-Maine
Cosmes
Quelaines-St-Gault
Houssay
Villiers-Charlemagne
Brains-sur-les-Marches
la Roë
Ballots
la Chapelle-Craonnaise
St-Sulpice
St-Michel-de-la-Roë
Athée
Simplé
Livré-la-Touche
Denazé
Peuton
Ville-Fraîche-Fonds
Chelun
Marigné-Peuton
Loigné
N12
N157
N162
E50
A81
Forêt de Mayenne
Parc du Chât. de Clivoy
Château de Mausson
Château de Goué
Menhir de la Boussardière
Dolmen de la Contrie du Rocher
Château du Kodéan
Château des Rochers-Sévigné
Bois de Misedon
Bois des Gravelles
Vallée des Étangs
Abbaye du Port du Salut
Château de Ricoudet
Châtu. de Montjean
Remparts

59
38
39
60
77
E
F
G
H
1
2
3
4
5
6
La Chapelle-d'Andaine
Tessé-Froulay
Couterne
Antoigny
St-Patrice-du-Désert
Lignières-Orgères
St-Martin-des-Landes
St-Didier-sous-Écouves
St-Denis-de-Villenette
Geneslay
Haleine
Méhoudin
St-Ouen-le-Brisoult
La Pallu
Longuenoë
Fontenai-les-Louvets
Ceaucé
Sept-Forges
Thubœuf
Neuilly-le-Vendin
St-Ellier-les-Bois
Hirvaie
Loré
Rennes-en-Grenouilles
St-Julien-du-Terroux
Madré
Couptrain
St-Calais-du-Désert
Ciral
La Roche-Mabile
St-Nicolas-des-Bois
Ste-Marie-du-Bois
St-Samson
Gandelain
Le Housseau-Brétignolles
St-Aignan-de-Couptrain
Lalacelle
Pré-en-Pail
Mont des Avaloirs
St-Denis-sur-Sarthe
Cuissai
Colombiers
Lonrai
Lassay-les-Châteaux
Chevaigné-du-Maine
Ravigny
Pacé
ALENÇON
St-Cyr-en-Pail
Boulay-les-Ifs
Condé-sur-Sarthe
Chantrigné
Charchigné
Javron-les-Chapelles
Champfrémont
St-Loup-du-Gast
Montreuil-Poulay
Le Horps
Villepail
La Ferrière-Bochard
Mieuxcé
Héloup
Le Ribay
Crennes-sur-Fraubée
St-Pierre-des-Nids
La Haie-Traversaine
Le Ham
St-Céneri-le-Gérei
Moulins-le-Carbonnel
Forêt de Pail
Champéon
Gesvres
St-Fraimbault-de-Prières
Villaines-la-Juhel
St-Léonard-des-Bois
Loupfougères
Hardanges
Gesnes-le-Gandelin
les Alpes Mancelles
Averton
St-Paul-le-Gaultier
Assé-le-Boisne
La Chapelle-au-Riboul
Marcillé-la-Ville
Courcité
St-Aubin-du-Désert
Sougé-le-Ganelon
St-Victeur
Aron
St-Mars-du-Désert
St-Georges-le-Gaultier
St-Ouen-de-Mimbré
La Bazoge-Montpinçon
Grazay
Champgenéteux
St-Thomas-de-Courceriers
Douillet
St-Aubin-de-Locquenay
Fresnay-sur-Sarthe
Trans
St-Germain-de-Coulamer
Jublains
Hambers
Bais
LES COËVRONS
Mont-St-Jean
Montreuil-le-Chétif
Moitron-sur-Sarthe
Izé
St-Martin-de-Connée
St-Pierre-sur-Orthe
St-Christophe-du-Jambet
Montourtier
Deux-Évailles
Mézangers
Ste-Gemmes-le-Robert
Sillé-le-Guillaume
Pezé-le-Robert
Ségrie
St-Ouën-des-Vallons
Vimarcé
Le Grez
St-Rémy-de-Sillé
Vernie
Évron
Assé-le-Bérenger
St-Georges-sur-Erve
Rouessé-Vassé
Crissé
Mézières-sous-Lavardin
Montsûrs
Neau
Châtres-la-Forêt
Neuvillalais
St-Céneré
St-Christophe-du-Luat
Voutré
Rouez
Conlie
Livet
Parennes
Tennie
La Chapelle-Rainsouin
Ste-Suzanne
Torcé-Viviers-en-Charnie
Neuvillette-en-Charnie
Domfront-en-Champagne
St-Léger
Chammes
Neuvy-en-Champagne
Bernay-en-Champagne
Soulgé-Ouette
Blandouet
St-Symphorien
Ruillé-en-Champagne
Vaiges
Chemiré-en-Charnie
Épineu-le-Chevreuil
Amné
St-Georges-le-Fléchard
St-Jean-sur-Erve
Thorigné-en-Charnie
St-Denis-d'Orques
St-Pierre-sur-Erve
Joué-en-Charnie
Chassillé
Longnes
Chaufour-Notre-Dame
La Bazouge-de-Chemeré
Viré-en-Champagne
Aubvers-sous-Montfaucon
Coulans-sur-Gée
Loué
Mareil-en-Champagne
Saulges
St-Denis-du-Maine
Chémeré-le-Roi
Bannes
Brûlon
Tassillé
Crannes-en-Champagne
Souligné-Flacé
Meslay-du-Maine
La Cropte
Cossé-en-Champagne
St-Christophe-en-Champagne
Vallon-sur-Gée
Préaux
Avessé
Chevillé
St-Ouen-en-Champagne
Louplande
Ballée
Épineux-le-Seguin
St-Pierre-des-Bois
Maigné
Chemiré-le-Gaudin
St-Charles-la-Forêt
Le Buret
Poillé-sur-Vègre
Chantenay-Villedieu
Voivres-lès-le-Mans
Beaumont-Pied-de-Boeuf
Fontenay-sur-Vègre
Pirmil
Auvers-le-Hamon
Fercé-sur-Sarthe
St-Loup-du-Dorat
Asnières-sur-Vègre
Tassé
La Suze-sur-Sarthe
Grez-en-Bouère
A81
E50
A11
N12

60
A
B
C
D
39
40
59
78
ALENÇON
LE MANS
Mamers
Mortagne-au-Perche
NORMANDIE
MAINE
St-Gervais-du-Perron
Bursard
Essay
Aunay-les-Bois
Laleu
Bazoches-sur-Hoëne
St-Hilaire-le-Châtel
Villiers-sous-Mortagne
Feings
Vingt-Hanaps
Orchemaisons
St-Aubin-d'Appenai
le Mêle-sur-Sarthe
Buré
Coulonges-sur-Sarthe
la Mesnière
St-Langis-lès-Mortagne
Radon
Forges
Larré
Ménil-Erreux
Neuilly-le-Bisson
les Ventes-de-Bourse
le Ménil-Broût
St-Léger-sur-Sarthe
Boëcé
Courgeoût
St-Mard-de-Réno
Loisail
Semallé
Hauterive
Barville
St-Julien-sur-Sarthe
la Chapelle-Montligeon
Colombiers
Cuissai
Valframbert
Damigny
Roullée
Vidai
St-Quentin-de-Blavou
Coulimer
Parfondeval
St-Denis-sur-Huisne
Réveillon
Courgeon
Montigny
la Fresnaye-sur-Chédouet
Blèves
St-Jouin-de-Blavou
Chenay
Cerisé
Chassé
le Chevain
St-Paterne
Lignières-la-Carelle
les Aulneaux
Louzes
Pervenchères
le Pin-la-Garenne
Comblot
Corbon
Mauves-sur-Huisne
Courcerault
St-Germain-du-Corbéis
Heloup
Arçonnay
Eperrais
Bellavilliers
St-Ouen-de-la-Cour
Colonard-Corubert
St-Rigomer-des-Bois
Aillières-Beauvoir
Montgaudry
Contilly
Champfleur
Neufchâtel-en-Saosnois
la Perrière
St-Martin-du-Vieux-Bellême
Bellême
Béthon
Chérisay
Ancinnes
Livet-en-Saosnois
Villaines-la-Carelle
Marollette
Origny-le-Butin
Sérigny
St-Jean-de-la-Forêt
Oisseau-le-Petit
Bourg-le-Roi
St-Rémy-du-Val
Vezot
St-Longis
Suré
Chemilli
le Gué-de-la-Chaîne
St-Aubin-des-Grois
Gesnes-le-Gandelin
Louvigny
Vaunoise
Dame-Marie
Fyé
Rouessé-Fontaine
Saosnes
Panon
Origny-le-Roux
Appenai-sous-Bellême
St-Cyr-la-Rosière
Pizieux
St-Fulgent-des-Ormes
Igé
la Chapelle-Souëf
St-Ouen-de-Mimbré
les Mées
Thoiré-sous-Contensor
St-Calez-en-Saosnois
Commerveil
St-Rémy-des-Monts
St-Vincent-des-Prés
St-Pierre-des-Ormes
Coulombiers
St-Germain-sur-Sarthe
Chérancé
Courgains
Thoigné
Monhoudou
Gémages
Fresnay-sur-Sarthe
René
Moncé-en-Saosnois
Pouvrai
St-Germain-de-la-Coudre
Piacé
Doucelles
Marolles-les-Braults
Avesnes-en-Saosnois
St-Cosme-en-Vairais
Bellou-le-Trichard
Juillé
Dangeul
Nouans
Moitron-sur-Sarthe
Vivoin
Beaumont-sur-Sarthe
Meurcé
Dissé-sous-Ballon
Peray
Nauvay
Nogent-le-Bernard
Courcival
Préval
Maresché
Lucé-sous-Ballon
St-Aignan
Jauzé
Rouperroux-le-Coquet
la Chapelle-du-Bois
Dehault
Souvigné-sur-Même
Assé-le-Riboul
Ségrie
Terrehault
Congé-sur-Orne
Mézières-sur-Ponthouin
Bonnétable
St-Georges-du-Rosay
la Ferté-Bernard
St-Marceau
Teillé
Ballon
St-Aubin-des-Coudrais
le Tronchet
St-Mars-sous-Ballon
Courcemont
Briosne-lès-Sables
Cherré
Mézières-sous-Lavardin
St-Jean-d'Assé
Montbizot
Souligné-sous-Ballon
Prévelles
la Bosse
St-Denis-des-Coudrais
St-Martin-des-Monts
Ste-Sabine-sur-Longève
Ste-Jamme-sur-Sarthe
Beaufay
Courceboeufs
Boëssé-le-Sec
Souillé
Joué-l'Abbé
Torcé-en-Vallée
St-Célerin
la Chapelle-St-Fray
Villaines-la-Gonais
Domfront-en-Champagne
la Bazoge
la Guierche
Sillé-le-Philippe
Tuffé
St-Hilaire-le-Lierru
Lamnay
la Chapelle-St-Rémy
Sceaux-sur-Huisne
Neuville-sur-Sarthe
Savigné-l'Évêque
Lombron
Lavardin
Aigné
Beillé
Vouvray-sur-Huisne
le Luart
Bouër
St-Maixent
la Milesse
St-Saturnin
St-Corneille
Duneau
Connerré
Coulaines
St-Pavace
Sargé-lès-le-Mans
Montfort-le-Gesnois
Lavaré
Trangé
la Chapelle-St-Aubin
Fatines
Champagne
Yvré-l'Évêque
Thorigné-sur-Dué
Dollon
Semur-en-Vallon
St-Mars-la-Brière
Rouillon
Nuillé-le-Jalais
le Breil-sur-Mérize
Soulitré
Pruillé-le-Chétif
St-Michel-de-Chavaignes
Changé
St-Georges-du-Bois
Ardenay-sur-Mérize
Coudrecieux
Allonnes
Surfonds
Bouloire
Étival-lès-le-Mans
Ruaudin
Spay
Voivres-lès-le-Mans
Arnage
Parigné-l'Évêque
Challes
Volnay
Maisoncelles
Écorpain
Montaillé
Mulsanne
Brette-les-Pins
St-Mars-de-Locquenay
Fillé
Moncé-en-Belin
Tresson
Évaillé
A28
A11
E50
E402
N12

Malétable
Moulicent
la Lande-sur-Eure
Senonches
Thimert-Gâtelles
61
40
41
E
F
G
H
Longny-au-Perche
Neuilly-sur-Eure
Ardelles
Digny
Favières
la Rangée
les Menus
Manou
F. Dom. de Senonches
Base de Loisirs
St-Victor-de-Réno
le Mage
Bizou
le Pas-St-l'Homer
Belhomert-Guéhouville
Fontaine-Simon
St-Maurice-St-Germain
Billancelles
St-Arnoult-des-Bois
Mittainvilliers
Monceaux-au-Perche
Moutiers-au-Perche
Meaucé
Pontgouin
Vérigny
Dolmen de la Grosse Pierre
la Madeleine-Bouvet
la Loupe
Landelles
Courville-sur-Eure
Fontaine-la-Guyon
Maison-Maugis
Boissy-Maugis
Vaupillon
le Favril
F. Dom. de Montécot
Chuisnes
St-Maurice-sur-Huisne
Rémalard
Dorceau
Bretoncelles
St-Éliph
Friaize
Bellou-sur-Huisne
F. de Champrond
St-Germain-le-Gaillard
Orrouer (Serez)
Montireau
Champrond-en-Gâtine
le Thieulin
Fruncé
St-Germain-des-Grois
Coulonges-les-Sablons
St-Victor-de-Buthon
Villebon
Verrières
Condé-sur-Huisne
Montlandon
St-Denis-des-Puits
Ollé
Nocé
Condeau
Cernay
Fretigny
Marolles-les-Buis
les Corvées-les-Yys
Marchéville
Dancé
St-Pierre-la-Bruyère
PARC NATUREL RÉGIONAL
Berd'huis
Margon
Coudreceau
St-Denis-d'Authou
les Châtelliers-Notre-Dame
Magny
Préaux-du-Perche
Nogent-le-Rotrou
Combres
Nonvilliers-Grandhoux
St-Agnan-sur-Erre
Brunelles
Happonvilliers
St-Éman
St-Hilaire-sur-Erre
Thiron-Gardais
Champrond-en-Perchet (Chainville)
la Gaudaine
Illiers-Combray
Blandainville
Épeautrolle
St-Jean-Pierre-Fixte
Trizay-Coutretot-St-Serge
Chassant
Méréglise
Montigny-le-Chartif
DU PERCHE
Theil
Mâle
Souancé-au-Perche
Vichères
Argenvilliers
la Croix-du-Perche
Charonville
Beaumont-les-Autels
Frazé
Mottereau
Vieuvicq
St-Avit-les-Guespières
Saumeray
Avezé
Coudray-au-Perche
Miermaigne
Luigny
Mézières-au-Perche
Bullou
Ceton
les Étilleux
Béthonvilliers
Brou-Dampierre
Alluyes
Brou
Yèvres
Dampierre-sous-Brou
Dangeau
Authon-du-Perche
Charbonnières
Moulhard
Unverre
Trizay-lès-Bonneval
Montharvil
Cormes
Théligny
les Autels-Villevillon
Soizé
Gohory
Courgenard
St-Ulphace
la Bazoche-Gouet
Chapelle-Royale
Logron
Flacey
Gréez-sur-Roc
St-Jean-des-Échelles
Châtillon-en-Dunois
Marboué
Montmirail
Melleray
Chapelle-Guillaume
le Gault-Perche
Arrou
Lanneray
St-Avit
Courtalain
Champrond
le Plessis-Dorin
St-Pellerin
Vibraye
Oigny
Arville
le Poislay
St-Denis-les-Ponts
la Fontenelle
Boisgasson
Souday
St-Agil
Droué
Langey
Douy
la Chapelle-du-Noyer
Ancienne Commanderie des Templiers
St-Hilaire-sur-Yerre
Boursay
Montigny-le-Gannelon
Berfay
Valennes
Choue
Ruan-sur-Egvonne
Bouffry
Cloyes-sur-le-Loir
Autheuil
la Chapelle-Vicomtesse
Fontaine-Raoul
Villebout
Mondoubleau
Baillou
St-Marc-du-Cor
Romilly-sur-Aigre
Cormenon
Rahay
Conflans-sur-Anille
Chauvigny-du-Perche
St-Jean-Froidmentel
Charray
Romilly
Beauchêne
Brévainville
St-Calais
Marolles-lès-St-Calais
Sargé-sur-Braye
le Temple
79
la Ville-aux-Clercs
St-Hilaire-la-Gravelle
Morée
Moisy
Forêt de Fréteval
A11
E50

62
41
42
80
61
A
B
C
D
CHARTRES
MAINVILLIERS
LUCE
Lèves
Luisant
Champhol
Gallardon
Auneau
Ablis
Sonchamp
St-Arnoult-en-Yvelines
Prunay-en-Yvelines
Yermenonville
Gas
Écrosnes
Bouglainval
Challet
Clévilliers
Briconville
Dangers
Bailleau-l'Évêque
Poisvilliers
Jouy
St-Prest
Soulaires
St-Piat
Chartainvilliers
Bailleau-Armenonville
Coltainville
Champseru
Ymeray
Umpeau
Oinville-sous-Auneau
Houville-la-Branche
Nogent-le-Phaye
Amilly
Cintray
St-Aubin-des-Bois
St-Georges-sur-Eure
Fontenay-sur-Eure
Barjouville
Morancez
Thivars
Mignières
Meslay-le-Grenet
Nogent-sur-Eure
Bailleau-le-Pin
Sandarville
Ermenonville-la-Grande
Épeautrolles
Luplanté
Ermenonville-la-Petite
Dammarie
Corancez
Prunay-le-Gillon
Sours
Francourville
Voise
Béville-le-Comte
Roinville
Aunay-sous-Auneau
Santeuil
Denonville
Moinville-la-Jeulin
Theuville
Allonnes
Boisville-la-St-Père
Réclainville
Quarville
Louville-la-Chenard
Moutiers
Beauvilliers
Voves
Prasville
Ymonville
Fresnay-l'Évêque
Meslay-le-Vidame
Vitray-en-Beauce
Fresnay-le-Comte
Bonce
Pézy
Villeneuve-St-Nicolas
Montainville
Rouvray-St-Florentin
Villeau
Le Gault-St-Denis
Bouville
Alluyes
Bonneval
B E A U C E
Allaines-Mervilliers
Le Puiset
Janville
Toury
Sancheville
Fains-la-Folie
Viabon
Germignonville
Neuvy-en-Dunois
Moriers
Pré-St-Martin
Pré-St-Évroult
Baignolet
Courbehaye
Fontenay-sur-Conie
Orgères-en-Beauce
Cormainville
Bullainville
St-Maur-sur-le-Loir
Dancy
Villiers-St-Orien
Loigny-la-Bataille
Tillay-le-Péneux
Bazoches-les-Hautes
Baigneaux
Lumeau
Poupry
Artenay
Moléans
Conie-Molitard
Nottonville
Bazoches-en-Dunois
Varize
Châteaudun
Lutz-en-Dunois
Guillonville
Terminiers
Péronville
Patay
Rouvray-Ste-Croix
Sougy
Chevilly
St-Cloud-en-Dunois
Villampuy
Villeneuve-sur-Conie
La Chapelle-Onzerain
Villamblain
Tournoisis
Coinces
Bricy
Gidy
Cercottes
St-Péravy-la-Colombe
St-Sigismond
Gémigny
Boulay-les-Barres
Saran
ORLÉANS
Ozoir-le-Breuil
Membrolles
Prénouvellon
La Ferté-Villeneuil
Verdes
Tripleville
Charsonville
Épieds-en-Beauce
Coulmiers
Rozières-en-Beauce
Ormes
Bucy-St-Liphard
St-Jean-de-
Fleury-les-Aubrais
Ouzouer-le-Doyen
Semerville
Moisy
Trizay-lès-Bonneval
Montharville
Flacey
St-Christophe
Donnemain-St-Mamès
Thiville
Bucy-le-Roi
Tivernon
Poinville
Santilly
Lion-en-Beauce
Ruan
Trinay
Oinville-St-Liphard
Trancrainville
Guilleville
Neuvy-en-Beauce
Barmainville
Rouvray-St-Denis
Mérouville
Intréville
Baudreville
Châtenay
Gouillons
Mondonville-St-Jean
Léthuin
Morainville
Orlu
Vierville
Oysonville
Maisons
Sainville
Garancières-en-Beauce
Allainville
Paray-Douaville
Chatignonville
Orsonville
Boinville-le-Gaillard
St-Martin-de-Bréthencourt
Levainville
Le Gué-de-Longroi
St-Symphorien-le-Château
Bleury
Pontgouin
A11
A10
A19
E50
E05
N154
N10

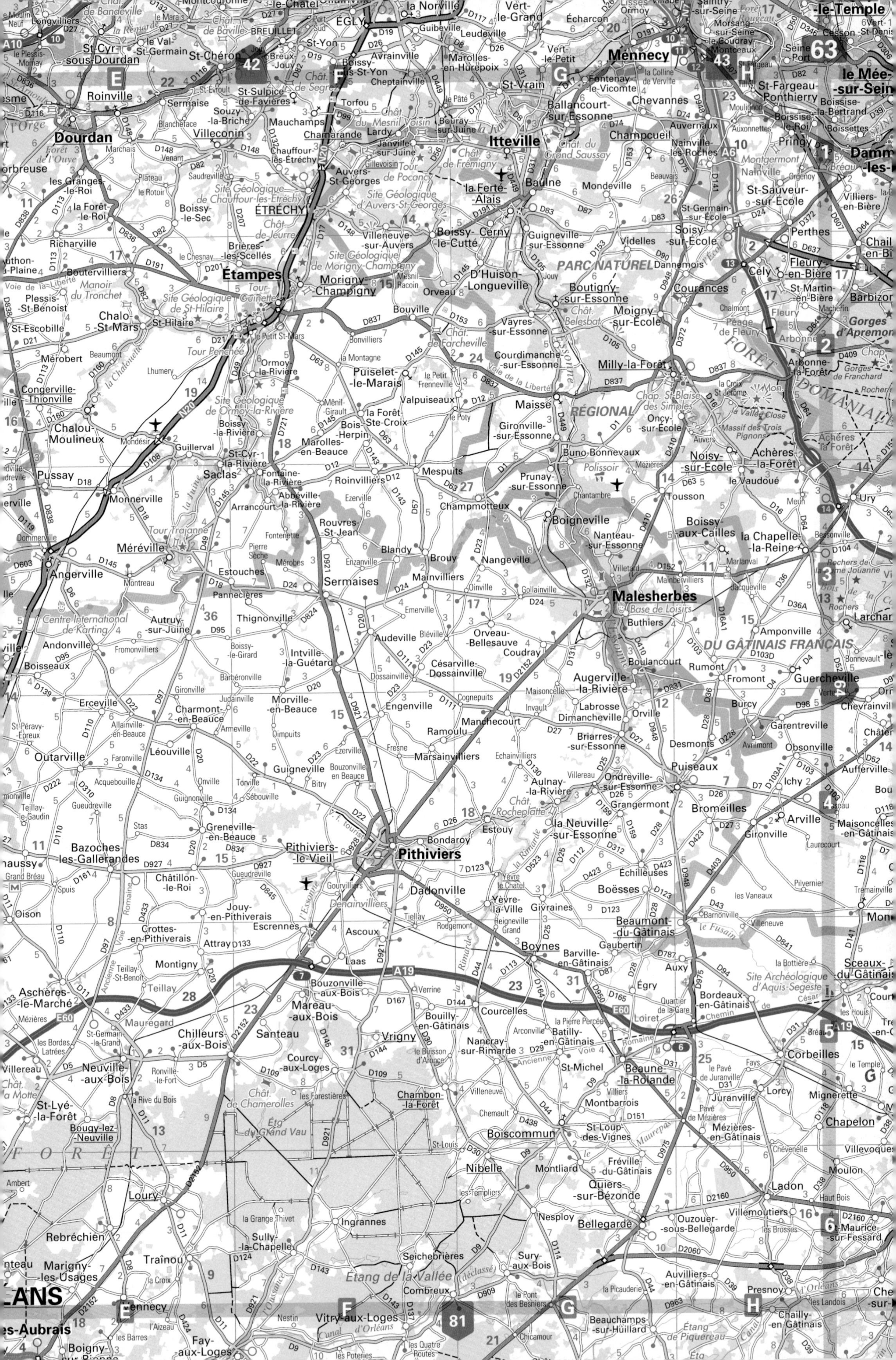

Dourdan
Roinville
St-Cyr-sous-Dourdan
St-Chéron
St-Sulpice-de-Favières
Souzy-la-Briche
Villeconin
Chamarande
Lardy
Égly
St-Yon
la Norville
Avrainville
Vert-le-Grand
Leudeville
Marolles-en-Hurepoix
Vert-le-Petit
Écharcon
Ormoy
Mennecy
Fontenay-le-Vicomte
Chevannes
St-Vrain
Ballancourt-sur-Essonne
Itteville
Champcueil
Auvers-St-Georges
Étréchy
la Ferté-Alais
Baulne
Mondeville
Boissy-le-Cutté
Cerny
Guigneville-sur-Essonne
Villeneuve-sur-Auvers
Morigny-Champigny
Étampes
D'Huison-Longueville
Videlles
Soisy-sur-École
Dannemois
Courances
Boutigny-sur-Essonne
Moigny-sur-École
Milly-la-Forêt
Vayres-sur-Essonne
Courdimanche-sur-Essonne
Bouville
Puiselet-le-Marais
Valpuiseaux
Maisse
PARC NATUREL
RÉGIONAL
DU GÂTINAIS FRANÇAIS
Gironville-sur-Essonne
Buno-Bonnevaux
Oncy-sur-École
Noisy-sur-École
Achères-la-Forêt
Prunay-sur-Essonne
Tousson
Boigneville
Nanteau-sur-Essonne
Boissy-aux-Cailles
la Chapelle-la-Reine
Malesherbes
Chalo-St-Mars
St-Hilaire
Ormoy-la-Rivière
Boissy-la-Rivière
St-Cyr-la-Rivière
Saclas
Marolles-en-Beauce
Bois-Herpin
la Forêt-Ste-Croix
Mespuits
Roinvilliers
Champmotteux
Abbéville-la-Rivière
Arrancourt
Monnerville
Pussay
Chalou-Moulineux
Congerville-Thionville
Méréville
Angerville
Estouches
Rouvres-St-Jean
Blandy
Brouy
Nangeville
Sermaises
Mainvilliers
Autruy-sur-Juine
Thignonville
Andonville
Boisseaux
Intville-la-Guétard
Audeville
Orveau-Bellesauve
Coudray
Césarville-Dossainville
Augerville-la-Rivière
Labrosse
Dimancheville
Orville
Briarres-sur-Essonne
Erceville
Charmont-en-Beauce
Morville-en-Beauce
Engenville
Manchecourt
Ramoulu
Marsainvilliers
Outarville
Léouville
Guigneville
Puiseaux
Desmonts
Ondreville-sur-Essonne
Aulnay-la-Rivière
Grangermont
Bromeilles
Greneville-en-Beauce
Bazoches-les-Gallerandes
Châtillon-le-Roi
Pithiviers-le-Vieil
Pithiviers
Bondaroy
Estouy
la Neuville-sur-Essonne
Dadonville
Échilleuses
Boësses
Yèvre-la-Ville
Givraines
Beaumont-du-Gâtinais
Jouy-en-Pithiverais
Crottes-en-Pithiverais
Escrennes
Ascoux
Attray
Boynes
Barville-en-Gâtinais
Gaubertin
Auxy
Montigny
Laas
A19
Ascheres-le-Marché
Bouzonville-aux-Bois
Mareau-aux-Bois
Courcelles
Égry
Bordeaux-en-Gâtinais
Chilleurs-aux-Bois
Santeau
Vrigny
Bouilly-en-Gâtinais
Batilly-en-Gâtinais
Nancray-sur-Rimarde
Corbeilles
Neuville-aux-Bois
Courcy-aux-Loges
St-Michel
Beaune-la-Rolande
St-Lyé-la-Forêt
Chambon-la-Forêt
Juranville
Mignerette
Bougy-lez-Neuville
Montbarrois
Boiscommun
St-Loup-des-Vignes
Mézières-en-Gâtinais
Chapelon
Nibelle
Montliard
Fréville-du-Gâtinais
Quiers-sur-Bézonde
Ladon
Loury
Ingrannes
Nesploy
Bellegarde
Ouzouer-sous-Bellegarde
Villemoutiers
Rebréchien
Sully-la-Chapelle
Traînou
Seichebrières
Sury-aux-Bois
Marigny-les-Usages
Étang de la Vallée
Combreux
Auvilliers-en-Gâtinais
Presnoy
Fennecy
Vitry-aux-Loges
Beauchamps-sur-Huillard
Chailly-en-Gâtinais
Fay-aux-Loges
Boigny-sur-Bionne
ANS
es-Aubrais
Pringy
St-Sauveur-sur-École
Perthes
Cély
Fleury-en-Bière
St-Martin-en-Bière
Barbizon
Arbonne-la-Forêt
FORÊT DOMANIALE
St-Fargeau-Ponthierry
le Mée-sur-Seine
-le-Temple
Amponville
Fromont
Guercheville
Burcy
Garentreville
Obsonville
Aufferville
Ichy
Arville
Gironville
Maisoncelles-en-Gâtinais
Sceaux-du-Gâtinais
Chevrainvilliers
42
43
63
64
81
E
F
G
H

64
le Mée-sur-Seine
MELUN
Vaux-le-Pénil
Dammarie-les-Lys
Voisenon
Rubelles
Moisenay
Maincy
Blandy
Fouju
Bombon
St-Méry
St-Ouen-en-Brie
Nangis
Vieux-Champagne
Cucharmoy
Rampillon
Vanvillé
Maison-Rouge
la Chapelle-St-Sulpice
Fontenailles
la Chapelle-Gauthier
Châtillon-la-Borde
Sivry-Courtry
Livry-sur-Seine
le Châtelet-en-Brie
les Écrennes
Fontains
la Chapelle-Rablais
Villeneuve-les-Bordes
Lizines
St-Loup-de-Naud
Sognolles-en-Montois
Cessoy-en-Montois
Meigneux
Mons-en-Montois
Donnemarie-Dontilly
Savins
Sigy
Paroy
Chartrettes
Bois-le-Roi
Samois-sur-Seine
Chailly-en-Bière
Barbizon
Héricy
Fontaine-le-Port
Féricy
Machault
Pamfou
Échouboulains
Coutençon
Gurcy-le-Châtel
Montigny-Lencoup
Valence-en-Brie
Vulaines-sur-Seine
Fontainebleau
Avon
Samoreau
Thomery
Champagne-sur-Seine
Montereau-Fault-Yonne
Laval-en-Brie
Salins
Châtenay-sur-Seine
Vimpelles
Egligny
Mouy-sur-Seine
Forges
Courcelles-en-Bassée
St-Germain-Laval
Marolles-sur-Seine
la Tombe
Gravon
Balloy
Bazoches-lès-Bray
Mousseaux-lès-Bray
Moret-sur-Loing
Veneux-les-Sablons
Vernou-la-Celle-sur-Seine
la Grande-Paroisse
Varennes-sur-Seine
Cannes-Écluse
Barbey
Misy-sur-Yonne
Villeneuve-la-Guyard
Bourron-Marlotte
Recloses
Montigny-sur-Loing
Écuelles
Montarlot
Villecerf
Noisy-Rudignon
Ville-St-Jacques
Esmans
la Brosse-Montceaux
Vinneuf
Courlon-sur-Yonne
Serbonnes
Ury
Villiers-sous-Grez
Grez-sur-Loing
la Genevraye
Épisy
Dormelles
Flagy
Montmachoux
Villeblevin
Chaumont
Champigny
Michery
Larchant
Montcourt-Fromonville
Nemours
Treuzy-Levelay
Villemer
Thoury-Férottes
Diant
Voulx
Villemanoche
Pont-sur-Yonne
St-Pierre-lès-Nemours
Darvault
Nonville
Nanteau-sur-Lunain
Villemaréchal
St-Ange-le-Viel
Chevry-en-Sereine
Blennes
Villethierry
Villeperrot
Chevrainvilliers
Fa-lès-Nemours
Châtenoy
Bagneaux-sur-Loing
Poligny
Paley
Lorrez-le-Bocage-Préaux
Vaux-sur-Lunain
Vallery
Lixy
Brannay
St-Sérotin
Villenavotte
Courtois-sur-Yonne
Nailly
Aufferville
Bougligny
la Madeleine-sur-Loing
Remauville
Chaintreaux
Villebéon
Chéroy
Dollot
Villebougis
Maisoncelles-en-Gâtinais
Souppes-sur-Loing
Égreville
Montacher-Villegardin
St-Valérien
Fouchères
Villeroy
Chenou
Château-Landon
Bransles
Jouy
le Bignon-Mirabeau
Chevry-sous-le-Bignon
la Belliole
Villeneuve-la-Dondagre
Mondreville
Dordives
Chevannes
Pers-en-Gâtinais
Bazoches-sur-le-Betz
Courtoin
Domats
Égriselles-le-Bocage
Sceaux-du-Gâtinais
Préfontaines
Nargis
Fontenay-sur-Loing
Ferrières-en-Gâtinais
Rozoy-le-Vieil
Foucherolles
Courtempierre
Mérinville
Ervauville
Vernoy
Savigny-sur-Clairis
Griselles
la Selle-sur-le-Bied
St-Loup-de-Gonois
St-Hilaire-les-Andrésis
Piffonds
Bussy-le-Repos
Girolles
Gondreville
Corquilleroy
Cepoy
Mignères
Courtemaux
Chantecoq
Louzouer
Courtenay
Villevoques
Pannes
Paucourt
la Chapelle-St-Sépulcre
Thorailles
St-Martin-d'Ordon
Montargis
Châlette-sur-Loing
la Selle-en-Hermoy
Chuelles
St-Loup-d'Ordon
Verlin
Villemandeur
Amilly
Cudot
St-Firmin-des-Bois
Montcorbon
Chevillon-sur-Huillard
Vimory
St-Germain-des-Prés
Mormant-sur-Vernisson
Conflans-sur-Loing
Gy-les-Nonains
Triguères
Douchy
Villefranche
Sépeaux
Lombreuil
82
Château-Renard
A5
A6
A19
A77
E15
E54
E60
FORÊT DOMANIALE DE FONTAINEBLEAU
Forêt Domaniale de Montargis
GÂTINAIS

65
44
45
Provins
Léchelle
Rouilly (la Bretonnière)
St-Brice
Sourdun
Ste-Colombe
Chalautre-la-Petite
Longueville
Soisy-Bouy
Gouaix
Hermé
Noyen-sur-Seine
Grisy-sur-Seine
Jaulnes
Villenauxe-la-Petite
Montpothier
Plessis-Barbuise
Villiers-aux-Corneilles
Saron-sur-Aube
Granges-sur-Aube
Baudement
Marcilly-sur-Seine
Esclavolles-Lurey
la Villeneuve-au-Châtelot
Barbuise
Conflans-sur-Seine
St-Just-Sauvage
Bagneux
Étrelles-sur-Aube
la Saulsotte
Chalautre-la-Grande
St-Nicolas-la-Chapelle
Périgny-la-Rose
Pont-sur-Seine
Marnay-sur-Seine
Centrale Électrique
Nogent-sur-Seine
le Mériot
Melz-sur-Seine
la Motte-Tilly
Courceroy
Villiers-sur-Seine
Fontenay-de-Bossery
Fontaine-Mâcon
St-Aubin
Anc. Abb. du Paraclet
Crancey
St-Hilaire-sous-Romilly
Romilly-sur-Seine
Gélannes
Pars-lès-Romilly
Maizières-la-Grande-Paroisse
Clesles
St-Oulph
Méry-sur-Seine
Châtres
Mesgrigny
Vallant-St-Georges
Origny-le-Sec
Ferreux-Quincey
St-Loup-de-Buffigny
la Fosse-Corduan
St-Martin-de-Bossenay
Ossey-les-Trois-Maisons
Orvilliers-St-Julien
Fontaine-les-Grès
St-Mesmin
Gumery
Passy-sur-Seine
Villuis
Fontaine-Fourches
Traînel
la Louptière-Thénard
Bouy-sur-Orvin
Soligny-les-Étangs
Avant-lès-Marcilly
Fay-lès-Marcilly
Charmoy
Rigny-la-Nonneuse
Marigny-le-Châtel
St-Flavy
Échemines
Avon-la-Pèze
Prunay-Belleville
Villeloup
St-Lupien
Trancault
Bourdenay
Plessis-Gatebled
Perceneige (Villiers-Bonneux)
St-Maurice-aux-Riches-Hommes
Marcilly-le-Hayer
Bercenay-le-Hayer
Pierres le Four Gaulois
Compigny
Plessis-St-Jean
Pailly
Faux-Villecerf
Dierrey-St-Pierre
Dierrey-St-Julien
Grange-le-Bocage
Dolmen de Lancy
Pouy-sur-Vannes
Villadin
Thorigny-sur-Oreuse
la Chapelle-sur-Oreuse
Courgenay
Polissoir de Lancy
Polissoir des Roches
Mesnil-St-Loup
Palis
Planty
Fontvannes
la Postolle
Anc. Abb. Ferme de Vauluisant
Estissac
Soucy
Montaphilant
Voisines
Lailly
Villeneuve-Vauluisant
Polissoir la Pierre aux Dix Doigts
St-Benoist-sur-Vanne
Villemaur-sur-Vanne
Aix-en-Othe
St-Denis
St-Clément
Fontaine-la-Gaillarde
les Clérimois
Molinons
Villeneuve-l'Archevêque
Bagneaux
Flacy
Vulaines
Paisy-Cosdon
Rigny-le-Ferron
Chennegy
Saligny
Foissy-sur-Vanne
Villemoiron-en-Othe
SENS
Villiers-Louis
Chigy
Pont-sur-Vanne
Malay-le-Petit
Cérilly
Bérulle
St-Mards-en-Othe
Maraye-en-Othe
Maillot
Malay-le-Grand
Noé
Theil-sur-Vanne
Vareilles
les Sièges
Coulours
Fournaudin
Bœurs-en-Othe
Nogent-en-Othe
Rosoy
Vaumort
Étigny
Véron
Cerisiers
Vaudeurs
Passy
Villechétive
Arces-Dilo
Chailley
Vosnon
Villeneuve-au-Chemin
Villeneuve-sur-Yonne
les Bordes
Dixmont
Sormery
Coursan-en-Othe
Lasson
Ervy-le-Châtel
Racines
St-Julien-du-Sault
Armeau
Villevallier
Vauretor
Bussy-en-Othe
Paroy-en-Othe
Bellechaume
Mercy
Champlost
Venizy
Turny
Neuvy-Sautour
Beugnon
Soumaintrain
Courtaoult
Chessy-les-Prés
Villecien
St-Aubin-sur-Yonne
Cézy
Joigny
Looze
Brion
Brienon-sur-Armançon
Esnon
Migennes
St-Florentin
Germigny
Butteaux
les Croûtes
Flogny-la-Chapelle
Percey
Vergigny
Chéu
Jaulges
Villiers-Vineux
Précy-sur-Vrin
Chamvres
Laroche-St-Cydroine
Cheny
Ormoy
Mont-St-Sulpice
Paroy-sur-Tholon
Champlay
Épineau-les-Voves
Charmoy
Champvallon
Bonnard
83
FORÊT D'OTHE

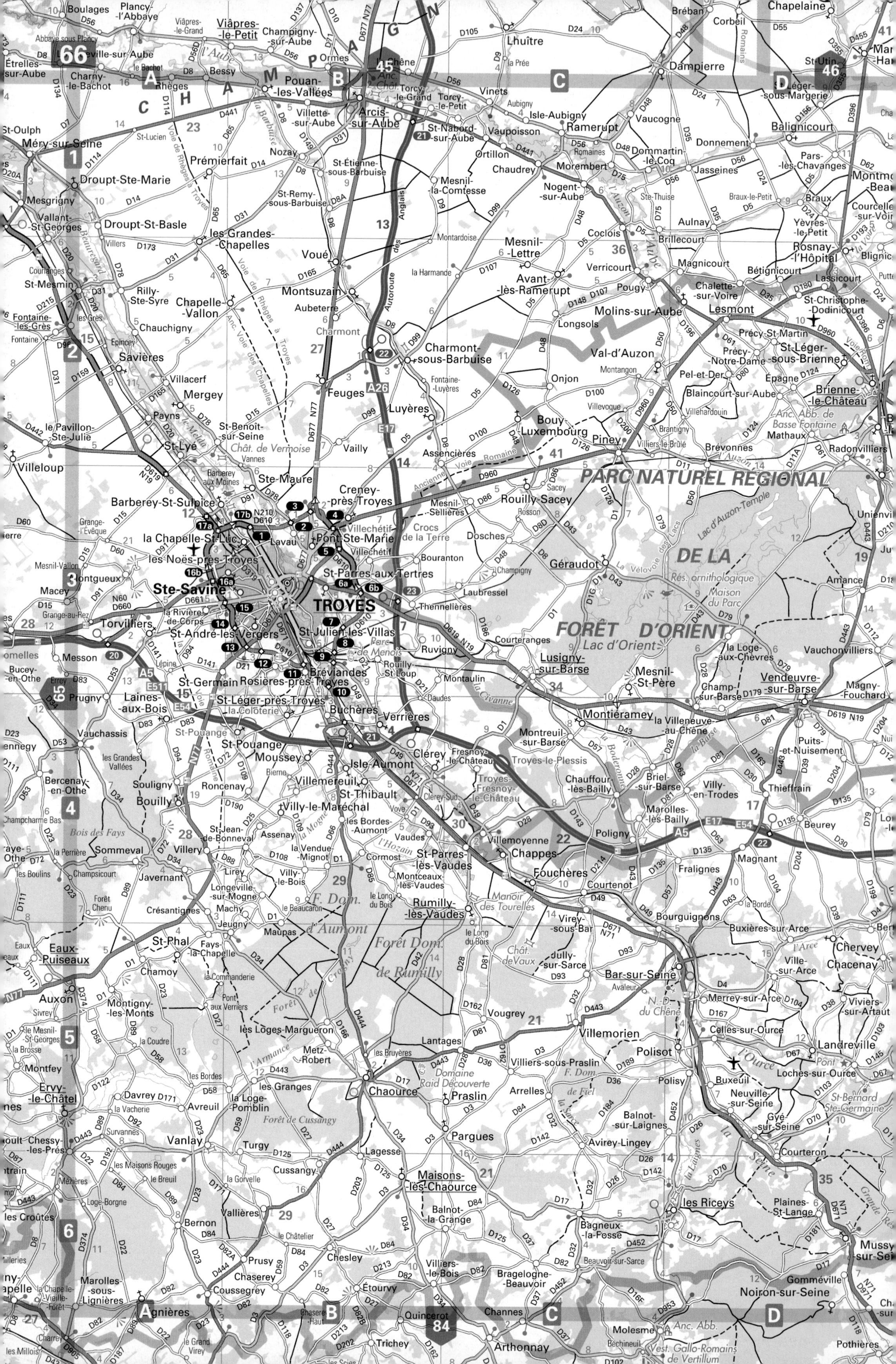

TROYES
PARC NATUREL RÉGIONAL
DE LA
FORÊT D'ORIENT
CHAMPAGNE
Arcis-sur-Aube
Ste-Savine
Bar-sur-Seine
Chaource
Les Riceys
Lusigny-sur-Barse
Vendeuvre-sur-Barse
Brienne-le-Château
Piney
Méry-sur-Seine
Ervy-le-Châtel
Eaux-Puiseaux
Ramerupt
Lac d'Orient
Forêt Dom. de Rumilly
F. Dom. d'Aumont
Forêt de Cussangy

Lac du Der-Chantecoq
Giffaumont-Champaubert
Outines
Arrembécourt
Châtillon-sur-Broué
Ferme Fortifiée le Châtelier
Joncreuil
Bailly-le-Franc
Chavanges
Droyes
Étang de la Horre
Puellemontier
Lentilles
Villeret
Rances
Hampigny
Vallentigny
Maizières-lès-Brienne
Perthes-lès-Brienne
Juzanvigny
Épothémont
la Ville-aux-Bois
Louze
Montier-en-Der
Ceffonds
Frampas
Planrupt
Voillecomte
Forêt Dom. du Der
Forêt du Der
Louvemont
Allichamps
Attancourt
Wassy
Brousseval
Montreuil-sur-Blaise
Vaux-sur-Blaise
Domblain
Bailly-aux-Forges
Robert-Magny-Laneuville-à-Rémy
Rachecourt-Suzémont
Doulevant-le-Petit
Ville-en-Blaisois
Morancourt
Dommartin-le-Franc
Sommevoire
Mertrud
Thilleux
Courcelles-sur-Blaise
Dommartin-le-St-Père
Doulevant-le-Château
Baudrecourt
Charmes-la-Grande
Brachay
Charmes-en-l'Angle
Bayard-sur-Marne
Fontaines-sur-Marne
Chevillon
Rachecourt-sur-Marne
Sommancourt
Magneux
Valleret
Maizières
Chatonrupt-Sommermont
Curel
Autigny-le-Petit
Autigny-le-Grand
Fays
Vecqueville
Joinville
Thonnance-lès-Joinville
Suzannecourt
Guindrecourt-aux-Ormes
Nomécourt
Rupt
Mathons
Fronville
Blécourt
Ferrière-et-Lafolie
Mussey-sur-Marne
Donjeux
Flammerécourt
Rouvroy-sur-Marne
Gudmont-Villiers
Soulaines-Dhuys
Nully
Trémilly
Thil
Blumeray
Villiers-aux-Chênes
Arnancourt
Leschères-sur-le-Blaiseron
Brienne-la-Vieille
Chaumesnil
Morvilliers
Crespy-le-Neuf
la Chaise
Dienville
Petit-Mesnil
la Rothière
Ville-sur-Terre
Fuligny
Beurville
Cirey-sur-Blaise
Bouzancourt
Ambonville
Rouécourt
Vernonvilliers
Éclance
Lévigny
Fresnay
Thors
Daillancourt
Guindrecourt-sur-Blaise
Cerisières
Froncles
Mirbel
Trannes
Jessains
Bossancourt
Maisons-lès-Soulaines
Rizaucourt-Buchey
Marbéville
Vignory
la Genevroye
Vouécourt
Arsonval
Montier-en-l'Isle
Ailleville
Dolancourt
Parc Nigloland
Arrentières
Engente
Colombé-la-Fosse
Saulcy
Colombé-le-Sec
Buchey
Argentolles
Curmont
Forêt de l'Étoile
Soncourt-sur-Marne
Vraincourt
Viéville
Jaucourt
Bar-sur-Aube
Arganςon
Maison-des-Champs
Fravaux
Proverville
Spoy
Voigny
Lignol-le-Château
Rouvres-les-Vignes
Lamothe-en-Blaisy
Mémorial Ch. de Gaulle
Colombey-les-Deux-Églises
Ormoy-lès-Sexfontaines
Oudincourt
Rochefort-la-Côte
Pont Romain
Nuisement
Montmartin-le-Haut
Meurville
Couvignon
Baroville
Fontaine
Bayel
la Boisserie
Sexfontaines
Lamancine
Annéville-la-Prairie
Bologne
Lachapelle-en-Blaisy
Meures
Juzennecourt
Blaisy
Riaucourt
Forêt de Bossican
Longpré-le-Sec
Bergères
Bligny
Urville
Arconville
Clairvaux
Longchamp-sur-Aujon
Montheries
Gillancourt
Darmannes
Brethenay
Condes
Vitry-le-Croisé
Champignol
Champignol-lez-Mondeville
Rennepont
Vaudrémont
Euffigneix
Jonchery
Éguilly-sous-Bois
Bertignolles
Mondeville
Maranville
Ville-sous-la-Ferté
Juvancourt
Cirfontaines-en-Azois
Autreville-sur-la-Renne
Buxières-lès-Villiers
Villiers-le-Sec
CHAUMONT
Noë-les-Mallets
St-Usage
Fontette
Laferté-sur-Aube
Aizanville
Braux-le-Châtel
Pont-la-Ville
Orges
Bricon
Brottes
Semoutiers-Montsaon
Neuilly-sur-Suize
Silvarouvres
Villars-en-Azois
Châteauvillain Orges
Blessonville
Essoyes
Cunfin
Marmesse
Châteauvillain Val Marnay
Châteauvillain
la Trinité
Parc aux Daims
Verpillières-sur-Ource
Dinteville
Lanty-sur-Aube
Richebourg
Forêt Dom. d'Arc-en-Barrois
Grancey-sur-Ource
Autricourt
Gevrolles
Latrecey-Ormoy-sur-Aube
Coupray
Villiers-sur-Suize
Riel-les-Eaux
Cour-l'Évêque
Arc-en-Barrois
Belan-sur-Ource
Veuxhaulles-sur-Aube
Montigny-sur-Aube
Bugnières
Charrey-sur-Seine
Villers-Patras
Thoires
Boudreville
Aubepierre-sur-Aube
Obtrée
Chaumont-le-Bois
Mosson
Brion-sur-Ource
Bissey-la-Côte
Courban
Dancevoir
Giey-sur-Aujon
Ormancey

68
Montiers-sur-Saulx
Biencourt-sur-Orge
Ribeaucourt
St-Thiébaut
Houdelaincourt
47
Badonvilliers-Gérauvilliers
Épiez-sur-Meuse
Sepvigny
Champougny
Vannes-le-Châtel
Allamps
Pagny-la-Blanche-Côte
Taillancourt
Maxey-sur-Vaise
Abainville
Gondrecourt-le-Château
Montbras
48
Saulxures-lès-Vannes
A
B
C
D
Bonnet
Paroy-sur-Saulx
Bure
Amanty
Burey-la-Côte
Mont-l'Étroit
Osne-le-Val
Effincourt
Saudron
Tourailles sous Bois
Mandres-en-Barrois
Horville-en-Ornois
Forêt Domaniale du Vau
Goussaincourt
Sauvigny
Clérey-la-Côte
Brixey-aux-Chanoines
Pancey
Gillaumé
Vouthon-Bas
Vouthon-Haut
Ruppes
Montreuil-sur-Thonnance
Échenay
Chât. de Beaupré
Luméville en Ornois
Chassey-Beaupré
les Roises
Maxey-sur-Meuse
Jubainville
Aingoulaincourt
Cirfontaines-en-Ornois
Dainville-Bertheléville
Vaudeville-le-Haut
Greux
Domrémy-la-Pucelle
Maison de Jeanne d'Arc
Martigny-les-Gerbonvaux
Thonnance-lès-Joinville
Suzannecourt
Sailly
Soulaincourt
Harméville
Bois de Saulx
le Chênoi
Seraumont
Basilique du Bois-Chenu
Moncel-sur-Vair
Noncourt-sur-le-Rongeant
Poissons
Thonnance-les-Moulins
Bressoncourt
Lezéville
Avranville
Chermisey
Coussey
Germay
Laneuville-au-Bois
Frebécourt
Soulosse-sous-Saint-Élophe
St-Urbain-Maconcourt
Brouthières
Germisay
37
Ste-Libaire
Sionne
Autigny-la-Tour
Annonville
Grand
Théâtre Romain
Midrevaux
Pargny-sous-Mureau
Chât. de Bourlémont
Harchéchamp
Barville
Houéville
Bettoncourt-le-Haut
Épizon
Morionvilliers
Brechainville
Donjeux
Vaux-sur-St-Urbain
Augeville
Trampot
Audeuil
Mont-lès-Neufchâteau
Rollainville
Landéville
Domremy-Landéville
Chambroncourt
Aillianville
Villouxel
Neufchâteau
Rebeuville
Saucourt-sur-Rognon
Pautaines-Augeville
Fréville
Dolaincourt
Busson
Leurville
Liffol-le-Grand
Doulaincourt-Saucourt
Le Cul du Cerf
F. Dom. de la Bouloire
Villars
Certilleux
Châtenois
Courcelles-sous-Châtenois
Roches-Bettaincourt
Orquevaux
Lafauche
Bazoilles-sur-Meuse
Bréchaincourt
Tilleux
Rouvres-la-Chétive
Longchamp-sous-Châtenois
Froncles
Reynel
Roches-sur-Rognon
Vesaignes-sous-Lafauche
Liffol-le-Petit
Circourt-sur-Mouzon
Landaville le Haut
Buxières-lès-Froncles
Humberville
St-Blin
Prez-sous-Lafauche
Harréville-les-Chanteurs
Landaville
Darney-aux-Chênes
Montot-sur-Rognon
Manois
Forêt du Jarney
Ollainville
Forêt Dom. d'Heu
Signéville
Vignes-la-Côte
Semilly
Pompierre
Lemmecourt
Rimaucourt
Dôme
Jainvillotte
Beaufremont
Aulnois
Montéclair
Anc. Abb. de Septfontaines
Andelot-Blancheville
Chalvraines
Goncourt
Sartes
Morville
Rochefort-sur-la-Côte
Morteau
Blancheville
Gendreville
Sommerécourt
Malaincourt
Vaudoncourt
Illoud
Outremecourt
Médonville
Chantraines
Gonaincourt
Vaudrecourt
Aingeville
Briaucourt
Lacrete
Anc. Abb.
Écot-la-Combe
St-Thiébault
Anc. Ville de la Motte
Bologne
Cirey-lès-Mareilles
F. Dom. de Lacrête
Bourmont
Soulaucourt-sur-Mouzon
Urville
Nijon
Clinchamp
Bourg-Ste-Marie
Mareilles
le Bel-Air
Romain-sur-Meuse
Brainville-sur-Meuse
Vrécourt
St-Ouen-lès-Parey
Riaucourt
Bourdons-sur-Rognon
Chuecy
Ozières
Graffigny-Chemin
Chemin
Darmannes
Consigny
Huilliécourt
Hâcourt
Sauvigny
Sauville
Forcey
Thol-lès-Millières
Vroncourt-la-Côte
Malaincourt-sur-Meuse
Grand Repent
Bois de Chaumont
La Vacheresse-et-la-Rouillie
Treix
Condes
Ferme du Bon Espoir
le Puits-des-Mèzes
Millières
Maisoncelles
Doncourt-sur-Meuse
Chaumont-la-Ville
Robécourt
Longchamp
Forêt de Clefmont
Levécourt
Champigneulles-en-Bassigny
Blevaincourt
Rozières-sur-Mouzon
Reclancourt
Esnouveaux
le Bois Perron
F. Dom. d'Ageville
Ageville
Audeloncourt
Germainvilliers
Martigny-les-Bains
Rocourt
Chamarandes-Choignes
Mennouveaux
Anc. Prieuré
Breuvannes-en-Bassigny
Damblain
Villotte
Cuves
Perrusse
Clefmont
Tollaincourt
Laville-aux-Bois
Buxières-lès-Clefmont
l'Aiguiserie
Romain-aux-Bois
Biesles
33
Lanques-sur-Rognon
Daillecourt
Meuvy
Lamarche
Chât. du Val des Écoliers
Ninville
Bassoncourt
Colombey-lès-Choiseul
Abb. de Morimond
Verbiesles
Mandres-la-Côte
Donnemarie
Noyers
Choiseul
Merrey
F. Dom. de Morimond
F. Dom. du Fort Ferré
Aureil-Maison
Luzy-sur-Marne
Essey-les-Eaux
Fresnoy-en-Bassigny
Poulangy
Sarcey
la Croisée
Rangecourt
Lénizeul
Ravennefontaines
Foulain
la Perrière
les Baraques
Is-en-Bassigny
Lavilleneuve
Larivière-Arnoncourt
Louvières
Dolmen
Odival
F. Dom. de l'Abondance
Maulain
Mont-lès-Lamarche
Nogent-le-Bas
Nogent
Val-de-Meuse (Montigny-le-Roi)
Lécourt
Aigremont
Parnoy-en-Bassigny
Rochevilliers
Marnay-sur-Marne
Vesaignes-sur-Marne
Poinson-lès-Nogent
Sarrey
Provenchères-sur-Meuse
Arnoncourt-sur-Apance
Serqueux
Thivet
Vitry-lès-Nogent
Épinant
le Chêne
Meuse
Malroy
Beaucharmoy
la Génévrouse
Montigny-le-Roi
Dammartin-sur-Meuse
Le Châtelet-sur-Meuse (Pouilly-en-Bassigny)
Senaide
Villiers-sur-Suize
Leffonds
Chauffourt
Fort de Dampierre
Val de Meuse
Avrecourt
Bois du Danouce
Bourbonne-les-Bains
Champ à la Croix
Rolampont
Tronchoy
Récourt
Saulxures
Damrémont
Côte Robert
Dampierre
Frécourt
Bonnecourt
Faverolles
Charmoilles
Vestiges Gallo-Romains
Rançonnières
Villars-St-Marcellin
Lannes
Val de Gris
Fort de St-Menge
Changey
Neuilly-l'Évêque
86
Poiseul
Andilly-en-Bassigny
Vicq
Laneuvelle
Parc Animalier
Marac
Pont
Chanoy
Humes-Jorquenay
Charmes
Lavernoy
Coiffy-le-Bas
Coiffy-le-Haut
Genrupt
Ormancey
Beauchemin
Bannes
Fort de Plesnoy
Celles-en-Bassigny
les Granges Huguet
Montcharvot
A31
E21
E54

48
49
69
87
E
F
G
H
Bagneux
Allain
Germiny
Thélod
Pulligny
Velle-sur-Moselle
Charmois
Xermaménil
Lamath
Barisey-la-Côte
Crépey
Parey-St-Césaire
Houdelmont
Autrey
Ceintrey
Voinémont
Crévéchamps
Haussonville
Domptail-en-l'Air
Romain
Colombey-les-Belles
Faverosse
Malvaux
Houdreville
Clérey-sur-Brenon
Benney
St-Remimont
St-Mard
Méhoncourt
Franconville
Landécourt
Haudonville
Gerbéviller
Selaincourt
Goviller
Omelmont
Hammeville
Lemainville
Gerbécourt-et-Haplemont
Ormes-et-Ville
Neuviller-sur-Moselle
Lorey
Brémoncourt
Einvaux
Haigneville
Moriviller
Autreville
Dolcourt
Vitrey
Vézelise
Ognéville
Laneuveville-devant-Bayon
Bayon
Froville
Clayeures
Harmonville
Saulxerotte
Vroncourt
Quevilloncourt
Tantonville
Haroué
Crantenoy
Châtel de Craon
Roville-devant-Bayon
Virecourt
Rozelieures
Gélaucourt
Étreval
Forcelles-St-Gorgon
Affracourt
Vaudeville
Leménil-Mitry
Mangonville
Villacourt
Borville
Favières
Laloeuf
Thorey-Lyautey
Praye
Vaudigny
Bainville-aux-Miroirs
Loromontzey
St-Boingt
Vennezey
Battigny
Dommarie-Eulmont
Chaouilley
Xirocourt
Lebeuville
St-Germain
St-Rémy-aux-Bois
Essey-la-Côte
Vaudémont
Saxon-Sion
Couvent
Vandeléville
la Colline Inspirée
St-Firmin
Jevoncourt
Germonville
Gripport
Maison Natale de Claude Gellée
Damas-aux-Bois
Gémonville
Tramont-St-André
Tramont-Émy
Fécocourt
Signal de Vaudémont
Housséville
Marainville-sur-Madon
Bralleville
Chamagne
Socourt
Haillainville
Élophe
Aroffe
Soncourt
Tramont-Lassus
Pulney
Gugney
They-sous-Vaudemont
Forcelles-sous-Gugney
Diarville
Battexey
Hergugney
Xaronval
Avrainville
Charmes
Essegney
Langley
Rehaincourt
Vicherey
Grimonviller
Fraisnes-en-Saintois
Bouzanville
Pont-sur-Madon
Florémont
Vomécourt-sur-Madon
Aouze
Pleuvezain
Beuvezin
Courcelles
Boulaincourt
Frenelle-la-Grande
Portieux
Moriville
Removille
Maconcourt
Blémerey
Savigny
Rugney
Brantigny
Rainville
Aboncourt
Chef-Haut
Repel
Frenelle-la-Petite
Ambacourt
Bettoncourt
Ubexy
Vincey
Dommartin-sur-Vraine
St-Prancher
Juvaincourt
Gircourt-lès-Viéville
Bouxurulles
Évaux-et-Ménil
Hadigny
Balléville
St-Paul
Biécourt
Oëlleville
Puzieux
Chauffecourt
Mazirot
Varmonzey
Châtel-sur-Moselle
Viocourt
Morelmaison
Totainville
Baudricourt
Poussay
Rapey
Gugney-aux-Aulx
Nomexy
Zincourt
Gironcourt-sur-Vraine
Rouvres-en-Xaintois
Ramecourt
Avillers
Jorxey
Bettegney-St-Brice
Pallegney
Ménil-en-Xaintois
Dombasle-en-Xaintois
Domvallier
Villers
Madegney
Vaxoncourt
Houécourt
Thiraucourt
Mirecourt
Ahéville
Regney
Frizon
Igney
St-Menge
Remicourt
Mattaincourt
Vroville
Vaubexy
St-Vallier
la Neuveville-sous-Châtenois
Gemmelaincourt
Viviers-lès-Offroicourt
Offroicourt
Hymont
Velotte-et-Tatignécourt
Bazegney
Derbamont
Bouxières-aux-Bois
Girmont
Estrennes
Bazoilles-et-Ménil
Racécourt
Circourt
Oncourt
Thaon-les-Vosges
Chavelot
Dombrot-sur-Vair
Parey-sous-Montfort
Belmont-sur-Vair
Domjulien
Domèvre-sous-Montfort
Maroncourt
Bouzemont
Mazeley
Gigney
Rozerotte
Madecourt
Valleroy-aux-Saules
Hagécourt
Madonne-et-Lamerey
Bocquegney
Fomerey
Domèvre-sur-Avière
St-Remimont
They-sous-Montfort
la Neuveville-sous-Montfort
Remoncourt
Rancourt
Mandres-sur-Vair
Norroy
Mont St-Jean
Bainville-aux-Saules
Dompaire
Damas-et-Bettegney
Hennecourt
Uxegney
Golbey
Darnieulles
Bulgnéville
Vittel
Haréville
Valfroicourt
Begnécourt
Gelvécourt-et-Adompt
Les Ableuvenettes
Gorhey
Sanchey
les Forges
Chantraine
ÉPINAL
Saulxures-lès-Bulgnéville
Contrexéville
Valleroy-le-Sec
Frénois
Légéville-et-Bonfays
Ville-sur-Illon
Chaumousey
Girancourt
Suriauville
Monthureux-le-Sec
Lignéville
Thuillières
Esley
Sans-Vallois
Pont-lès-Bonfays
Pierrefitte
Dommartin-aux-Bois
Harol
Réservoir de Bouzey
Dombrot-le-Sec
St-Baslemont
Dommartin-lès-Vallois
les Vallois
Senonges
Lerrain
Renauvoid
Dinozé
Provenchères-lès-Darney
Dombasle-devant-Darney
Jésonville
Escles
Fort des Friches
Viviers-le-Gras
Relanges
Uriménil
Dounoux
Gignéville
Bonvillet
Charmois-l'Orgueilleux
Uzemain
Marey
Darney
Belrupt
Vioménil
Source de la Saône
Serocourt
Frain
Belmont-lès-Darney
Nonville
Attigny
Grandrupt-de-Bains
la Haye
Harsault
Morizécourt
Bleurville
Hennezel
Xertigny
Serécourt
Tignécourt
Claudon
Gruey-lès-Surance
Hautmougey
la Chapelle-aux-Bois
les Voivres
Monthureux-sur-Saône
St-Julien
Isches
Fouchécourt
Bains-les-Bains
Godoncourt
Ainvelle
les Thons
Fignévelle
Regnévelle
Martinvelle
Passavant-la-Rochère
Ambiévillers
Montmotier
Fontenoy-le-Château
Trémonzey
le Clerjus
Lironcourt
Selles
Pont-du-Bois
le Magny
Bousseraucourt
Grignoncourt
Châtillon-sur-Saône
Ameuvelle
Vougécourt
Alaincourt
Fontenois-la-Ville
Jonvelle
Fresnes-sur-Apance
Montcourt
Demangevelle
Montdoré
Vauvillers
Betoncourt-St-Pancras
Fleurey-lès-St-Loup
Aillevillers-et-Lyaumont
Bourbévelle
Enfonvelle
Corre
Mailleroncourt-St-Pancras
Dampvalley-St-Pancras
Cuve
Hurecourt
Ranzevelle
Girefontaine
Bouligney
Magnoncourt
Corbenay
Fougerolles
Melincourt

70
49
50
88
A
B
C
D
1
2
3
4
5
6
Baccarat
Deneuvre
Rambervillers
Raon-l'Étape
Moyenmoutier
Senones
St-Dié-des-Vosges
Bruyères
Brouvelieures
Corcieux
Gérardmer
Remiremont
Plombières-les-Bains
le Val-d'Ajol
Xonrupt-Longemer
la Bresse
Cornimont
Ventron
Saulxures-sur-Moselotte
Rupt-sur-Moselle
Ramonchamp
le Thillot
Fresse-sur-Moselle
Bussang
Kruth
Oderen
Wildenstein
le Hohneck
Plainfaing
Fraize
Anould
St-Léonard
Saulcy-sur-Meurthe
Provenchères-sur-Fave
la Grande-Fosse
Celles-sur-Plaine
Pierre-Percée
Badonviller
Flin
Moyen
Gerbéviller
Magnières
Étival-Clairefontaine
St-Michel-sur-Meurthe
Granges-sur-Vologne
Lépanges-sur-Vologne
Docelles
Éloyes
Pouxeux
Archettes
Arches
Hadol
St-Nabord
Girmont-Val-d'Ajol
Vagney
Gerbamont (Lejole)
Rochesson
le Syndicat (Bréhavillers)
St-Amé
Dommartin-lès-Remiremont
le Tholy
Forêt de Rambervillers
Dogneville
Deyvillers
Fellering
Urbès
Husseren-Wesserling
St-Amarin
Muhlbach-sur-Munster
Metzeral
Sondernach
Mittlach
Col de la Schlucht
Col d'Oderen
Col du Page

Grendelbruch
Rosheim
Obernai
Ottrott
Bernardswiller
Meistratzheim
Niedernai
Krautergersheim
Hindisheim
Limersheim
Fegersheim
Eschau
Nordhouse
Plan d'Eau de Plobsheim
Erstein
Schirmeck
Rothau
La Broque
Barembach
Russ
Neuviller-la-Roche
Natzwiller
Wildersbach
Grandfontaine
Waldersbach
Belmont
Fouday
Solbach
Le Hohwald
Barr
Heiligenstein
Goxwiller
Valff
Bourgheim
Gertwiller
Mittelbergheim
Andlau
Eichhoffen
St-Pierre
Zellwiller
Stotzheim
Kertzfeld
Westhouse
Benfeld
Sand
Matzenheim
Osthouse
Schaeffersheim
Bolsenheim
Uttenheim
Gerstheim
Obenheim
Daubensand
Boofzheim
Rhinau
Kappel-Grafenhausen
St-Blaise-la-Roche
Bellefosse
Colroy-la-Roche
Ranrupt
Steige
Maisonsgoutte
Breitenbach
Reichsfeld
Bernardvillé
Itterswiller
Epfig
Albé
Nothalten
Blienschwiller
Dambach-la-Ville
Huttenheim
Sermersheim
Kogenheim
Herbsheim
Rossfeld
Witternheim
Friesenheim
Saales
Bourg-Bruche
Villé
Triembach-au-Val
St-Pierre-Bois
Bassemberg
St-Maurice
Thanvillé
Lalaye
Urbeis
Fouchy
Neubois
Dieffenbach-au-Val
Dieffenthal
Scherwiller
Ebersmunster
Ebersheim
Hilsenheim
Diebolsheim
Lubine
Colroy-la-Grande
Rombach-le-Franc
Lièpvre
La Vancelle
Châtenois
Sélestat
Muttersholtz
Wittisheim
Bindernheim
Rust
Ste-Croix-aux-Mines
Ste-Marie-aux-Mines
Thannenkirch
Orschwiller
Kintzheim
St-Hippolyte
Rodern
Baldenheim
Sundhouse
Mussig
Saasenheim
Schwobsheim
Schœnau
Richtolsheim
Artolsheim
Bœsenbiesen
Heidolsheim
Hessenheim
Ohnenheim
Bootzheim
Mackenheim
Weisweil
Rorschwihr
Bergheim
Ribeauvillé
Aubure
Hunawihr
Guémar
Illhaeusern
Marckolsheim
Wyhl
Forchheim
Le Bonhomme
Fréland
Zellenberg
Riquewihr
Ostheim
Elsenheim
Mittelwihr
Beblenheim
Bennwihr
Grussenheim
Sasbach
Endingen
Königschaffhausen
Amoltern
Lapoutroie
Kaysersberg
Kientzheim
Sigolsheim
Ammerschwihr
Houssen
Holtzwihr
Riedwihr
Jebsheim
Artzenheim
Jechtingen
Leiselheim
Kiechlinsbergen
Orbey
Labaroche
Katzenthal
COLMAR
Wickerschwihr
Bischwihr
Muntzenheim
Baltzenheim
Burkheim
Bischoffingen
Oberbergen
Vogtsburg
Niedermorschwihr
Turckheim
Ingersheim
Fortschwihr
Urschenheim
Durrenentzen
Kunheim
Oberrotweil
Niederrotweil
Bickensohl
Wintzenheim
Zimmerbach
Walbach
Horbourg-Wihr
Andolsheim
Widensolen
Achkarren
Wasenweiler
Ihringen
Wettolsheim
Eguisheim
Sundhoffen
Biesheim
Breisach am Rhein
Munster
Gunsbach
Wihr-au-Val
Soultzeren
Stosswihr
Hohrod
Luttenbach-près-Munster
Eschbach-au-Val
Griesbach-au-Val
Soultzbach-les-Bains
Husseren-les-Châteaux
Appenwihr
Wolfgantzen
Neuf-Brisach
Volgelsheim
Vogelgrun
Merdingen
Gündlingen
Opfingen
Breitenbach-Haut-Rhin
Vœgtlinshoffen
Obermorschwihr
Hattstatt
Herrlisheim-près-Colmar
Logelheim
Ste-Croix-en-Plaine
Weckolsheim
Algolsheim
Hettenschlag
Obersaasheim
Geiswasser
Heiteren
Wasserbourg
Gueberschwihr
Osenbach
Pfaffenheim
Niederhergheim
Dessenheim
Oberhergheim
Grezhausen
Hausen an der Möhlin
Tiengen
Munzingen
Niederrimsingen
Oberrimsingen
Le Petit Ballon
Soultzmatt
Rouffach
Westhalten
Biltzheim
Niederentzen
Oberentzen
Rustenhart
Nambsheim
Balgau
Feldkirch
Biengen
Schlatt
Hartheim
Linthal
Lautenbach
Lautenbachzell
Murbach
Buhl
Guebwiller
Bergholtzzell
Bergholtz
Orschwihr
Munwiller
Gundolsheim
Meyenheim
Merxheim
Fessenheim
Hirtzfelden
Bad Krozingen
Bremgarten
Tunsel
Rimbach-près-Guebwiller
Rimbachzell
Soultz-Haut-Rhin
Jungholtz
Issenheim
Réguisheim
Raedersheim
Roggenhouse
Blodelsheim
Munchhouse
Eschbach
Heitersheim
Gallenweiler
Grand Ballon
Wuenheim
Hartmannswiller
Bollwiller
Ungersheim
Ensisheim
Rumersheim-le-Haut
Zienken
Grißheim
Seefelden
Betberg
Buggingen
Sankt Ilgen
Laufen
Berrwiller
Goldbach-Altenbach
VOSGES
DES
BALLONS
LE RHIN
Kaiserstuhl
Tuniberg
Forêt Domaniale
50
71
89
E
F
G
H

72
54
55
A
B
C
D
1
2
3
4
5
6
Erdeven
Ploeren
Plougoumelen
Bono
Crach
Baden
Arradon
Séné
VANN
Plouharnel
Carnac
la Trinité-sur-Mer
St-Philibert
Locmariaquer
Larmor-Baden
Île-aux-Moines
Île-d'Arz
Île aux Moines
GOLFE DU MORBIHAN
Côte des Mégalithes
Alignement de Kerzerho
Alignements de Carnac
Tumulus St-Michel
Cairn de Gavrinis
Table des Marchands
Pointe de Kerpenhir
Port-Navalo
Arzon
Port du Crouesty
Tumulus de César
Château de Kerlévenan
Sarzeau
St-Gildas-de-Rhuys
Suscinio
St-Armel
Penthièvre
Kerhostin
Portivy
Pointe du Percho
St-Pierre-Quiberon
Beg Rohu
PRESQU'ÎLE DE QUIBERON
Côte Sauvage
Port-Haliguen
Quiberon
Pointe du Conguel
Îlot de Toul Braz
Baie de Quiberon
Passage de la Teignouse
45 mn
Pointe des Poulains
Fort Sarah Bernhardt
Sauzon
Grotte de Port Fouquet
Pointe de Taillefer
Citadelle
le Palais
BELLE-ÎLE
Kerlédan
Port de Donnant
Donnant
Port Coton
Bangor
Grand Phare
Port Goulphar
Domois
le Grand Cosquet
Samzun
Pointe de Kerdonis
Locmaria
Pointe du Skeul
Île-d'Houat
Île d'Houat
Île aux Chevaux
Île d'Hœdic
Hœdic
ATLANTIQUE
OCÉAN

Questembert
Sulniac
Malansac
Parc de la Préhistoire
Theix
Noyalo
Lauzach
Berric
Château de Plessis-Josso
la Trinité-Surzur
Surzur
Ambon
Noyal-Muzillac
Parc Animalier
le Guerno
Muzillac
Billiers
Damgan
le Tour-du-Parc
Penerf
Limerzel
Caden
St-Gorgon
Allaire
St-Perreux
St-Jean-la-Poterie
St-Nicolas-de-Redon
Béganne
la Vilaine
Château de Léhellec
Péaule
Rieux
Fégréac
Marzan
Nivillac
St-Dolay
Théhillac
Sévérac
Arzal
Bge d'Arzal
St-Jean-Baptiste
la Roche-Bernard
Dolmen le Crapaud
Pénestin
Camoël
Férel
Missillac
Chât. de la Bretesche
Herbignac
la Chapelle-des-Marais
Ste-Reine-de-Bretagne
Pontchâteau
Pointe du Bile
Île Dumet
Assérac
Chât. de Ranrouet
Mesquer
PARC NATUREL RÉGIONAL DE BRIÈRE
Crossac
Piriac-sur-Mer
Pointe du Castelli
St-Molf
St-Lyphard
St-Joachim
Besné
la Grande Brière
Mais. du Parc
Moulin du Diable
la Turballe
Guérande
St-Malo-de-Guersac
Parc Animalier
Montoir-de-Bretagne
Donges
Porte St-Michel
St-André-des-Eaux
Trignac
Océarium
Pointe du Croisic
le Croisic
Chât. de Careil
St-Nazaire-Montoir
ST-NAZAIRE
le Pouliguen
Batz-sur-Mer
la Baule-Escoublac
Cim. Brit.
Cim. All.
Pont de St-Nazaire
Paimbœuf
Corsept
Grotte des Korrigans
Pornichet
Port et Base sous-marine
St-Brevin-les-Pins
St-Viaud
Côte d'Amour
St-Père-en-Retz
St-Michel-Chef-Chef
Pointe St-Gildas
la Plaine-sur-Mer
Préfailles
Allée Couverte
Pornic
Corniche de la Noëveillard
Dolmen de la Joselière
Côte de Jade
la Bernerie-en-Retz
Baie de Bourgneuf
les Moutiers-en-Retz
Pointe de l'Herbaudière
Pointe des Charniers
E
F
G
H
55
56
73
74
90

74
Redon
56
57
A
B
C
D
Ste-Marie
Masserac
Avessac
St-Nicolas-de-Redon
Guémené-Penfao
Conquereuil
Derval
Mouais
Lusanger
St-Vincent-des-Landes
Jans
Treffieux
Issé
Fégréac
Sévérac
Marsac-sur-Don
Nozay
Vay
Abbaretz
Plessé
Guenrouet
St-Gildas-des-Bois
Le Gâvre
la Grigonnais
Puceul
Saffré
Drefféac
Ste-Anne-sur-Brivet
Quilly
Blain
Joué-sur-Erdre
Campbon
Bouvron
Fay-de-Bretagne
Héric
Nort-sur-Erdre
les Touches
Prinquiau
la Chapelle-Launay
Savenay
Malville
Notre-Dame-des-Landes
Casson
Grandchamps-des-Fontaines
Petit-Mars
Bouée
Le Temple-de-Bretagne
Vigneux-de-Bretagne
Treillières
Sucé-sur-Erdre
Lavau-sur-Loire
Cordemais
la Chapelle-sur-Erdre
Carquefou
LA LOIRE
St-Étienne-de-Montluc
Sautron
Orvault
Thouaré-sur-Loire
St-Viaud
Frossay
Ste-Luce-sur-Loire
Couëron
ST-HERBLAIN
NANTES
Vue
Le Pellerin
St-Jean-de-Boiseau
Indre
Basse-Goulaine
Rouans
Cheix-en-Retz
la Montagne
Bouguenais
St-Sébastien-sur-Loire
Chauvé
REZÉ
Brains
Vertou
Haute-Goulaine
St-Léger-les-Vignes
Les Sorinières
Chéméré
Arthon-en-Retz
Bouaye
Port-St-Père
Nantes-Atlantique
St-Fiacre-sur-Maine
Château-Thébaud
St-Mars-de-Coutais
St-Aignan-Grandlieu
Pont-St-Martin
St-Hilaire-de-Chaléons
Ste-Pazanne
Lac de Grand-Lieu
Réserve Naturelle Nationale
Le Bignon
Moutiers-en-Retz
la Chevrolière
Bourgneuf-en-Retz
St-Lumine-de-Coutais
90
91

Pouancé
Armaillé
Combrée
Noyant-la-Gravoyère
Segré
Ste-Gemmes-d'Andigné
Juigné-des-Moutiers
St-Michel-et-Chanveaux
Erbray
St-Julien-de-Vouvantes
Moisdon-la-Rivière
la Chapelle-Glain
Petit-Auverné
Grand-Auverné
Challain-la-Potherie
Loiré
Chazé-sur-Argos
Vern-d'Anjou
St-Sulpice-des-Landes
Candé
Angrie
Freigné
St-Mars-la-Jaille
Bonnoeuvre
Riaillé
le Louroux-Béconnais
la Cornuaille
Pannecé
Trans-sur-Erdre
Maumusson
Teillé
Mouzeil
Pouillé-les-Côteaux
Belligné
Villemoisan
St-Augustin-des-Bois
la Rouxière
la Roche-Blanche
St-Sigismond
Mésanger
Ligné
la Chapelle-St-Sauveur
Varades-le-Génetais
St-Herblon
Couffé
St-Mars-du-Désert
Ancenis
Anetz
Varades
Montrelais
Champtocé-sur-Loire
Ingrandes
Montjean-sur-Loire
St-Germain-des-Prés
St-Georges-sur-Loire
St-Géréon
Oudon
Liré
le Cellier
Champtoceaux
Drain
Bouzillé
St-Florent-le-Vieil
le Marillais
le Mesnil-en-Vallée
St-Laurent-du-Mottay
la Pommeraye
Chalonnes-sur-Loire
la Varenne
Mauves-sur-Loire
la Chapelle-St-Florent
St-Sauveur-de-Landemont
la Chapelle-Basse-Mer
Barbechat
St-Julien-de-Concelles
St-Laurent-des-Autels
le Fuilet
Botz-en-Mauges
Chaudron-en-Mauges
Beausse
St-Laurent-de-la-Plaine
Bourgneuf-en-Mauges
St-Rémy-en-Mauges
St-Pierre-Montlimart
St-Quentin-en-Mauges
Ste-Christine
Landemont
la Salle-et-Chapelle-Aubry
Montrevault
Neuvy-en-Mauges
le Loroux-Bottereau
St-Christophe-la-Couperie
la Boissière-du-Doré
le Pin-en-Mauges
LES MAUGES
le Puiset-Doré
le Landreau
le Fief-Sauvin
la Poitevinière
Beaupréau
la Chapelle-Rousselin
la Chapelle-Heulin
la Regrippière
Jallais
Vallet
Gesté
la Chapelle-du-Genêt
Andrezé
la Jubaudière
le Pallet
Mouzillon
Tillières
Villedieu-la-Blouère
St-Philbert-en-Mauges
Bégrolles-en-Mauges
St-Georges-des-Gardes
Monnières
St-Germain-sur-Moine
St-Macaire-en-Mauges
le May-sur-Èvre
Trémentines
Gorges
Clisson
Montfaucon-Montigné
St-André-de-la-Marche
St-Crespin-sur-Moine
St-Léger-sous-Cholet
Roussay
Gétigné
CHOLET
Nuaillé
A11
E60
N23
E62
N249
A87
57
75
76
91
92

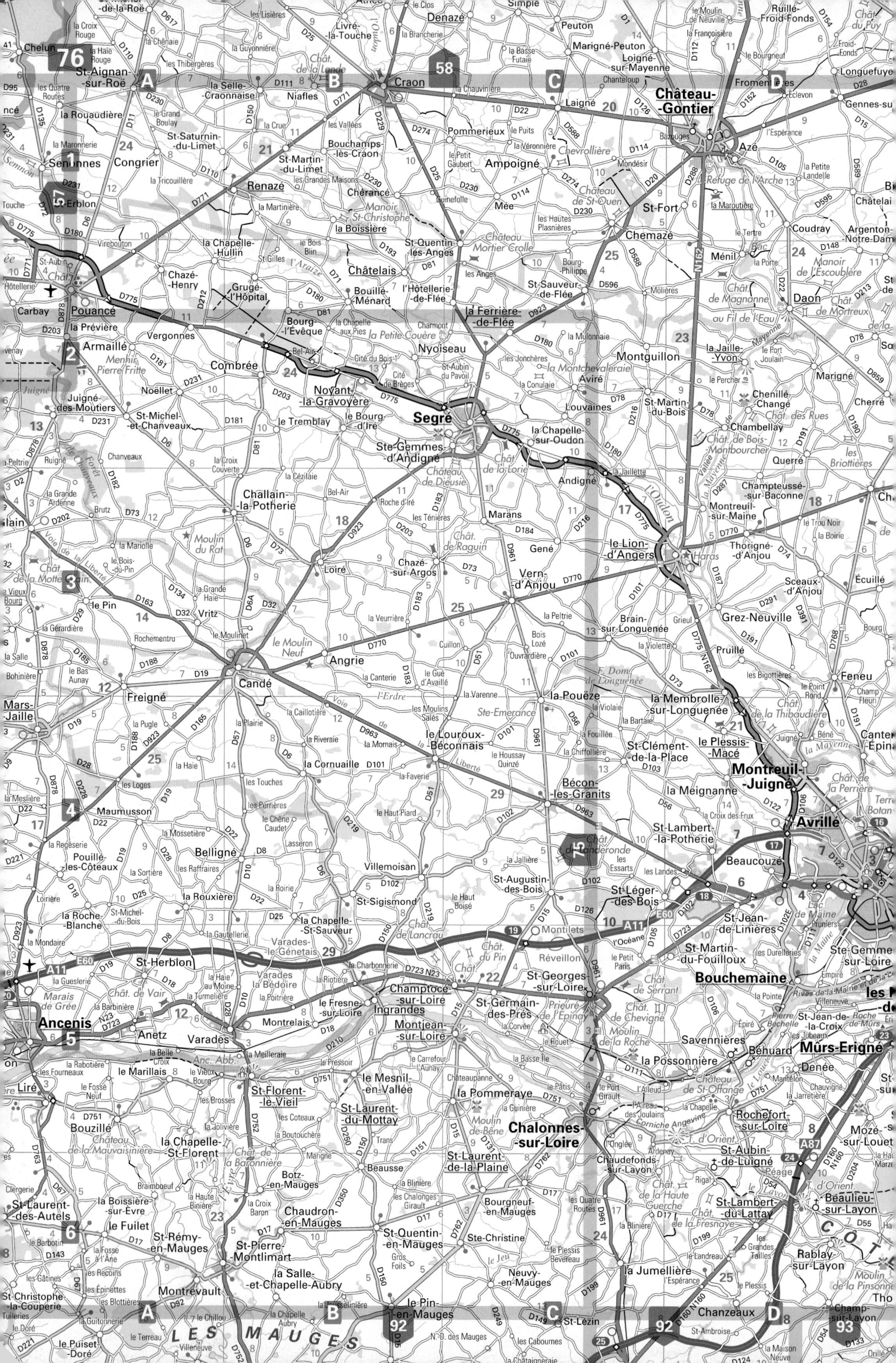

76
58
57
75
92
93
A
B
C
D
1
2
3
4
5
6
Chelun
St-Aignan-sur-Roë
la Selle-Craonnaise
Niafles
Craon
Livré-la-Touche
Denazé
Simplé
Peuton
Marigné-Peuton
Loigné-sur-Mayenne
Château-Gontier
Ruillé-Froid-Fonds
Fromentières
Longuefuye
Gennes-sur-Glaize
Azé
Bazouges
Laigné
Pommerieux
Ampoigné
Chevrollière
Château de St-Ouen
St-Fort
Chemazé
Refuge de l'Arche
la Maroutière
Coudray
Argenton-Notre-Dame
Ménil
Daon
Manoir de l'Escoublère
Château de Mortreux
Château de Magnanne
au Fil de l'Eau
la Rouaudière
Congrier
Senonnes
St-Saturnin-du-Limet
St-Martin-du-Limet
Bouchamps-lès-Craon
Renazé
Chérancé
Manoir St-Christophe
la Boissière
Mée
St-Quentin-les-Anges
Château Mortier Crolle
Châtelais
l'Hôtellerie-de-Flée
St-Sauveur-de-Flée
la Ferrière-de-Flée
St-Erblon
la Chapelle-Hullin
Chazé-Henry
Grugé-l'Hôpital
Bouillé-Ménard
Pouancé
Carbay
la Prévière
Armaillé
Vergonnes
Bourg-l'Évêque
la Petite Couère
Nyoiseau
Montguillon
la Jaille-Yvon
Marigné
Cherré
Menhir Pierre Fritte
Combrée
Bel-Air
Noyant-la-Gravoyère
Segré
Aviré
Louvaines
Chenillé-Changé
Château des Rues
Juigné-des-Moutiers
St-Michel-et-Chanveaux
le Tremblay
le Bourg-d'Iré
Ste-Gemmes-d'Andigné
la Chapelle-sur-Oudon
St-Martin-du-Bois
Chambellay
Château de Bois-Montbourcher
Querré
Château de la Lorie
Château de Dieusie
Andigné
la Jaillette
Challain-la-Potherie
Champteussé-sur-Baconne
Montreuil-sur-Maine
Forêt de Chanveaux
Moulin du Rat
Loiré
Chazé-sur-Argos
Château de Raguin
Marans
Gené
le Lion-d'Angers
Haras
Thorigné-d'Anjou
Château de la Motte-Glain
le Pin
Vritz
Vern-d'Anjou
Brain-sur-Longuenée
Grez-Neuville
Sceaux-d'Anjou
Écuillé
Feneu
le Moulin Neuf
Angrie
Candé
Freigné
Mars-la-Jaille
la Pouëze
la Membrolle-sur-Longuenée
Château de la Thibaudière
Pruillé
le Louroux-Béconnais
St-Clément-de-la-Place
le Plessis-Macé
Montreuil-Juigné
Cantenay-Épinard
Château de la Perrière
la Cornuaille
Bécon-les-Granits
la Meignanne
Avrillé
Maumusson
Belligné
Pouillé-les-Côteaux
la Rouxière
Villemoisan
St-Augustin-des-Bois
St-Lambert-la-Potherie
Beaucouzé
Château de la Landeronde
la Roche-Blanche
St-Sigismond
la Chapelle-St-Sauveur
St-Léger-des-Bois
St-Jean-de-Linières
Montilets
Château de Lancrau
Château du Pin
Varades-le-Génetais
Réveillon
St-Martin-du-Fouilloux
Ste-Gemmes-sur-Loire
St-Herblon
Château de Vair
Marais de Grée
Ancenis
Anetz
Varades
Montrelais
Champtocé-sur-Loire
Ingrandes
St-Georges-sur-Loire
Château de Serrant
Bouchemaine
St-Germain-des-Prés
Prieuré de l'Épinay
Château de Chevigné
Moulin de la Roche
la Possonnière
Béhuard
Mûrs-Erigné
Savennières
Montjean-sur-Loire
le Marillais
St-Florent-le-Vieil
le Mesnil-en-Vallée
la Pommeraye
Chalonnes-sur-Loire
Liré
Bouzillé
Château de la Mauvaisinière
la Chapelle-St-Florent
St-Laurent-du-Mottay
Corniche Angevine
Château de St-Offange
Rochefort-sur-Loire
Denée
Mozé-sur-Louet
Chaudefonds-sur-Layon
St-Aubin-de-Luigné
Château de la Baronnière
Botz-en-Mauges
Beausse
St-Laurent-de-la-Plaine
Moulin de Bêne
St-Laurent-des-Autels
la Boissière-sur-Èvre
le Fuilet
St-Rémy-en-Mauges
St-Pierre-Montlimart
Chaudron-en-Mauges
St-Quentin-en-Mauges
Bourgneuf-en-Mauges
Ste-Christine
Château de la Haute Guerche
Château de la Fresnaye
St-Lambert-du-Lattay
Beaulieu-sur-Layon
Rablay-sur-Layon
la Salle-et-Chapelle-Aubry
Neuvy-en-Mauges
la Jumellière
Chanzeaux
St-Christophe-la-Couperie
Montrevault
le Pin-en-Mauges
St-Lézin
Champ-sur-Layon
le Puiset-Doré
LES MAUGES
A11
E60
A87
N23
N162
N160

Grez-en-Bouère
Bouère
Bouessay
Auvers-le-Hamon
Asnières-sur-Vègre
Fontenay-sur-Vègre
Pirmil
Fercé-sur-Sarthe
la Suze-sur-Sarthe
St-Loup-du-Dorat
Juigné-sur-Sarthe
Solesmes
Avoise
Parcé-sur-Sarthe
Noyen-sur-Sarthe
St-Jean-du-Bois
St-Brice
Sablé-sur-Sarthe
Souvigné-sur-Sarthe
Vion
Dureil
Malicorne-sur-Sarthe
Mézeray
Cérans-Foulletourte
Bierné
St-Denis-d'Anjou
Pincé
Courtillers
Louailles
Arthezé
St-Michel-de-Feins
St-Laurent-des-Mortiers
Miré
Précigné
Bousse
Courcelles-la-Forêt
Ligron
la Fontaine-St-Martin
Chemiré-sur-Sarthe
Morannes
le Bailleul
Villaines-sous-Malicorne
Crosmières
Contigné
Notre-Dame-du-Pé
la Chapelle-d'Aligné
St-Jean-de-la-Motte
Clermont-Créans
Mareil-sur-Loir
Brissarthe
Daumeray
Châteauneuf-sur-Sarthe
Bazouges-sur-le-Loir
la Flèche
Thorée-les-Pins
Champigné
Juvardeil
Étriché
Durtal
Cré
Huillé
les Rairies
Baracé
Cheffes
Tiercé
Lézigné
Fougeré
Clefs
la Chapelle-St-Laud
Montreuil-sur-Loir
Montigné-lès-Rairies
St-Quentin-lès-Beaurepaire
Savigné-sous-le-Lude
Soulaire-et-Bourg
Seiches-sur-le-Loir
Chevíré-le-Rouge
Montpollin
Vaulandry
Genneteil
Briollay
Soucelles
Corzé
Marcé
Beauvau
Villevêque
Jarzé
Échemiré
St-Martin-d'Arcé
Chigné
Écouflant
Pellouailles-les-Vignes
Angers-Loire
Chaumont-d'Anjou
Baugé
Pontigné
Chavaignes
St-Sylvain-d'Anjou
le Vieil-Baugé
Sermaise
Lué-en-Baugeois
Auverse
le Plessis-Grammoire
Sarrigné
Cornillé-les-Caves
Fontaine-Milon
St-Georges-du-Bois
ANGERS
Bauné
Boçé
Noyant
St-Barthélemy-d'Anjou
Fontaine-Guérin
Chartrené
le Guédéniau
Andard
Corné
Mazé
Cuon
la Lande-Chasles
Mouliherne
Trélazé
Brain-sur-l'Authion
Brion
Linières-Bouton
les Ponts-de-Cé
la Daguenière
la Bohalle
Beaufort-en-Vallée
Juigné-sur-Loire
St-Jean-des-Mauvrets
Blaison-Gohier
St-Mathurin-sur-Loire
Longué-les Cossonnières
St-Sulpice
la Ménitré
St-Saturnin-sur-Loire
St-Rémy-la-Varenne
St-Philbert-du-Peuple
St-Melaine-sur-Aubance
le Thoureil
Longué-Jumelles
Vernantes
Vernoil
Soulaines-sur-Aubance
Charcé-St-Ellier-sur-Aubance
Coutures
Brissac-Quincé
les Rosiers-sur-Loire
St-Georges-des-Sept-Voies
Blou
Vauchrétien
Chemellier
Gennes
la Breille-les-Pins
Grézillé
St-Clément-des-Levées
Neuillé
Notre-Dame-d'Allençon
les Alleuds
St-Martin-de-la-Place
Vivy
Faye-d'Anjou
Saulgé-l'Hôpital
Chênehutte-Trêves-Cunault
Allonnes
Brain-sur-Allonnes
Luigné
Louerre
St-Nicolas-de-Bourgueil
Chavagnes
Noyant-la-Plaine
Ambillou-Château
Dénezé-sous-Doué
Verrie
SAUMUR
Villebernier
Martigné-
LOIRE-ANJ
E
F
G
H

78
60
77
94
95
Mulsanne
Fillé
Roëzé-sur-Sarthe
Moncé-en-Belin
Teloché
Brette-les-Pins
St-Mars-de-Locquenay
Tresson
Évaillé
St-Gervais-en-Belin
Guécélard
Laigné-en-Belin
St-Mars-d'Outillé
Ste-Osmane
Montreuil-le-Henri
Parigné-le-Pôlin
St-Ouen-en-Belin
Écommoy
le Grand-Lucé
Villaines-sous-Lucé
Cerans-Foulletourte
Yvré-le-Pôlin
St-Biez-en-Belin
Marigné-Laillé
Pruillé-l'Éguillé
St-Vincent-du-Lorouër
St-Georges-de-la-Couée
Château-l'Hermitage
St-Pierre-du-Lorouër
Courdemanche
la Fontaine-St-Martin
Requeil
Jupilles
Forêt Domaniale de Bercé
Mayet
Beaumont-Pied-de-Bœuf
Ponce-sur-le-Loir
Mansigné
Pontvallain
Thoiré-sur-Dinan
Chahaignes
St-Jean-de-la-Motte
Verneil-le-Chétif
Lhomme
Ruillé-sur-Loir
Couture-sur-Loir
Sarcé
Flée
la Chartre-sur-le-Loir
Luché-Pringé
Luceau
Château-du-Loir
Marçon
Villedieu-le-Château
Coulongé
Aubigné-Racan
Montabon
Beaumont-sur-Dême
Vaas
Nogent-sur-Loir
Dissay-sous-Courcillon
le Lude
la Bruère-sur-Loir
Villebourg
Chemillé-sur-Dême
Savigné-sous-le-Lude
Dissé-sous-le-Lude
la Chapelle-aux-Choux
St-Pierre-de-Chevillé
St-Aubin-le-Dépeint
Bueil-en-Touraine
St-Germain-d'Arcé
St-Christophe-sur-le-Nais
Chenu
St-Paterne-Racan
Louestault
Neuvy-le-Roi
Chigné
Broc
Villiers-au-Bouin
Couesmes
Brèches
Chalonnes-sous-le-Lude
Marcilly-sur-Maulne
Braye-sur-Maulne
Château-la-Vallière
Beaumont-la-Ronce
Dénezé-sous-le-Lude
Neuillé-Pont-Pierre
Noyant
Souvigné
Sonzay
Rouziers-de-Touraine
Lublé
St-Laurent-de-Lin
Meigné-le-Vicomte
Méon
Semblançay
Cerelles
Channay-sur-Lathan
Courcelles-de-Touraine
Breil
St-Antoine-du-Rocher
la Pellerine
Rillé
Charentilly
Ambillou
Pernay
Parçay-les-Pins
Savigné-sur-Lathan
Mettray
Notre-Dame-d'Oé
Hommes
Cléré-les-Pins
St-Roch
la Membrolle-sur-Choisille
Gizeux
Avrillé-les-Ponceaux
St-Cyr-sur-Loire
Courléon
Continvoir
Mazières-de-Touraine
Fondettes
St-Étienne-de-Chigny (le Pont-de-Bresme)
Luynes
la Riche
St-Genouph
la Breille-les-Pins
ANJOU-TOURAINE
Joué-lès-Tours
Cinq-Mars-la-Pile
Berthenay
Savonnières
les Essards
Langeais
Villandry
Ballan-Miré
Benais
St-Michel-sur-Loire
la Chapelle-aux-Naux
Druye
St-Nicolas-de-Bourgueil
Ingrandes-de-Touraine
St-Patrice
Lignières-de-Touraine
Vallères
Bréhémont
Bourgueil
Restigné
Artannes-sur-Indre
Rivarennes
Azay
Monts
LA LOIRE
A28
E502
A85
E60

St-Calais
Marolles-lès-St-Calais
Sargé-sur-Braye
le Temple
la Ville-aux-Clercs
Fréteval
St-Hilaire-la-Gravelle
Morée
79
61
Épuisay
Danzé
Busloup
St-Gervais-de-Vic
Savigny-sur-Braye
la Chapelle-Huon
Bessé-sur-Braye
Fortan
Azé
Mazangé
Lignières
Pezou
Lisle
St-Firmin-des-Prés
Renay
Vievy-le-Rayé
Oucques
Beauvilliers
la Chapelle-Enchérie
Bonneveau
Fontaine-les-Coteaux
Lunay
Villiers-sur-Loir
Gare de Vendôme Villiers-sur-Loir T.G.V.
Meslay
St-Ouen
Areines
Rocé
Faye
Épiais
Troo
Sougé
St-Jacques-des-Guérets
les Roches-l'Évêque
Thoré-la-Rochette
Naveil
Vendôme
Villetrun
Ste-Gemmes
Villeneuve-Frouville
Baigneaux
Coulommiers-la-Tour
Montoire-sur-le-Loir
Lavardin
St-Rimay
Houssay
Marcilly-en-Beauce
Villerable
Ste-Anne
Selommes
Rhodon
Conan
Boisseau
Artins
Ternay
St-Martin-des-Bois
Huisseau-en-Beauce
Sasnières
Crucheray
Nourray
Villeromain
Périgny
Villemardy
Champigny-en-Beauce
les Hayes
St-Arnoult
Ambloy
Prunay-Cassereau
St-Amand-Longpré
Lancé
Villefrancoeur
Touraillles
Pray
la Chapelle-Vendômoise
Averdon
les Hermites
Monthodon
Villechauve
Authon
St-Gourgon
Gombergean
Lancôme
Landes-le-Gaulois
Marolles
la Ferrière
Villeporcher
St-Cyr-du-Gault
Neuville-sur-Brenne
St-Bohaire
Fossé
Villebarou
Château-Renault
le Boulay
St-Laurent-en-Gâtines
Saunay
Françay
Herbault
St-Lubin-en-Vergonnois
St-Sulpice-de-Pommeray
Étienne-des-Guérets
Orchaise
BLOIS
St-Nicolas-des-Motets
Santenay
Molineuf
Chambon-sur-Cisse
St-Gervais-la-Forêt
Morand
Auzouer-en-Touraine
Nouzilly
Crotelles
Villedômer
Dame-Marie-les-Bois
Seillac
Coulanges
Chailles
Autrèche
Mesland
Chouzy-sur-Cisse
Monnaie
Neuillé-le-Lierre
Onzain
Montreuil-en-Touraine
Monteaux
Candé-sur-Beuvron
les Montils
Reugny
St-Ouen-les-Vignes
Limeray
Cangey
Veuves
Chaumont-sur-Loire
Monthou-sur-Bièvre
Ouchamps
Parçay-Meslay
Chançay
Pocé-sur-Cisse
Rilly-sur-Loire
Mosnes
Fougères-sur-Bièvre
Nazelles-Négron
Rochecorbon
Vouvray
Vernou-sur-Brenne
Noizay
Amboise
Chargé
Vallières-les-Grandes
Sambin
Feings
la Ville-aux-Dames
St-Pierre-des-Corps
TOURS
Montlouis-sur-Loire
Lussault-sur-Loire
Souvigny-de-Touraine
St-Règle
Pontlevoy
Thenay
Larçay
St-Avertin
Véretz
Azay-sur-Cher
St-Martin-le-Beau
Dierre
Chambray-lès-Tours
la Croix-en-Touraine
Civray-de-Touraine
Chenonceaux
Chissay-en-Touraine
Montrichard
Bourré
Monthou-sur-Cher
Athée-sur-Cher
Bléré
Chisseaux
St-Georges-sur-Cher
St-Julien-de-Chédon
Angé
Thésée
Francueil
Faverolles-sur-Cher
Pouillé
St-Romain-sur-Cher
Esvres
Veigné
Truyes
Mareuil-sur-Cher
95
96
LA LOIRE
le Cher
A10
A85
E60
E05
E604
N10

80
62
96
97
79
A
B
C
D
1
2
3
4
5
6
ORLÉANS
St-Jean-de-la-Ruelle
Fleury-les-Aubrais
St-Jean-de-Braye
St-Jean-le-Blanc
Olivet
Ingré
Ormes
la Chapelle-St-Mesmin
St-Pryvé-St-Mesmin
St-Hilaire-St-Mesmin
Mareau-aux-Prés
St-Ay
Chaingy
Huisseau-sur-Mauves
Bucy-St-Liphard
Coulmiers
Charsonville
Tripleville
Ouzouer-le-Marché
Binas
Semerville
Moisy
la Colombe
Autainville
Forêt de Marchenoir
St-Léonard-en-Beauce
Marchenoir
St-Laurent-des-Bois
Lorges
Cravant
Baccon
le Bardon
Meung-sur-Loire
Baule
Beaugency
Cléry-St-André
Mézières-lez-Cléry
Dry
Lailly-en-Val
Tavers
Messas
Villorceau
Josnes
Roches
Briou
le Plessis-l'Échelle
Concriers
Talcy
la Madeleine-Villefrouin
Séris
Maves
Villexanton
Lestiou
Avaray
Centrale Électrique de St-Laurent-des-Eaux
St-Laurent-Nouan
Courbouzon
Mer
Mulsans
la Chapelle-St-Martin-en-Plaine
Suèvres
Cour-sur-Loire
Menars
Villerbon
Muides-sur-Loire
St-Dyé-sur-Loire
Crouy-sur-Cosson
Montlivault
Maslives
Thoury
Chambord
Parc de Chambord
St-Denis-sur-Loire
St-Claude-de-Diray
Chaussée-St-Victor
Vineuil
Huisseau-sur-Cosson
Mont-près-Chambord
St-Gervais-la-Forêt
Forêt Domaniale de Boulogne
Neuvy
Bracieux
Tour-en-Sologne
Bauzy
Dhuizon
la Ferté-St-Cyr
Ligny-le-Ribault
Jouy-le-Potier
Ardon
La Ferté-St-Aubin
Chaumont-sur-Tharonne
Yvoy-le-Marron
Villeny
Center Parcs les Hauts de Bruyères
la Marolle-en-Sologne
Montrieux-en-Sologne
Neung-sur-Beuvron
la Ferté-Beauharnais
St-Viâtre
SOLOGNE
Cellettes
Cour-Cheverny
Cheverny
Fontaines-en-Sologne
Vernou-en-Sologne
Cormeray
Chitenay
Courmemin
Marcilly-en-Gault
Millançay
Fresnes
Contres
Soings-en-Sologne
Mur-de-Sologne
Veilleins
Oisly
Sassay
Choussy
Lassay-sur-Croisne
Loreux
Selles-St-Denis
Couddes
Rougeou
Gy-en-Sologne
Romorantin-Lanthenay
Villeherviers
Chémery
Méhers
St-Romain-sur-Cher
Pruniers-en-Sologne
Billy
Villefranche-sur-Cher
Mareuil-sur-Cher
A10
A71
A85
E05
E09
E60
E604

Boigny-sur-Bionne
Donnery
Fay-aux-Loges
Vitry-aux-Loges
Canal d'Orléans
Chécy
Combleux
Mardié
Bou
St-Denis-en-Val
St-Denis-de-l'Hôtel
Châteauneuf-sur-Loire
Jargeau
Darvoy
La Loire
D O M A N I A L E
Châtenoy
Beauchamps-sur-Huillard
Chailly-en-Gâtinais
Coudroy
Noyers
Thimory
Vieilles-Maisons-sur-Joudry
Lorris
la Cour-Marigny
Montereau
Sandillon
Férolles
St-Martin-d'Abbat
Germigny-des-Prés
St-Aignan-des-Gués
Bouzy-la-Forêt
Bray-en-Val
Étg d'Orléans
Ouvrouer-les-Champs
Sigloy
St-Benoît-sur-Loire
Guilly
St-Cyr-en-Val
les Bordes
le Moulinet-sur-Solin
Vienne-en-Val
Tigy
Neuvy-en-Sullias
Bonnée
St-Père-sur-Loire
Ouzouer-sur-Loire
Marcilly-en-Villette
Sully-sur-Loire
Dampierre-en-Burly
St-Aignan-le-Jaillard
Viglain
Lion-en-Sullias
Vannes-sur-Cosson
Nevoy
Ménestreau-en-Villette
le Cosson
St-Gondon
St-Florent
Sennely
Isdes
Villemurlin
Poilly-lez-Gien
Vouzon
Souvigny-en-Sologne
Cerdon
Coullons
Lamotte-Beuvron
Chaon
Autry-le
Clément
Brinon-sur-Sauldre
Argent-sur-Sauldre
Nouan-le-Fuzelier
Blancafort
Pierrefitte-sur-Sauldre
Aubigny-sur-Nère
Ste-Montaine
Concressault
Barlieu
Oizon
Souesmes
Dampierre-en-Crot
Salbris
Ménétréol-sur-Sauldre
Ennordres
Villegenon
Presly
Nançay
la Chapelle-d'Angillon
Ivoy-le-Pré
la Chapelotte
Theillay
Neuvy-sur-Barangeon
Méry-ès-Bois
Henrichemont
Orçay

82
64
81
99
98
A
B
C
D
1
2
3
4
5
6
Lombreuil
Thimory
Oussoy-en-Gâtinais
Varennes-Changy
le Moulinet-sur-Solin
Langesse
les Choux
Gien
St-Martin-sur-Ocre
St-Brisson-sur-Loire
Autry-le-Châtel
Cernoy-en-Berry
Barlieu
Vailly-sur-Sauldre
Villegenon
Thou
Jars
le Noyer
Sens-Beaujeu
Neuilly-en-Sancerre
Crézancy-en-Sancerre
Mormant-sur-Vernisson
St-Hilaire-sur-Puiseaux
Ouzouer-des-Champs
Solterre
Cortrat
Pressigny-les-Pins
Nogent-sur-Vernisson
Ste-Geneviève-des-Bois
Boismorand
la Bussière
Escrignelles
Adon
Briare
Châtillon-sur-Loire
Ousson-sur-Loire
Beaulieu-sur-Loire
Pierrefitte-ès-Bois
Santranges
Savigny-en-Sancerre
Assigny
Subligny
Menetou-Râtel
Sancerre
Montcresson
Montbouy
la Chapelle-sur-Aveyron
Châtillon-Coligny
Dammarie-sur-Loing
Rogny-les-Sept-Ecluses
Feins-en-Gâtinais
Ouzouer-sur-Trézée
Breteau
Dammarie-en-Puisaye
Batilly-en-Puisaye
Bonny-sur-Loire
Neuvy-sur-Loire
Belleville-sur-Loire
Sury-près-Léré
Léré
la Celle-sur-Loire
Myennes
Boulleret
Cosne-Cours-sur-Loire
St-Père
Ste-Gemme-en-Sancerrois
Bannay
Sury-en-Vaux
Verdigny
St-Satur
Tracy-sur-Loire
Château-Renard
Triguères
Melleroy
St-Maurice-sur-Aveyron
Aillant-sur-Milleron
Champcevrais
Bléneau
St-Privé
Champoulet
Lavau
Faverelles
Arquian
Annay
St-Loup
Pougny
St-Martin-sur-Nohain
St-Quentin-sur-Nohain
St-Laurent-l'Abbaye
St-Andelain
Douchy
Chêne-Arnoult
Fontenouilles
Chambeugle
Marchais-Beton
Malicorne
le Charme
Champignelles
Villeneuve-les-Genêts
St-Martin-des-Champs
St-Fargeau
Ronchères
Moutiers-en-Puisaye
St-Amand-en-Puisaye
St-Vérain
Alligny-Cosne
Suilly-la-Tour
Dicy
Charny
St-Martin-sur-Ouanne
St-Denis-sur-Ouanne
Grandchamp
Villiers-St-Benoit
Tannerre-en-Puisaye
Mézilles
St-Sauveur-en-Puisaye
Ste-Colombe-sur-Loing
Treigny
Dampierre-sous-Bouhy
Bouhy
Ciez
Perroy
Donzy
Ste-Colombe-des-Bois
Sépeaux
Chevillon
Sommecaise
A77

83
84
99
100
65
E
F
G
H
1
2
3
4
5
6
AUXERRE
Tour de l'Horloge
Champvallon
Senan
Villiers-sur-Tholon
Aillant-sur-Tholon
Laduz
Poilly-sur-Tholon
Fleury-la-Vallée
Chassy
St-Maurice-Thizouaille
St-Maurice-le-Vieil
St-Aubin-Château-Neuf
St-Martin-sur-Ocre
Égleny
Lindry
Merry-la-Vallée
Beauvoir
Charbuy
St-Georges-sur-Baulche
Perrigny
Monéteau
Gurgy
Appoigny
Chichery
Guerchy
Branches
Charmoy
Épineau-les-Voves
Bonnard
Bassou
Villemer
Neuilly
Seignelay
Hauterive
Beaumont
Chemilly-sur-Yonne
Héry
Rouvray
Venouse
Pontigny
Ligny-le-Châtel
Varennes
Maligny
Villy
Lignorelles
Montigny-la-Resle
Villeneuve-St-Salves
la Chapelle-Vaupelteigne
Bleigny-le-Carreau
Fontenay-près-Chablis
Collan
Chablis
Fleys
Beine
Venoy
Chichée
Courgis
Poilly-sur-Serein
Chemilly-sur-Serein
Préhy
St-Cyr-les-Colons
Chitry
St-Bris-le-Vineux
Quenne
Augy
Villefargeau
Chevannes
Vallan
Champs-sur-Yonne
Parly
Pourrain
Toucy
Dracy
Diges
Escamps
Gy-l'Évêque
Jussy
Irancy
Escolives-Ste-Camille
Vincelottes
Vincelles
Coulanges-la-Vineuse
Cravant
Vermenton
Accolay
Bazarnes
Val-de-Mercy
Migé
Coulangeron
Leugny
Lalande
Fontaines
Moulins-sur-Ouanne
Ouanne
Fontenoy
Levis
Sementron
Merry-Sec
Mouffy
Charentenay
Ste-Pallaye
Prégilbert
Trucy-sur-Yonne
Fontenay-sous-Fouronnes
Courson-les-Carrières
Fontenailles
Molesmes
Taingy
Lain
Saints
Thury
Fouronnes
Mailly-le-Château
Mailly-la-Ville
Lucy-sur-Cure
Bessy-sur-Cure
Arcy-sur-Cure
Sery
Sacy
Nitry
Joux-la-Ville
Lichères-près-Aigremont
Aigremont
Sougères-en-Puisaye
Lainsecq
Forêt de Frétoy
Festigny
Merry-sur-Yonne
St-Moré
Voutenay-sur-Cure
Précy-le-Sec
Lucy-le-Bois
Annay-la-Côte
Druyes-les-Belles-Fontaines
Coulanges-sur-Yonne
Châtel-Censoir
Brosses
Bois-d'Arcy
Sermizelles
Girolles
Blannay
Montillot
Givry
Annéot
Sainpuits
Étais-la-Sauvin
Andryes
Lucy-sur-Yonne
Surgy
Pousseaux
Lichères-sur-Yonne
Asnières-sous-Bois
Vault-de-Lugny
Pontaubert
Asquins
Vézelay
St-Père
Billy-sur-Oisy
Oisy
Clamecy
Armes
Chamoux
Entrains-sur-Nohain
Trucy-l'Orgueilleux
Corvol-l'Orgueilleux
Chevroches
Dornecy
Breugnon
Rix
Brèves
Fontenay-près-Vézelay
Foissy-lès-Vézelay
Pierre-Perthuis
Domecy-sur-Cure
Menestreau
la Chapelle-St-André
Courcelles
Ouagne
Villiers-sur-Yonne
Asnois
Metz-le-Comte
St-Aubin-des-Chaumes (Charancy)
St-André-en-Morvan
St-Pierre-du-Mont (la Pouge)
St-Germain-des-Bois
Villiers-le-Sec
Amazy
Tannay
Flez-Cuzy (Cuzy)
Vignol
Neuffontaines
Bazoches
Menou
Varzy
Oudan
Cuncy-lès-Varzy
Beuvron
Lys
St-Didier
Moissy-Moulinot (Moissy)
Empury
Marcy
Parigny-la-Rose
Grenois
Talon
Monceaux-le-Comte
Ruages
St-Martin-du-Puy
Challement
Diro
Pouques-Lormes
Anthien
Lormes
Corvol-d'Embernard
Brinon-sur-Beuvron
Chevannes-Changy
Tacor
Asnan
Magny-Lormes

84
66
A
B
C
D
Lignières
Quincerot
Arthonnay
Molesme
Anc. Abb.
Vest. Gallo-Romains de Vertillum
Villedieu
Pothières
Trichey
Roffey
Tronchoy
Cheney
Mélisey
Villon
Vertault
Bernouil
Dannemoine
Thorey
Rugny
Forêt de Maulnes
Vézinnes
Molosmes
Maulnes
Villiers-les-Moines
Larrey
Étrochey
Channay
Bouix
Ste-Colombe-sur-Seine
Vézannes
Junay
Épineuil
Vaulichères
St-Martin-sur-Armançon
Val de Quenouil
Hôtel-Dieu
Cruzy-le-Châtel
Nicey
Griselles
Poinçon-lès-Larrey
Tonnerre
Commissey
Baon
Marcenay
Cérilly
Bissey-la-Pierre
Tissey
Collan
Lavoir Fosse-Dionne
Tanlay
Pimelles
Paisson
Laignes
Serrigny
Ferme de la Chappe
Voie Romaine
Fleys
St-Vinnemer
Argentenay
Gland
Gigny
Ampilly-le-Sec
Balot
Béru
Viviers
Lézinnes
Ancy-le-Libre
Sennevoy-le-Haut
Sennevoy-le-Bas
Yrouerre
Ferme du Patouillet
Vireaux
Massoult
Poilly-sur-Serein
Pacy-sur-Armançon
Ancy-le-Franc
Stigny
Jully (la Maine)
Fontaines-les-Sèches
Nesle-et-Massoult
Sambourg
Ferme de Beaulieu
l'Armançon
Chassignelles
Frace Ferme
la Balance
la Folie
Coulmier-le-Sec
Fresnes
Argenteuil-sur-Armançon
Fulvy
Cestre
Planay
Ste-Vertu
Môlay
Moulins-en-Tonnerrois
Ravières
Verdonnet
Puits
Lichères-près-Aigremont
Annay-sur-Serein
Villiers-les-Hauts
Nuits
Asnières-en-Montagne
Savoisy
Aigremont
le Charmoi
Châtᵉ de Rochefort
Étais
Cry
Perrigny-sur-Armançon
Arrans
Noyers
Tour
Censy
Pasilly
Sarvigne
Forêt Dom. du Grand Jailly
Vaugimois
Villaines-en-Duesmois
Puits de Bon
Cours
Jouancy
Soulangy
Étivey
Aisy-sur-Armançon
Rougemont
Cruchy
Nitry
Sarry
Ligne T.G.V.
le Petit Jailly
la Mairie
les Malmaisons
Grimault
Villiers la Grange
Frétoy
Buffon
Domaine des Anc. Forges
la Brenne
Blaisy
Touillon
Tormancy
Annoux
Châtel-Gérard
Anc. Prieuré de Vausse
Château de Buffon
Anc. Abb. de Fontenay
Oudun
St-Rémy
Marmagne
Massangis
Chevigny-le-Désert
Montbard
Morville
les Cornes
Quincy-le-Vicomte
Quincerot
Crépand
Fresnes
Montmorency
Civry-sur-Serein
Forêt Domaniale de Châtel-Gérard
les Souillats
Nogent-lès-Montbard (Nogent-le-Petit)
Fain-lès-Montbard
Dissangis
Bierry-les-Belles-Fontaines
St-Germain-lès-Senailly
Villiers
Courcelles-lès-Montbard
Éringes
Hervaux
Coutarnoux
Fain-lès-Moutiers
Montfort
le Grand Val de la Nef
Origny
L'Isle-sur-Serein
Marmeaux
St-Just
Senailly
Bussy-le-Grand
Seigny
Blacy
Talcy
Montigny-Montfort
Benoisey
Thory
Ste-Colombe
Angely
Thizy
Santigny
Vassy
Moutiers-St-Jean
Viserny
Grignon
la Raquette
Champ-d'Oiseau
Ménétreux-le-Pitois
Grésigny-Ste-Reine
Tour de Pré
Buisson
Pisy
Maison Forte
Anc. Abb.
Athie
les Granges-sous-Grignon
Lucy-le-Bois
Provency
Cormarin
Turley
Villaines-les-Prévôtes
Ménétreux-le-Bas
Annay-la-Côte
Marcilly
Genouilly
Athie
Montréal
Périgny
Ménétreux-le-Bas
Corsaint
Jeux-lès-Bard
Lantilly
Venarey-les-Laumes
Alise-Ste-Reine
Tharot
Vassy
Étaule
Sauvigny-le-Bois
Sceaux
Trévilly
Bard-lès-Époisses
Genay
Vulsain
Mussy-la-Fosse
Les Prés Hauts
Annéot
Montjalin
le Vellerot
Corbetolles
Vignes
Époissotte
Corrombles
Ménetreux-le-Bas
Millery
Pouillenay
Maison Dieu
Cisery
Guillon
Époisses
Pouligny
Villars-et-Villenotte
Massingy-lès-Semur
Champien
Bierry
Toutry
Villenotte
Chassigny
le Genetoy
Changy
Torcy-et-Pouligny (Torcy)
Remparts
Avallon
Pontaubert
la Chaponne
Brécy
Savigny-en-Terre-Plaine
Sauvigny-le-Beuréal
Forléans
Semur-en-Auxois
Jully
Magny-la-Ville
Vallée du Cousin
Méluzien
Chevannes
Vic-de-Chassenay
Ménétoy
Souhey
Chassey
Marigny-le-Cahouët
Magny
St-André-en-Terre-Plaine
Vieux-Château
Époisses
St-Euphrône
les Granges
Cussy-les-Forges
Montberthault
Cernois
Courcelles-lès-Semur
Pont-et-Massène
Champ Morlin
Bourbilly
Sauvigny
Lac de Pont
le Chalet Bruzard
Zoo de l'Auxois
Presles
Frémoy
Le Grand Island
Pavillon
Villeneuve
Ste-Magnance
Ruffey
la Come
Allerey
Villeneuve-sous-Charigny
Arnay-sous-Vitteaux
Villars-Frémoy
Courcelles-Frémoy
Marrault
Villiers-Nonains
l'Équarrissoir
Beauregard
Flée
Montmardelin
St-Brancher
Villarnoux
la Romanée
Sincey-lès-Rouvray
Thoste
Montigny-St-Barthélemy
Roilly
Montigny-sur-Armançon
Charigny
Sébastopol
le Meix
Sully
Bussières
le Serein
Chamont
Ste-Colombe
Volnay
St-Germain-des-Champs
Beauvilliers
Rouvray
Vernon
Genouilly
Bierre-lès-Semur
Brianny
la Croisée
Braux
Dracy
les Ouches
Ruissotte
Auxon
Joux
la Croisée
Chenault
Saucy
Velogny
Chastellux-sur-Cure
St-Aubin
Corvignot
St-Andeux
Clermont
Aisy-sous-Thil
Collégiale de Thil
Saux
Marcigny-sous-Thil
Marcilly-et-Dracy
Villiers-les-Potots
Ruères
Bierre-en-Morvan
Potenay
Dompierre-en-Morvan
Thil
Châtᵉ
Marcigny
Pont-Royal
Maison-aux-Moines
Velars-le-Comte
la Cure
Chézelles
la Verdière
Quarré-les-Tombes
St-Léger-Vauban
le Frêne
St-Germain-de-Modéon
le Haut
Courcelotte
la Roche-en-Brenil
Précy-sous-Thil
Maison-Dieu
le Brouillard
Fermenot
Nan-sous-Thil
Clamerey
St-Thibault
Normier
Rvoir du Crescent
Marigny-la-Ville
Montarin
Trinquelin
Abb. de la Pierre-qui-Vire
les Vernes
Romanet
la Vernoie
le Crosst
l'Argentalet
Arcenay
Juillenay
Vic-sous-Thil
Pluvier
Verchisy
Vésigneux
Marigny-l'Église
Bousson-le-Bas
Champlois
les Roubeaux
l'Huis-St-Benoît
Montmillien
Franceau
Lacour-d'Arcenay
Montlay-en-Auxois
Fontangy
Villeneuve-sous-Charny
Autoroute du Soleil
Chalaux
les Guichards
les Lavaults
les Chêreaux
le Jarnois
la Croix de Molphey
Crépy
Molphey
Chausserose
Noidan
Chazelle-l'Écho
Charny
St-Martin-du-Puy
le Meix
les Îles Ménéfrier
Forêt Dom. au Duc
Huis-Châtelain
Rocher de la Pérouse
Lac de St Agnan
les Michaux
St-Didier
Montachon
Ste-Segros
la Motte-Ternant
Saizeray
Thorey-sous-Charny
Gissey-le-Vieil
Mazignien
Busset
St-Agnan
Chanteau
Anc. Voie Romaine
F. Dom. de Saulieu
Chazelle en Morvan
Missery
le Chien Blanc
Croix Thomas
Blancey
Plainefas
Bornoux
le Vieux Dun
l'Huis-Bonin
Vermot
Maison Baudé
les Cordins
Thomirey
Mercueil
Mairey
Villargoix
Sonnotte
Mont-St-Jean
Lantillière
Sonne
Porcmignon
Lac de Chaumeçon
Calv.
les Grandes Fourches
Eschamps
le Perron
Saulieu
les Granges
Goix
Morvan
100
101
Autoroute du Soleil
A6
E15
E60

85
67
86
101
102
E
F
G
H
1
2
3
4
5
6
Villers-Patras
Obtrée
Chaumont-le-Bois
Thoires
Boudreville
Dancevoir
Aubepierre-sur-Aube
Montrot
Giey-sur-Aujon
Ormancey
Mosson
Brion-sur-Ource
Bissey-la-Côte
Courban
Lignerolles
Forêt Dom. d'Arc-en-Barrois
Courcelles-sur-Aujon
Vannaire
Massingy
Vix
Louesme
Forêt Domaniale de la Chaume
Vauxbons
Montliot-et-Courcelles
Layer-sur-Roche
les Goulles
la Chaume
Casc. Pétrifiante d'Étufs
St-Loup-sur-Aujon
Rochetaillée
Marigny
Prusly-sur-Ource
Rouvres-sur-Aube
Voisines
Sce de la Douix
Villotte-sur-Ource
Lucey
Arbot
Châtillon-sur-Seine
Maisey-le-Duc
Gurgy-la-Ville
Faverolles-lès-Lucey
Aulnoy-sur-Aube
Chameroy
Vanvey
Gurgy-le-Château
Bay-sur-Aube
Vitry-en-Montagne
Darbois
Villiers-le-Duc
Chap. St-Phal
le Petit St-Broing
Chaumont la Rotière
Perrogney-les-Fontaines
St-Michel
Buncey
Voulaines-les-Templiers
Leuglay
Val Serveux
Rouelles
Menhir le Cheval Gris
Froidvent
Germaines
F. Dom. de Chamesson
Lugny
Buxerolles
F. de Montavoir
Anc. Chartreuse
Chambain
Auberive
Anc. Abb.
Chamesson
Forêt Domaniale de Châtillon
Forêt Chât. Morait
Colmier-le-Haut
Recey-sur-Ource
Menesble
F. de Montaubert
Voisin
l'Ource
Colmier-le-Bas
Amorey
la Salle
Nod-sur-Seine
Anc. Abb. du Val des Choues
Plaine Forêt
Bon Espoir
la Grange Didier
St-Germain-le-Rocheux
Essarois
Chaugey
Villars-Santenoge
la Thuillière
Aisey-sur-Seine
le Puiset
Praslay
Aujeurres
Rochefort-sur-Brévon
la Forêt
Bure-les-Templiers
Santenoge
Vivey
Vaurois
Busseaut
Montmoyen
Rés. Nat. de Chalmessin
Chemin-d'Aisey
Brémur-et-Vaurois
Beaulieu
Hierce
Terrefondrée
Châtellenot
Vaillant
Semond
Chât. de Rocheprise
Romprey
Poinson-lès-Grancey
Poinsenot
Musseau
Vesvres-sous-Chalancey
Valfermet
Vals-des-Tilles (Chalmessin)
Lamargelle-aux-Bois
Mouilleron
Origny
la Maison
Mauvilly
St-Broing-les-Moines
Beneuvre
Fontenelle
St-Marc-sur-Seine
Bellenod-sur-Seine
Neuvelle-lès-Grancey
Vaux
Meulson
Moitron
Chalancey
Magny-Lambert
Montenaille
Cosne
Beaunotte
Grancey-le-Château-Neuvelle
Aignay-le-Duc
Minot
Bussières
Busserotte-et-Montenaille
Fontaines-en-Duesmois
Meursauge
Quemigny-sur-Seine
Quemignerot
Courlon
Cussey-les-Forges
Sce de la Coquille
Fraignot-et-Vesvrotte
Vesvrotte
PLATEAU DE LANGRES
Duesme
Étalante
Thorey
le Pavillon
Vernois-lès-Vesvres
Emorots
Ampilly-les-Bordes
Ampilly-le-Haut
Gronet
Chaume-lès-Baigneux
Larçon
Mont-Armet
la Tille
Jours-lès-Baigneux
la Renère
Palus
Salives
Barjon
Avot
les Forges
Foncegrive
Échalot
Prégelan
Lucenay-le-Duc
Cessey
Champignolot
le Meix
Marey-sur-Tille
Étormay
Orret
Selongey
Baigneux-les-Juifs
F. Dom. du Mont de l'Échelle
Avelanges
Rue du Vau
Laperrière
Laneuf
Lochère
Poiseul-lès-Saulx
Bonvent
la Villeneuve-les-Convers
Oigny
les Granges
le Valduc
Villey-sur-Tille
Crécey-sur-Tille
Rue de Pissot
Poiseul-la-Ville-et-Laperrière
Poiseul-la-Grange
Forêt Domaniale du Moloy
Luxerois
Gorges de la Douix
Billy-lès-Chanceaux
Léry
Chât. de Bussy-Rabutin
l'Abergement
Courtivron
Darcey
Corpoyer-la-Chapelle
Échevannes
Mont-Auxois
Munois
le Vallon
Courceau
Lamargelle
Moloy
Tarsul
Saulx-le-Duc
Is-sur-Tille
Frôlois
Tour Marmont
la Rente des Combes
Frénois
Dienay
Marcilly-sur-Tille
Chanceaux
la Jument de Courtivron
Villecomte
Gissey-sous-Flavigny
Vaubuzin
Flavigny-sur-Ozerain
St-Germain-Source-Seine
Pellerey
Hauteroche
Thenissey
Sanctuaire Gallo-Romain
Poncey-sur-l'Ignon
Vernot
Forêt Domaniale d'Is-sur-Tille
Écorsaint
Source Seine
Sce de la Seine
Sce de l'Ignon
Gemeaux
la Roche-Vanneau
Boux-sous-Salmaise
Chaignay
Cheneroilles
Vaux-Saules
Saussy
Pichanges
Présilly
Clirey
Salmaise
Champagny
Francheville
Épagny
Chap. St-Claude
Jailly-les-Moulins
Cinq Fonts
Curtil-St-Seine
Villeferry
Verrey-sous-Salmaise
Bligny-le-Sec
Prairay
Ste-Foy
Marsannay-le-Bois
Flacey
Tiers du Bas
St-Seine-l'Abbaye
F. Dom. de Val-Suzon
Dampierre-en-Montagne
Villeberny
St-Martin-du-Mont
Savigny-le-Sec
Charencey
Villotte-St-Seine
Froideville
Font. de Jouvence
Posanges
Villy-en-Auxois
Bordes-Bricard
Val-Suzon-Bas
Messigny-et-Vantoux
Norges-la-Ville
Clénay
Cessey-lès-Vitteaux
la Rochotte
Étaules
Norges-le-Bas
Massingy-lès-Vitteaux
Turcey
Val-Suzon
Darois
Bretigny
Vitteaux
Chevannay
Champrenault
Fromenteau
Bordes-Pillot
Vantoux-lès-Dijon
Asnières-lès-Dijon
Vesvres
St-Hélier
Trouhaut
Abîme du Creux Percé
Hauteville-lès-Dijon
Ahuy
Bellefond
Echirey
Ruffey-lès-Echirey
Orgeux
Rochers
Barain
Bussy-la-Pesle
Blaisy-Bas
Panges
Parc de la Toison d'Or
Varois-et-Chaignot
Granges-de-Vesvres
Boussey
Saffres
Avosnes
Fontette
Verrey-sous-Drée
Éperon
Charmoy
Pasques
Prenois
Daix
Fontaine-lès-Dijon
Fort de Varois
Anc. Chât.
Godan
Blaisy-Haut
St-Louis
Plombières-lès-Dijon
Talant
St-Apollinaire
Couternon
Uncey-le-Franc
Marcellois
Drée
Puits XV
Combe Arvaux
Baulme-la-Roche
Lantenay
Palais des Ducs
Quetigny
St-Mesmin
Savranges
Ancey
Velars-sur-Ouche
Corcelotte-en-Montagne
Bussey-sur-Brionne
Grosbois-en-Montagne
la Chaleur
Savigny-sous-Mâlain
Chât.
Mâlain
Fleurey-sur-Ouche
la Velotte
Parc Nat. de la Combe à la Serpent
Chartreuse de Champmol
Vesvres
Mesmont
Médiolanum
St-Anthot
Sombernon
Prâlon
DIJON
Chevigny-St-Sauveur
Martrois
Vieilmoulin
Cude
Pressoirs des Ducs de Bourgogne
Sennecey-lès-Dijon
Aubigny-lès-Sombernon
Remilly-en-Montagne
N.-D. d'Étang
Agey
Pont de Pany
Rente de Collonges
Corcelles-les-Monts
Chenôve
Longvic
Civry-en-Montagne
le Trembloy
Fort
Marsannay-la-Côte
Bellenot-sous-Pouilly
Ste-Marie-sur-Ouche
Flavignerot
Neuilly-lès-Dijon
Échannay
Grenant
Arcey
A38
N71
N74
D965
D928
D971
D996
D954
D901

86
68
102
103
85
A
B
C
D
Marac
Pont
Ormancey
Beauchemin
St-Martin-lès-Langres
Chanoy
Humes-Jorquenay
Jorquenay
Charmes
Bannes
Fort de Plesnoy
Plesnoy
Champigny-lès-Langres
Orbigny-au-Val
Orbigny-au-Mont
Poiseul
Celles-en-Bassigny
Marcilly-en-Bassigny
Lavernoy
Coiffy-le-Bas
Coiffy-le-Haut
les Granges Huguet
Genrupt
Montcharvot
Terre-Natale (Varennes-sur-Amance)
Voisey
Troischamps
Chap. de Presle
F. Dom. de Marcilly-Voisey
Chézeaux
Neuvelle-lès-Voisey
Vaux-la-Douce
Soyers
Arbigny-sous-Varennes
Champigny-sous-Varennes
Guyonvelle
Laferté-sur-Amance
Vernois-sur-Mance
Velles
Betoncourt-sur-Mance
Mardor
St-Ciergues
Réservoir de la Mouche
Perrancey-les-Vieux-Moulins
Langres
Mont les Fourches
Peigney
Fort de Peigney
Réservoir de la Liez
Langres-Marne
Lecey
Celsoy
Haute-Amance
Voisines
Chatenay-Vaudin
Chatenay-Mâcheron
St-Maurice
St-Vallier-sur-Marne
Corlée
Vieux-Moulins
Saints-Geosmes
Fort de la Bonnelle
Fort de la Marmotte
Balesmes-sur-Marne
Sce de la Marne
Fort Vercingétorix
Culmont
Chaudenay
Rosoy-sur-Amance
Maizières-sur-Amance
Bize
Anrosey
Pisseloup
Rougeux
Charmoy
Montesson
Courcelles-en-Montagne
Langres-Perrogney
Noidant-le-Rocheux
Perrogney-les-Fontaines
Langres Noidant
la Haute du Sec
Pierrefontaines
Auberive
Brennes
Bourg
Cohons
Noidant-Chatenoy
le Pailly
Torcenay
Corgirnon
Chalindrey
Pierremont-sur-Amance (Pierrefaites)
St-Hubert
Ouge
Chauvirey-le-Châtel
Chauvirey-le-Vieil
Vitrey-sur
Fayl-Billot
la Quarte
Bois de l'Hourie
Flagey
Orcevaux
Verseilles-le-Haut
Verseilles-le-Bas
Heuilley-Cotton
les Archots
les Loges
Longeau-Percey
Palaiseul
Violot
F. Dom. de Bussières-lès-B.
Broncourt
Poinson-lès-Fayl
Aprey
la Salle
Percey-le-Pautel
Heuilley-le-Grand
Champsevraine (Bussières-lès-Belmont)
Pressigny
la Rochelle
Cintrey
Baissey
Vèvres sous Prangey
Villiers-lès-Aprey
Aujeurres
Leuchey
Prangey
Villegusien-le-Lac
St-Broingt-le-Bois
Rivières-le-Bois
Charmes-St-Valbert
Molay
Malvillers
St-Michel
Piépape
le Mont
Chassigny
Grandchamp
Belmont
Genevrières
Savigny
Voncourt
la Rigotte
la Roche-Morey
la Dhuis
St-Broingt-les-Fosses
Maâtz
Grenant
Saulles
Bourguignon-lès-Morey
Valleroy
Tornay
Farincourt
Parc de Loisirs
St-Julien
Vaillant
Vesvres-sous-Chalancey
Combe Suzon
Courcelles-Val-d'Esnoms
Dommarien
Coublanc
Seuchey
Gilley
Perte de la Rigotte
Suaucourt-et-Pisseloup
Fontenelle
le Val-d'Esnoms (Esnoms-au-Val)
Chatoillenot
Prauthoy
Montsaugeon
Choilley-Dardenay
Montvaudon
Frettes
Argillières
Villers-V
Aubigny sur Badin
Vaux-sous-Aubigny
la Fouchère
Leffond
Velleguibelle
Vauconcourt-
Fleurey-lès-Lavoncourt
Maison Forte
Rivière-les-Fosses
Couzon-sur-Coulange
Isômes
Dardenay
le Vergy
Montarlot-lès-Champlitte
Fouvent-le-Bas
Fouvent-St-Andoche (Fouvent-le-Haut)
St-Andoche
Francourt
Renaucourt
Mont-St-Léger
Lavoncourt
Pierrecourt
la Colombière
Aumonières
Raucourt
Trecourt
Vernois-Vesvres
Pressant
Boussenois
Bel Air
Cusey
Châtillon
Percey-le-Grand
Champlitte
Champlitte-la-Ville
Larret
Courtesoult-et-Gatey
Gatey
Volon
Roche-et-Raucourt
Brotte-lès-Ray
Occey
Percey-sous-Montormentier
Orain
le Prélot
Margilley
Neuvelle-lès-Champlitte
Vaite
Membrey
Oncegrive
la Villa des Tuilières
Fontaine de Cour
Sacquenay
Courchamps
Anc. Chât. de la Romagne
St-Maurice-sur-Vingeanne
le Poirier Ferré
Framont
Achey
Delain
Denèvre
Hameau de la Côte
Vellexon-Que-et-Vaudey
Selongey
Villa des Tuilières
Crécey-sur-Tille
Chazeuil
Chaume-et-Courchamp
la Villeneuve-sur-Vingeanne
Montigny-Mornay-Villeneuve-sur-Vingeanne
Mont-le-François
le Crochot
Montot
Dampierre-sur-Salon
Seveux
Orville
Véronnes
Véronnes les Petites
Mornay
Pouilly-sur-Vingeanne
Theuley-lès-Vars
Écuelle
la Marquise Maison forestière
Autet
Savoyeux
Mercey-sur-Saône
Échevannes
Til-Châtel
Fontaine-Française
St-Seine-sur-Vingeanne
Vars
Oyrières
Quitteur
Vereux
Motey-sur-Saône
Marcilly-sur-Tille
St-Seine-la-Tour
Fahy-lès-Autrey
Auvet-et-la-Chapelotte
la Rente Rouge
Montureux-et-Prantigny
Pierrejux
Beaujeu-St-Vallier-Pierrejux-et-Quitteur
Lux
les Maisons Neuves
Bourberain
Fontenelle
Licey-sur-Vingeanne
Châtillon de Rosières
Autrey-lès-Gray
la Chapelotte
Chargey-lès-Gray
Prantigny
St-Vallier
F. Dom. de Belle Vaivre
Ste-Rei
Igny
St-Roch
Sce de la Bèze
Grte de Bèze
Bèze
Forêt de Velours
Dampierre-et-Flée
Beaumont-sur-Vingeanne
Attricourt
Flée
Verfontaine
Bouhans-et-Feurg
Arc-lès-Gray
Rigny
Anc. Abb. de Corneux
Angirey
Pichanges
Chevigny
Loeuilley
Broye-les-Loups-et-Verfontaine
Feurg
Nantilly
Hôtel de Ville
Gray
Ancier
Corneux
St-Broing
Sauvigney-lès-Gray
Nantouard
Spoy
Blagny-sur-Vingeanne
Champagne-sur-Vingeanne
Poyans
Bois de Poyans
Gray-la-Ville
Velet
Battrans
la Morte
St-Loup-Nantouard
Velesmes-Échevanne
Échevanne
les Epenceuses
Noiron-sur-Bèze
Vievigne
Dijon-Spoy
Oisilly
Mantoche
Forêt d'Autrey
Esmoulins
Forêt Domaniale des Hauts Bois
Villefranc
Flacey
Dijon-Brognon
Grand Beire
Beire-le-Châtel
Vesvrotte
Tanay
Renève-le-Château
Renève
Essertenne-et-Cecey
Champvans
Vellorelle-lès-Choye
Cresancey
Onay
Brognon
Petit Beire
Fouchanges
St-Julien
Mirebeau-sur-Bèze
Cheuge
Bézouotte
Jancigny
Apremont
la Tenise
le Tremblois
Noiron
Champtonnay
Magny-St-Médard
Arceau
Montrichier Ferme
Germigney
Arsans
Cugney
Savolles
Cuiserey
Charmes
la Loge
Vénère
Orgeux
Arcelot
Chaignot
St-Sauveur
Talmay
Vadans
Lieucourt
Virey
Belleneuve
Montmançon
Montseugny
la Saône
Tromarey
Marandeuil
Maxilly-sur-Saône
Heuilley-sur-Saône
B. du Fays
la Grande-Résie
Chevigney
Valay
Bonboillon
Arc-sur-Tille
Couternon
Trochères
Binges
Drambon
Thiey
Broye-Aubigney-Montseugny
Aubigney
Chancey
Chancevigney
Cult
Pré d'Azur
Remilly-sur-Tille
Étevaux
Perrigny-sur-l'Ognon
le Gros Bois
la Résie-St-Martin
Hugier
la Tille
Chevigny-St-Sauveur
Bressey-sur-Tille
Cirey-lès-Pontailler
Forêt Dom. de St-Léger
St-Léger-Triey
Pontailler-sur-Saône
Sauvigney-lès-Pesmes
les Forges
Chaumercenne
Motey-Besuche
Bay
Sennecey-lès-Dijon
Vaux-sur-Crône
Tellecey
le Pâquier du Bois
Clery
Chasney
Bard-lès-Pesmes
Montagney
Chevrey-et-Morogne
Cessey-sur-Tille
Magny-sur-Tille
Izier
Chambeire
le Pays Neuf
Vielverge
Mutigney
Pesmes
Malans
Sornay
Abb. d'Acey
Courchapon
Jallerange
Péage
Forêt Dom. de
Lamarche-
Champagney
l'Ognon
la Vingeanne
le Salon
l'Amance
Canal de la Marne à la Saône
Voie Romaine
Ancienne Voie Romaine
la Bèze
la Venelle
F. de Champlerreau
la Vèvre
la Dhuys
l'Albane
la Norges
Dijon
Langres
N19
N74
E54
E21
E17
A31
A39

Melay
Blondefontaine
Ranzevelle
Villars-le-Pautel
Aisey-et-Richecourt
Ormoy
Hurecourt
St-Pancras
Girefontaine
Melincourt
Polaincourt-et-Clairefontaine
Saponcourt
Anchenoncourt-et-Chazel
Cuve
Bouligney
Anjeux
Jasney
St-Loup-sur-Semouse
Magnoncourt
Corbenay
Fougerolles
Fontaine-lès-Luxeuil
Raincourt
Barges
Betaucourt
Magny-lès-Jussey
Tartécourt
Cendrecourt
Cemboing
Rosières-sur-Mance
Jussey
Venisey
Senoncourt
Saint-Remy
Cubry-lès-Faverney
Bassigney
Dampierre-lès-Conflans
Plainemont
Ainvelle
Hautevelle
Francalmont
Briaucourt
Luxeuil-les-Bains
Froideconche
St-Sauveur
St-Marcel
Contréglise
Montureux-lès-Baulay
Buffignécourt
Menoux
Bourguignon-lès-Conflans
Conflans-sur-Lanterne
Ormoiche
Breuches
Gevigney-et-Mercey
Montigny-lès-Cherlieu
Fouchécourt
Amance
Ste-Marie-en-Chaux
Abelcourt
Baudoncourt
Velorcey
Aboncourt-Gesincourt
Baulay
Faverney
Mersuay
Équevilley
la Villedieu-en-Fontenette
Meurcourt
Villers-lès-Luxeuil
La Chapelle-lès-Luxeuil
Bougey
Augicourt
Breurey-lès-Faverney
Ailloncourt
Oigney
Lambrey
Purgerot
Fleurey-lès-Faverney
Neurey-en-Vaux
Brotte-lès-Luxeuil
Visoncourt
Citers
Chargey-lès-Port
le Val-St-Éloi
Mailleroncourt-Charette
Servigney
Betoncourt-lès-Brotte
Genevrey
Dambenoît-lès-Colombe
Melin
Semmadon
Arbecey
Conflandey
Amoncourt
Vilory
Villers-sur-Port
Provenchère
la Villeneuve-Bellenoye-et-la-Maize
Varogne
Adelans-et-le-Val-de-Bithaine
Gourgeon
Combeaufontaine
Chaux-lès-Port
Bougnon
Vellefrie
Flagy
Saulx
Châteney
Châtenois
Bouhans-lès-Lure
Amblans-et-Velotte
la Neuvelle-lès-Scey
Cornot
Scey-sur-Saône-et-St-Albin
Port-sur-Saône
Pusy-et-Épenoux
Auxon
Creveney
la Creuse
Pomoy
Genevreuille
Confracourt
Grattery
Vauchoux
Charmoille
Colombier
Colombotte
Velleminfroy
Pusey
Villeparois
Montcey
Calmoutier
Mollans
Vy-lès-Lure
Ferrières-lès-Scey
Chemilly
Montigny-lès-Vesoul
Scye
Coulevon
Comberjon
Vy-lès-Rupt
Rupt-sur-Saône
Chassey-lès-Scey
Pontcey
Vaivre-et-Montoille
Liévans
Grandecourt
Chantes
Ovanches
Bucey-lès-Traves
VESOUL
Frotey-lès-Vesoul
Dampvalley-lès-Colombe
Montjustin-et-Velotte
Theuley
Fédry
Traves
Chariez
Noidans-lès-Vesoul
Navenne
Quincey
Colombe-lès-Vesoul
Noroy-le-Bourg
Oricourt
Tincey-et-Pontrebeau
Aroz
Boursières
Mont-le-Vernois
Villers-le-Sec
Autrey-lès-Cerre
Vanne
Clans
Échenoz-la-Méline
Cerre-lès-Noroy
Borey
Velle-le-Châtel
Andelarre
Vy-le-Ferroux
la Demie
Oppenans
Aillevans
Ray-sur-Saône
Soing-Cubry-Charentenay
Raze
Baignes
Andelarrot
Neurey-lès-la-Demie
Marast
Ferrières-lès-Ray
Noidans-le-Ferroux
Rosey
Velleguindry-et-Levrecey
Vallerois-Lorioz
Vallerois-le-Bois
Autrey-le-Vay
Vellefaux
Fresne-St-Mamès
Vezet
le Pont-de-Planches
Neuvelle-lès-la-Charité
Échenoz-le-Sec
Esprels
Mailley-et-Chazelot
Greucourt
St-Gand
Lieffrans
le Magnoray
Filain
Chassey-lès-Montbozon
Pont-sur-l'Ognon
Vy-lès-Filain
Dampierre-sur-Linotte
Thieffrans
Bonnal
la Vernotte
Bourguignon-lès-la-Charité
Grandvelle-et-le-Perrenot
Cubrial
les Bâties
Maizières
Fontenois-lès-Montbozon
Cognières
Tressandans
Rougemont
Authoison
Roche-sur-Linotte-et-Sorans-les-Cordiers
Bouhans-lès-Montbozon
Montagney-Servigney
Cuse-et-Adrisans
Pennesières
Fretigney-et-Velloreille
La Chapelle-St-Quillain
Vaux-le-Moncelot
Vellemoz
Hyet
Thiénans
Nans
Gondenans-les-Moulins
Étrelles-et-la-Montbleuse
Recologne-lès-Rioz
Fondremand
Villers-Pater
Montbozon
Gouhelans
Quenoche
Ruhans
Ormenans
Besnans
Villers-Chemin-et-Mont-lès-Étrelles
Frasne-le-Château
Villers-Bouton
la Malachère
Loulans-Verchamp
Mondon
Romain
Trésilley
Cenans
Montussaint
Huanne-Montmartin
Mésandans
Maussans
Puessans
Vantoux-et-Longevelle
Vellefrey-et-Vellefrange
Velleclaire
Beaumotte-Aubertans
Avilley
Tallans
Rognon
Trouvans
Viéthorey
Citey
Rioz
Traitiéfontaine
Flagey-Rigney
Ollans
Tournans
Rillans
Bucey-lès-Gy
Oiselay-et-Grachaux
Montarlot-lès-Rioz
Blarians
la Barre
Larians-et-Munans
Battenans-les-Mines
Vergranne
Cordonnet
Germondans
Cendrey
Rougemontot
Sorans-lès-Breurey
Chambornay-lès-Bellevaux
Vandelans
Verne
Voillans
Gy
Bonnevent-Velloreille
Neuvelle-lès-Cromary
Cirey
Rigney
Rignosot
La Tour-de-Sçay
Luxiol
Autechaux
Valleroy
Fontenotte
la Bretenière
Autoreille
Boult
Aulx-lès-Cromary
Chaux-la-Lotière
Thurey-le-Mont
Corcelle-Mieslot
Villers-Grélot
Val-de-Roulans
Baume-les-Dames
Charcenne
Montboillon
Gézier-et-Fontenelay
Cromary
Palise
Moncey
Perrouse
Buthiers
Venise
Chaudefontaine
le Puy
Grosbois
Esnans
Villers-St-Martin
Boulot
Étuz
Bussières
Vieilley
Champoux
l'Écouvotte
Breconchaux
Séchin
Pont-les-Moulins
Courcuire
Cussey-sur-l'Ognon
Bonnay
Voray-sur-l'Ognon
Mérey-Vieilley
Pouligney-Lusans
St-Hilaire
Fourbanne
Chambornay-lès-Pin
Chevroz
Châtillon-Guyotte
Vennans
Silley-Bléfond
Guillon-les-Bains
Avrigney-Virey
Sauvagney
Roulans
Pin
Geneuille
Devecey
Marchaux
Ougney-Douvot
Bretigney-Notre-Dame
Beaumotte-lès-Pin
Vregille
Châtillon-le-Duc
Amagney
Émagny
Moncley
Auxon-Dessus
Tallenay
Braillans
Deluz
Laissey
Adam-lès-Passavant
Brussey
Auxon-Dessous
Miserey-Salines
Novillars
Vaire-le-Petit
Champlive
Dammartin-les-Templiers
St-Juan
Marnay
Chevigney-sur-l'Ognon
Ruffey-le-Château
Chaucenne
Roche-lez-Beaupré
Thise
Vauchamps
Passavant
Recologne
Pelousey
École-Valentin
Chalèze
Vaire-Arcier
Aissey
Noironte
Audeux
Chalezeule
Osse
Glamondans
Burgille
Placey
Pirey
BESANÇON
Cotebrune
Orsans
Franey
Champagney
Pouilley-les-Vignes
Nancray
E
F
G
H
69
87
103
104
N19
E54
N57
E23
A36
E60

88
70
104
105
87
A
B
C
D
1
2
3
4
5
6
Fougerolles
St-Bresson
Amont-et-Effreney
Corravillers
la Longine
Le Thillot
Fresse-sur-Moselle
Bussang
St-Maurice-sur-Moselle
Storckensohn
Husseren-Wesserling
St-Amarin
Mollau
Mitzach
Malmerspach
Moosch
PARC NATUREL RÉGIONAL
Esmoulières
Beulotte-St-Laurent
Château-Lambert
Haut-du-Them-Château-Lambert
Ballon-d'Alsace
Ballon de Servance
Raddon-et-Chapendu
Amage
Ste-Marie-en-Chanois
Faucogney-et-la-Mer
Breuchotte
la Bruyère
la Proiselière-et-Langle
la Voivre
les Fessey
Servance
Miellin
Rimbach-près-Masevaux
Rossberg
Oberbruck
Sewen
Dolleren
Wegscheid
Kirchberg
Niederbruck
Masevaux
Sickert
Bourbach-le-Haut
Bourbach-le-Bas
Froideconche
Esboz-Brest
la Lanterne-et-les-Armonts
Écromagny
la Corbière
Belmont
Magnivray
Rignovelle
Ternuay-Melay-et-St-Hilaire
Belfahy
Riervescemont
Lamadeleine-Val-des-Anges
Sentheim
Belonchamp
Mélisey
Plancher-les-Mines
Lepuix
Auxelles-Haut
Giromagny
Vescemont
Rougemont-le-Château
Lantenot
Linexert
St-Barthélemy
Montessaux
Auxelles-Bas
Rougegoutte
Grosmagny
Leval
Petitefontaine
Lachapelle-sous-Rougemont
Franchevelle
St-Germain
Plancher-Bas
Petitmagny
Étueffont
Romagny-sous-Rougemont
Felon
la Neuvelle-lès-Lure
Malbouhans
Lachapelle-sous-Chaux
Chaux
Bourg-sous-Châtelet
Anjoutey
Angeot
St-Germain-le-Châtelet
Adelans-et-le-Val-de-Bithaine
Froideterre
Ronchamp
Champagney
Sermamagny
Éloie
Lagrange
Bellemagny
Vauthiermont
Lure
la Côte
Magny-Danigon
Errevet
Évette-Salbert
Offemont
Bethonvilliers
Menoncourt
Larivière
Roye
Clairegoutte
Valdoie
Roppe
Denney
Phaffans
Lacollonge
Fontaine
Frais
Reppe
Magny-Vernois
Palante
Frédéric-Fontaine
Échavanne
Frahier-et-Chatebier
Cravanche
Vouhenans
Andornay
Magny-Jobert
Chenebier
Chalonvillars
BELFORT
Bessoncourt
Foussemagne
Chavannes-sur-l'Étang
Frotey-lès-Lure
Lyoffans
Étobon
Essert
Pérouse
Chèvremont
Cunelières
Montreux-Vieux
Vy-lès-Lure
Moffans-et-Vacheresse
Belverne
Bavilliers
Danjoutin
Petit-Croix
Lomont
Mandrevillars
Buc
Urcerey
Vézelois
Montreux-Château
le Val-de-Gouhenans
Courmont
Chagey
Argiésans
Andelnans
Autrechêne
Novillard
Bretagne
la Vergenne
Faymont
Échenans-sous-Mont-Vaudois
Botans
Meroux
Luze
Dorans
Moval
Brebotte
Gouhenans
Athesans-Étroitefontaine
Couthenans
Banvillars
Sevenans
Charmois
Grosne
Vellescot
Mignavillers
Champey
Héricourt
Bermont
Brevilliers
Trévenans
Recouvrance
Longevelle
Villafans
Coisevaux
Verlans
Granges-le-Bourg
Saulnot
Trémoins
Châtenois-les-Forges
Bourogne
Froidefontaine
Senargent-Mignafans
St-Sulpice
Granges-la-Ville
le Vernoy
Tavey
Morvillars
Grandvillars
Villers-la-Ville
Beveuge
Secenans
Villers-sur-Saulnot
Chavanne
Aibre
Vyans-le-Val
Laire
Dambenois
Nommay
Allenjoie
Joncherey
Faverois
St-Ferjeux
Vellechevreux-et-Courbenans
Crevans-et-la-Chapelle-lès-Granges
Désandans
Semondans
Raynans
Bethoncourt
Brognard
Méziré
Villersexel
Villargent
Georfans
Gémonval
Arcey
Échenans
Issans
MONTBÉLIARD
Sochaux
Vieux-Charmont
Fesches-le-Châtel
Thiancourt
Delle
les Magny
Marvelise
Courchaton
St-Julien-lès-Montbéliard
Allondans
Ste-Suzanne
Étupes
Dampierre-les-Bois
Fêche-l'Église
Boncourt
Mélecey
Grammont
Bournois
Ste-Marie
Présentevillers
Dung
Courcelles-lès-Montbéliard
Exincourt
Taillecourt
Badevel
Lebetain
Fallon
Onans
Montenois
Bavans
Bart
Arbouans
Audincourt
Dasle
Beaucourt
Montbouton
Cubry
Abbenans
Accolans
Geney
Faimbe
Bretigney
Dampierre-sur-le-Doubs
Voujeaucourt
Valentigney
Mandeure
Seloncourt
St-Dizier-l'Évêque
Vandoncourt
Villars-le-Sec
Cuse-et-Adrisans
Étrappe
Lougres
Berche
Étouvans
Nans
Uzelle
Beutal
Médière
Longevelle-sur-Doubs
Colombier-Fontaine
Hérimoncourt
Croix
Gondenans-les-Moulins
Mancenans
Appenans
Soye
la Prétière
St-Maurice-Colombier
L'Isle-sur-le-Doubs
Blussangeaux
Écot
Mathay
Bondeval
Abbévillers
Thulay
Fahy
Fontenelle-Montby
Gondenans-Montby
Rang
Pompierre-sur-Doubs
Villars-sous-Écot
Bourguignon
Roches-lès-Blamont
Meslières
Courtedoux
Viéthorey
Fontaine-lès-Clerval
Blussans
Glay
Écurcey
Autechaux-Roide
Grandfontaine
Chevenez
Santoche
Sourans
Goux-lès-Dambelin
Lanthenans
Blamont
Dannemarie
Rocourt
Vergranne
St-Georges-Armont
Hyémondans
Pont-de-Roide
Villars-lès-Blamont
Réclère
Roche-d'Or
l'Hôpital-St-Lieffroy
Clerval
Neuchâtel-Urtière
Voillans
Anteuil
Dambelin
Pierrefontaine-lès-Blamont
Damvant
Branne
Chaux-lès-Clerval
Rémondans-Vaivre
Hyèvre-Paroisse
Montjoie-le-Château
Roche-lès-Clerval
Montécheroux
Hyèvre-Magny
Montagnes du Lomont
Villars-sous-Dampjoux
Glère
Baume-les-Dames
Crosey-le-Grand
Vellerot-lès-Belvoir
Vyt-lès-Belvoir
Feule
Noirefontaine
Chamesol
Vaufrey
Crosey-le-Petit
Valonne
Solemont
Dampjoux
Liebvillers
Villers-St-Martin
Lomont-sur-Crête
Vernois-lès-Belvoir
les Terres-de-Chaux (Chaux-lès-Châtillon)
Soulce-Cernay
Pont-les-Moulins
Cusance
Chazot
Orve
Rahon
Belvoir
Péseux
Bief
St-Hippolyte
Courtefontaine
Indevillers
Guillon-les-Bains
Montivernage
Randevillers
Rosières-sur-Barbèche
Fleurey
Montandon
les Plains-et-Grands-Essarts
Vellevans
Servin
Sancey-le-Long
Froidevaux
Valoreille
Vautenaivre
Lanans
Provenchère
Sancey-le-Grand
Vauclusotte
Trévillers
Vaudrivillers
Surmont
la Grange
Orgeans-Blanchefontaine
Thiébouhans
Fessevillers
Ferrières-le-Lac
les Bréseux
Goumois
Ouvans
Belleherbe
Mancenans-Lizerne
Courtetain-et-Salans
Laviron
Vaucluse
Battenans-Varin
Cernay-l'Église
Belfays
Urtière
Saignelégier
Landresse
Cour-St-Maurice
Maîche
Damprichard
Muriaux
Charmauvillers
les Emibois
Orsans
Vellerot-lès-Vercel
Charmoille
Mont-de-Vougney

89
71
105
E
F
G
H
1
2
3
4
5
6
Ensisheim
Ungersheim
Bollwiller
Feldkirch
Hartmannswiller
Wuenheim
Berrwiller
Pulversheim
Ruelisheim
Battenheim
Wittenheim
Baldersheim
Forêt Domaniale de la Hardt
Hardt Nord
Rumersheim-le-Haut
Blodelsheim
Chalampé
Neuenburg
Müllheim
Zienken
Hügelheim
Seefelden
Buggingen
Betberg
Sankt Ilgen
Dattingen
Britzingen
Sulzburg
Zunzingen
Oberweiler
Badenweiler
Niederweiler
Vögisheim
Auggen
Lipburg
Blauen
Willer-sur-Thur
Bitschwiller-lès-Thann
Steinbach
Uffholtz
Vieux-Thann
Thann
Cernay
Staffelfelden
Wittelsheim
Kingersheim
Illzach
Sausheim
Ottmarsheim
Usine Hydro-Électrique d'Ottmarsheim
Steinenstadt
Feldberg
Obereggenen
Marzell
Kaltenbach
Leimbach
Rammersmatt
Roderen
Richwiller
Pfastatt
Lutterbach
MULHOUSE
Hombourg
Schliengen
Mauchen
Niedereggenen
Kasacker
Vogelbach
Aspach-le-Haut
Aspach-le-Bas
Schweighouse-Thann
Reiningue
Michelbach
Guewenheim
Rixheim
Riedisheim
Dom. de la Hardt
Petit-Landau
Bad Bellingen
Liel
Feuerbach
Sitzenkirch
Kandern
Malsburg
Burnhaupt-le-Haut
Burnhaupt-le-Bas
Morschwiller-le-Bas
Heimsbrunn
Didenheim
Brunstatt
Zimmersheim
Habsheim
Niffer
Bamlach
Hertingen
Ettingen
Riedlingen
Tannenkirch
Holzen
Hammerstein
Nebenau
Rheinweiler
Blansingen
Welmlingen
Mappach
Galfingue
Hochstatt
Bruebach
Flaxlanden
Eschentzwiller
Dietwiller
Landser
Kembs
Kleinkems
Huttingen
Wintersweiler
Wollbach
Wittlingen
Diefmatten
Bretten
Sternenberg
Bernwiller
Froeningen
Zillisheim
Schlierbach
Geispitzen
Usine Hydro-Électrique de Kembs
Istein
Efringen-Kirchen
Egringen
Schallbach
Hecken
Guevenatten
Gildwiller
Ammerzwiller
Spechbach-le-Haut
Spechbach-le-Bas
Illfurth
Steinbrunn-le-Bas
Steinbrunn-le-Haut
Traubach-le-Haut
Falkwiller
Balschwiller
St-Bernard
Eglingen
Luemschwiller
Waltenheim
Sierentz
Fischingen
Rümmingen
Haagen
Hauingen
Bréchaumont
Traubach-le-Bas
Buethwiller
Hagenbach
Heidwiller
Tagolsheim
Walheim
Rantzwiller
Kœtzingue
Uffheim
Magstatt-le-Bas
Bartenheim
Rosenau
Eimeldingen
Binzen
Märkt
Lörrach
Elbach
Wolfersdorf
Gommersdorf
Aspach
Obermorschwiller
Wahlbach
Heiwiller
Magstatt-le-Haut
Stetten
Brinckheim
Kappelen
Réserve Naturelle de la Petite Camargue Alsacienne
Village-Neuf
Ötlingen
Haltingen
Tüllingen
Weil am Rhein
Retzwiller
Dannemarie
Carspach
Altkirch
Wittersdorf
Schwoben
Emlingen
Tagsdorf
Zaessingue
Helfrantzkirch
Blotzheim
Bâle-Mulhouse
Huningue
St-Louis
Ballersdorf
Manspach
Altenach
Romagny
Magny
Hausgauen
Hundsbach
Franken
Jettingen
Michelbach-le-Bas
Hirtzbach
Fulleren
Hirsingue
Bettendorf
Berentzwiller
Ranspach-le-Bas
Hésingue
BASEL (Bâle)
Riehen
Bettingen
St-Ulrich
Mertzen
Strueth
Chavanatte
Hindlingen
Friesen
Heimersdorf
Willer
Henflingen
Grentzingen
Oberdorf
Ranspach-le-Haut
Michelbach-le-Haut
Attenschwiller
Buschwiller
Hegenheim
Allschwil
Binningen
Grenzach
Birsfelden
Wyhlen
Kaiseraugst
Suarce
Largitzen
Ueberstrass
Seppois-le-Haut
Seppois-le-Bas
Lepuix-Neuf
Feldbach
Ruederbach
Waldighofen
Steinsoultz
Knœringue
Muespach
Riespach
Roppentzwiller
Muespach-le-Haut
Folgensbourg
Wentzwiller
Schönenbuch
Bottmingen
Muttenz
Pratteln
Courtelevant
Réchésy
Pfetterhouse
Bisel
Durmenach
SUNDGAU
Werentzhouse
Hagenthal-le-Haut
Hagenthal-le-Bas
Neuwiller
Oberwil
Biel
Münchenstein
Frenkendorf
Florimont
Courcelles
Montignez
Beurnevésin
Mooslargue
Mœrnach
Kœstlach
Vieux-Ferrette
Ferrette
Bouxwiller
Fislis
Linsdorf
Bettlach
Leymen
Liebenswiller
Rodersdorf
Benken
Therwil
Reinach
Arlesheim
Bad Schauenburg
Bonfol
Lugnez
Durlinsdorf
Bendorf
Oltingue
Sondersdorf
Bättwil
Witterswil
Flüh
Ettingen
Dornachbrugg
Dornach
Gempen
Goetheanum
Damphreux
Liebsdorf
Ligsdorf
Raedersdorf
Biederthal
Mariastein
Hofstetten
Klus
Aesch
Angenstein
St-Pantaléon
Ajoie
Courtemaîche
Vendlincourt
Courtavon
Oberlarg
Winkel
le Glaserberg
Lutter
Wolschwiller
Burg
Metzerlen
Blauen
Pfeffingen
Nenzlingen
Hochwald
Büren
Duggingen
Grellingen
Coeuve
Levoncourt
Lucelle
Kiffis
Dittingen
Zwingen
Seewen
Courchavon
Roggenburg
Ederswiler
Kleinlützel
Röschenz
Brislach
Himmelried
Alle
Miécourt
Charmoille
Pleujouse
Ferme de Löwenburg
Räschberg
Huggerwald
Laufen
Breitenbach
Brand
Bretzwil
Porrentruy
Fontenais
Courgenay
Cornol
Fregiécourt
Asuel
Pleigne
Movelier
Liesberg
Wahlen
Fehren
Büsserach
Zullwil
Nunningen
Lauwil
Courtemautruy
Villars
Bressaucourt
Mont Terri
Les Rangiers
Montavon
Bourrignon
Mettembert
la Chaive
Soyhières
Chap. de Vorbourg
les Champés
Bärschwil
Grindel
Erschwil
Meltingen
Beinwil
Kasel
Passwang
Seleute
St-Ursanne
Montmelon
SépraiS
Develier-Dessus
Delémont
Courroux
Courcelon
Montsevelier
Ramiswil
Ocourt
Montenol
Boécourt
Develier
Rossemaison
Recolaine
Vicques
Courchapoix
Corban
Mervelier
Hohe Winde
Bremoncourt
Bassecourt
Courtételle
Courrendlin
Vermes
Schelten
Sonnenberg
Hongen
Laupersdorf
Matzendorf
Epiquerez
Epauvillers
Glovelier
Berlincourt
Courfaivre
Châtillon
Choindez
Rebeuvelier
Envelier
Seehof
Aedermannsdorf
Dünnerne
Montfavergier
Cluse de la Sorne
Undervelier
Soulce
Vellerat
Hautes Roches
Roches
Cluse des Roches
Corcelles
Herbetswil
Elsenhammer
Müli
Soubey
St-Brais
Saulcy
Rebévelier
Gorges du Pichoux
Montagne de Moutier
Gorges de Moutier
Crémines
Welschenrohr
Leberen
Wolfisberg
Les Enfers
Montfaucon
les Sairains
Lajoux
Fornet-Dessous
Monible
le Pichoux
les Ecorcheresses
Moutier
Grandval
Eschert
Gänsbrunnen
Günsberg
Farnern
Rumisberg
Oberbipp
Kammersrohr
Attiswil
Fornet-Dessus
Châtelat
Sornetan
Souboz
Perrefitte
Graitery
Backihaus
Balm-bei-Gunsbo
Niederwil
Hubersdorf
Wiedlisbach
Bellelay
Abb. de Bellelay
Champoz
Cluse de Court
Gorges de Court
Weissenstein
Rüttenen
Riedholz
Wangen
Flumenthal
les Rouges Terres
les Genevez
Saules
Loveresse
Pontenet
Sorvilier
Court
Hasenmatt
Holz
Oberdorf
Montagnes
le Fuet
Saicourt
Chaindon
Malleray
Bévilard
le Montoz
Lommiswil
Langendorf
Bellach
Widlisbach
Feldbrunnen-St-Niklaus
Wangenried
la Chaux-des-Breuleux
les Reussilles
Reconvilier
Tavannes
Allmend
Birsfelden
Selzach
Haag
Zuchwil
Solothurn
Lüterbach
Derendingen
Subingen
Inkwil

Pointe de l'Herbaudière
Anc. Abb. de la Blanche
Pointe des Charniers
Bourgneuf
Lanterne des Morts
la Croix
l'Ourière
la Glémerie
la Joussamère
Bourgneuf-en-Retz
73
74
A
B
C
D
l'Herbaudière
la Madeleine
le Grand Vieil
Phare des Dames
Plage de Luzeronde
Noirmoutier-en-l'Île
Crypte
Réserve Naturelle des Marais de Mullembourg
la Bosse
l'Épine
la Guérinière
le Fier
Île de Noirmoutier
Port du Collet
les Rivières aux Guérins
St-Cyr-en-Retz
Fresnay-en-Retz
la Haute Folie
Loyau
le Sud
la Neuve
le Port-la-Roche
les Brochets
Port des Champs
Bouin
la Frette
Chélevé
le Falleron
la Vacheresse
les Rochettes
Barbâtre
Passage du Gois (Praticable à marée basse)
les Onchères
le Frêne
le Marais Salé
MARAIS
BRETON
Bois-de-Céné
la Frandière
la Fosse
l'Epoids
la Chauvinerie
Abb.
l'Île Chauvet
la Croix Rouge
Beauvoir-sur-Mer
la Chapelle
Châteauneuf
le Petit Moulin
la Loge
Phare de la Fromentine
Fromentine
le Grand Pont
St-Gervais
la Pierre Blanche
Base de Loisirs
la Barre-de-Monts
les Morandières
St-Urbain
Belle-Fontaine
les Quatre Moulins
la Croix Joslain
le Mollin
la Graffinière
le Pré Cheminée
Mln à Vent de Rairé
Sallertaine
Pont Habert
Challans
Notre-Dame-de-Monts
la Grande Croix
le Vieux Cerne
la Vairée
la Botte
la Lande
le Perrier
Île d'Yeu, 45 mn
les Vignes
le Bois Notaire
Chât. de la Vérie
la Bloire
Soullans
les Mattes
Garanger
St-Jean-de-Monts
Atlantis
Orouet
Chât. Fort
Villevert
Pointe du But
Dolmens
l'Île-d'Yeu (Port Joinville)
Notre-Dame-de-Riez
Villeneuve
Dolmen de la Pierre Folle
Côte
Île d'Yeu
le Grand Phare
Chât.
St-Sauveur
Menhir
la Pège
le Pissot
le Pont
Beaulieu
le Pas Opton
le Vigneau
Pointe du Châtelet
Port de la Meule
la Croix
St-Hilaire-de-Riez
Sion sur l'Océan
le Plessis
le Fenouiller
la Ganacherie
Pointe de la Tranche
Sauvage
Corniche Vendéenne
St-Gilles-Croix-de-Vie
Givrand
Chât. de Beaumarchais
la Sauzaie
la Chaize-Giraud
la Parée
Bretignolles-sur-Mer
le Marais Girard
Parc de Loisirs
Brem-sur-Mer
les Granges
la Salaire
Menhir la Conche Verte
F. Dom. d'Olonne
la Girvière
la Chaume
Fort St-Nicolas
Phare de l'Armandèche
1
2
3
4
5
6
D948
D38
D95
D758
D21
D59
D22
D103
D51
D82
D753
D32
D754
D6
D12
D123

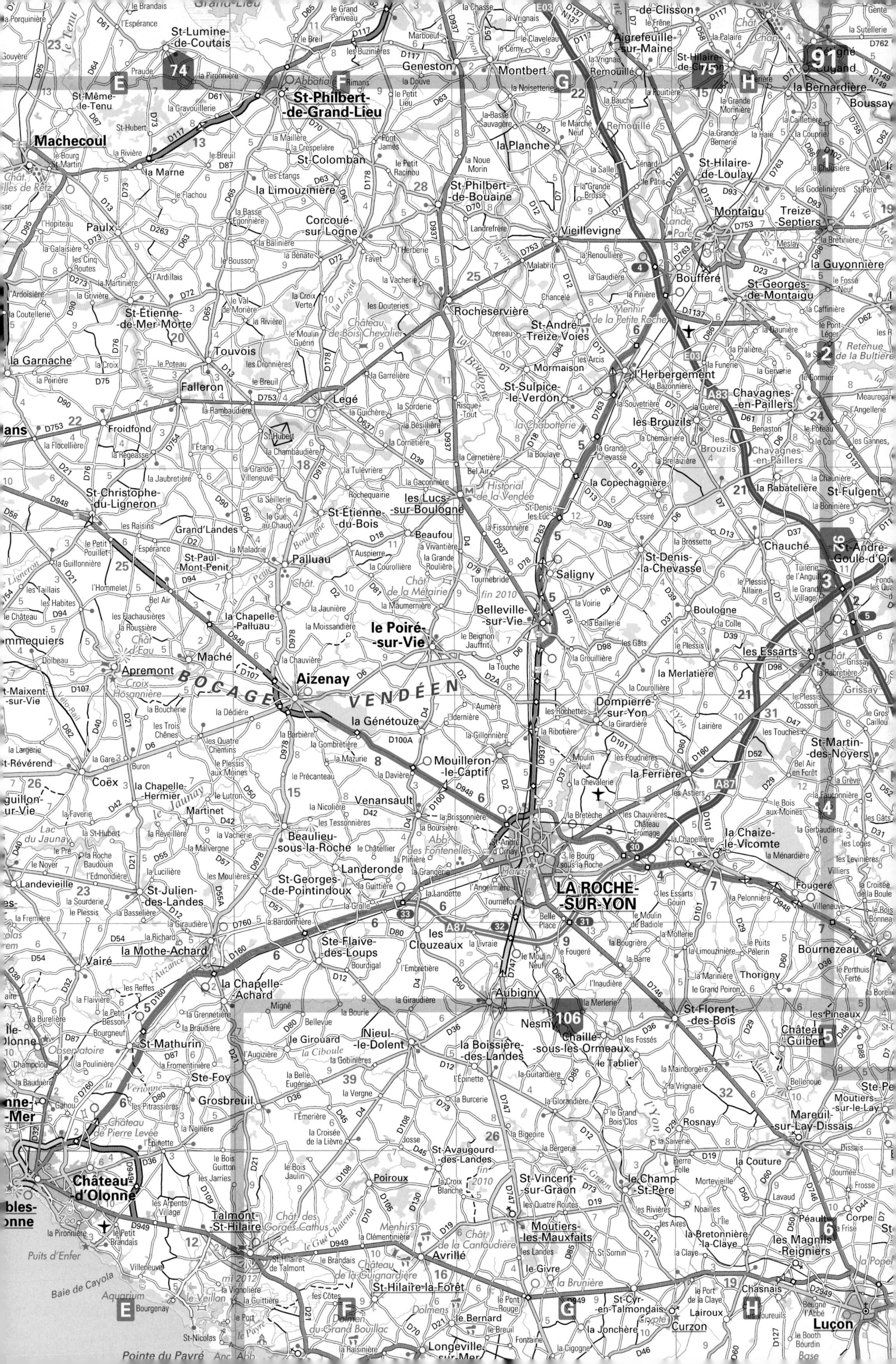

St-Lumine-de-Coutais
St-Philbert-de-Grand-Lieu
Geneston
Montbert
Aigrefeuille-sur-Maine
Remouillé
St-Hilaire-de-Clisson
la Bernardière
Boussay
Cugand
Machecoul
St-Même-le-Tenu
St-Colomban
la Planche
la Marne
la Limouzinière
St-Philbert-de-Bouaine
St-Hilaire-de-Loulay
Montaigu
Treize-Septiers
Paulx
Corcoué-sur-Logne
Vieillevigne
Boufféré
la Guyonnière
St-Georges-de-Montaigu
St-Étienne-de-Mer-Morte
Rocheservière
St-André-Treize-Voies
Touvois
Mormaison
l'Herbergement
la Garnache
Falleron
Legé
St-Sulpice-le-Verdon
Chavagnes-en-Paillers
Froidfond
les Brouzils
St-Christophe-du-Ligneron
les Lucs-sur-Boulogne
la Copechagnière
la Rabatelière
St-Fulgent
Grand'Landes
St-Étienne-du-Bois
Beaufou
Chauché
St-André-Goule-d'Oie
St-Paul-Mont-Penit
Palluau
Saligny
St-Denis-la-Chevasse
la Chapelle-Palluau
Belleville-sur-Vie
Boulogne
le Poiré-sur-Vie
les Essarts
Maché
Apremont
Aizenay
BOCAGE VENDÉEN
la Merlatière
Dompierre-sur-Yon
la Génétouze
St-Martin-des-Noyers
Mouilleron-le-Captif
la Ferrière
Coëx
la Chapelle-Hermier
Martinet
Venansault
la Chaize-le-Vicomte
Beaulieu-sous-la-Roche
Landevieille
St-Julien-des-Landes
St-Georges-de-Pointindoux
Landeronde
LA ROCHE-SUR-YON
Fougeré
la Mothe-Achard
Vairé
Ste-Flaive-des-Loups
les Clouzeaux
Bournezeau
la Chapelle-Achard
Aubigny
Thorigny
Nesmy
St-Florent-des-Bois
Château-Guibert
St-Mathurin
Nieul-le-Dolent
la Boissière-des-Landes
Chaillé-sous-les-Ormeaux
le Tablier
Ste-Foy
Grosbreuil
Rosnay
Mareuil-sur-Lay-Dissais
St-Avaugourd-des-Landes
Château-d'Olonne
Poiroux
St-Vincent-sur-Graon
le Champ-St-Père
Talmont-St-Hilaire
Moutiers-les-Mauxfaits
la Bretonnière-la-Claye
les Magnils-Reigniers
Avrillé
St-Hilaire-la-Forêt
Chasnais
St-Cyr-en-Talmondais
Curzon
Luçon
Longeville-sur-Mer
Pointe du Payré

LES MAUGES
92
76
75
106
107
Beaupréau
Chemillé
CHOLET
Mortagne-sur-Sèvre
les Herbiers
Mauléon
Pouzauges
Chantonnay
Cerizay
Maulévrier
Jallais
la Jubaudière
Andrezé
St-Philbert-en-Mauges
Bégrolles-en-Mauges
le May-sur-Èvre
St-Macaire-en-Mauges
St-André-de-la-Marche
St-Léger-sous-Cholet
Trémentines
St-Georges-des-Gardes
Vezins
Coron
la Tourlandry
Melay
Cossé-d'Anjou
la Salle-de-Vihiers
Valanjou
Chanzeaux
la Chapelle-Rousselin
le Fief-Sauvin
la Poitevinière
Gesté
la Regrippière
la Chaussaire
le Puiset-Doré
Villedieu-la-Blouère
la Chapelle-du-Genêt
Tillières
St-Germain-sur-Moine
Montfaucon-Montigné
St-Crespin-sur-Moine
Roussay
la Renaudière
la Romagne
la Séguinière
Torfou
Boussay
la Bruffière
Tiffauges
le Longeron
St-Christophe-du-Bois
St-Aubin-des-Ormeaux
St-Martin-des-Tilleuls
la Boissière-de-Montaigu
les Landes-Genusson
la Verrie
la Gaubretière
Beaurepaire
Bazoges-en-Paillers
St-Fulgent
Mesnard-la-Barotière
Vendrennes
Ste-Florence
l'Oie
Mouchamps
Ste-Cécile
St-Vincent-Sterlanges
St-Germain-de-Prinçay
Sigournais
St-Hilaire-le-Vouhis
Chambretaud
St-Laurent-sur-Sèvre
St-Malô-du-Bois
Treize-Vents
Mallièvre
les Epesses
St-Mars-la-Réorthe
St-Michel-Mont-Mercure
la Flocellière
St-Paul-en-Pareds
le Boupère
Rochetrejoux
St-Prouant
Monsireigne
Chavagnes-les-Redoux
la Meilleraie-Tillay
Réaumur
Montournais
Menomblet
St-Pierre-du-Chemin
Tallud-Ste-Gemme
St-Germain-l'Aiguiller
Mouilleron-en-Pareds
Cheffois
la Tardière
Bazoges-en-Pareds
la Jaudonnière
Thouarsais-Bouildroux
la Caillère-St-Hilaire
St-Maurice-le-Girard
la Châtaigneraie
Antigny
Breuil-Barret
St-Paul-en-Gâtine
l'Absie
Loge-Fougereuse
St-Martin-Lars-en-Ste-Hermine
St-Sulpice-en-Pareds
la Réorthe
Mazières-en-Mauges
Toutlemonde
Nuaillé
Chanteloup-les-Bois
la Plaine
Yzernay
la Tessoualle
St-Pierre-des-Échaubrognes
les Cerqueux
St-Amand-sur-Sèvre
les Châtelliers-Châteaumur
la Pommeraie-sur-Sèvre
la Petite-Boissière
Combrand
le Pin
Bretignolles
Montravers
Cirières
St-Mesmin
St-André-sur-Sèvre
la Forêt-sur-Sèvre
Courlay
St-Jouin-de-Milly
Moutiers-sous-Chantemerle
Somloire
Lac de Verdon
Parc Oriental
Forêt de Nuaillé
Monument de la Roche Jacquelin
Château du Puy du Fou
le Grand Parc
Mont des Alouettes
COLLINES VENDÉENNES
Anc. Abbaye de la Grainetière
Château du Parc Soubise
Tombe de Clemenceau
Prieuré de Chassay-Grammont
Retenue de Rochereau
Retenue de la Bultière
Dolmen
Puy Crapaud
A87
A83
E62
N249
N149
N160
D960
D752
D160
Sèvre Nantaise

SAUMUR
93
Champ-sur-Layon
Faveraye-Mâchelles
Martigné-Briand
Brigné
Aubigné-sur-Layon
Louresse-Rochemenier
Dénezé-sous-Doué
Rou-Marson
Distré
Souzay-Champigny
Parnay
Turquant
Doué-la-Fontaine
Tigné
St-Georges-sur-Layon
la Fosse-de-Tigné
Montilliers
Cernusson
Trémont
Tancoigné
Concourson-sur-Layon
Montfort
Cizay-la-Madeleine
Courchamps
Artannes-sur-Thouet
St-Cyr-en-Bourg
le Coudray-Macouard
St-Just-sur-Dive
Brézé
Camp Militaire de Fontevraud
Vihiers
les Verchers-sur-Layon
Brossay
Vaudelnay
Montreuil-Bellay
Épieds
Saix
Roiffé
Passavant-sur-Layon
Nueil-sur-Layon
Cléré-sur-Layon
St-Macaire-du-Bois
le Puy-N.-D.
les Cerqueux-sous-Passavant
St-Paul-du-Bois
Bouillé-Loretz
St-Martin-de-Sanzay
Morton
Antoigné
Pouançay
Berrie
St-Léger-de-Montbrillais
les Trois-Moutiers
Genneton
Cersay
St-Maurice-la-Fougereuse
Argenton-l'Église
Brion-près-Thouet
St-Cyr-la-Lande
Tourtenay
Ulcot
Bouillé-St-Paul
Étusson
Massais
Ste-Verge
Louzy
Ternay
Curçay-sur-Dive
Argenton-les-Vallées
le Breuil-sous-Argenton
St-Martin-de-Mâcon
Ranton
Glénouze
Ste-Radegonde
Mauzé-Thouarsais
Thouars
St-Léger-de-Montbrun (Vrère)
Pas-de-Jeu
St-Laon
St-Jacques-de-Thouars
St-Jean-de-Thouars
St-Clémentin
la Coudre
Moutiers-sous-Argenton
Missé
Oiron
Nueil-les-Aubiers
Voultegon
St-Aubin-du-Plain
la Chapelle-Gaudin
Coulonges-Thouarsais
Luché-Thouarsais (la Bourelière)
Luzay
Taizé
94
Brie
Ste-Gemme
St-Varent
St-Généroux
St-Jouin-de-Marnes
Moncontour
Geay
Pierrefitte
Glénay
Availles-Thouarsais
Bressuire
Faye-l'Abbesse
Boussais
Marnes
Airvault
Tessonnière
Louin
Chiché
la Grimaudière
St-Loup-Lamairé
Assais-les-Jumeaux
Boismé
Maisontiers
Chanteloup
la Chapelle-St-Laurent
Amailloux
le Chillou
Craon
Pugny
le Breuil-Bernard
Lageon
Pressigny
Aubigny
Gourgé
Doux
Clessé
St-Germain-de-Longue-Chaume
Cherves
Thénezay
Largeasse
Lhoumois
Viennay
Trayes
Fénery
Adilly
Neuvy-Bouin
Oroux
Châtillon-sur-Thouet
la Peyratte
Pougne-Hérisson
Parthenay
la Ferrière-en-Parthenay
Chalandray
Ayron
St-Aubin-le-Cloud
Vernoux-en-Gâtine
le Tallud
107
la Chapelle-Bertrand
108
Azay-sur-Thouet
Secondigny
Pompaire
Saurais
E
F
G
H
1
2
3
4
5
6

94
Varennes-sur-Loire
Chouzé-sur-Loire
Montsoreau
Candes-St-Martin
St-Germain-sur-Vienne
Fontevraud-l'Abbaye
Bourgueil
Restigné
St-Nicolas-de-Bourgueil
la Chapelle-sur-Loire
Rigny-Ussé
Huismes
Avoine
Centrale Électrique d'Avoine-Chinon
Savigny-en-Véron
Beaumont-en-Véron
Chinon
Forêt Domaniale de Chinon
Landes du Ruchard
Azay-le-Rideau
Artannes-sur-Indre
Monts
Pont-de-Ruan
Saché
Villaines-les-Rochers
Thilouze
Villeperdue
Sainte-Maure-de-Touraine
Neuil
Cravant-les-Côteaux
Avon-les-Roches
Crissay-sur-Manse
St-Épain
Anché
Sazilly
Rivière
la Roche-Clermault
Seuilly
Lerné
Roiffé
Couziers
Thizay
Cinais
Tavant
l'Île-Bouchard
Crouzilles
Ste-Maure-de-Touraine
Bournand
les Trois-Moutiers
Ligré
Marçay
Lémeré
Champigny-sur-Veude
Parçay-sur-Vienne
Pouzay
Rilly-sur-Vienne
Chaveignes
Richelieu
la Tour-St-Gelin
Luzé
Verneuil-le-Château
Marcilly-sur-Vienne
Nouâtre
Maillé
la Celle-St-Avant
Ports
Pussigny
Port-de-Piles
Antogny-le-Tillac
les Ormes
Loudun
Basses
Sammarçolles
Ceaux-en-Loudun
Messemé
Pouant
Braye-sous-Faye
Braslou
Razines
Marigny-Marmande
Mouterre-Silly
la Roche-Rigault
Maulay
Nueil-sous-Faye
Faye-la-Vineuse
Angliers
Dercé
Jaulnay
Mondion
Vellèches
Dangé-St-Romain
Martaizé
Aulnay
Guesnes
Monts-sur-Guesnes
Princay
St-Christophe
Leigné-sur-Usseau
Vaux-sur-Vienne
la Chaussée
Berthegon
Sérigny
St-Gervais-les-Trois-Clochers
Châtellerault-Antran
Orches
Savigny-sous-Faye
Usseau
Ingrandes
Oyré
St-Jean-de-Sauves
Coussay
Doussay
Sossais
Antran
Chouppes
Thuré
St-Genest-d'Ambière
Lencloître
Scorbé-Clairvaux
CHÂTELLERAULT
Mazeuil
Mirebeau
St-Sauveur
Amberre
Ouzilly
Colombiers
Cenon-sur-Vienne
Cuhon
Varennes
Thurageau
Naintré
Massognes
Marigny-Brizay
Vendeuvre-du-Poitou
Beaumont
Availles-en-Châtellerault
Maisonneuve
Champigny-le-Sec
Vouzailles
Chabournay
St-Cyr
Monthoiron
Charrais
Dissay
Vouneuil-sur-Vienne
Maillé
Neuville-de-Poitou
Yversay
Jaunay-Clan
Bonneuil-Matours
Ayron
Villiers
St-Georges-lès-Baillargeaux
Frozes
Avanton
Futuroscope
Archigny
Vouillé
Cissé
Chasseneuil-du-Poitou
Chiré-en-Montreuil
Migné-Auxances
la Chapelle-Moulière
Bellefonds
108
109

Montbazon
Veigné
Esvres
Truyes
Cormery
Sublaines
Épeigné-les-Bois
Hé-la-Ronde
Sorigny
St-Branchs
Reignac-sur-Indre
Tauxigny
Azay-sur-Indre
Chédigny
St-Quentin-sur-Indrois
Genillé
Le Liège
Orbigny
Louans
St-Bauld
Chambourg-sur-Indre
Beaumont-Village
le Louroux
Dolus-le-Sec
Chemillé-sur-Indrois
Montrésor
Ste-Catherine-de-Fierbois
Manthelan
Chanceaux-près-Loches
Ferrière-sur-Beaulieu
Villeloin-Coulangé
Loches
Beaulieu-lès-Loches
Bossée
Perrusson
Sennevières
Loché-sur-Indrois
La Chapelle-Blanche-St-Martin
Vou
Mouzay
St-Jean-St-Germain
Sepmes
Bournan
Varennes
Ciran
Verneuil-sur-Indre
St-Hippolyte
Ligueil
Esves-le-Moutier
St-Senoch
Villedômain
Cussay
Bridoré
St-Cyran-du-Jambot
Fléré-la-Rivière
Ferrière-Larçon
Neuilly-le-Brignon
Paulmy
Betz-le-Château
Châtillon-sur-Indre
St-Médard (la Févrie)
Descartes
St-Flovier
Abilly
la Celle-Guenand
le Grand-Pressigny
le Petit-Pressigny
Charnizay
Obterre
Cléré-du-Bois
Murs
Clion
Palluau-sur-Indre
Arpheuilles
la Guerche
Villiers
Barrou
Chaumussay
Saulnay
Mairé
Preuilly-sur-Claise
Azay-le-Ferron
Paulnay
Lésigny
Chambon
Boussay
Bossay-sur-Claise
Mézières-en-Brenne
Coussay-les-Bois
Martizay
St-Michel-en-Brenne
Yzeures-sur-Creuse
la Roche-Posay
Leigné-les-Bois
Néons-sur-Creuse
Lingé
Lureuil
Pleumartin
Tournon-St-Pierre
Tournon-St-Martin
Vicq-sur-Gartempe
Lurais
Angles-sur-l'Anglin
Preuilly-la-Ville
Douadic
Rosnay
St-Pierre-de-Maillé
Fontgombault
Pouligny-St-Pierre
Sauzelles
le Blanc
la Puye
PARC NATUREL RÉGIONAL DE LA BRENNE
Forêt Domaniale de Loches
78
79
95
96
109
110
E
F
G
H
1
2
3
4
5
6

96
Mareuil-sur-Cher
Noyers-sur-Cher
St-Aignan
Forêt de Gros-Bois
l'Étg des Barons
Châtillon-sur-Cher
Selles-sur-Cher
la Sauldre
I.G.N. Sologne
Villefranche-sur-Cher
80
Gièvres
St-Julien-sur-Cher
Langon
Mennetou-sur-Cher
A85
E604
Parc de Beauval
Seigy
Couffy
Meusnes
Chabris
la Chapelle-Montmartin
St-Loup
Étg de Maray
Maray
Châteauvieux
Lye
Fontguenand
Varennes-sur-Fouzon
Menetou-sur-Nahon
Sembleçay
Coulommiers
Forêt de Brouard
Villentrois
Parpeçay
St-Christophe-en-Bazelle
Dun-le-Poëlier
Anjouin
Genouilly
Faverolles
Forêt de Gâtine
Valençay
Ste-Cécile
Bagneux
Grand Labyrinthe de Napoléon
Poulaines
Orville
Graçay
Nouans-les-Fontaines
Luçay-le-Mâle
Veuil
Buxeuil
St-Outrille
Vicq-sur-Nahon
Reboursin
Écueillé
Aize
les Champs d'Amour
Langé
Guilly
St-Florentin
Vatan
Meunet-sur-Vatan
Baudres
Rouvres-les-Bois
Gehée
Fontenay
la Chapelle-St-Laurian
Jeu-Maloches
Bouges-le-Château
Selles-sur-Nahon
Abb. N.-D. du Landais
Heugnes
Liniez
Frédille
Moulins-sur-Céphons
Bretagne
Ménétréols-sous-Vatan
Pellevoisin
St-Martin-de-Lamps
95
Palluau-sur-Indre
Villegouin
St-Pierre-de-Lamps
Levroux
Lizeray
Sougé
Brion
Argy
Francillon
St-Valentin
St-Genou
Lanterne des Morts
la Champenoise
Villegongis
Buzançais
St-Lactencin
Vineuil
Chezelles
Coings
Neuvy-Pailloux
Villers-les-Ormes
Montierchaume
Ste-Gemme
Villedieu-sur-Indre
Ste-Fauste
la Chapelle-Orthemale
Déols
Niherne
St-Maur
Diors (Fourches)
Vendœuvres
Étang Bellebouche
CHÂTEAUROUX
Mâron
Étrechet
Neuillay-les-Bois
Grand Étg de Grandeffe
Forêt de Lancosme
le Poinçonnet
Forêt Domaniale de Châteauroux
Sassierge-St-Germa
Méobecq
Luant
Ardentes
Migné
Val d'Indre
la Pérouille
Lothiers
Velles
Arthon
Nuret-le-Ferron
110
111
Jeu-les-Bois
Étg de Lys-St-Georges
Mers-sur-Indre
St-Gaultier
Chasseneuil
A20
E09
N151
A
B
C
D
1
2
3
4
5
6

80
81
97
86
111
112
Neuvy-sur-Barangeon
Henrichemont
Forêt Domaniale de Vierzon
Forêt Domaniale de Vouzeron
Vouzeron
Orçay
Méry-sur-Cher
Thénioux
VIERZON
St-Laurent
Vignoux-sur-Barangeon
Allogny
Menetou-Salon
Parassy
Quantilly
St-Palais
Achères
Les Aix-d'Angillon
St-Martin-d'Auxigny
St-Georges-sur-Moulon
Soulangis
Vignoux-sous-les-Aix
Pigny
St-Hilaire-de-Court
Dampierre-en-Graçay
Brinay
Foëcy
Mereau
Massay
Allouis
Mehun-sur-Yèvre
St-Éloy-de-Gy
Vasselay
Fussy
St-Michel-de-Volangis
Quincy
Lury-sur-Arnon
Chéry
Cerbois
St-Pierre-de-Jards
Marmagne
Berry-Bouy
St-Doulchard
St-Germain-du-Puy
Moulins-sur-Yèvre
Osmoy
BOURGES
Reuilly
Lazenay
Limeux
Preuilly
Ste-Thorette
la Chapelle-St-Ursin
Diou
Poisieux
Migny
Plou
Villeneuve-sur-Cher
Morthomiers
Savigny-en-Septaine
Soye-en-Septaine
Ste-Lizaigne
St-Georges-sur-Arnon
Chârost
St-Florent-sur-Cher
Trouy
Plaimpied-Givaudins
St-Just
Vornay
Issoudun
Saugy
Civray
St-Caprais
Lissay-Lochy
Senneçay
Annoix
Arçay
Vorly
St-Denis-de-Palin
St-Ambroix
Chouday
Lunery
Lapan
Levet
Ste-Lunaise
St-Germain-des-Bois
Primelles
Ségry
Corquoy
Serruelles
Mareuil-sur-Arnon
Condé
Contres
St-Aubin
Châteauneuf-sur-Cher
Chavannes
Meunet-Planches
St-Baudel
Chezal-Benoît
Villecelin
Venesmes
St-Loup-des-Chaumes
Uzay-le-Venon
Montlouis
St-Symphorien
Crézançay-sur-Cher
Bommiers
Ambrault
Pruniers
la Celle-Condé
Chambon
Vallenay
Meillant
Ineuil
Bruère-Allichamps
La Celle
Farges-Allichamps
Lignières
St-Hilaire-en-Lignières
Nozières
St-Août
Touchay
Ids-St-Roch
Morlac
Orval
St-Amand-Montrond
Marçais
Colombiers
Drevant
St-Christophe-en-Boucherie
St-Georges-de-Poisieux
Verneuil-sur-Igneraie
la Barthenoux
Arcomps
Ainay-le-Vieil
St-Pierre-les-Bois
Loye-sur-Arnon
A71
A20
N151
N142
E11
E09
E604
D2076
D940
D944
D925

98
A
B
C
D
82
1
2
3
4
5
6
97
112
113
Neuilly-en-Sancerre
Crézancy-en-Sancerre
Ensemble Castral
Ménetréol-sous-Sancerre
Thauvenay
Vinon
St-Bouize
St-Andelain
Pouilly-sur-Loire
Neuvy-Deux-Clochers
Gardefort
Veaugues
Humbligny
Morogues
Montigny
Aubinges
St-Céols
les Aix-d'Angillon
Rians
Azy
Étréchy
Jalognes
Feux
Groises
Lugny-Champagne
Sancergues
St-Martin-des-Champs
Herry
Mesves-sur-Loire
Réserve Naturelle du Val de Loire
Bulcy
Narcy
Varennes-lès-Narcy
Garchy
Vielmanay
Forêt Dom.
la Charité-sur-Loire
la Chapelle-Montlinard
Raveau
Champvoux
Chaulgnes
Ste-Solange
Brécy
Nohant-en-Goût
Charentonnay
Sévry
Gron
Chaumoux-Marcilly
Couy
Argenvières
Jussy-le-Chaudrier
St-Léger-le-Petit
Tronsanges
Précy
Garigny
Villabon
Farges-en-Septaine
Baugy
Villequiers
Mornay-Berry
St-Hilaire-de-Gondilly
Marseilles-lès-Aubigny
Beffes
Germigny-sur-Loire
Pougues-les-Eaux
Parigny-les-Vaux
Guérigny
Avord
Saligny-le-Vif
Laverdines
Chassy
Menetou-Couture
Jouet-sur-l'Aubois
Cours-les-Barres
Garchizy
Fourchambault
Varennes-Vauzelles
Crosses
Jussy-Champagne
Vornay
Nérondes
Bengy-sur-Craon
Tendron
Torteron
NEVERS
Marzy
Cuffy
Flavigny
Cornusse
Raymond
Osmery
Ourouer-les-Bourdelins
Croisy
la Guerche-sur-l'Aubois
Challuy
Gimouille
Lugny-Bourbonnais
Germigny-l'Exempt
Apremont-sur-Allier
Saincaize-Meauce
Bussy
Dun-sur-Auron
Blet
Charly
la Chapelle-Hugon
Magny-Cours
Vereaux
Grossouvre
Neuvy-le-Barrois
Mars-sur-Allier
Chalivoy-Milon
Cogny
Parnay
Chaumont
Sagonne
Givardon
Sancoins
Thaumiers
Bannegon
Neuilly-en-Dun
Mornay-sur-Allier
Langeron
St-Pierre-le-Moûtier
Arpheuilles
Augy-sur-Aubois
St-Aignan-des-Noyers
Château-sur-Allier
le Veurdre
Livry
Vernais
Bessais-le-Fromental
Saint-Pierre-les-Étieux
Charenton-du-Cher
Lurcy-Lévis
Neure
Ainay-le-Château
Valigny
Coust
Isle-et-Bardais
Pouzy-Mésangy
Couleuvre
Limoise
St-Léopardin-d'Augy
Braize
St-Bonnet-Tronçais
Lételon
N151
A77
N7
D2076
D976

82
83
99
E
F
G
H
St-Malo-en-Donziois
Châteauneuf-Val-de-Bargis
Nannay
Arbourse
St-Bonnot
Dompierre-sur-Nièvre
Murlin
la Celle-sur-Nièvre
Beaumont-la-Ferrière
Champlemy
Arzembouy
Giry
Corvol-d'Embernard
Chevannes-Changy
Chazeuil
Authiou
Arthel
Champlin
Champallement
Montenoison
Oulon
Brinon-sur-Beuvron
Bussy-la-Pesle
Taconnay
Asnan
Challement
Moraches
Germenay
Marigny-sur-Yonne
Michaugues
Dompierre-sur-Héry
Héry
Chitry-les-Mines
Corbigny
Neuilly
St-Révérien
Guipy
Pazy
Vitry-Laché
Sardy-lès-Épiry
Cervon
Vauclaix
Mouron-sur-Yonne
Epiry
Montreuillon
Moussy
Crux-la-Ville
la Collancelle
Prémery
Sichamps
Lurcy-le-Bourg
St-Aubin-les-Forges
Poiseux
Nolay
St-Franchy
Ste-Marie
St-Benin-des-Bois
St-Saulge
Jailly
St-Maurice
Bazolles
Achun
Aunay-en-Bazois
Mont-et-Marré (Marré)
Montapas
Balleray
Ourouër
St-Sulpice
Bona
Urzy
St-Martin-d'Heuille
Montigny-aux-Amognes
St-Firmin
Saxi-Bourdon
Rouy
Châtillon-en-Bazois
Tamnay-en-Bazois
Alluy
Maux
Chougny
Dun-sur-Grandry
St-Péreuse
Ougny
Coulanges-lès-Nevers
St-Jean-aux-Amognes
Billy-Chevannes
St-Benin-d'Azy
Frasnay-Reugny
Tintury
Biches
Brinay
Limanton
Moulins-Engilbert
St-Éloi
Sauvigny-les-Bois
Sermoise-sur-Loire
Limon
la Fermeté
Cizely
Anlezy
Ville-Langy
Fertrève
Chevenon
Imphy
Beaumont-Sardolles
Trois-Vèvres
Thianges
Dienne-Aubigny
Montigny-sur-Canne
Isenay
Vandenesse
St-Ouen-sur-Loire (la Chapelle-Gond)
Béard
Druy-Parigny
la Machine
St-Gratien-Savigny (St-Gratien)
Montaron
Sougy-sur-Loire
Verneuil
Cercy-la-Tour
Thaix
St-Parize-le-Châtel
Luthenay-Uxeloup
Fleury-sur-Loire
St-Léger-des-Vignes
Champvert
Decize
Avril-sur-Loire
Devay
Fours
Rémilly
Azy-le-Vif
Neuville-lès-Decize
St-Germain-Chassenay
Charrin
Montambert
St-Hilaire-Fontaine
Lamenay-sur-Loire (Nogent)
La Nocle-Maulaix
Chantenay-St-Imbert
Toury-sur-Jour
St-Parize-en-Viry (Montempuis)
Toury-Lurcy
Cossaye
Gannay-sur-Loire
Cronat
Dornes
Lucenay-lès-Aix
Aurouër
Vitry-sur-Loire
St-Martin-des-Lais
la Chapelle-aux-Chasses
Paray-le-Frésil
Bagneux
113
114
LA LOIRE
Forêt Domaniale des Minimes
Forêt Domaniale de Vincence
CÔTES DU NIVERNAIS

100
A
B
C
D
84
Dun-les-Places
St-Brisson
Saulieu
Champeau-en-Morvan
Thoisy-la-Berchère
Brassy
Gouloux
Montsauche-les-Settons
Vauclaix
Gâcogne
St-Martin-de-la-Mer
Liernais
Mhère
Ouroux-en-Morvan
Alligny-en-Morvan
Moux-en-Morvan
Blanot
Brazey-en-Morvan
Bard-le-Régulier
Chaumard
Montigny-en-Morvan
Planchez
Gien-sur-Cure
Ménessaire
Villiers-en-Morvan
Savilly
Manlay
Corancy
Lavault-de-Frétoy
Cussy-en-Morvan
Chissey-en-Morvan
St-Hilaire-en-Morvan
Château-Chinon (Campagne)
Château-Chinon
Anost
Lucenay-l'Évêque
Barnay
Voudenay
Dommartin
Arleuf
La Petite-Verrière
Sommant
Reclesne
Cordesse
Igornay
St-Léger-de-Fougeret
Roussillon-en-Morvan
La Celle-en-Morvan
Tavernay
Dracy-St-Loup
Sermages
Moulins-Engilbert
St-Forgeot
Curgy
Onlay
Glux-en-Glenne
La Grande-Verrière
Monthelon
Autun
Auxy
Villapourçon
St-Prix
Mont Beuvray
St-Léger-sous-Beuvray
Préporché
St-Honoré-les-Bains
Laizy
Brion
Antully
Larochemillay
La Comelle
Poil
Étang-sur-Arroux
Mesvres
Broye
Chiddes
Sémelay
Millay
St-Didier-sur-Arroux
La Chapelle-sous-Uchon
St-Symphorien-de-Marmagne
Marmagne
Avrée
Uchon
St-Nizier-sur-Arroux
Thil-sur-Arroux
Charbonnat
Montcenis
Savigny-Poil-Fol
Fléty
Luzy
La Tagnière
Tazilly
Dettey
Cuzy
Charmoy
La Nocle-Maulaix
Ternant
Montmort
St-Seine
Marly-sous-Issy
St-Eugène
St-Berain-sous-Sanvignes
Blanzy
Issy-l'Évêque
Cressy-sur-Somme
Toulon-sur-Arroux
Maltat
Ste-Radegonde
Grury
114
Uxeau
115
Sanvignes-les-Mines
Montceau-les-Mines
O R V A N
PARC NATUREL RÉGIONAL DU MOR

84
85
101
102
115
116
E
F
G
H
Blancey
Éguilly
Aubigny-lès-Sombernon
Remilly-en-Montagne
Civry-en-Montagne
Bellenot-sous-Pouilly
Chailly-sur-Armançon
Pouilly-en-Auxois
Échannay
Agey
Ste-Marie-sur-Ouche
Grenant-lès-Sombernon
Arcey
Urcy
Commarin
Montoillot
Semarey
Barbirey-sur-Ouche
Gissey-sur-Ouche
Créancey
Thoisy-le-Désert
Vandenesse-en-Auxois
Châteauneuf
la Bussière-sur-Ouche
St-Victor-sur-Ouche
St-Jean-de-Bœuf
Forêt Dom. de Détain Gergueil
Gergueil
Chambœuf
Quemigny-Poisot
Clémencey
Corcelles-les-Monts
Chenôve
Marsannay-la-Côte
Flavignerot
Couchey
Perrigny-lès-Dijon
Fixin
Brochon
Gevrey-Chambertin
Longvic
Dijon-Bouf
Fénay
Saulon-la-Rue
Broindon
Savouges
Épernay-sous-Gevrey
St-Philibert
Morey-St-Denis
Chambolle-Musigny
Vougeot
Gilly-lès-Cîteaux
Flagey-Echézeaux
St-Bernard
Vosne-Romanée
Semezanges
Curley
Ternant
Reulle-Vergy
l'Étang-Vergy
Bévy
Curtil-Vergy
Messanges
Segrois
Villars-Fontaine
Meuilley
Détain-et-Bruant
Collonges-lès-Bévy
Chevannes
Arcenant
Nuits-St-Georges
Agencourt
Boncourt-le-Bois
Villebichot
Macogne
Chaignot
Châtellenot
Arconcey
Essey
Rouvres-sous-Meilly
Meilly-sur-Rouvres
Ste-Sabine
Chazilly
Chaudenay-le-Château
Chaudenay-la-Ville
Bouhey
Veuvey-sur-Ouche
Crugey
Colombier
Antheuil
Allerey
Clomot
le Fête
Longecourt-lès-Culêtre
Cussy-le-Châtel
Thorey-sur-Ouche
Musigny
Mimeure
Culètre
Painblanc
Aubaine
Bouilland
Arnay-le-Duc
Veilly
Auxant
Foissy
Vic-des-Prés
Bligny-sur-Ouche
Antigny-la-Ville
Magnien
St-Prix-lès-Arnay
Lusigny-sur-Ouche
Bessey-la-Cour
Bessey-en-Chaume
Fussey
Marey-lès-Fussey
Chaux
Premeaux-Prissey
Quincey
Gerland
Échevronne
Villers-la-Faye
Comblanchien
Corgoloin
Pernand-Vergelesses
Magny-lès-Villers
Aloxe-Corton
Savigny-lès-Beaune
Ladoix-Serrigny
Argilly
Bagnot
St-Nicolas-lès-Cîteaux
Maligny
Lacanche
Thomirey
Écutigny
Saussey
Champignolles
Montceau-et-Écharnant
Vievy
St-Pierre-en-Vaux (les Carreaux)
Jours-en-Vaux
Cussy-la-Colonne
Ivry-en-Montagne
Mavilly-Mandelot
Meloisey
Bouze-lès-Beaune
Nantoux
Chorey-lès-Beaune
Villy-le-Moutier
Vignoles
Ruffey-lès-Beaune
Montmain
Pouilly
Corberon
Thury
Molinot
Santosse
Sully
St-Léger-du-Bois
Épinac
Aubigny-la-Ronce
Pommard
Volnay
Beaune
Bligny-lès-Beaune
Levernois
Combertault
Marigny-lès-Reullée
Montagny-lès-Beaune
Meursanges
Corgengoux
St-Romain
Monthelie
Meursault
Auxey-Duresses
Ste-Marie-la-Blanche
Vauchignon
Cormot-le-Grand
Baubigny
la Rochepot
Puligny-Montrachet
Chevigny-en-Valière
Saisy
Morlet
Nolay
St-Aubin
Corcelles-les-Arts
Merceuil
St-Loup-Géanges
St-Martin-en-Gâtinois
Collonge-la-Madeleine
Épertully
Tintry
St-Gervais-sur-Couches
Créot
Chassagne-Montrachet
Corpeau
Ébaty
Demigny
St-Gervais-en-Vallière
Bragny-sur-Saône
Saunières
St-Martin-de-Commune (Quincy)
Paris-l'Hôpital
Santenay
Sampigny-lès-Maranges
Dezize-lès-Maranges
Remigny
Chagny
Chaudenay
Allerey-sur-Saône
Verdun-sur-le-Doubs
les Bordes
Ciel
St-Émiland
Dracy-lès-Couches
St-Sernin-du-Plain
Chassey-le-Camp
Cheilly-lès-Maranges
St-Maurice-lès-Couches
Bouzeron
Rully
Gergy
Verjux
Couches
St-Gilles
Chamilly
Lessard-le-National
Dennevy
St-Léger-sur-Dheune
Aluze
Virey-le-Grand
St-Maurice-en-Rivière
St-Sernin-du-Bois
St-Pierre-de-Varennes
St-Jean-de-Trézy
Charrecey
Mercurey
Fontaines
Farges-lès-Chalon
Fragnes
Champforgeuil
Sassenay
Damerey
St-Martin-en-Bresse
Bey
St-Firmin
Perreuil
St-Bérain-sur-Dheune
St-Martin-sous-Montaigu
St-Mard-de-Vaux
St-Jean-de-Vaux
Mellecey
Crissey
Chalon-sur-Saône
Essertenne
LE CREUSOT
Morey
Châtel-Moron
St-Denis-de-Vaux
Dracy-le-Fort
Châtenoy-le-Royal
Châtenoy-en-Bresse
Oslon
Montcoy
Guerfand
le Breuil
Barizey
Givry
St-Marcel
Torcy
St-Julien-sur-Dheune
Jambles
St-Rémy
Lans
St-Christophe-en-Bresse
Villeneuve-en-Montagne
Ste-Hélène
Lux
Montchanin
Écuisses
St-Désert
Moroges
Bissey-sous-Cruchaud
Rosey
Granges
Épervans
Sevrey
St-Loup-de-Varennes
Ouroux-sur-Saône
St-Laurent-d'Andenay
St-Martin-d'Auxy
Marcilly-lès-Buxy
Sassangy
Buxy
la Charmée
Varennes-le-Grand
St-Eusèbe
St-Privé
Cersot
Montagny-lès-Buxy
Jully-lès-Buxy
St-Germain-lès-Buxy
Marnay
St-Germain-du-Plain
St-Micaud
Saviange
St-Ambreuil
St-Cyr
Marigny
le Puley
St-Vallerin
Forêt Dom. de la Ferté
Baudrières
Germagny
Chenôves
Fley
Gigny-sur-Saône
Beaumont-sur-Grosne
Bissy-sur-Fley
Saules
St-Boil
Genouilly
St-Martin-du-Tartre
Culles-les-Roches
Messey-sur-Grosne
Lalheue
Laives
Sennecey-
Sépultures Gallo-Romaines
Autoroute du Soleil
Forêt de Gergy
A6
A31
A38
E15
E17
E60
E607
N6
N80
N74
N78

102
Longvic
-lès-Dijon
Magny-sur-Tille
Cessey-sur-Tille
Chambeire
Vonges
Cléry
Pesmes
Bard-lès-Pesmes
Sornay
Dijon-Bourgogne
Crimolois
Ouges
Forêt Dom. de Longchamp
Longchamp
Lamarche-sur-Saône
86
Champagney
Malans
Jallerange
Labergement-Foigney
Soissons-sur-Nacey
Dammartin-Marpain
Thervay
Fauverney
Genlis
Magny-Montarlot
Poncey-lès-Athée
Bretenière
Varanges
Premières
Montmirey-le-Château
Ougney
Fénay
Saulon-la-Rue
Rouvres-en-Plaine
Beire-le-Fort
Athée
Flammerans
Brans
Saligney
Thorey-en-Plaine
Collonges-lès-Premières
Pointre
Offlanges
Barges
Saulon-la-Chapelle
Marliens
Longeault
Pluvault
Villers-les-Pots
Montmirey-la-Ville
Serre-les-Moulières
Gendrey
Broindon
Noiron-sous-Gevrey
Longecourt-en-Plaine
Tart-le-Haut
Tart-le-Bas
Soirans
Auxonne
Moissey
Peintre
Massif de la Serre
Sermange
Corcelles-lès-Cîteaux
Aiserey
Échigey
Tart-l'Abbaye
Tréclun
Champdôtre
Tillenay
Vriange
Auxange
Izeure
Pont
Labergement-lès-Auxonne
Chevigny
Menotey
Amange
Malange
Gevrey
Bessey-lès-Cîteaux
Montot
Trouhans
Flagey-lès-Auxonne
Villers-Rotin
Rainans
Gredisans
Romange
Lavans-lès-Dole
Aubigny-en-Plaine
Brazey-en-Plaine
Les Maillys
St-Seine-en-Bâche
Biarne
Archelange
Châtenois
Lavangeot
Orchamps
Villebichot
Abb. de Cîteaux
Échenon
Laperrière-sur-Saône
Billey
Jouhe
Authume
Dole-Audelange
Audelange
St-Nicolas-lès-Cîteaux
St-Usage
St-Jean-de-Losne
Losne
St-Symphorien-sur-Saône
Sampans
Monnières
Rochefort-sur-Nenon
Éclans-Nenon
La Bretenière
Magny-lès-Aubigny
Champvans
Baverans
Falletans
Charrey-sur-Saône
Esbarres
Samerey
Foucherans
DOLE
Brevans
Forêt Domaniale de Chaux
Broin
Bonnencontre
Damparis
Abergement-la-Ronce
Crissey
Choisey
Auvillars-sur-Saône
Pagny-la-Ville
Aumur
Villette-lès-Dole
Bagnot
Lechâtelet
Pagny-le-Château
Franxault
Tavaux
Gevry
Glanon
Labruyère
St-Aubin
La Loye
Montbarrey
Montagny-lès-Seurre
Molay
Parcey
Augerans
Santans
Pouilly-sur-Saône
Chamblanc
Grosbois-lès-Tichey
Tichey
St-Loup
Champdivers
Belmont
Nevy-lès-Dole
Ounans
Seurre
Lanthes
Jallanges
Labergement-lès-Seurre
Peseux
St-Baraing
Rahon
Souvans
Vaudrey
Trugny
Bousselange
Chemin
Bans
Mont-sous-Vaudrey
Chivres
Longwy-sur-le-Doubs
Chaussin
Balaiseaux
Villers-Robert
La Villeneuve
Pourlans
Annoire
Mont-lès-Seurre
Clux
Le Deschaux
Écuelles
Asnans-Beauvoisin
Gatey
Séligney
La Ferté
Charnay-lès-Chalon
Navilly
Petit-Noir
Chaînée-des-Coupis
Mathenay
Pontoux
Longepierre
Lays-sur-le-Doubs
Fretterans
Tassenières
Villers-les-Bois
Frontenard
Charette-Varennes
Les Essards-Taignevaux
Chêne-Bernard
Bretenières
Oussières
Bragny-sur-Saône
Les Hays
Pleure
Aumont
Saunières
Sermesse
Neublans-Abergement
Sergenon
Biefmorin
Neuvilley
Authumes
Sergenaux
Les Deux-Fays
Colonne
Le Chateley
Brainans
Toutenant
Pierre-de-Bresse
Rye
Champrougier
Foulenay
Chemenot
St-Didier-en-Bresse
St-Bonnet-en-Bresse
Mouthier-en-Bresse
La Chassagne
Chêne-Sec
Chaumergy
Le Villey
La Charme
Sellières
Monay
Toulouse-le-Château
St-Lothain
La Chapelle-St-Sauveur
Torpes
Bellevesvre
Beauvernois
Francheville
La Racineuse
Dampierre-en-Bresse
La Chaux
La Chaux-en-Bresse
Bois-de-Gand
Vers-sous-Sellières
Darbonnay
Serrigny-en-Bresse
Montjay
Froideville
Recanoz
Commenailles
Passenans
Chapelle-Voland
Lombard
Mantry
Brery
Frontenay
Villegaudin
Mervans
Serley
Le Planois
Vincent
St-Lamain
Guerfand
Diconne
Bouhans
Desnes
Arlay
Domblans
Voiteur
Bosjean
Relans
Devrouze
St-Germain-du-Bois
Bletterans
Ruffey-sur-Seille
St-Germain-lès-Arlay
Château-Chalon
Thurey
Sens-sur-Seille
Le Tartre
Nance
Villevieux
Quintigny
Nevy-sur-Seille
Lessard-en-Bresse
Plainoiseau
Le Louverot
Tronchy
Frangy-en-Bresse
Montain
Simard
Larnaud
St-Didier
Lavigny
Vérissey
Fontainebrux
Villeneuve-sous-Pymont
Pannessières
St-Étienne-en-Bresse
Montcony
Saillenard
LONS-LE-SAUNIER
Juif
Beaurepaire-en-Bresse
Courlans
Montmorot
St-Usuge
Perrigny
St-Vincent-en-Bresse
Montret
Messia-sur-Sorne
Conliège
Vincelles
Frébuans
Montaigu
Courbouzon
St-André-en-Bresse
116
Montagny-près-Louhans
117
Chilly-le-Vignoble
Macornay
Branges
Ratte
Savigny-en-Revermont
Trenal
Gevingey
Revigny
Publy
La Frette
A39
E21
A36
E60
A31
E17
N73
N5
N78
N83

BESANÇON
86
87
103
104
117
118
E
F
G
H
Chenevrey-et-Morogne
Recologne
Pelousey
Noironte
Audeux
École-Valentin
Pirey
Pouilley-les-Vignes
Chalezeule
Chalèze
Sources
Osse
Glamondans
Nancray
Bouclans
Gonsans
Courchapon
Burgille
Placey
Franey
Champagney
Mazerolles-le-Salin
Lavernay
le Moutherot
Serre-les-Sapins
Franois
Champvans-les-Moulins
Montfaucon
Morre
Gennes
Saône
la Chevillotte (la Grosse-Grange)
Naisey-les-Granges
Magny-Châtelard
Pagney
Étrabonne
Lantenne-Vertière
Corcondray
Vaux-les-Prés
Mercey-le-Grand
Corcelles-Ferrières
Ferrières-les-Bois
Villers-Buzon
Chemaudin
Avanne-Aveney
Beure
la Vèze
Mamirolle
Verrières-du-Grosbois
Camp du Valdahon
Romain
Berthelange
Dannemarie-sur-Crète
Pouilley-Français
Grandfontaine
Rancenay
Arguel
Fontain
le Gratteris
Louvatange
le Petit-Mercey
Hyombre
Velesmes-Essarts
Montferrand-le-Château
Thoraise
Larnod
Pugey
l'Hôpital-du-Grosbois
Évans
St-Vit
Roset-Fluans
Salans
Torpes
Routelle
Busy
Vorges-les-Pins
Grand Méandre
Mérey-sous-Montrond
Tarcenay
Foucherans
Trépot
Charbonnières-les-Sapins
Étalans
Dampierre
Fraisans
Ranchot
Rans
Osselle
Boussières
Abbans-Dessous
Abbans-Dessus
Chenecey-Buillon
Montrond-le-Château
Villers-sous-Montrond
Bonnevaux-le-Prieuré
Fallerans
Courtefontaine
Étrepigney
Villars-St-Georges
Byans-sur-Doubs
Chouzelot
Quingey
Charnay
Épeugney
Malbrans
Scey-Maisières (Scey-en-Varais)
Ornans
Saules
Guyans-Durnes
Durnes
Vernierfontaine
Voires
Nods
Fourg
Cessey
Courcelles
Palantine
Rouhe
Châtillon-sur-Lison
Rurey
Cademène
Cléron
Chassagne-St-Denis
Montgesoye
Lavans-Vuillafans
Athose
Chasnans
Lavans-Quingey
Goux-sous-Landet
Amondans
Échevannes
Vuillafans
Châteauvieux-les-Fossés
Hautepierre-le-Châtelet
Lods
Mouthier-Haute-Pierre
Lombard
Pessans
Pointvillers
Liesle
Mesmay
Brères
Montfort
Cussey-sur-Lison
Lizine
Malans
Fertans
Amancey
Flagey
Chantrans
Longeville
Champagne-sur-Loue
Samson
Ronchaux
Paroy
Échay
Bartherans
Buffard
Chay
Silley-Amancey
Amathay-Vésigneux
Renédale
Arc-et-Senans
Saline Royale d'Arc-et-Senans
Myon
Coulans-sur-Lison
Éternoz
Bolandoz
Reugney
Évillers
Chissey-sur-Loue
Cramans
Rennes-sur-Loue
Grange-de-Vaivre
By
Saraz
Déservillers
Septfontaines
Goux-les-Usiers
Écleux
Port-Lesney
la Chapelle-sur-Furieuse
Montmahoux
Chamblay
Villers-Farlay
Ivrey
Nans-sous-Ste-Anne
Labergement-du-Navois
Bians-les-Usiers
Villeneuve-d'Aval
Mouchard
Pagnoz
St-Thiébaud
Gevresin
Sombacour
Aiglepierre
Marnoz
Saizenay
Geraise
Ste-Anne
Crouzet-Migette
Levier
Vuillecin
St-Cyr-Montmalin
Clucy
Salins-les-Bains
Dournon
Villeneuve-d'Amont
Commartin
les Arsures
Bracon
Cernans
Chapelle-d'Huin
Chaffois
Houtaud
Vadans
Villette-lès-Arbois
Pretin
Montigny-lès-Arsures
Arc-sous-Montenot
Villers-sous-Chalamont
Pontarlier
Ivory
Thésy
Abergement-lès-Thésy
Bulle
Bannans
Arbois
Mesnay
Chaux-Champagny
Aresches
Lemuy
Boujailles
Dompierre-les-Tilleuls
Ste-Colombe
Granges-Narboz (Granges-l'Église)
Abergement-le-Petit
Chilly-sur-Salins
Montmarlon
Courvières
la Rivière-Drugeon
Pupillin
les Planches-près-Arbois
la Châtelaine
Pont-d'Héry
Bouverans
Frasne
Buvilly
Montagne du Laveron
la Planée
Tourmont
Andelot-en-Montagne
Supt
Chapois
Cuvier
les Grangettes
Malpas
Poligny
Chamole
Chaussenans
Vaux-sur-Poligny
Molain
Valempoulières
le Larderet
St-Point-Lac
Vaux-et-Chantegrue
Bonnevaux
Bief-du-Fourg
Cenсeau
vers-en-Montagne
le Latet
Plénise
Esserval-Tartre
Communailles-en-Montagne
Plénisette
Esserval-Combe
Mignovillard
Montrond
le Pasquier
Moutoux
les Nans
Onglières
Mièges
Molpré
Labergement-Ste-Marie
Malbuisson
Besain
Mournans-Charbonny
Longcochon
Foucatier et-Maison-Neuve
Ardon
St-Germain-en-Montagne
Charency
Nozeroy
Remoray-Boujeons
Vannoz
Équevillon
Doye
Rix
Billecul
la Latette
Brey-et-Maison-du-Bois
Rochejean
le Fied
Picarreau
Crotenay
Conte
la Favière
Ladoye-sur-Seille
Fay-en-Montagne
Champagnole
Sapois
Lent
Rondefontaine
Gellin
les Villedieu (Villedieu-les-Mouthe)
Bourg-de-Sirod
Frarox
Arsure-Arsurette
Cerniébaud
Gillois
Sarrageois
Blois-sur-Seille
la Marre
Pont-du-Navoy
Ney
Cize
Sirod
Mouthe
Bonnefontaine
Monnet-la-Ville
Loulle
Crans
Bief-des-Maisons
les Pontets
le Crouzet
Reculfoz
Petite-Chaux
Baume-les-Messieurs
Mirebel
Montigny-sur-l'Ain
Mont-sur-Monnet
Pillemoine
le Vaudioux
Syam
les Chalesmes
Chaux-Neuve
Châtelblanc
Marigny
Saffloz
Châtelneuf
Foncine-le-Haut
les Planches-en-Montagne
les Charbonnières
Châtillon
Fontenu
Doucier
Verges
Chevrotaine
Chaux-des-Crotenay
Entre-deux-Monts
Songeson
Foncine-le-Bas
le Solliat
Mont Risoux
Vers chez Aron
Charcier
le Frasnois
Ménétrux-en-Joux
Fort-du-Plasne
la Golisse
Bas des Bioux
PARC

104
88
118
119
103
A
B
C
D
1
2
3
4
5
6
Courtetain-et-Salans
Landresse
Laviron
Vaucluse
Cour-St-Maurice
Battenans-Varin
Maîche
Cernay-l'Église
Damprichard
Charmauvillers
Orsans
Vellerot-lès-Vercel
Charmoille
Mont-de-Vougney
Longevelle-lès-Russey
Chamesey
Bremondans
Villers-la-Combe
Bretonvillers
Rosureux
Frambouhans
Charquemont
Chaux-lès-Passavant
Villers-Chief
Germéfontaine
Pierrefontaine-les-Varans
St-Julien-lès-Russey
les Écorces
Belmont
Épenouse
Plaimbois-du-Miroir
les Fontenelles
Eysson
Domprel
Laval-le-Prieuré
Bonnétage (le Grand-Communal)
Grandfontaine-sur-Creuse
la Sommette
Vercel-Villedieu-le-Camp
Plaimbois-Vennes
Montbéliardot
le Russey
Biaufond
la Ferrière
Consolation-Maisonnettes
Chevigney-lès-Vercel
Adam-lès-Vercel
Longechaux
Guyans-Vennes
Loray
Vennes
le Mémont
Valdahon
Flangebouche
Avoudrey
Orchamps-Vennes
la Bosse
le Bizot
Grand'Combe-des-Bois
Renan
Épenoy
Étray
Fuans
le Bélieu
Narbief
le Barboux
Mont Pouillerel
la Chaux-de-Fonds
les Convers
Passonfontaine
Fournets-Luisans
Noël-Cerneux
les Planchettes
Rantechaux
Vanclans
les Eplatures
Nods
Chasnans
Longemaison
les Fins
le Crêt du Locle
Chézard-St-Martin
Morteau
Villers-le-Lac
les Brenets
la Corbatière
Tête de Ran
Cernier
Fontainemelon
le Locle
la Sagne
les Hauts-Geneveys
Fontaines
Arc-sous-Cicon
Gilley
Montlebon
le Prévoux
Sommet Martel
Engollon
Aubonne
Grand'Combe-Châteleu
le Quartier
Boudevilliers
Valangin
St-Gorgon-Main
la Chaux
le Cerneux-Péquignot
la-Chaux-du-Milieu
Petit Martel
les Geneveys-sur-Coffrane
Plamboz
Coffrane
les Ponts-de-Martel
Montmollin
la Longeville
Montbenoît
Ville-du-Pont
le Cachot
la Châtagne
Bugny
les Gras
la Brévine
la Tourne
les Grattes
Corcelles
Peseux
Neuchâtel
Rochefort
Cormondrèche
Montflovin
Martel Dernier
Brot-Plamboz
Chambrelien
Bôle
Auvernier
Colombier
Maisons-du-Bois-Lièvremont
Hauterive-la-Fresse
Crêt de Sapel
Noiraigue
Brot-Dessous
Areuse
Boudry
Cortaillod
Arçon
les Alliés
Crêt du Cervelet
Travers
Perreux
Montagne de Boudry
Mont Brenin
Creux du Van
la Chaille
Bevaix
Pointe du Grain
les Cornées
Val de Travers
Doubs
le Grand Taureau
les Bayards
le Petit Cemet
St-Sulpice
Couvet
Boveresse
Môtiers
Gorgier
Montalchez
Houtaud
Pontarlier
Meudon
les Verrières
Fleurier
St-Aubin-Sauges
Provence
Mutrux
Fresens
Sauges
Vaumarcus
Verrières-de-Joux
Montagne de Buttes
Buttes
Vernéaz
Lac de Neuchâtel
Oye-et-Pallet
la Cluse-et-Mijoux (le Frambourg)
la Côte-aux-Fées
Mauborget
Fontanezier
Corcelles-près-Concise
Estavayer-le-Lac
Montbrelloz
Concise
le Chasseron
Romairon
Vaugondry
Villars-Burquin
Bonvillars
Grandevent
Fontaines-sur-Grandson
Onnens
Bullet
Novalles
les Fourgs
les Rasses
Montperreux
Ste-Croix
la Mothe
Vugelles-la-Mothe
Fiez
Champagne
Corselettes
Giez
Orges
Valeyres-sous-Montagny
Grandson
Yvonand
l'Auberson
Vuiteboeuf
Pency
Esserts-sur-Champvent
les Tuileries
Mont de Baulmes
Montagny
Touillon-et-Loutelet
Malbuisson
les Hôpitaux-Vieux
Baulmes
Villars-sous-Champvent
Champvent
Chamblon
Yverdon-les-Bains
les Hôpitaux-Neufs
le Suchet
Mont de Chambon
Treycovagnes
Montela
St-Antoine
Métabief
Mathod
Suscévaz
Pomy
Cronay
Jougne
Rances
Valeyres-sous-Rances
Gressy
Sergey
l'Abergement
le Morond
Longevilles-Mont-d'Or
Lignerolle
la Russille
Ballaigues
les Clées
Montcherand
Agiez
Orbe
Bofflens
Bretonnières
Premier
Vallorbe
Romainmôtier-Envy
Croy
Chavornay
Arnex-sur-Orbe
Vaulion
Juriens
Envy
Bavois
Dent de Vaulion
le Pont
la Praz
Pompaples
Ferreyres
Orny
la Sarraz
Eclépens
Moiry
Villars-Lussery
Chevilly
Mont-la-Ville
l'Abbaye
Cuarnens
l'Isle
Lussery
Daillens
Bettens
la Chaux
Cossonay
Penthalaz
Bournens
Mauraz
Villars Bozon
Essertines-sous-Yverdon
Corcelles-s-Chavornay
Penthéréaz
Goumoens-le-Jux
Villars-le-Terroir
Goumoens-la-Ville
Eclagnens
Oulens-sous-Eclagnens
St-Barthélemy
Echallens
Bottens
Bioley-Orjulaz
Assens
Etagnières
Sugnens
Poliez-le-Grand
Poliez-Pittet
Villars-Tiercelin
Corcelles-le-Jorat
Froideville
Epautheyes
Ependes
Essert-Pittet
Suchy
Belmont-s-Yverdon
Valeyres-sous-Ursins
Ursins
Orzens
Nonfoux
Pailly
Vuarrens
Rueyres
Bercher
Fey
Boulens
Peyres-Possens
Naz
Dommartin
Montaubion-Chardonney
Peney-le-Jorat
Ropraz
Vucherens
Carrouge
Ecublens
Eschiens
Mézières
Moudon
Bressonnaz
Syens
Vulliens
Promasens
Gossens
Prahins
Donneloye
Mézery-près-Donneloye
Chêne-Pâquier
Molondin
Cuarny
la Mauguettaz
Noréaz
Villars-Epeney
Rovray
Arrissoules
Chavannes-le-Chêne
Cheseaux-Noréaz
Chanéaz
Denezy
Correvon
Ogens
Oppens
Thierrens
St-Cierges
Neyruz-s-Moudon
Correnon
Chapelle-sur-Moudon
Martherenges
Sottens
Rossenges
Villars-Mendraz
Hermenches
Montet
Villangeaux
Lucens
Curtilles
Sarzens
Lovatens
Villarimboud
Prévondavaux
Forel-sur-Lucens
Villars-le-Comte
Oulens-sur-Lucens
Bussy-s-Moudon
Chesalles-sur-Moudon
Brenles
Chavannes-s-Moudon
le Saulgy
Vu Armarens
Esmonts
Ursy
Bionnens
Rue
Vauderens
Blessens
Bouloz
Porsel
Mossel
Pont
Payerne
Granges-de-Vesin
Seiry
Vesin
Cheyres
la Vounaise
Montborget
Franex
Aumont
Murist
Nuilly
Sassel
Ménières
Chapelle
Treytorrens
Combremont-le-Grand
Champtauroz
Cheiry
Villeneuve
Surpierre
Combremont-le-Petit
Praratoud
Seigneux
Cremin
Henniez
Les Granges
Villars-Bramard
Dompierre
Prévonloup
Billens
Siviriez
Villaraboud
Chavannes-les-Forts
Granges-près-Marnand
Marnand
Font
Châbles
Châtillon
Lully
Sevaz
Bussy
Frasses
Montet
Bollion
Fétigny
Morens
Gletterens
Chevroux
Forel
Grandcour
Autavaux
Rueyres
Lovens
Enney
Cerniaz
Mont d'Amin
Vue des Alpes
Val de Ruz
Fenin
Vilars
Saules
la Coudre
Roches de Moron
Lac de Chaillexon
Saut du Doubs
Gorges du Doubs
Cirque de Consolation
N.-D. de la Consolation
Belv. de la Roche du Prêtre
Défilé des Epais Rochers
Vallée de la Reverotte
Grotte de la Glacière
Camp du Valdahon
Défilé d'Entre Roches
Grte du Trésor
N.-D. de Remonot
Sce de la Loue
Défilé d'Entreportes
Fort du Larmont Supérieur
Montagne du Larmont
Château de Joux
Vallon de Noirvaux
Grotte aux Fées
le Mont d'Or
Saut du Day
Sce de l'Orbe
Résurgence de l'Orbe
Lac de St-Point
Sce Bleue
Mont de Chambon
Mosaïques d'Urba
Gorges de l'Areuse
Gorges du Seyon
Réserve Naturelle
Combe Pellaton
Combes Dernier
L. des Taillères
les Bois de Vaux
le Grand Mont
Grand Bois à Ban
Dent de Vaulion
Chalet de la Dent de Vaulion
Vestiges
Mormont
A1
A5
A9
E23
E25
N5
N10
N11
N30
N57
N79
N81
D437
D461
D41
D47
D48
D67B
D130
D131

88
89
105
119
Solothurn
Grenchen
Biel
Bienne
BERN
Köniz
Fribourg
Murten
Avenches
Payerne
Romont
Bulle
Düdingen
Lyss
Aarberg
Kerzers
Ins
St-Imier
Tavannes
Tramelan
la Neuveville
le Landeron
St-Blaise
Marin-Epagnier
Münsingen
Worb
Belp
Ostermundigen
Zollikofen
Jegenstorf
Fraubrunnen
Schwarzenburg
Plaffeien
Gurnigelbad
Boltigen
Jaun
Charmey
Châtel-sur-Montsalvens
Gruyère
Vuadens
le Chasseral
Mont Soleil
Montagne du Droit
Vallon de St-Imier
Gorges du Taubenloch
Gorges de Twann
Lac de Bienne
Presqu'Île St-Pierre
Lac de Morat
Hagneck Kanal
Mont Vully
Jolimont
le Montoz
Pierre Pertuis
Chaumont
Bantiger
Gurten
Belpberg
Gibelegg
Gantrisch
Stockhorn
Ochsen
Schwyberg
Kaiseregg
Col de la Balisa
Col de Selibüel
le Gibloux
la Berra
Gastlosen
Niedersimmental
N1
A1
A5
A6
A12
A16
N6
N12
E25
E27

106
Nieul-le-Dolent
la Boissière-des-Landes
Nesmy
Chaillé-sous-les-Ormeaux
St-Florent-des-Bois
Château-Guibert
les Pineaux
la Reorthe
St-Juire-Champgillon
92
Ste-Pexine
Mareuil-sur-Lay-Dissais
Moutiers-sur-le-Lay
Ste-Hermine
Bessay
Rosnay
la Couture
St-Avaugourd-des-Landes
Poiroux
St-Vincent-sur-Graon
le Champ-St-Père
St-Jean-de-Beugné
St-Aubin-la-Plaine
Moutiers-les-Mauxfaits
Avrillé
St-Hilaire-la-Forêt
Péault
Corpe
Ste-Gemme-la-Plaine
les Magnils-Reigniers
la Bretonnière-la-Claye
le Givre
la Brunière
St-Cyr-en-Talmondais
Curzon
Lairoux
Chasnais
Luçon
Nalliers
le Bernard
Longeville-sur-Mer
Jard-sur-Mer
St-Vincent-sur-Jard
Mais. de Clemenceau
Angles
91
St-Benoist-sur-Mer
la Jonchère
Donjon
Grues
St-Denis-du-Payré
Triaize
Moreilles
Chaillé-les-Marais
Rés. Nat. de St-Denis du Payré
M A R A I S
Champagné-les-Marais
Puyravault
Ste-Radégonde-des-Noyers
Pointe du Grouin du Cou
la Tranche-sur-Mer
la Faute-sur-Mer
l'Aiguillon-sur-Mer
St-Michel-en-l'Herm
Anc. Abb.
Pertuis Breton
Pointe d'Arçay
Anse de l'Aiguillon
Pointe de l'Aiguillon
Charron
Marans
Phare des Baleines
les Portes-en-Ré
St-Clément-des-Baleines (le Chabot)
Ars-en-Ré
Loix
Rés. Nat. de Lileau des Niges
St-Martin-de-Ré
la Couarde-sur-Mer
le Bois-Plage-en-Ré
la Flotte
Anc. Abb. des Châteliers
Rivedoux-Plage
Ste-Marie-de-Ré
ÎLE DE RÉ
Phare de Chanchardon
Pointe St-Clément
Esnandes
Villedoux
Marsilly
Andilly
Nieul-sur-Mer
St-Xandre
l'Houmeau
Lagord
Puilboreau
la Rochelle-Île de Ré
Dompierre-sur-Mer
Ste-Soulle
Périgny
LA ROCHELLE
Vieux Port
Aquarium
St-Rogatien
Aytré
Bourgneuf
Clavette
la Jarne
la Jarrie
Salles-sur-Mer
Angoulins
Croix-Chapeau
Pertuis d'Antioche
Châtelaillon-Plage
Thairé
Phare de Chassiron
St-Denis-d'Oléron
la Brée-les-Bains
ÎLE D'OLÉRON
Rade des Basques
Rés. Nat. du Marais d'Yves
Yves
Île d'Aix
Fort Boyard
Fouras
St-Laurent-de-la-Prée
Breuil-Magné
St-Georges-d'Oléron
St-Pierre-d'Oléron
Boyardville
120
Île Madame
A
B
C
D
1
2
3
4
5
6

92
93
107
108
120
121
E
F
G
H
1
2
3
4
5
6
St-Martin-des-en-Ste-Hermine
St-Sulpice-en-Pareds
Cezais
Loge-Fougereuse
St-Maurice-des-Noues
St-Hilaire-de-Voust
Scillé
Secondigny
Allonne
St-Laurent-de-la-Salle
St-Cyr-des-Gâts
Vouvant
le Busseau
le Beugnon
la Chapelle-Thémer
St-Martin-des-Fontaines
Marsais-Ste-Radégonde
Bourneau
Puy-de-Serre
Marillet
la Chapelle-Thireuil
Fenioux
le Retail
la Boissière-en-Gâtine
Mazières-en-Gâtine
St-Valérien
l'Hermenault
Mervent
Foussais-Payré
Faymoreau
St-Laurs
Puihardy
Pouillé
Sérigné
Pissotte
St-Maixent-de-Beugné
St-Marc-la-Lande
Mouzeuil-St-Martin
Petosse
Longèves
Fontenay-le-Comte
St-Michel-le-Cloucq
Coulonges-sur-l'Autize
Ardin
Xaintray
Cours
Champdeniers-St-Denis
St-Hilaire-des-Loges
Béceleuf
Germond-Rouvre
Xanton-Chassenon
Surin
Ste-Ouenne
le Langon
Auzay
Chaix
St-Martin-de-Fraigneau
St-Pompain
Nieul-sur-l'Autise
Faye-sur-Ardin
Fontaines
le Poiré-sur-Velluire
Velluire
Montreuil
Doix
Oulmes
Villiers-en-Plaine
St-Maxire
Échiré
St-Gelais
Vix
Maillezais
Bouillé-Courdault
Benet
St-Rémy
Sciecq
Chauray
l'Île-d'Elle
Maillé
St-Sigismond
le Mazeau
Damvix
Coulon
Magné
NIORT
Vouillé
Taugon
la Ronde
Arçais
le Vanneau-Irleau
Bessines
Aiffres
St-Cyr-du-Doret (Margot)
St-Georges-de-Rex
Amuré
Sansais
St-Symphorien
St-Jean-de-Liversay
la Grève-sur-Mignon
St-Hilaire-la-Palud
Frontenay-Rohan-Rohan
Courçon
Ferrières
Fors
Nuaillé-d'Aunis
St-Sauveur-d'Aunis
la Laigne
Cramchaban
le Bourdet
Prin-Deyrançon
Épannes
Vallans
Granzay-Gript
Juscorps
St-Martin-de-Bernegoue
Vérines
Anais
Benon
le Gué-d'Alleré
Mauzé-sur-le-Mignon
la Rochénard
la Foye-Monjault
Marigny
St-Médard-d'Aunis
Bouhet
Usseau
Beauvoir-sur-Niort
St-Pierre-d'Amilly (la Revetizon)
St-Georges-du-Bois
Thorigny-sur-le-Mignon
Prissé-la-Charrière
Villiers-en-Bois
Virson
Vouhé
Puyravault
St-Saturnin-du-Bois
Priaires
Dœuil-sur-le-Mignon
Aigrefeuille-d'Aunis
Chambon
Marsais
Belleville
Surgères
Forges
le Thou
St-Germain-de-Marencennes
St-Mard
St-Félix
St-Étienne-la-Cigogne
Villeneuve-la-Comtesse
Boisserolles
Chizé
le Vert
St-Séverin-sur-Boutonne
Breuil-la-Réorte
la Croix-Comtesse
Landrais
Ardillières
Vandré
Bernay-St-Martin
Migré
Vergné
Coivert
Dampierre-sur-Boutonne
Ciré-d'Aunis
Chervettes
Loulay
St-Martial (la Grève)
Blanzay-sur-Boutonne
Muron
St-Laurent-de-la-Barrière
Puyrolland (Tournay)
Courant
Lozay
la Jarrie-Audouin
St-Georges-de-Longuepierre
Genouillé
Nachamps
St-Pierre-de-l'Isle
Aulnay
Loire-les-Marais
Annezay
la Benâte
St-Crépin
Nuaillé-sur-Boutonne
St-Loup
Landes
St-Pardoult
Paillé
Moragne
Chantemerle-sur-la-Soie
Antezant-la-Chapelle
Lussant
Tonnay-Boutonne
St-Denis-du-Pin
Vervant
Puy-du-Lac
la Vergne
A83
A10
A837
N11
N248
E601
E602

108
93
94
A
B
C
D
Azay-sur-Thouet
la Chapelle-Bertrand
Pompaire
Saurais
Chiré-en-Montreuil
Latillé
Allonne
St-Pardoux
Beaulieu-sous-Parthenay
Vouhé (Grand-Chevreau)
St-Martin-du-Fouilloux
Vasles
Lavausseau
Montreuil-Bonnin
Quinçay
Vouneuil-sous-Biard
Béruges
Fontaine-le-Comte
Mazières-en-Gâtine
Reffannes
Vausseroux
Vautebis
les Forges
Verruyes
St-Lin
Coutières
Clavé
St-Georges-de-Noisné
Chantecorps
Ménigoute
Sanxay
Curzay-sur-Vonne
Coulombiers
la Chapelle-Bâton
Fomperron
Barrage de la Touche Poupard
St-Germier
Jazeneuil
Augé
Saivres
Exireuil
Soudan
Rouillé
Lusignan
Celle-Lévescault
Cherveux
St-Maixent-l'École
Nanteuil
Ste-Eanne (le Breuil)
Pamproux
Avon (Thorigné)
Ste-Néomaye
Souvigné
la Mothe-St-Héray
Bougon
St-Sauvant
la Crèche
Romans
Exoudun
Fressines
Aigonnay
Prailles
la Couarde
Chenay
Mougon
Thorigné
Beaussais
Chey
Vançais
Rom
Couhé
Vaux
Prahecq
Celles-sur-Belle
Lezay
Messé
Ste-Blandine
Melle
Ste-Soline
Vanzay
Brux
St-Martin-lès-Melle
St-Léger-de-la-Martinière
St-Coutant
St-Médard
St-Romans-lès-Melle
St-Vincent-la-Châtre
Pers
Chaunay
Blanzay
Périgné
Mazières-sur-Béronne
St-Génard
Maisonnay
Clussais-la-Pommeraie
Champagné-le-Sec
Secondigné-sur-Belle
Paizay-le-Tort
Pliboux
Vernoux-sur-Boutonne
Sompt
les Alleuds
Linazay
Brioux-sur-Boutonne
Tillou
Mairé-Levescault
St-Pierre-d'Exideuil
Lusseray
Gournay-Loizé
Brieuil-sur-Chizé
Villefollet
Luché-sur-Brioux
Melleran
la Chapelle-Pouilloux
Sauzé-Vaussais
Limalonges
Civray
Chérigné
Juillé
Fontenille-St-Martin-d'Entraigues
Villiers-sur-Chizé
Chef-Boutonne
Ardilleux
Lorigné
Montalembert
Asnières-en-Poitou
Ensigné
Paizay-le-Chapt
la Bataille
Crézières
Montjean
Voulême
Loubigné
Bouin
Hanc
Pioussay
la Forêt-de-Tessé
Londigny
les Adjots
la Villedieu
Aubigné
la Magdeleine
St-Martin-du-Clocher
Forêt Domaniale d'Aulnay
Loubillé
Theil-Rabier
Villiers-le-Roux
la Chevrerie
Bernac (les Montées)
Taizé-Aizie
Vinax
Aulnay
St-Mandé-sur-Brédoire
Villemain
Paizay-Naudouin-Embourie
Ruffec
Bioussac
Condac
Contré
Saleignes
Empuré
Villefagnan
la Faye
Villemorin
121
122
Romazières
Longré
Brettes
Raix
les Éduts
Villiers-Couture
Couture-d'Argenson
Courcôme
Villegats
E05
A10
E62
N149
D910
D948
D950
D611

Migné-Auxances
Chasseneuil-du-Poitou
la Chapelle-Moulière
Bellefonds
Montamisé
94
95
109
E
F
G
H
Châl. de Touffou
Châl. de Loubressay
Ste-Radégonde
la Puye
la Bussière
Buxerolles
POITIERS
Poitiers-Biard
Biard
Bignoux
Lavoux
Bonnes
Butte du Teil
Base de Loisirs
Lauthiers
Nalliers
Hypogée Martyrium
Baptistère St-Jean
Grtes de la Norée
Châl. de la Minauderie
Châl. du Bois Dousset
Sèvres-Anxaumont
Jardres
Chauvigny
Église St-Pierre
Paizay-le-Sec
St-Savin
St-Benoît
Mignaloux-Beauvoir
St-Julien-l'Ars
St-Pierre-les-Églises
Châl. d'Harcourt
Fleix
Croutelle
Savigny-Lévescault
Pouillé
Grte de Gioux
Châl. de Vaucour
Antigny
Anc. Abb. Saint-Martin
Ligugé
Smarves
Tercé
Lanterne des Morts
Parc Animalier du Bois de St-Pierre
Nouaillé-Maupertuis
Valdivienne (St-Martin-la-Rivière)
Leignes-sur-Fontaine
Min de Roche
Iteuil
Roches-Prémarie-Andillé
Dolm. de Pouzac
Prieuré de Ste-Marie d'Availles
Salles-en-Toulon
Pindray
Chapelle-Viviers
Nieuil-l'Espoir
Fleuré
déb. 2011
Chapelle-Morthemer
Dolmens
la Villedieu-du-Clain
Châl. de Chambonneau
Cim. Gallo-Romain
la Tour au Cognum
Vivonne
Aslonnes
Gizay
Vernon
Dienné
Lhommaizé
Civaux
Serre aux Crocodiles
Château-Larcher
Man. de Jorigny
Forêt de Verrières
Forêt de Lussac
Crypte Ste-Catherine
Octogone
Verrières
Dolmen
Mazerolles
Grte de la Marche
Lussac-les-Châteaux
St-Laurent-de-Jourdes
27
Marnay
St-Maurice-la-Clouère
Donj. de la Rigaudière
Gençay
Bois des Cartes
Bouresse
Gouex
Saulgé
Magné
Brion
Châl. de la Mothe
Persac
Les Trois Fontaines
Plaisance
Champagné-St-Hilaire
la Ferrière-Airoux
St-Secondin
Queaux
Moulismes
Crx et Caveaux
110
Sommières-du-Clain
Châl. de Vareilles
Usson-du-Poitou
Châl. de la Messelière
Moussac
Nérignac
St-Rémy-en-Montmorillon
Château-Garnier
Adriers
Romagne
St-Romain
Joussé
l'Isle-Jourdain
Champniers
Payroux
St-Martin-l'Ars
le Vigeant
Châl. de la Mailloière
Abb. de la Réau
Mouterre-sur-Blourde
la Chapelle-Bâton
Millac
Mauprévoir
Luchapt
St-Barbant
Lanterne des Morts
Pierre-Exideuil
Savigné
Civray
Grte du Chaffaud
Châl. de Rochemeaux
Charroux
Abb. St-Sauveur
Asnières-sur-Blour
St-Martial-sur-Isop
St-Gaudent
Genouillé
Asnois
Pressac
Availles-Limouzine
Oradour-Fanais
64
Châl. de Serre
Abzac
Gajoubert
Surin
Pleuville
Chatain
Épenède
Lessac
Châl. du Fraisse
Brillac
Falaise Granitique de Lessac
St-Germain-de-Confolens
Bussière-Boffy
Benest
Châl. d'Ordières
Parc Animalier
Hiesse
Alloue
Esse
Châl. Villevert
Chap. Ste-Hélène
Nanteuil-en-Vallée
Anc. Abb.
Jardins
122
123
Champagne-Mouton
St-Coutant
Confolens
Lesterps
St-Christophe

110
95
96
109
123
124
A
B
C
D
1
2
3
4
5
6
le Blanc
Sauzelles
Tilloux
Mont la Chapelle
St-Aigny
Muant
Madrolles
Nervault
les Fourdines
Étg des Grandes Fourdines
Chézeau-Chrétien
St-Gaultier
Chasseneuil
Mérigny
Breuil
Anc. Prieuré de Puychevrier
Coubernard
Ruffec
la Roche
Ciron
Scoury
Longefont
Chitray
Rivarennes
Thenay
le Pont-Chrétien-Chabenet
Neuville
Lanterne des Morts
Romefort
Cors
Oulches
les Brunets
la Creuse
Château Naillac
Varennes
les Marnes
Scévolles
les Âges
Ég de la Chennerie
la Rouère
DE LA BRENNE
Chap. de Plaincourault
Ingrandes
Concremiers
Rolnier
Anguyenne
Étg de la Rouère
Amphithéâtre
St-Marin
Le Haut Pré. Tilly
Prigny
Villiers
les Loges
les Nébilons
la Vallée
Chât. de Forges
Roche
Boisherpin
Savin
Bouesse
Beauvais
Mauvières
Étang Bienfait
la Bezarde
le Broussat
Landes
St-Germain
Vrassac
les Gorciers
Villemort
Béthines
la Forêt
St-Hilaire-sur-Benaize
Charneuil
Bélâbre
Chât. de Céré
l'Anglin
Chalais
Theuret
Luzeret
la Marche Occitane
Antigny
les Gauthiers
Fontigon
la Sonne
la Boudre
les Vaines
Arché
la Forge
Nesmes
Rocheblond
la Breuille
la Lande
le Colombier
Celon
les Georgets
Jemelle
Prieuré Roman
Villesalem
Thenet
Liglet
la Roche Chevreux
Prissac
le Châtelier
Chazelet
Vigoux
Haims
Fontmoron
St-Civran
Sacierges-St-Martin
Bouchais
la Buxière
Peufavard
les Roches
Château Guillaume
Barbières
la Plaine
Chassingrimont
Eport
Rillé
la Braudière
la Trimouille
Vouhet
Montbroux
St-Gilles
Journet
Lanterne des Morts
la Métairie de l'Étang
la Loge
Regeignet
Lignac
le Four
Dunet
Chéniers
le Joux
Roussines
Biard
Île aux Serpents
Bernier
la Forêt Gaultier
la Maison Neuve
Parnac
le Fay
Montmorillon
St-Léomer
Martreuil
Ruines
le Monteil
le Peumochat
les Pérelles
le Meslier
Mainclef
St-Benoît-du-Sault
Mazotin
Lanterne des Morts de Moussac
la Filonnière
la Jonchère
Bouzat
le Coury
Thollet
les Hérolles
Milloux
Chabanne
Chaillac
Seillant
Lageboutaud
le Breuil
Brosse
Chât.
la Châtre-Langlin
le Soleil
Clidier
les Mâts
la Frissonnière
Sachaud
Martray
Gouma
Coulonges
Tilly
Fougerolles
Dolmen
Bourg-Archambault
Brigueil-le-Chantre
Lajonc
la Bergerie
Mérigot
l'Aumône
Ste-Marie
Beaulieu
Vieilleville
la Furetière
Bonneuil
la Bouée
Mouhet
Champagne
les Grandes Rochettes
Eports
Pierrefolle
Lareux
Bantard
Lacoux
Lignac
Champs
Lafa
l'Expardelière
St-Martin-le-Mault
Jouac
les Plaignes
les Grands-Chézeaux
la Casine
Verneuil-Moustiers
Lussac-les-Églises
Cromac
Azerables
Lathus-St-Rémy
Lhoume
la Betouille
le Bois du Ris
la Villatte
Menussac
Lascroux
Base de Loisirs
St-Georges-les-Landes
la Forge
Jeux
Chez Tabuteau
Chât. de Cluzeau
la Courandière
Lémarrière
Mailhac-sur-Benaize
Bois Mandé
la Chaume
Azat-le-Ris
les Clôtures
Chez Craud
St-Sulpice-les-Feuilles
Forgev
la Celle
Chap. de la Plain
Cruet
le Puy St-Jean
les Grandes Lignes
Fontvieille
Lafatvieille
St-Rémy-Montmorillon
les Bordes
Tersannes
Vareilles
Cascade du Saut de la Brame
la Salesse
le Noyer
Maison Celle
le Breuil
la Chaume
Thiat
St-Léger-Magnazeix
Ruffasson
la Villaubrun
Clairbize
l'Écluse
Tour la Côte au Chapt
Bachellerie
la Brousse
les Chiers
Arnac-la-Poste
le Theix
le Courtioux
Combrun
Gouaneix
Villagrand
les Petits Caires
Beautribeau
la Bussière-Madeleine
Lanterne des Morts
Bel-Air
Bussière-Poitevine
Lanterne des Morts
la Bazeuge
Arcoulant
Foulventour
le Chiron
St-Hilaire-la-Treille
Lezat
Mazeraud
Oradour-St-Genest
les Forges
Lage-Troinet
la Souterraine
Chez Caillaud
Darnac
Miaumande
Chinquioux
Dinsac
Magnac-Laval
la Bachellerie
Plaisance
Champagnac
la Poste
le Dognon
Pétavaud
Voulons
le Dorat
la Sagne Barrat
Dompierre-les-Églises
Montulat
St-Maurice-la-Souterraine
le Grand-Pin
Cressac
la Zaphix
la Croisière
St-Sornin-la-Marche
le Bas Sébioux
la Valette
le Maubert
St-Sornin-Leulac
le Mas du Bost
Pont St-Martin
Faites
la Vallade
la Saumagne
le Peux
Lanterne des Morts
St-Priest-le-Betoux
Lanterne des Morts
la Bussière Rapy
Partial-Isop
Rebeyrolles
Mounismes
la Valette Montavie
Villefavard
St-Amand-Magnazeix
Chégurat
Montoys
St-Bonnet-de-Bellac
Ballanges
St-Ouen-sur-Gartempe
la Brousse
Fromental
Chabannes
Chez Lucas
la Croix-sur-Gartempe
Droux
Vérines
Chégurat
le Nouhaud
Bel-Air
la Coulerouze
St-Pierre-de-Fursac
la Graule
Peyrat-de-Bellac
les Cros
Sissac
Châteauponsac
Morterolles-sur-Semme
la Traverse
Darvizat
Blanzac
Pont
Rancon
le Cluzeau
Lavaud
Bellac
Pont de la Pierre
Chasseneuil
Laprade
la Croix du Breuil
Villard
le Maubert
Mézières-sur-Issoire
St-Sauveur
le Montillon
Montmaud
Bessines-sur-Gartempe
Folles
Bessereix
Ballédent
Gaffary
les Grandes Magnelles
Fursannes
Chât. du Fraisse
Thoveyrat
Lagudée
les Monts
Lacombe
le Boucheron
St-Junien-les-Combes
la Couze
Belzanes
le Petit Boigirau
Charrin
Fougerolles
Pierrefiche
Bersac-sur-Rivalier
la Chaize
Bonnesseix
la Borderie
Roussac
Villarcoin
Baubiat
Laurière
Nouic
Berneuil
le Puy
Vauzelle
Chatenet-Colon
Maillaufargueix
Nouailles
Mortemart
Blond
la Garde
St-Symphorien-sur-Couze
St-Pardoux
Chanteloube
Bois des Échelles
Chât. des Ducs
Montrol-Sénard
Breuilaufa
Clavière
la Roche
Charensannes
St-Sulpice-Laurière
la Valette
Monts de Blond
le Chatain
le Buis
Étang St-Pardoux
Razès-Bas
le Mazeaud
l'Aumônerie
Villerajouze
Vaulry
Morcheval
le Vincou
le Puymenier
Chabanne
Razès
le Fraisse
Pierre Millier
Jeanmey
St-Léger-la-Montagne
les Combes
Montrocher
Peyrelade
le Grand Puyboureau
la Gare
Fregeaigue
la Combe
Châtenet-Maussan
Brugères
Mallety
les Adoux
Nantiat
Beaubost
A20
E09
E62
N147
N145

96
97
111
Tendu
Mosnay
Bouesse
Buxières-d'Aillac
Lys-St-Georges
Mers-sur-Indre
Montipouret
Nohant-Vic
St-Chartier
la Berthenoux
Verneuil-sur-Igneraie
Lourouer-St-Laurent
Thevet-St-Julien
Vicq-Exemplet
St-Marcel
Argenton-sur-Creuse
Neuvy-St-Sépulchre
Sarzay
Montgivray
la Châtre
Lacs
le Pêchereau
Malicornay
Gournay
Maillet
Mouhers
Fougerolles
le Magny
Montlevicq
Chavin
le Menoux
Badecon-le-Pin
Cluis
Chassignolles
St-Denis-de-Jouhet
Briantes
Champillet
la Motte-Feuilly
Ceaulmont
Gargilesse-Dampierre
Pommiers
Feusines
Bazaiges
Baraize
Orsennes
Cuzion
Montchevrier
la Buxerette
Crozon-sur-Vauvre
Crevant
Pouligny-St-Martin
Ste-Sévère-sur-Indre
Pouligny-Notre-Dame (la Chaume Blanche)
Eguzon-Chantôme
St-Plantaire
Aigurande
Lourdoueix-St-Michel
Méasnes
Nouziers
Vigoulant
Sazeray
Vijon
la Forêt-du-Temple
Lourdoueix-St-Pierre
Mortroux
la Cellette
Tercillat
Bussière-St-Georges
Crozant
Fresselines
Nouzerolles
Moutier-Malcard
Nouzerines
la Chapelle-Baloue
Bazelat
Chambon-Ste-Croix
Linard
Chéniers
Malval
Genouillac
Lafat
Maison-Feyne
Villard
Bonnat
St-Germain-Beaupré
Sagnat
la Celle-Dunoise
St-Dizier-les-Domaines
Dun-le-Palestel
Colondannes
St-Sulpice-le-Dunois
le Bourg-d'Hem
Châtelus-Malvaleix
Clugnat
St-Léger-Bridereix
St-Agnant-de-Versillat
Champsanglard
Roches
Jalesches
Naillat
Anzême
Jouillat
Souterraine
Fleurat
Bussière-Dunoise
Ladapeyre
Domeyrot
Noth
Blaudeix
Glénic
Rimondeix
Lizières
St-Priest-la-Feuille
St-Vaury
St-Sulpice-le-Guérétois
St-Fiel
Ajain
St-Priest-la-Plaine
Jarnages
le Grand-Bourg
Chamborand
la Brionne
GUÉRET
St-Laurent
Pionnat
St-Étienne-de-Fursac
St-Silvain-Montaigut
St-Léger-le-Guérétois
Ste-Feyre
la Saunière
Vigeville
Mazeirat
Cressat
Bénévent-l'Abbaye
Montaigut-le-Blanc
St-Victor-en-Marche
St-Hilaire-la-Plaine
Marsac
Savennes
Peyrabout
Moutier-d'Ahun
St-Christophe
la Chapelle-Taillefert
St-Yrieix-les-Bois
Augères
Mourioux-Vieilleville
Aulon
Ceyroux
Azat-Châtenet
St-Éloi
Lépinas
Ahun
Lavaveix-les-Mines
St-Pardoux-les-Cards
Arrènes
Janaillat
Sardent
Maisonnisses
sous-Parsat
St-Goussaud
St-Dizier-Leyrenne
Chamberaud
St-Martial-le-Mont
Jabreilles-les-Bordes
la Chapelle-St-Martial
le Donzeil
124
125

112
97
98
125
126
A
B
C
D
Rezay
Maisonnais
le Châtelet
St-Pierre-les-Bois
Ardenais
Arcomps
Loye-sur-Arnon
St-Georges-de-Poisieux
Ainay-le-Vieil
la Celette
Faverdines
la Perche
Braize
St-Bonnet-Tronçais
Urçay
Lételon
St-Julien
Feuilletin
Abb. de Puyferrand
Étang de Bornacq
Forêt de Tronçais
Beddes
St-Jeanvrin
St-Maur
Saulzais-le-Potier
Meaulne
Vitray
Néret
Châteaumeillant
St-Christophe-le-Chaudry
Reigny
Étg de la Loubière
le Brethon
Champillet
Culan
Vesdun
St-Vitte
Épineuil-le-Fleuriel
Vallon-en-Sully
St-Caprais
Urciers
Feusines
Motte-Feuilly
St-Saturnin
Sidiailles
St-Désiré
Nassigny
Hérisson
Lignerolles
St-Éloy-d'Allier
Courçais
Chazemais
Maillet
Pérassay
Viplaix
Audes
Reugny
Givarlais
Louroux-Hodement
St-Priest-la-Marche
St-Palais
Préveranges
Mesples
Vijon
St-Marien
la Chapelaude
Vaux
Estivareilles
Chambérat
Lanterne des Morts
Bussière-St-Georges
Nouzerines
St-Pierre-le-Bost
St-Sauvier
St-Victor
Verneix
Archignat
Huriel
Donj. de la Toque
Domérat
Désertines
St-Angel
Boussac-Bourg
Leyrat
Boussac
Treignat
Malleret-Boussac
St-Silvain-Bas-le-Roc
St-Martinien
Quinssaines
MONTLUÇON
Chamblet
Lavaufranche
la Commanderie
Lamaids
Prémilhat
Lavault-Ste-Anne
Toulx-Ste-Croix
Soumans
Nouhant
Lignerolles
Néris-les-Bains
Commentry
les Pierres Nell
Chanon
Verneiges
Viersat
Teillet-Argenty
St-Genest
Villebret
Durdat-Larequille
St-Silvain-sous-Toulx
Bord-St-Georges
Domeyrot
Trois-Fonds
Auge
Lépaud
Ste-Thérence
Arpheuilles-St-Priest
Rimondeix
la Celle-sous-Gouzon
Budelière
Chap. St-Marien
Mazirat
Parsac
Gouzon
Chât. de Barbe Bleue
Viaduc de la Tardes
la Petite-Marche
Terjat
Ronnet
Étang de Landes
Chambon-sur-Voueize
Lussat
Évaux-les-Bains
Chambonchard
Marcillat-en-Combraille
Ars-les-Favets
la Crouzille
Cressat
St-Dizier-la-Tour (la Tour)
Pierrefitte
St-Loup
St-Julien-la-Genête
St-Marcel-en-Marcillat
St-Fargeol
St-Chabrais
Tardes
St-Julien-le-Châtel
Chénérailles
Château-sur-Cher
le Chauchet
Sannat
Fontanières
Pionsat
Reterre
St-Hilaire
la Cellette
Peyrat-la-Nonière
Anc. Abb. de Bonlieu
St-Priest
St-Pardoux-les-Cards
St-Maigner
Chât. de Mazeau
St-Maurice-près-Pionsat
Bussières
Charron
la Serre-Bussière-Vieille
Arfeuille-Châtain
Issoudun-Létrieix
Mainsat
Rougnat
Roche-d'Agoux
St-Médard-la-Rochette
Puy-Malsignat
St-Domet
Bussière-Nouvelle
Auzances
Vergheas
Espinasse
N145
E62
A71
E11
N144
D943
D997
D940
D951

Couleuvre
Cérilly
Theneuille
Franchesse
St-Plaisir
Bourbon-l'Archambault
Ygrande
Agonges
St-Menoux
Marigny
MOULINS
Yzeure
Avermes
Trévol
Souvigny
Autry-Issards
Coulandon
Neuvy
Bressolles
Louroux-Bourbonnais
Cosne-d'Allier
Vieure
Gipcy
Meillers
Buxières-les-Mines
Noyant-d'Allier
Châtillon
Besson
Chemilly
Cressanges
Tronget
le Montet
Sauvagny
Chavenon
Murat
Villefranche-d'Allier
Chappes
Deux-Chaises
Treban
Châtel-de-Neuvre
Meillard
Verneuil-en-Bourbonnais
Le Theil
Laféline
St-Priest-en-Murat
Montmarault
St-Marcel-en-Murat
Doyet
Bézenet
Malicorne
Louroux-de-Beaune
Beaune-d'Allier
Target
Saulcet
Louchy-Montfand
St-Pourçain-sur-Sioule
Fleuriel
Chareil-Cintrat
Colombier
Deneuille-lès-Chantelle
Chantelle
Fourilles
Bayet
Étroussat
Barberier
Chezelle
la Celle
Lapeyrouse
Louroux-de-Bouble
Échassières
Bellenaves
Charroux
Valignat
Veauce
Montaigut
St-Eloy-les-Mines
Youx
Servant
Vicq
Jenzat
St-Bonnet-de-Rochefort
Escurolles
Brout-Vernet
Chouvigny
Ébreuil
Menat
Mazerier
Cognat-Lyonne
Gannat
St-Quintin-sur-Sioule
Pouzol
Lisseuil
Biozat
Effiat
Montpensier
Aigueperse
St-Gervais
Châteauneuf-
St-Hilaire-la-Croix
Bizeneuille
Deneuille-les-Mines
98
99
113
114
126
127
E
F
G
H

114
99
100
A
B
C
D
Yzeure
Gennetines
Chézy
Chevagnes
Lusigny
Garnat-sur-Engièvre
Beaulon
Bourbon-Lancy
Mont
Chalmoux
Neuvy-Grandchamp
St-Aubin-sur-Loire
Diou
Gilly-sur-Loire
Perrigny-sur-Loire
Toulon-sur-Allier
Montbeugny
Thiel-sur-Acolin
Dompierre-sur-Besbre
Pierrefitte-sur-Loire
Coulanges
Digoin
Molinet
Chapeau
Neuilly-le-Réal
Mercy
St-Pourçain-sur-Besbre
Vaumas
Saligny-sur-Roudon
Bessay-sur-Allier
Gouise
St-Voir
Thionne
Châtelperron
Jaligny-sur-Besbre
St-Léon
Liernolles
Monétay-sur-Loire
Le Pin
St-Léger-sur-Vouzance
St-Gérand-de-Vaux
Treteau
Sorbier
Chavroches
Montcombroux-les-Mines
Le Donjon
Neuilly-en-Donjon
St-Didier-en-Donjon
Luneau
St-Loup
Montoldre
Varennes-sur-Allier
Bouce
Cindré
Trézelles
Varennes-sur-Tèche
Bert
Montaigu-le-Blin
Barrais-Bussolles
Lenax
Le Bouchaud
Loddes
Montaiguët-en-Forez
Céron
Créchy
St-Gérand-le-Puy
Servilly
Lapalisse
Andelaroche
Urbise
Billy
Droiturier
Sail-les-Bains
Chenay-le-Châtel
Marcenat
St-Germain-des-Fossés
Seuillet
Magnet
Billezois
St-Pierre-Laval
St-Martin-d'Estréaux
Vivans
St-Rémy-en-Rollat
Creuzier-le-Neuf
Creuzier-le-Vieux
Bost
St-Étienne-de-Vicq
St-Christophe
Isserpent
Arfeuilles
La Pacaudière
Le Crozet
Charmeil
Cusset
VICHY
Bellerive-sur-Allier
Le Vernet
Abrest
Molles
La Chapelle
Nizerolles
Châtel-Montagne
St-Bonnet-des-Quarts
Changy
St-Forgeux-Lespinasse
St-Germain-Lespinasse
Ambierle
Hauterive
St-Yorre
Busset
Arronnes
Le Mayet-de-Montagne
St-Clément
St-Nicolas-des-Biefs
St-Haon-le-Vieux
St-Haon-le-Châtel
St-Romain-la-Motte
Renaison
St-Sylvestre-Pragoulin
St-Priest-Bramefant
Mariol
Ferrières-sur-Sichon
St-André-d'Apchon
Pouilly-les-Nonains
127
128
N7
N79
E62

Montceau-les-Mines
St-Vallier
Gueugnon
Perrecy-les-Forges
Ciry-le-Noble
Génelard
Palinges
Paray-le-Monial
Charolles
St-Bonnet-de-Joux
Verosvres
Matour
La Clayette
Marcigny
Semur-en-Brionnais
Chauffailles
Charlieu
Belmont-de-la-Loire
Cours-la-Ville
Mably
ROANNE
Riorges
Perreux
Thizy
Beaujeu
Quincié-en-Beaujolais
CHAROLLAIS
BRIONNAIS
E
F
G
H
100
101
115
116
128
129

116
101
102
115
129
130
A
B
C
D
1
2
3
4
5
6
Germagny
Chenôves
Fley
Bissy-sur-Fley
Saules
St-Boil
Sépultures Gallo-Romaines
Culles-les-Roches
St-Maurice-des-Champs
Vaux-en-Pré
St-Gengoux-le-National
Messey-sur-Grosne
Lalheue
Laives
Sennecey-le-Grand
Gigny-sur-Saône
Beaumont-sur-Grosne
Baudrières
St-André-en-Bresse
Branges
Sornay
Vincelles
la Frette
Savigny-sur-Seille
Simandre
Ormes
la Chapelle-de-Bragny
Nanton
Montceaux-Ragny
Jugy
Santilly
Sercy
Bresse-sur-Grosne
Savigny-sur-Grosne
Burnand
Curtil-sous-Burnand
Champagny-sous-Uxelles
Bissy-sous-Uxelles
Étrigny
Mancey
Vers
Boyer
Tournus
l'Abergement-de-Cuisery
Huilly-sur-Seille
Loisy
Jouvençon
Cuisery
Brienne
Rancy
Bantanges
Ménetreuil
la Chapelle-Naude
Bruailles
Ste-Croix
Montpont-en-Bresse
la Chapelle-Thècle
la Genête
Malay
St-Ythaire
Bonnay
Chapaize
la Chapelle-sous-Brancion
Royer
Lacrost
Préty
Cormatin
Ozenay
Plottes
le Villars
Ratenelle
Ameugny
Taizé
Salornay-sur-Guye
Cortevaix
Chissey-lès-Mâcon
Cruzille
Martailly-lès-Brancion
Grevilly
Farges-lès-Mâcon
Chardonnay
Uchizy
la Truchère
Sermoyer
Romenay
Mont St-Romain
Massilly
Cortambert
Blanot
Bissy-la-Mâconnaise
Lugny
Montbellet
Arbigny
Vescours
Vernoux
St-Trivier-de-Courtes
Curciat-Dongalon
St-Nizier-le-Bouchoux
Courtes
Cormoz
Lournand
Donzy-le-Pertuis
St-Gengoux-de-Scissé
Burgy
Viré
Fleurville
St-Bénigne
Pont-de-Vaux
Chavannes-sur-Reyssouze
Servignat
Mantenay-Montlin
Cluny
Jalogny
Azé
Péronne
Reyssouze
St-Albain
Clessé
Gorrevod
St-Étienne-sur-Reyssouze
St-Julien-sur-Reyssouze
Lescheroux
St-Maurice-de-Satonnay
la Salle
St-Jean-sur-Reyssouze
Mazille
Ste-Cécile
Berzé-le-Châtel
Igé
Laizé
Ozan
Chevroux
Boissey
Jayat
Foissiat
Verzé
Charbonnières
St-Martin-Belle-Roche
Bourgvilain
Sologny
Berzé-la-Ville
Hurigny
Manziat
Béréziat
Milly-Lamartine
la Roche-Vineuse
St-Point
Bussières
Pierreclos
Sancé
Feillens
Marsonnas
Montrevel-en-Bresse
Étrez
Prissé
Charnay-lès-Mâcon
Bâgé-la-Ville
Bâgé-le-Châtel
Dommartin
Malafretaz
St-Sulpice
Cras-sur-Reyssouze
Vergisson
Davayé
Replonges
St-André-de-Bâgé
St-Didier-d'Aussiat
Roche de Solutré
Solutré-Pouilly
MÂCON
St-Genis-sur-Menthon
St-Martin-le-Châtel
Attignat
Chasselas
Fuissé
Crottet
St-Cyr-sur-Menthon
Curtafond
Confrançon
Viriat
Leynes
Vinzelles
Pont-de-Veyle
Varennes-lès-Mâcon
Grièges
Cenves
Pruzilly
Chaintré
St-Vérand
St-Jacques-des-Arrêts
Chânes
St-Jean-sur-Veyle
Polliat
Mont de Bessay
Juliénas
Crêches
St-Amour-Bellevue
Cormoranche-sur-Saône
Laiz
Perrex
Mézériat
BOURG-EN-BRESSE
Émeringes
Cruzilles-lès-Mépillat
Vonnas
Buellas
Montcet
Vandeins
St-Denis-lès-Bourg
la Chapelle-de-Guinchay
Chénas
Bey
Biziat
St-Julien-sur-Veyle
Vauxrenard
Avenas
St-Symphorien-d'Ancelles
Garnerans
St-André-d'Huiriat
Chaveyriat
Montracol
St-Rémy
Fleurie
Romanèche-Thorins
Illiat
Chiroubles
Villié-Morgon
St-Didier-sur-Chalaronne
Sulignat
Chanoz-Châtenay
Lancié
Thoissey
Beaujeu
Dracé
Neuville-les-Dames
Condeissiat
Corcelles-en-Beaujolais
St-Étienne-sur-Chalaronne
l'Abergement-Clémenciat
St-André-sur-Vieux-Jonc
Lantignié
Régnié-Durette
Mogneneins
Dompierre-sur-Chalaronne
Servas
St-Jean-d'Ardières
Taponas
Châtillon-sur-Chalaronne
Quincié-en-Beaujolais
Peyzieux-sur-Saône
Valeins
St-André-le-Bouchoux
Lent
Cercié
Genouilleux
Romans
St-Lager
Belleville
Guéreins
Baneins
St-Georges-sur-Renon
Charentay
Montceaux
Chaneins
St-Germain-sur-Renon
St-Paul-de-Varax
Odenas
Montmerle-sur-Saône
Francheleins
Relevant
St-Georges-de-Reneins
St-Trivier-sur-Moignans
Lurcy
la Chapelle-du-Châtelard
Marlieux
le Perréon
St-Étienne-des-Oullières
Sandrans
St-Nizier-le-Désert
Messimy-sur-Saône
Abb. N.-D.-des Dombes
Chaleins
Bouligneux
Villeneuve
Fareins
Blacé
St-Julien
Arnas
VILLEFRANCHE-SUR-SAÔNE
Ste-Olive
le Plantay
DOMBES
BRESSE
MÂCONNAIS
BEAUJOLAIS
A6
A40
A406
E15
E62
N6
N79
D975
D933
D1079
la Saône
la Seille
la Reyssouze
la Veyle
la Chalaronne
la Grosne

102
103
117
118
130
131
E
F
G
H
Louhans
Sagy
Frontenaud
Cousance
Cuiseaux
Varennes-St-Sauveur
Condal
St-Amour
Coligny
Marboz
Bourg-en-Bresse
Péronnas
Ceyzériat
Jasseron
Meillonnas
Treffort-Cuisiat
Chavannes-sur-Suran
Montfleur
Verjon
Pont-d'Ain
Priay
Jujurieux
Cerdon
Poncin
Neuville-sur-Ain
St-Martin-du-Mont
Ambronay
Beaufort
Augisey
Cressia
Gigny
St-Julien
Arinthod
St-Hymetière
Chatonnay
Présilly
Orgelet
Conliège
St-Maur
Revigny
Pont-de-Poitte
Clairvaux-les-Lacs
Maisod
Moirans-en-Montagne
Villards-d'Héria
Lavans-lès-St-Claude
Lavancia-Epercy
Dortan
Arbent
Oyonnax
Bellignat
Izernore
Montréal-la-Cluse
Nantua
Le Poizat
Brénod
le Petit-Abergement
le Grand-Abergement
Champdor
Hotonnes
Plateau de Retord
Belleydoux
Giron
Champfromier
Châtillon-en-Michaille
Injoux-Génissiat
Bonlieu
Prénovel
les Piards
Thoiria
Saut de la Saisse
Lac de Nantua
Forêt de Macretet
Forêt d'Échallon
Gorges de l'Ain
Autoroute Verte
A39
A40
A42
A404
E21
E62
E611

118
103
104
A
B
C
D
PARC
NAT
RÉG.
DU
HAUT-JURA
MONTS
JURA
Foncine-le-Bas
Chapelle-des-Bois
Entre-deux-Monts
Fort-du-Plasne
Lac-des-Rouges-Truites (les Thévenins)
Ménétrux-en-Joux
le Frasnois
Bonlieu
la Chaux-du-Dombief
la Chaumusse
St-Laurent-en-Grandvaux
St-Maurice-Crillat
St-Pierre
Grande-Rivière (les Guillons)
Morbier
Bellefontaine
Morez
Bois-d'Amont
les Rousses
Prénovel
Château-des-Prés
Villard-sur-Bienne
la Rixouse
Longchaumois
Prémanon
les Jouvencelles
Lamoura
Lajoux
Mijoux
Septmoncel
St-Claude
Villard-St-Sauveur
les Molunes
les Moussières
Bellecombe
Lélex
Col de la Faucille
les Bouchoux
la Pesse
Crozet
Échenevex
Gex
Cessy
Divonne-les-Bains
Vesancy
Grilly
Ségny
Chevry
Ferney-Voltaire
Ornex
Versonnex
Sauverny
Sergy
St-Genis-Pouilly
Thoiry
St-Jean-de-Gonville
Chézery-Forens
Péron
Challex
Farges
Collonges
Confort
Bellegarde-sur-Valserine
Lancrans
Éloise
Clarafond-Arcine
St-Germain-sur-Rhône
Chêne-en-Semine
Vanzy
Chaumont
Frangy
Musièges
Challonges
Usinens
Desingy
Chilly
Sallenôves
Choisy
Mésigny
Allonzier-la-Caille
Villy-le-Pelloux
Cruseilles
Copponex
Cercier
Contamine-Sarzin
Minzier
Jonzier-Épagny
Savigny
Chênex
Dingy-en-Vuache
Valleiry
Vulbens
Viry
Feigères
Présilly
Vers
Andilly (Charly)
Cernex
St-Blaise
Beaumont
Neydens
Archamps
Collonges-sous-Salève
Bossey
St-Julien-en-Genevois
Soral
Avusy
Chancy
Avully
Laconnex
Perly-Certoux
Plan-les-Ouates
Confignon
Bernex
Onex
Lancy
Carouge
Aire-la-Ville
Dardagny
Russin
Satigny
Meyrin
Vernier
GENÈVE
Genève-Cointrin
le Grand-Saconnex
Prévessin-Moëns (Prévessin)
Pregny
Chambésy
Bellevue
Genthod
Collex-Bossy
Versoix
Mies
Tannay
Coppet
Commugny
Chavannes-des-Bois
Chavannes-de-Bogis
Founex
Céligny
Bogis-Bossey
Crassier
Borex
Signy-Avenex
Eysins
Nyon
Prangins
Duillier
Gland
Vich
Begnins
Coinsins
Trélex
Gingins
Chéserex
Grens
la Rippe
Arzier
Genolier
Givrins
St-Cergue
Bassins
le Vaud
Marchissy
Longirod
St-George
Gimel
Saubraz
Bière
Burtigny
Vinzel
Bursins
Rolle
Dully
Bursinel
Luins
Mont-sur-Rolle
Allaman
Perroy
Féchy
Aubonne
Etoy
Buchillon
Le Brassus
le Chenit
le Sentier
l'Orient
le Solliat
la Golisse
Bas des Bioux
Col du Marchairuz
Mont Tendre
Crêt de Mondisé
Berolle
Ballens
Mollens
Apples
Montricher
Villars-Bozon
Mauraz
Pampigny
Sévery
Cottens
Chavannes-le-Veyron
Grancy
Colombier
Reverolle
Clarmont
St-Saphorin-s-M.
Chardonney-sur-Morges
Bussy-Chardonney
Yens
Denens
St-Livres
Montherod
Lavigny
Villars-sous-Yens
Lussy-sur-Morges
Essertines-sur-Rolle
St-Oyens
Pizy
Bougy-Villars
Tartegnin
Gilly
LA CÔTE
THONON-LES-BAINS
Yvoire
Nernier
Messery
Excenevex
Anthy-sur-Léman
Margencel
Sciez
Chens-sur-Léman
Douvaine
Massongy
Hermance
Loisin
Ballaison
Bons-en-Chablais
Brenthonne
Lully
Fessy
Veigy-Foncenex
Chevrens
Anières
Corsier
Collonge-Bellerive
Vésenaz
Meinier
Jussy
St-Cergues
Machilly
Saxel
Burdignin
Boëge
Bogève
St-André-de-Boëge
Cologny
Vandoeuvres
Choulex
Presinge
Puplinge
Juvigny
Lucinges
Cranves-Sales
Chêne-Bougeries
Ambilly
Chêne-Bourg
Thônex
Gaillard
Annemasse
Vétraz-Monthoux
Étrembières
Veyrier
Monnetier-Mornex
Bonne
Fillinges
Nangy
Viuz-en-Sallaz
Contamine-sur-Arve
Marcellaz
Reignier
Pers-Jussy
Peillonnex
Faucigny
St-Jean-de-Tholome
Scientrier
Arenthon
Cornier
Bonneville
Amancy
Etaux
la Roche-sur-Foron
St-Pierre-en-Faucigny
St-Sixt
St-Laurent
la Muraz
Arbusigny
le Sappey
la Chapelle-Rambaud
Menthonnex-en-Bornes
Vovray-en-Bornes
Villy-le-Bouveret
Évires
Groisy
Thorens-Glières
le Petit-Bornand-les-Glières
Mont Salève
les Voirons
Plateau des Glières
Jardin Botanique
Mont Sion
Grand Crêt d'Eau
Défilé de l'Écluse
Crêt de la Neige
le Colombier de Gex
Montrond
Forêt du Risoux
Vallée de Joux
Mont Chaubert
la Dôle
la Barillette
Rés. Nat. du Delta de la Dranse
Château de Crans
Château de Beauregard

104
105
119
132
133
E
F
G
H
LAUSANNE
Morges
St-Sulpice
Préverenges
Denges
Ecublens
Renens
Prilly
Pully
Ouchy
Lutry
Paudex
Grandvaux
Riex
Villette
Cully
Epesses
Chexbres
Chardonne
Rivaz
St-Saphorin
Corsier
Vevey
la Tour-de-Peilz
Clarens
Montreux
Territet
Veytaux
Château de Chillon
Villeneuve
Noville
Rennaz
Roche
Yvorne
Aigle
Ollon
Bex
St-Maurice
Lavey-les-Bains
Martigny
Martigny-Bourg
Vernayaz
Salvan
les Marécottes
Finhaut
Trient
Col de la Forclaz
Vallorcine
le Châtelard
Argentière
Rochers de Naye
Blonay
Les Pléiades
Col de Sonloup
les Avants
Caux
Glion
Chernex
Châtel-St-Denis
Semsales
Moléson-Village
le Moléson
Gruyères
Broc
Montbovon
Rossinière
Col des Mosses
Leysin
le Sepey
Villars-sur-Ollon
Gryon
L É M A N
Évian-les-Bains
Lugrin
Meillerie
St-Gingolph
Bouveret
Port-Valais
Novel
Thollon-les-Mémises
Neuvecelle
Maxilly-sur-Léman
Publier
Amphion-les-Bains
Marin
Champanges
Larringes
St-Paul-en-Chablais
Bernex
Féternes
Vinzier
Chevenoz
Allinges
Lyaud
Armoy
Reyvroz
Orcier
Vailly
Lullin
Bellevaux
Gorges du Pont du Diable
la Forclaz
la Vernaz
Bonnevaux
la Baume
le Biot
Seytroux
Vacheresse
la Chapelle-d'Abondance
Abondance
Châtel
Pas de Morgins
Morgins
Monthey
Collombey
Muraz
Vionnaz
Vouvry
Torgon
Le Grammont
les Cornettes de Bise
Troistorrents
Val-d'Illiez
Champoussin
Champéry
les Crosets
Planachaux
St-Jean-d'Aulps
Portes du Soleil
Montriond
Morzine
Avoriaz
les Gets
C H A B L A I S
Mégevette
Onnion
St-Jeoire
Mieussy
Taninges
Verchaix
Morillon
Samoëns
Sixt-Fer-à-Cheval
Cluses
Scionzier
Marignier
Thyez
Châtillon-sur-Cluses
Mont-Saxonnex
Brizon
Magland
le Reposoir
Arâches-la-Frasse
Flaine
F A U C I G N Y
Tour Sallière
Pic de Tenneverge
Pointe de la Finive
Grand Mont Ruan
Dent de Morcles
Dent du Midi
Gagnerie
Clochers d'Arpette
Pointe d'Orny
Aiguille du Chardonnet
Aiguille du Tour
Glacier du Tour
Vallon de Bérard
Aiguilles Rouges

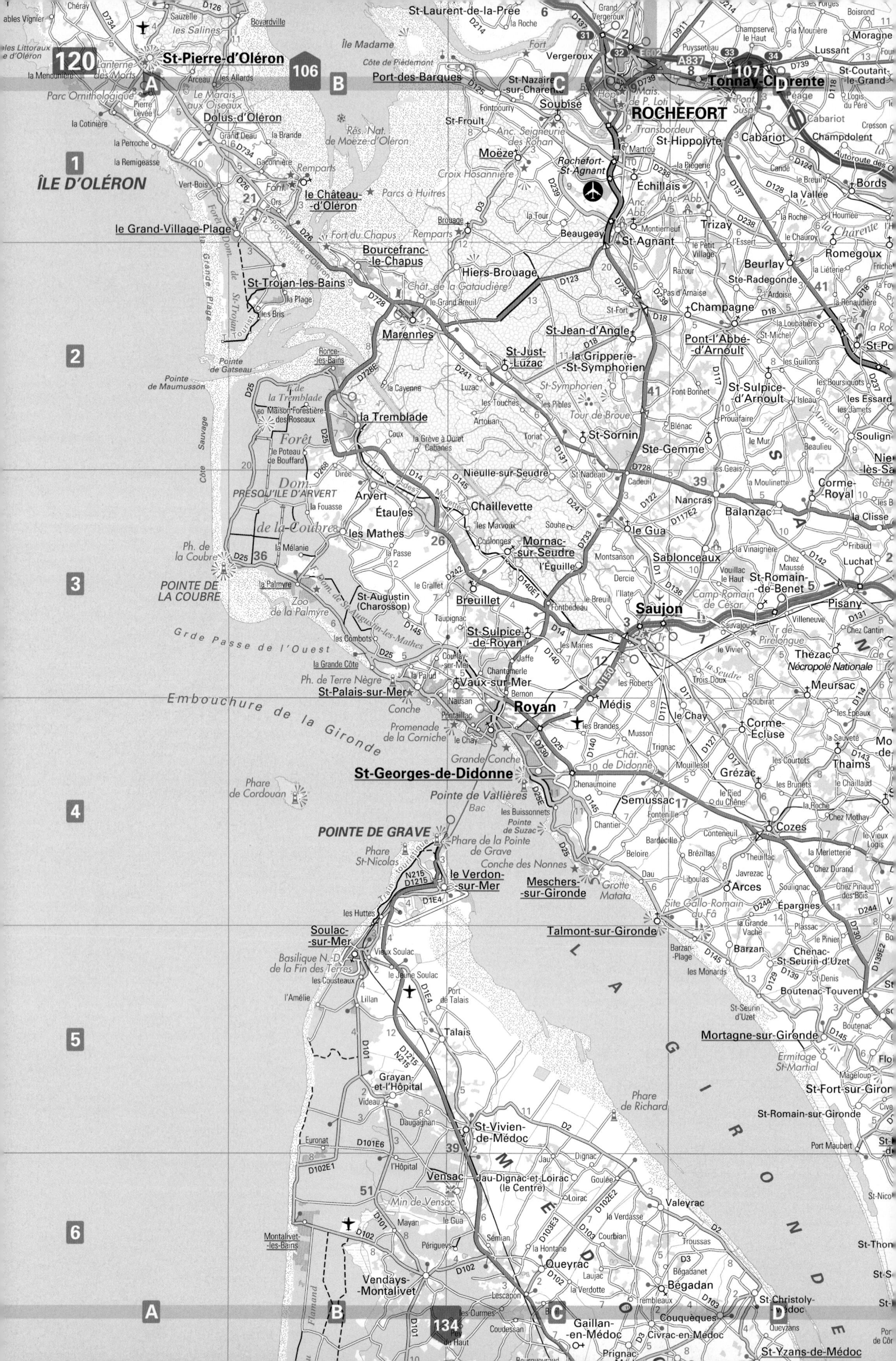

120
106
107
134
A
B
C
D
1
2
3
4
5
6
St-Pierre-d'Oléron
Dolus-d'Oléron
ÎLE D'OLÉRON
le Château-d'Oléron
le Grand-Village-Plage
St-Trojan-les-Bains
Bourcefranc-le-Chapus
Marennes
Île Madame
Port-des-Barques
St-Laurent-de-la-Prée
Vergeroux
St-Nazaire-sur-Charente
Soubise
ROCHEFORT
Tonnay-Charente
Cabariot
St-Hippolyte
Échillais
Moëze
Rochefort-St-Agnant
St-Agnant
Trizay
Beurlay
Romegoux
Hiers-Brouage
Champagne
St-Jean-d'Angle
St-Just-Luzac
la Gripperie-St-Symphorien
Pont-l'Abbé-d'Arnoult
St-Sulpice-d'Arnoult
la Tremblade
St-Sornin
Ste-Gemme
Nieulle-sur-Seudre
Arvert
Étaules
Chaillevette
les Mathes
Mornac-sur-Seudre
le Gua
Sablonceaux
Nancras
Balanzac
Corme-Royal
PRESQU'ILE D'ARVERT
POINTE DE LA COUBRE
Ph. de la Coubre
St-Augustin (Charosson)
Breuillet
St-Sulpice-de-Royan
Saujon
St-Romain-de-Benet
Pisany
Thézac
Nécropole Nationale
Grde Passe de l'Ouest
St-Palais-sur-Mer
Vaux-sur-Mer
Royan
Médis
Meursac
Corme-Écluse
Embouchure de la Gironde
St-Georges-de-Didonne
Phare de Cordouan
Pointe de Vallières
Semussac
Grézac
Cozes
Thaims
POINTE DE GRAVE
Phare de la Pointe de Grave
le Verdon-sur-Mer
Meschers-sur-Gironde
Arces
Épargnes
Talmont-sur-Gironde
Soulac-sur-Mer
Barzan
Chenac-St-Seurin-d'Uzet
Boutenac-Touvent
LA GIRONDE
Mortagne-sur-Gironde
Talais
Grayan-et-l'Hôpital
St-Fort-sur-Gironde
St-Romain-sur-Gironde
St-Vivien-de-Médoc
Phare de Richard
Vensac
Jau-Dignac-et-Loirac (le Centre)
Valeyrac
MÉDOC
Montalivet-les-Bains
Vendays-Montalivet
Queyrac
Bégadan
St-Christoly-Médoc
Gaillan-en-Médoc
Couquèques
Civrac-en-Médoc
St-Yzans-de-Médoc

Landes
Fougerolle
le Puits Neuf
Antraize
Chantemerle-sur-la-Soie
Tonnay-Boutonne
Puy-du-Lac
la Vergne
107
34
Antézant-la-Chapelle
Paillé
St-Denis-du-Pin
Vervant
Poursay-Garnaud
les Églises-d'Argenteuil
Villemorin
Paradis
Romazières
Les Éduts
121
108
Cherbonnières
Nère
l'Aiguille
Torxé
Voissay
Ternant
Courcelles
Tr. de l'Horloge
Abb.
les Nouillers
Archingeay
St-Jean-d'Angély
St-Julien-de-l'Escap
St-Pierre-de-Juillers
St-Martin-de-Juillers
24
Loiré-sur-Nie
Seigné
Fontaine-Chalendray
Bignay
Taillant
Mazeray
Fenioux
Varaize
Gibourne
le Gicq
Bazauges
Fontenet
Camp de Fontenet
les Touches-de-Périgny
Cressé
Lanterne des Morts
19
Blanzac-lès-Matha
la Brousse
Bagnizeau
Gourvillette
Beauvais-sur-Matha
Geay
le Mung
St-Savinien
Grandjean
Asnières-la-Giraud
Ste-Même
Aumagne
Matha
Bresdon
Crazannes
la Frédière
Nantillé
St-Hilaire-de-Villefranche
Pile Romaine Fanal d'Ébéon
Haimps
Massac
St-Ouen
Taillebourg
Annepont
Juicq
Bercloux
Aujac
Courcerac
Port-d'Envaux
Authon-Ébéon
Sonnac
Thors
Porchaire
le Douhet
Écoyeux
26
Brizambourg
Prignac
Mons
Brie-sous-Matha
Louzignac
Siecq
Plassay
St-Vaize
Villars-les-Bois
Ballans
Neuvicq-le-Château
Migron
Vénérand
Écurat
Bussac-sur-Charente
le Seure
Bréville
Macqueville
Fontcouverte
Burie
St-Georges-des-Coteaux
St-Bris-des-Bois
St-Sulpice-de-Cognac
SAINTES
la Chapelle-des-Pots
St-Césaire
Courbillac
Houlette
Ste-Sévère
Cherves-Richemont
Arc de Triomphe de Germanicus
Arènes
Pessines
St-Sauvant
les Gonds
Chaniers
Boutiers-St-Trojan
Réparsac
Sigogne
Varzay
Chérac
Louzac-St-André
Javrezac
Nercillac
Courcoury
Dompierre-sur-Charente
29
Théâtre Gallo-Romain
Chassors
les Métairies (Coursac)
Chermignac
St-Sever-de-Saintonge
St-Laurent-de-Cognac
Cognac
St-Brice
Jarnac
Rétaud
Croix Hosannière
Rouffiac
Merpins
Bourg-Charente
Thénac
Préguillac
Brives-sur-Charente
Salignac-sur-Charente
Châteaubernard
122
Condeville
la Jard
Montils
Ars
Gensac-la-Pallue
Mainxe
Rioux
Tesson
Berneuil
Colombiers
Gimeux
St-Même-les-Carrières
Montpellier-de-Médillan
St-Simon-de-Pellouaille
St-Seurin-de-Palenne
24
St-Léger
Pérignac
Salles-d'Angles
Genté
St-André-de-Lidon
Villars-en-Pons
Coulonges
Lonzac
Celles
Angeac-Champagne
Segonzac
Jazennes
Bougneau
St-Martial-sur-Né
Juillac-le-Coq
St-Preuil
Bouteville
Cravans
Pons
St-Fort-sur-le-Né
23
Gémozac
Tanzac
Biron
Échebrune
Germignac
Verrières
Lignières-Sonneville
Bonneuil
Virollet
Mazerolles
Avy
Jarnac-Champagne
Cierzac
33
Givrezac
Belluire
Chadenac
Ambleville
Touzac
St-Quentin-de-Rançanne
Fléac-sur-Seugne
Ste-Lheurine
St-Palais-du-Né
Criteuil-la-Magdeleine
Champagnolles
St-Palais-de-Phiolin
Marignac
Archiac
St-Germain-du-Seudre
Lachaise
Brie-sous-Mortagne
St-Grégoire-d'Ardennes
Neuillac
Arthenac
Mosnac
St-Eugène
St-Médard
Lagarde-sur-le-Né
Neulles
22
St-Genis-de-Saintonge
Bois
St-Georges-Antignac
Clam
Clion
Floirac
Réaux
Brie-sous-Archiac
Barret (Chez Verdois)
Barbezieux-St-Hilaire
Lorignac
Lussac
St-Maurice-de-Tavernole
Moings
Plassac
St-Martial-de-Vitaterne
Allas-Champagne
St-Sigismond-de-Clermont
St-Germain-de-Lusignan
Guimps
St-Dizant-du-Gua
Guitinières
Jonzac
Meux
Montchaude
Ste-Ramée
St-Ciers-du-Taillon
St-Ciers-Champagne
Salles-de-Barbezieux
Consac
St-Hilaire-du-Bois
Champagnac
St-Germain-de-Vibrac
Lamérac
Reignac
St-Dizant-du-Bois
Nieul-le-Virouil
St-Maigrin
Sémillac
St-Martial-de-Mirambeau
Allas-Bocage
Ozillac
St-Médard
Mortiers
le Tâtre
Condéon
Semoussac
St-Simon-de-Bordes
Agudelle
Fontaines-d'Ozillac
Mirambeau
St-Georges-des-Agoûts
Villexavier
Léoville
Baignes-Ste-Radegonde
Touvérac (le Pruneau)
37
Tugéras-St-Maurice
Chaunac
Abb. St-Étienne
St-Bonnet-sur-Gironde
Salignac-de-Mirambeau
135
Vibrac
Vanzac
Oriolles
Pôle Nature de Vitrezay
Chartuzac
Rouffignac
Messac
Bran
la Grolle
E
F
G
H

122
108
109
121
136
A
B
C
D
1
2
3
4
5
6
Romazières
Couture-d'Argenson
Longré
Brettes
Raix
Courcôme
Villegats
Barro
Nanteuil-en-Vallée
Vieux-Ruffec
Champagne-Mouton
Chives
les Gours
St-Fraigne
Souvigné
Verteuil-sur-Charente
Fontaine-Chalendray
Lupsault
Bessé
Charmé
Tuzie
Salles-de-Villefagnan
Poursac
St-Gourson
Chassiecq
Turgon
Ébréon
Tusson
Jardin Monastique Médiéval
Lonnes
Chenon
Chenommet
Couture
St-Sulpice-de-Ruffec
Bazauges
Barbezières
Oradour
Ligné
Juillé
Fontenille
Bayers
Aunac
Beaulieu-sur-Sonnette
le Grand-Madieu
Ranville-Breuillaud
Aigre
Villejésus
Fouqueure
Luxé
St-Groux
Fontclaireau
Mouton
Valence
Ventouse
Cellefrouin
Matha
Bresdon
Verdille
Mons
Villognon
Mansle
Moutonneau
Lichères
St-Front
St-Ouen
Abbatiale Notre-Dame
Cellettes
Maine-de-Boixe
Puyréaux
St-Ciers-sur-Bonnieure
St-Amant-de-Bonnieure
la Tâche
Auge-St-Médard
Marcillac-Lanville
Ambérac
Charente
Anville (la Cabane)
Bonneville
la Chapelle
Coulonges
Nanclars
St-Angeau
Montigné
Gourville
Xambes
Vervant
Aussac-Vadalle
Ste-Colombe
St-Mary
Mémorial de la Résistance
Sonneville
Vouharte
St-Amant-de-Boixe
Coulgens
Nécropole N.
Genac
Villejoubert
Tourriers
la Rochette
Mareuil
Rouillac
Montignac-Charente
Théâtre Gallo-Romain
Jauldes
St-Cybardeaux
Anais
Plaizac
Agris
Taponnat-Fleurignac
Vars
Rivières
St-Genis-d'Hiersac
Sigogne
Vaux-Rouillac
St-Amant-de-Nouère
Marsac
Brie
Couvent des Carmes
St-Projet-St-Constant
la Rochefoucauld
Fleurac
Échallat
Asnières-sur-Nouère
Vindelle
Angoulême-Cognac
Foussignac
Douzat
Balzac (les Genins)
Champniers
Marillac-le-Franc
Mérignac
Triac-Lautrait
St-Yrieix-sur-Charente
Trotte-Chiens
Ruelle-sur-Touvre
Mornac
Rancogne
Bunzac
Hiersac
Vilhonneur
Bassac
Moulidars
St-Saturnin
Linars
Fléac
Gond-Pontouvre
Touvre
Pranzac
Vouthon
St-Simon
L'Isle-d'Espagnac
Magnac-sur-Touvre
ANGOULÊME
Trois-Palis
St-Michel
Soyaux
Grtes du Quéroy
Chazelles
Champmillon
Nersac
Garat
St-Germain-de-Montbron
Mosnac
Sireuil
la Couronne
Puymoyen
Bouëx
Marthon
Châteauneuf-sur-Charente
Dirac
Sers
Vouzan (Nouveau Bourg)
Feuillade
Bonneuil
Roullet-St-Estèphe
Vœuil-et-Giget
Malaville
Birac
Torsac
Dignac
Claix
Mouthiers-sur-Boëme
Charras
Jurignac
Viville
Plassac-Rouffiac
Rougnac
Champagne-Vigny
Mainfonds
Fouquebrune
Vignolles
Ladiville
Voulgézac
Bécheresse
Gardes-le-Pontaroux
Péreuil
Chadurie
Charmant
Magnac-Lavalette-Villars
les Graulges
St-Bonnet
Barbezieux-St-Hilaire
Blanzac-Porcheresse
Villebois-Lavalette
Édon
la Rochebeaucourt-et-Argentine
Juillaguet (la Treille)
Ronsenac
Pérignac
St-Léger
Chavenat
Blanzaguet-St-Cybard
Salles-de-Barbezieux
St-Aulais-la-Chapelle
Bessac (le Bourg)
Cressac-St-Genis
Aignes-et-Puypéroux
St-Croix-de-Mareuil
Mareuil
Challignac
Nonac
St-Eutrope
Gurat
Champagne-et-Fontaine
Vaux-Lavalette
Condéon
Brie-sous-Barbezieux (les Fleuriottes)
Deviat
Poullignac
Vendoire
Gout-Rossignol
Montmoreau-St-Cybard
Berneuil
Ste-Souline
Courgeac
St-Amant
la Chapelle-Grésignac (la Chapelle)
Cherval
St-Laurent-de-Belzagot
Salles-Lavalette
la Chapelle-Montabourlet
Chillac
St-Félix
Juignac
Nanteuil-Auriac-de-Bourzac
St-Martial
St-Laurent-des-Combes
Oriolles
Châtignac
Bors (Canton de
St-Martial-Viveyrol
la Tour-Blanche
Passirac
Cercles
N10
N141
E603
E606

Confolens
109
110
123
124
137
St-Junien
Rochechouart
Nontron
Chabanais
Exideuil
Étagnac
Chassenon
Thermes Gallo-Romain
Lesterps
St-Christophe
Montrollet
Javerdat
Oradour-sur-Glane
Village Martyr
Cieux
Vaulry
Monts de Blond
Brigueuil
Saulgond
Chabrac
St-Maurice-des-Lions
Manot
Chirac
Ansac-sur-Vienne
Ambernac
Roumazières-Loubert
St-Claud
Nieuil
Suaux
la Péruse
Genouillac
Suris
Mazières
St-Quentin-sur-Charente
Pressignac
Saillat-sur-Vienne
Chaillac-sur-Vienne
St-Brice-sur-Vienne
St-Martin-de-Jussac
St-Victurnien
Ste-Marie-de-Vaux
St-Yrieix-sous-Aixe
Cognac-la-Forêt
St-Priest-sous-Aixe
Aixe-sur-Vienne
Séreilhac
St-Auvent
St-Cyr
St-Laurent-sur-Gorre
Gorre
Vayres
Oradour-sur-Vayres
St-Bazile
Cussac
Champagnac-la-Rivière
Champsac
Pageas
Châlus
Les Cars
Bussière-Galant
Dournazac
Firbeix
St-Pierre-de-Frugie
la Coquille
St-Priest-les-Fougères
Jumilhac-le-Grand
Mialet
Chalais
St-Jory-de-Chalais
St-Paul-la-Roche
Thiviers
Nanthiat
Sarrazac
Dussac
Eyzerac
Corgnac-sur-l'Isle
St-Sulpice-d'Excideuil
Lanouaille
les Salles-Lavauguyon
Sauvagnac
le Lindois
Mazerolles
Roussines
Massignac
Verneuil
Videix
Chéronnac
Montembœuf
Cherves-Châtelars
Lésignac-Durand
Mouzon
St-Mathieu
Maisonnais-sur-Tardoire
Champniers-et-Reilhac
Busserolles
Écuras
Montbron
Eymouthiers
Bussière-Badil
Soudat
Piégut-Pluviers
Varaignes
Étouars
le Bourdeix
Augignac
Abjat-sur-Bandiat
St-Estèphe
Teyjat
Javerlhac-et-la-Chapelle-St-Robert
St-Martin-le-Pin
Savignac-de-Nontron
Champs-Romain
St-Saud-Lacoussière
St-Barthélemy-de-Bussière
Marval
Pensol
la Chapelle-Montbrandeix
St-Martial-de-Valette
Lussas-et-Nontronneau
Connezac
Beaussac
Rudeau-Ladosse
St-Front-sur-Nizonne
St-Pardoux-la-Rivière
Sceau-St-Angel
Milhac-de-Nontron
St-Front-la-Rivière
Champeaux-et-la-Chapelle-Pommier
St-Sulpice-de-Mareuil
Vieux-Mareuil
la Chapelle-Montmoreau
St-Pancrace
St-Crépin-de-Richemont
St-Félix-de-Bourdeilles
Monsec
Quinsac
Villars
St-Jean-de-Côle
St-Martin-de-Fressengeas
St-Romain-et-St-Clément
Cantillac
la Gonterie-Boulouneix
Champagnac-de-Belair
Condat-sur-Trincou
la Chapelle-Faucher
Brantôme
St-Julien-de-Bourdeilles
Mainzac
LIMOUSIN
PÉRIGORD
PARC NAT. RÉG.
MONTS
Châlus-Chabrol
Lanterne des Morts
Saut du Chalard
Châtt. de Puyguilhem
Châtt. de la Marthonie
Châtt. de Vaucocour
Châtt. de Rochebrune
Châtt. de la Chétardie
Châtt. de Lavauguyon
Abb. Cistercienne de Boschaud
E
F
G
H
1
2
3
4
5
6

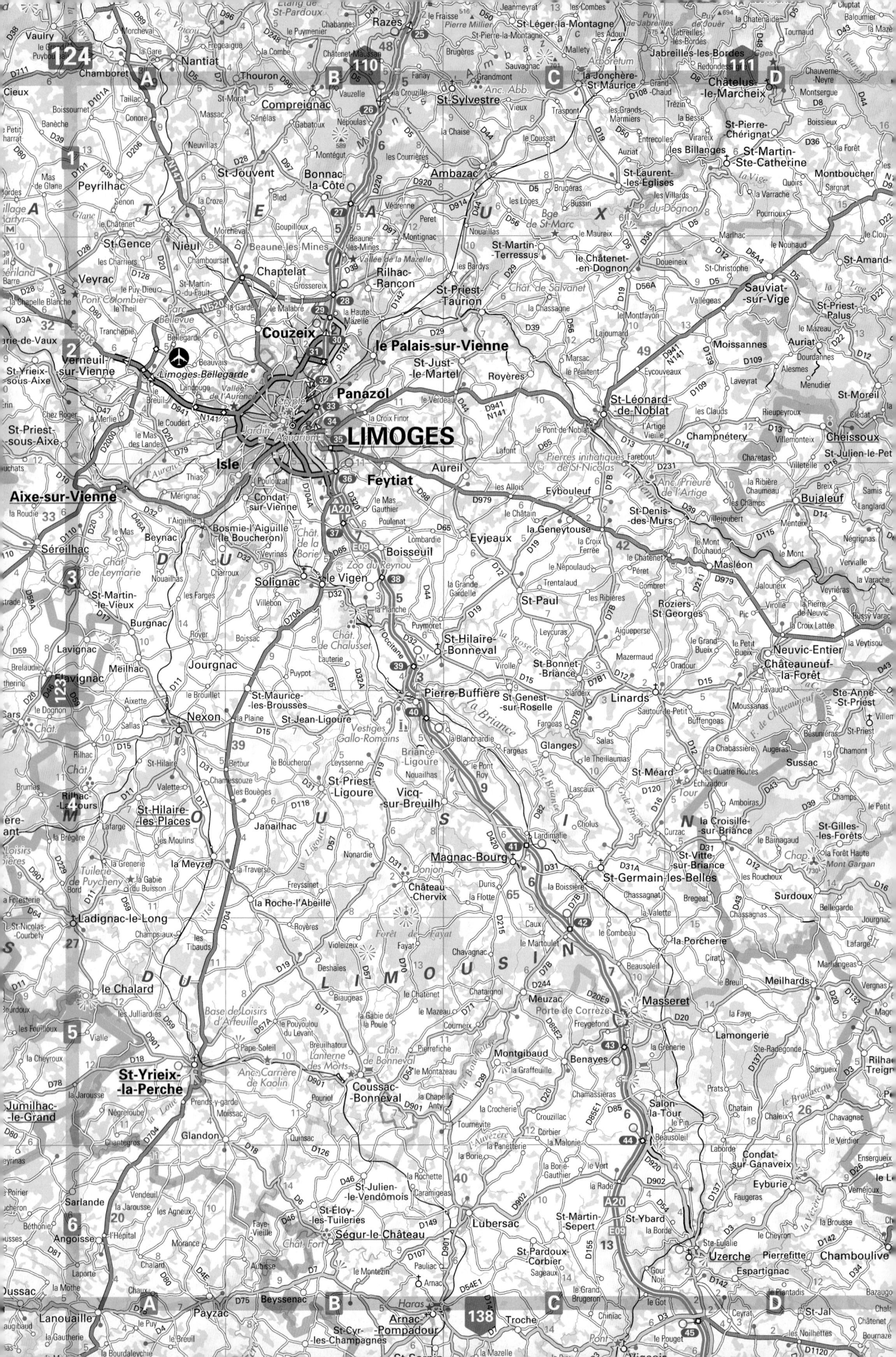
124
110
111
123
138
LIMOGES
Aixe-sur-Vienne
Isle
Couzeix
le Palais-sur-Vienne
Panazol
Feytiat
Limoges-Bellegarde
Verneuil-sur-Vienne
Nantiat
Chamboret
Thouron
Compreignac
Razès
St-Sylvestre
St-Léger-la-Montagne
la Jonchère-St-Maurice
Jabreilles-les-Bordes
Châtelus-le-Marcheix
Bonnac-la-Côte
St-Jouvent
Ambazac
Peyrilhac
Nieul
St-Gence
Chaptelat
Veyrac
Rilhac-Rancon
St-Priest-Taurion
St-Martin-Terressus
le Châtenet-en-Dognon
St-Laurent-les-Églises
St-Martin-Ste-Catherine
Sauviat-sur-Vige
Moissannes
St-Léonard-de-Noblat
St-Just-le-Martel
Royères
Aureil
Eybouleuf
St-Denis-des-Murs
Bujaleuf
Champnétery
Cheissoux
la Geneytouse
Eyjeaux
Boisseuil
Le Vigen
Solignac
Condat-sur-Vienne
Bosmie-l'Aiguille (le Boucheron)
Séreilhac
Beynac
St-Martin-le-Vieux
Burgnac
Jourgnac
Lavignac
Flavignac
Meilhac
St-Paul
Masléon
Roziers-St-Georges
St-Hilaire-Bonneval
St-Bonnet-Briance
Pierre-Buffière
St-Genest-sur-Roselle
Linards
Neuvic-Entier
Châteauneuf-la-Forêt
Ste-Anne-St-Priest
Nexon
St-Maurice-les-Brousses
St-Jean-Ligoure
St-Priest-Ligoure
Vicq-sur-Breuilh
Glanges
St-Méard
Sussac
la Croisille-sur-Briance
St-Vitte-sur-Briance
St-Gilles-les-Forêts
Surdoux
St-Hilaire-les-Places
Rilhac-Lastours
Janailhac
Magnac-Bourg
St-Germain-les-Belles
la Meyze
Château-Chervix
la Roche-l'Abeille
Ladignac-le-Long
la Porcherie
Masseret
Meilhards
Lamongerie
le Chalard
Montgibaud
Benayes
Salon-la-Tour
St-Yrieix-la-Perche
Coussac-Bonneval
Glandon
Jumilhac-le-Grand
Condat-sur-Ganaveix
Eyburie
St-Julien-le-Vendômois
St-Éloy-les-Tuileries
Ségur-le-Château
Lubersac
St-Martin-Sepert
St-Ybard
Uzerche
Chamboulive
Sarlande
Angoisse
St-Pardoux-Corbier
Beyssenac
Payzac
Lanouaille
Arnac-Pompadour
Troche
St-Cyr-les-Champagnes
A20
E09
LIMOUSIN
MONTS D'AMBAZAC

111
112
125
126
139
E
F
G
H
St-Dizier-Leyrenne
Bosmoreau-les-Mines
Thauron
Pontarion
Masbaraud-Mérignat
Mansat-la-Courrière
Bourganeuf
Soubrebost
Faux-Mazuras
St-Pardoux-Morterolles
St-Junien-la-Bregère
St-Martin-Château
Casc. des Jarreaux
Peyrat-le-Château
Lac de Vassivière
Beaumont-du-Lac
St-Amand-le-Petit
Eymoutiers
Nedde
PARC
NATUREL
PLATEAU
DE
MILLEVACHES
DE MILLEVACHES
EN LIMOUSIN
la Chapelle-St-Martial
le Donzeil
St-Georges-la-Pouge
St-Hilaire-le-Château
St-Sulpice-les-Champs
la Pouge
Vidaillat
Chavanat
le Monteil-au-Vicomte
Banize
St-Pierre-Bellevue
Royère-de-Vassivière
Lac de la Vaud-Gelade
St-Marc-à-Loubaud
Gentioux-Pigerolles
Faux-la-Montagne
Rempnat
Tarnac
Toy-Viam
Lacelle
St-Hilaire-les-Courbes
Viam
Bugeat
Pérols-sur-Vézère
Chamberet
Soudaine-Lavinadière
Treignac
Affieux
Veix
Pradines
Gourdon-Murat
Bonnefond
Madranges
Massif des Monédières
Chaumeil
St-Yrieix-le-Déjalat
Grandsaigne
Le Lonzac
St-Augustin
Beaumont
Sarran
St-Salvadour
Meyrignac-l'Église
Rosiers-d'Égletons
Égletons
Moustier-Ventadour
Soudeilles
Darnets
Palisse
Liginiac
Neuvic
Péret-Bel-Air
Davignac
Maussac
Combressol
St-Angel
Meymac
Ambrugeat
Millevaches
St-Merd-les-Oussines
Chavanac
St-Sulpice-les-Bois
Peyrelevade
St-Setiers
Sornac
La Courtine
Fèniers
le-Mas-d'Artige
Clairavaux
Gioux
la Nouaille
St-Yrieix-la-Montagne
Vallière
St-Michel-de-Veisse
Aubusson
St-Marc-à-Frongier
Felletin
St-Quentin-la-Chabanne
Moutier-Rozeille
St-Pardoux-le-Neuf
St-Avit-de-Tardes
Ste-Feyre-la-Montagne
Poussanges
St-Georges-Nigremont
Magnat-l'Étrange
Beissat
Malleret
Camp de la Courtine
St-Martial-le-Vieux
St-Rémy
Courteix
St-Germain-Lavolps
St-Pardoux-le-Vieux
Lignareix
Alleyrat
Chaveroche
Ussel
Mestes
Valiergues
Chirac-Bellevue
Ste-Marie-Lapanouze
Franseches
St-Avit-le-Pauvre
Ars
Blessac
Alleyrat
St-Médard-la-Rochette
Puy-Malsignat
St-Maixant
St-Amand
St-Alpinien
Bellegarde-en-Marche
St-Silvain-Bellegarde
Champagnat
St-Frion
St-Maurice-près-Crocq
Pontcharraud
Mont Bessou
Chât. de Rochefort
Chât. du Lieuteret
Chât. de Ventadour
Station Sports Nature
Jardin Mellifère
Anc. Commanderie
Chap. du Rat
Forêt de Clairavaux
Forêt de Magnat
Domaine de Banizette
la Vienne
la Vézère
la Creuse
la Corrèze
A89
E70
N141
D941
D940
D982
D979

126
112
113
A
B
C
D
St-Domet
Bussière-Nouvelle
Auzances
Vergheas
Espinasse
Gervais-d'Auvergne
Bellegarde-en-Marche
Lupersat
le Compas
Sermur
Brousse
Dontreix
Charensat
Biollet
St-Priest-des-Champs
Sauret-Besserve
Viaduc des Fades
Queuille
Vitrac
Châtelard
Lioux-les-Monges
Chard
Mautes
Etang de Chancelade
Retenue des Fades Besserves
St-Georges-de-Mons
Montel-de-Gelat
Mérinchal
St-Bard
la Villetelle
la Villeneuve
St-Oradoux-près-Crocq
St-Pardoux-d'Arnet
St-Maurice-près-Crocq
Crocq
Basville
la Mazière-aux-Bons-Hommes
la Celle
St-Avit
Tralaigues
Villosanges
Miremont
St-Jacques-d'Ambur
les Ancizes-Comps (lesAncizes)
La Chartreuse de Port-Ste-Marie
Chapdes-Beaufort
Gorges du Sioulet
Landogne
Pontaumur
Montfermy
Condat-en-Combraille
Combrailles
la Goutelle
Bromont-Lamothe
Pontgibaud
St-Ours
Giat
Fernoël
St-Agnant-près-Crocq
Magnat-l'Étrange
St-Étienne-des-Champs
Maison du Patrimoine
Voingt
St-Hilaire-les-Monges
Puy-St-Gulmier
Cisternes-la-Forêt
St-Pierre-le-Chastel
Flayat
Verneugheol
Sauvagnat
Prondines
Gelles
Mazaye
Ceyssat
Herment
Olby
St-Merd-la-Breuille
St-Oradoux-de-Chirouze
Tortebesse
Heume-l'Église
St-Germain-près-Herment (Farges)
Laroche-près-Feyt
Lastic
Briffons
St-Pierre-Roche
St-Bonnet-près-Orcival
Nébouzat
RÉGIONAL
125
Feyt
Lamazière-Haute
Rochefort-Montagne
Orcival
St-Martial-le-Vieux
Couffy-sur-Sarsonne
Courteix
Eygurande
Monestier-Merlines
Merlines
Bourg-Lastic
St-Julien-Puy-Lavèze
Laqueuille
Saulzet-le-Froid
Lac de Servières
Roche Sanadoire
Roche Tuilière
St-Sulpice
la Banne d'Ordanche
Messeix
St-Pardoux-le-Neuf
Lignareix
Aix
A89
E70
St-Sauves-d'Auvergne
Murat-le-Quaire
la Bourboule
Savennes
St-Étienne-aux-Clos
Mont-Dore
Chambon-sur-Lac
Ussel
St-Fréjoux
Singles
Confolent-Port-Dieu
Tauves
Tour Sancy
Puy de Sancy
St-Exupéry-les-Roches
Thalamy
la Tour-d'Auvergne
Chastreix
Super-Besse
Rés. Nat. de la Vallée de Chaudefour
Mestes
St-Bonnet-près-Bort
Veyrières
Monestier-Port-Dieu
Trémouille-St-Loup
Bagnols
Labessette
St-Victour
Cros
St-Donat
Picherande
Lac Pavin
Chirac-Bellevue
St-Étienne-la-Geneste
Margerides
Beaulieu
Plateau de l'Artense
Ste-Marie-Lapanouze
Roche-le-Peyroux
St-Julien-près-Bort
Lanobre
Compains
Liginiac
Sarroux
Bort-les-Orgues
Champs-sur-Tarentaine-Marchal
140
St-Genès-Champespe
Égliseneuve-d'Entraigues
Espinchal
Monts Dore
VOLCANS D'AUVERGNE

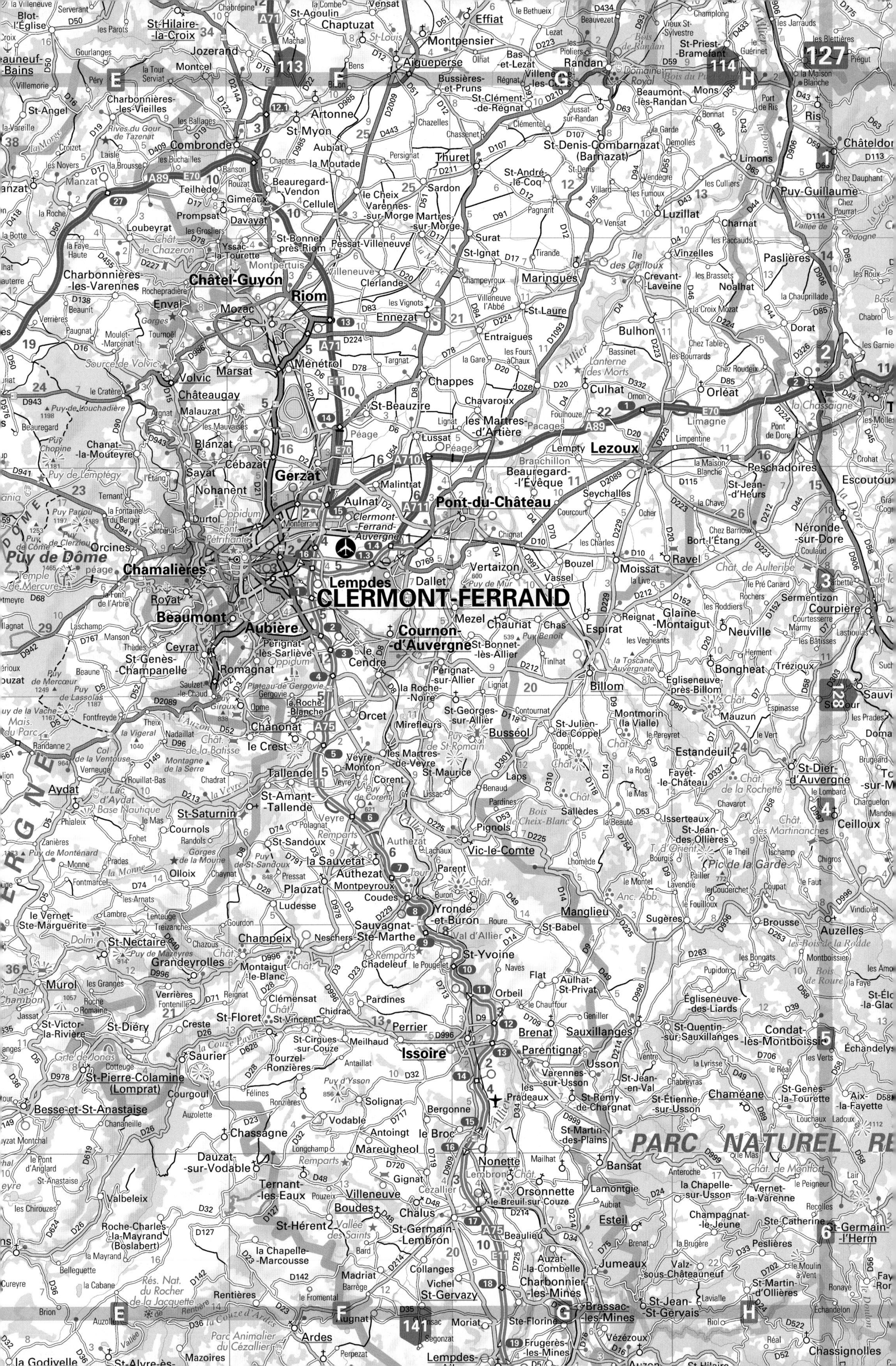

127
113
114
141
128
CLERMONT-FERRAND
Chamalières
Royat
Beaumont
Aubière
Cournon-d'Auvergne
Lempdes
Gerzat
Riom
Mozac
Châtel-Guyon
Volvic
Marsat
Ménétrol
Combronde
Aigueperse
Artonne
St-Myon
Montpensier
Effiat
Randan
Maringues
Ennezat
Thuret
Lezoux
Pont-du-Château
Billom
Vic-le-Comte
Issoire
Brassac-les-Mines
Courpière
Puy-Guillaume
Ris
Châteldon
Lempty
Culhat
Orléat
Peschadoires
Néronde-sur-Dore
Sermentizon
Bongheat
Mauzun
St-Dier-d'Auvergne
Ceilloux
Auzelles
Sauxillanges
Usson
Brenat
Parentignat
Orcet
Le Cendre
Les Martres-de-Veyre
Veyre-Monton
Tallende
St-Amant-Tallende
St-Saturnin
Aydat
Romagnat
Ceyrat
St-Genès-Champanelle
Orcines
Puy de Dôme
Durtol
Nohanent
Blanzat
Sayat
Cébazat
Châteaugay
Malauzat
Enval
Charbonnières-les-Varennes
Manzat
Champeix
Murol
St-Nectaire
Besse-et-St-Anastaise
St-Pierre-Colamine (Lomprat)
St-Floret
Perrier
Sauvagnat-Ste-Marthe
Coudes
Authezat
La Sauvetat
Plauzat
St-Yvoine
Orbeil
Nonette
Orsonnette
Le Breuil-sur-Couze
Jumeaux
Esteil
Bansat
Chaméane
Condat-lès-Montboissier
Manglieu
Sugères
Estandeuil
Glaine-Montaigut
Espirat
Vertaizon
Moissat
Ravel
Dallet
Mezel
Chauriat
Busséol
Mirefleurs
Yronde-et-Buron
Ardes
St-Germain-Lembron
St-Gervazy
Boudes
Villeneuve
Chalus
Mareugheol
Dauzat-sur-Vodable
Chassagne
St-Hérent
PARC NATUREL RÉ
A71
A89
E70
A75
A710
A711
E11

128
114
115
127
142
A
B
C
D
1
2
3
4
5
6
Ferrières-sur-Sichon
St-André-d'Apchon
Riorges
Perreux
Pouilly-les-Nonains
St-Léger-sur-Roanne
le Coteau
Arcon
St-Alban-les-Eaux
Ouches
Lentigny
Villerest
Commelle-Vernay
Châteldon
Lachaux
la Guillermie
Lavoine
Laprugne
St-Priest-la-Prugne
Villemontais
Cherier
St-Jean-St-Maurice-sur-Loire (St-Jean-le-Puy)
St-Cyr-de-Favières
Gorges de la Loire
Cordelle
Vendranges
Puy de Montoncel
St-Victor-Montvianeix
la Tuilière
St-Just-en-Chevalet
St-Polgues
Cremeaux
St-Priest-la-Roche
St-Rémy-sur-Durolle
Palladuc
Arconsat
Chausseterre
St-Romain-d'Urfé
Juré
Luré
Dancé
Amions
St-Paul-de-Vézelin
St-Jodard
Chabreloche
St-Marcel-d'Urfé
Grézolles
Souternon
Thiers
la Monnerie-le-Montel
Celles-sur-Durolle
Cervières
les Salles
Champoly
St-Martin-la-Sauveté
St-Julien-d'Oddes
St-Georges-de-Baroille
Noirétable
St-Julien-la-Vêtre
St-Thurin
St-Germain-Laval
Nollieux
Pommiers
Escoutoux
Viscomtat
St-Priest-la-Vêtre
St-Didier-sur-Rochefort
Ailleux
Cezay
Bussy-Albieux
Ste-Foy-St-Sulpice
Vollore-Ville
Vollore-Montagne
St-Jean-la-Vêtre
St-Laurent-Rochefort
St-Sixte
Arthun
Aubusson-d'Auvergne
la Chamba
la Côte-en-Couzan (Morand)
l'Hôpital-sous-Rochefort
Débats-Rivière-d'Orpra (Ligeay)
la Valla-sur-Rochefort
Leigneux
Boën
la Chambonie
Jeansagnière (la Chaize)
Palogneux
Sail-sous-Couzan
St-Just-en-Bas
Trelins
Ste-Agathe-la-Bouteresse
St-Étienne-le-Molard
Augerolles
Olmet
le Brugeron
Chalmazel
St-Georges-en-Couzan
Marcoux
Montverdun
Courpière
Sauviat
Olliergues
St-Pierre-la-Bourlhonne
Col du Béal
Sauvain
Marcilly-le-Châtel
St-Paul-d'Uzore
Tours-sur-Meymont
St-Gervais-sous-Meymont
Ceilloux
Cunlhat
Marat
Vertolaye
Monts du Forez
Pierre-sur-Haute
Pralong
Chalain-d'Uzore
Mornand-en-Forez
St-Bonnet-le-Courreau
la Chapelle-Agnon
Job
Bertignat
Châtelneuf
Champdieu
Montbrison
Roche
Essertines-en-Châtelneuf
Savigneux
Grandval
Valcivières
Col des Supeyres
Écotay-l'Olme
Bard
St-Amant-Roche-Savine
Thiolières
St-Thomas-la-Garde
St-Romain-le-Puy
St-Éloy-la-Glacière
le Monestier
Ambert
Verrières-en-Forez
Lézigneux
Échandelys
St-Martin-des-Olmes
Chazelles-sur-Lavieu
Lavieu
St-Georges-Haute-Ville
St-Ferréol-des-Côtes
St-Anthème
Gumières
Margerie-Chantagret
Boisset-St-Priest
Aix-la-Fayette
Fournols
Champétières
Grandrif
St-Clément-de-Valorgue
Soleymieux
St-Jean-Soleymieux
Chambon-sur-Dolore
PARC NATUREL RÉGIONAL DU LIVRADOIS-FOREZ
St-Romain
Marols
Chenereilles
Baffie
Marsac-en-Livradois
St-Just
la Chaulme
la Chapelle-en-Lafaye
Saillant
Montarcher
Luriecq
St-Bonnet-le-Chastel
Chaumont-le-Bourg
Églisolles
St-Germain-l'Herm
Viverols
Beurières
Périgneux
St-Bonnet-le-Bourg
Novacelles
St-Bonnet-le-Château
Fayet-Ronaye
la Tourette
Estivareilles
Arlanc
Doranges
Medeyrolles
Sauvessanges
Merle-Leignec
St-Nizier-de-Fornas
Mayres
Dore-l'Église
St-Sauveur-la-Sagne
Usson-en-Forez
A89
E70

Bourg-de-Thizy
Marnand
Grandris
Montagny
Thizy
Chambost-Allières
St-Cyr-le-Chatoux
Montmelas-St-Sorlin
Blacé
St-Julien
Arnas
Fareins
VILLEFRANCHE-SUR-SAÔNE
129
115
116
Cublize
Combre
St-Victor-sur-Rhins
E
F
G
H
Avray
Lac des Sapins
St-Just-d'Avray
Rivolet
Denicé
Frans
Pradines
St-Jean-la-Bussière
Ronno
Chamelet
Cogny
Lacenas
Gleizé
Jassans-Riottier
Régny
St-Appolinaire
Jarnioux
Liergues
Limas
St-Didier-de-Formans
Amplepuis
Ste-Paule
Létra
Oingt
Ville-sur-Jarnioux
Pouilly-le-Monial
Pommiers
St-Bernard
Trévoux
Neaux
Lay
Dième
Valsonne
Ternand
Anse
St-Symphorien-de-Lay
St-Laurent-d'Oingt
Theizé
Lachassagne
Fourneaux
Machézal
les Sauvages
St-Clément-sur-Valsonne
St-Vérand
le Bois-d'Oingt
Moiré
Frontenas
Ambérieux
Croizet-sur-Gand
Chirassimont
Bagnols
Alix
Marcy
Lucenay
Quincieux
Neulise
St-Just-la-Pendue
Tarare
Dareizé
St-Loup
Légny
Morancé
Charnay
les Chères
Chazay-d'Azergues
St-Cyr-de-Valorges
Joux
Pontcharra-sur-Turdine
les Olmes
le Breuil
Sarcey
Chessy
St-Jean-des-Vignes
Châtillon
Chasselay
Ste-Colombe-sur-Gand
St-Marcel-l'Éclaire
St-Germain-sur-l'Arbresle
Belmont-d'Azergues
Marcilly-d'Azergues
Lissieu
Poleymieux-au-Mont-d'Or
St-Marcel-de-Félines
Violay
St-Forgeux
St-Romain-de-Popey
Bully
Lozanne
Civrieux-d'Azergues
Nuelles
Affoux
Ste-Agathe-en-Donzy
Ancy
L'Arbresle
Dommartin
Néronde
Bussières
Balbigny
Montchal
Villechenève
Savigny
Fleurieux-sur-l'Arbresle
Éveux
Lentilly
Dardilly
Pouilly-lès-Feurs
Rozier-en-Donzy
St-Julien-sur-Bibost
Sain-Bel
La Tour-de-Salvagny
Mizérieux
Panissières
Longessaigne
Montrottier
Bibost
Sourcieux-les-Mines
Épercieux-St-Paul
Civens
Cottance
St-Pierre-la-Palud
Marcy-l'Étoile
Charbonnières-les-Bains
Écully
Chambost-Longessaigne
Bessenay
Chevinay
Ste-Consorce
Cleppé
Salvizinet
MONTS
St-Clément-les-Places
Brullioles
Pollionnay
St-Genis-les-Ollières
Feurs
Essertines-en-Donzy
Jas
St-Laurent-de-Chamousset
Brussieu
Courzieu
Grézieu-la-Varenne
Craponne
Francheville
Poncins
Salt-en-Donzy
Vaugneray
Brindas
St-Martin-Lestra
les Halles
St-Barthélemy-Lestra
Valeille
Haute-Rivoire
Souzy
St-Genis-l'Argentière
Ste-Foy-l'Argentière
Montromant
Yzeron
St-Laurent-de-Vaux
Chaponost
Oullins
Chambéon
Virigneux
Aveize
Duerne
Messimy
Thurins
Soucieu-en-Jarrest
Brignais
Écopole du Forez
Magneux-Haute-Rive
St-Laurent-la-Conche
St-Cyr-les-Vignes
Meys
DU
Maringes
Grézieu-le-Marché
St-Martin-en-Haut
Rontalon
Marclopt
La Chapelle-sur-Coise
Orliénas
Montrond-les-Bains
Bellegarde-en-Forez
Viricelles
Pomeys
Taluyers
Chalain-le-Comtal
St-André-le-Puy
St-Symphorien-sur-Coise
LYONNAIS
St-André-la-Côte
Chaussan
St-Laurent-d'Agny
Mornant
Montagny
Chazelles-sur-Lyon
Grézieux-le-Fromental
Boisset-lès-Montrond
Cuzieu
St-Médard-en-Forez
St-Denis-sur-Coise
Coise
Larajasse
Riverie
St-Sorlin
Chassagny
Unias
St-Galmier
Chevrières
Châtelus
Ste-Catherine
St-Didier-sous-Riverie
St-Andéol-le-Château
l'Hôpital-le-Grand
Rivas
Craintilleux
Chambœuf
Marcenod
St-Maurice-sur-Dargoire
St-Jean-de-Touslas
Givors
Veauchette
Aveizieux
Grammond
St-Romain-en-Jarez
St-Joseph
Dargoire
St-Romain-en-Gier
Veauche
St-Bonnet-les-Oules
la Gimond
St-Christo-en-Jarez
St-Martin-la-Plaine
Tartaras
Échalas
St-Cyprien
Fontanès
Chagnon
Genilac
Rive-de-Gier
Trèves
Bonson
St-Étienne-Bouthéon
St-Héand
Cellieu
Valfleury
Châteauneuf
Andrézieux-Bouthéon
Longes
St-Just-St-Rambert
la Fouillouse
Lorette
la Grand-Croix
Farnay
St-Marcellin-en-Forez
l'Étrat
la Tour-en-Jarez
la Talaudière
Sorbiers
St-Paul-en-Jarez
Tupin-et-Semons
St-Priest-en-Jarez
ST-CHAMOND
Ste-Croix-en-Jarez
Pavezin
La Chapelle-Villars
Condrieu
Villars
St-Jean-Bonnefonds
La Terrasse-sur-Dorlay
Chuyer
St-Michel-sur-Rhône
Roche-la-Molière
St-Genest-Lerpt
Chambles
Doizieux
Caloire
ST-ÉTIENNE
Pélussin
Chavanay
la Ricamarie
le Chambon-Feugerolles
PARC NATUREL RÉGIONAL
Unieux
Crêt de l'Œillon
St-Paul-en-Cornillon
Fraisses
Firminy
Planfoy
143
Roisey
Malleval
Bessey

130
116
117
144
A
B
C
D
Fareins
Villeneuve
Chaleins
Bouligneux
le Plantay
Châtelay
Priay
Beauregard
Savigneux
Ste-Olive
Villars-les-Dombes
Chalamont
Villette-sur-Ain
Frans
Ars-sur-Formans
Ambérieux-en-Dombes
Lapeyrouse
Parc Ornithologique
Versailleux
Châtillon-la-Palud
Château-Gaillard
Jassans-Riottier
Misérieux
St-Didier-de-Formans
Ste-Euphémie
Rancé
Joyeux
Crans
St-Maurice-de-Rémens
Trévoux
Toussieux
Monthieux
Birieux
Camp des Fromentaux
St-Denis-en-Bugey
St-Jean-de-Thurigneux
St-Marcel
Châtr. du Montellier
Rignieux-le-Franc
Bettant
Ambutrix
Reyrieux
le Montellier
St-Éloi
Villieu-Loyes-Mollon
Vaux-en-Bugey
Leyment
Parcieux
Massieux
Civrieux
St-André-de-Corcy
Faramans
Meximieux
Quincieux
Genay
Mionnay
Ste-Croix
Pérouges
Lagnieu
Les Chères
Chazey-sur-Ain
Ste-Julie
St-Germain-au-Mont-d'Or
Montanay
Tramoyes
Bourg-St-Christophe
Chasselay
Neuville-sur-Saône
Pizay
Béligneux
Charnoz-sur-Ain
Vertrieu
Lissieu
Curis-au-Mont-d'Or
Albigny-sur-Saône
Fleurieu-sur-Saône
Bressolles
Montluel
Dagneux
La Balme-les-Grottes
Poleymieux-au-Mont-d'Or
Cailloux-sur-Fontaines
Fontaines-St-Martin
Beynost
la Boisse
Chânes
Blyes
Couzon-au-Mont-d'Or
Rochetaillée-sur-Saône
Fontaines-sur-Saône
St-Maurice-de-Beynost
Lyon-Dagneux
Camp de la Valbonne
St-Jean-de-Niost
Parmilieu
Limonest
St-Romain-au-Mont-d'Or
Collonges-au-Mont-d'Or
Sathonay-Camp
Sathonay-Village
Miribel
Neyron
Balan
Nievroz
St-Vulbas
Dardilly
St-Didier-au-Mont-d'Or
St-Cyr-au-Mont-d'Or
Champagne-au-Mont-d'Or
Rillieux-la-Pape
Thil
St-Maurice-de-Gourdans
Hières-sur-Amby
Charette
CALUIRE-ET-CUIRE
Crépieux-la-Pape
Jonage
Jons
Villette-d'Anthon
Anthon
Loyettes
Grand Parc de Miribel-Jonage
Vaulx-en-Velin
Le Grand Large
Vernas
Écully
VILLEURBANNE
Chavanoz
Pont-de-Chéruy
Optevoz
Décines-Charpieu
MEYZIEU
Pusignan
Janneyrias
Tassin-la-Demi-Lune
Ste-Foy-lès-Lyon
LYON
BRON
Chassieu
Charvieu-Chavagneux
Tignieu-Jameyzieu
Annoisin-Chatelans
Siccieu-St-Julien-et-Carisieu
La Mulatière
Lyon-Saint-Exupéry
Gare T.G.V.
Crémieu
Genas
Colombier-Saugnieu
Villemoirieu
Dizimieu
Soleymieu
OULLINS
Pierre-Bénite
St-Fons
St-Priest
Satolas-et-Bonce
Trept
St-Genis-Laval
VÉNISSIEUX
St-Bonnet-de-Mure
Chamagnieu
Panossas
St-Hilaire-de-Brens
Irigny
Feyzin
Corbas
Mions
St-Laurent-de-Mure
Grenay
Vénérieu
Vourles
Vernaison
Toussieu
Frontonas
St-Marcel-Bel-Accueil
Charly
Millery
Solaize
St-Symphorien-d'Ozon
St-Pierre-de-Chandieu
Chaponnay
la Verpillière
Sérézin-du-Rhône
Simandres
Heyrieux
St-Quentin-Fallavier
l'Isle-d'Abeau
St-Savin
Grigny
Ternay
Marennes
Valencin
Villefontaine
Bourgoin-Jallieu
Communay
Villette-de-Vienne
Luzinay
St-Just-Chaleyssin
Diémoz
Bonnefamille
Ruy
Givors
Chasse-sur-Rhône
Chuzelles
Roche
St-Alban-de-Roche
Four
Domarin
Maubec
Meyrié
Serpaize
Oytier-St-Oblas
Chèzeneuve
Crachier
Nivolas-Vermelle
Sérézin-de-la-Tour
Loire-sur-Rhône
Seyssuel
St-Georges-d'Espéranche
Septème
St-Agnin-sur-Bion
St-Victor-de-Cessieu
St-Romain-en-Gal
Pont-Évêque
Charantonnay
Artas
Les Éparres
Succieu
Ste-Colombe
St-Cyr-sur-le-Rhône
VIENNE
Estrablin
Moidieu-Détourbe
Beauvoir-de-Marc
Meyrieu-les-Étangs
Culin
Tramolé
Châteauvilain
Royas
Badinières
St-Jean-de-Bournay
Ste-Anne-sur-Gervonde
Jardin
Savas-Mépin
Châtonnay
Eclose
Ampuis
Meyssiès
Villeneuve-de-Marc
Flachères
Tupin-et-Semons
Eyzin-Pinet
Condrieu
Chonas-l'Amballan
Reventin-Vaugris
St-Sorlin-de-Vienne
Champier
St-Didier-de-Bizonnes
Vérin
les Roches-de-Condrieu
Les Côtes-d'Arey
Châlons
Cour-et-Buis
Lieudieu
Nantoin (Ville-Neuve)
Eydoche
St-Prim
Semons
St-Clair-du-Rhône
Cheyssieu
Montseveroux
St-Julien-de-l'Herms
Arzay
Commelle
Mottier
St-Alban-du-Rhône
Auberives-sur-Varèze
Vernioz
Monsteroux-Milieu
Bossieu
Clonas-sur-Varèze
Assieu
Primarette
Ornacieux
la Côte-St-André
Gillonnay
St-Maurice-l'Exil
St-Romain-de-Surieu
la Chapelle-de-Surieu
Moissieu-sur-Dolon
Pisieu
Pommier-de-Beaurepaire
Faramans
Penol
Balbins
St-Hilaire-de-la-Côte
Revel-Tourdan
Bellegarde-Poussieu
Sardieu
St-Pierre-de-Bœuf
Ville-sous-Anjou
Grenoble-Isère
LE RHÔNE

117
118
131
132
145
E
F
G
H
Hauteville-Lompnes
Ambérieu-en-Bugey
St-Rambert-en-Bugey
Cormaranche-en-Bugey
Seyssel
Rumilly
Marcellaz-Albanais
Lochieu
Champagne-en-Valromey
le Grand Colombier
St-Sorlin-en-Bugey
Virieu-le-Grand
Rossillon
Cheignieu-la-Balme
Ordonnaz
Culoz
Ruffieux
Chindrieux
Vongnes
Innimond
Belley
Lucey
Jongieux
Billième
Ontex
LE RHÔNE
LAC DU BOURGET
Aix-les-Bains
Yenne
St-Jean-de-Chevelu
Traize
St-Paul
Loisieux
la Chapelle-St-Martin
Meyrieux-Trouet
Verthemex
le Bourget-du-Lac
Chambéry-Aix-les-Bains
Morestel
la Balme
Izieu
St-Genix-sur-Guiers
Corbelin
la Tour-du-Pin
le Passage
le Pont-de-Beauvoisin
CHAMBÉRY
Myans
Montferrat
St-Geoire-en-Valdaine
les Échelles
Entre-deux-Guiers
St-Laurent-du-Pont
Voiron
Charavines
PARC NATUREL RÉGIONAL DE CHARTREUSE
Col du Granier
Ste-Marie-du-Mont (les Prés)
Monastère de la Grande Chartreuse

132
118
119
A
B
C
D
Choisy
Allonzier-la-Caille
Villy-le-Pelloux
Cuvat
la Balme-de-Sillingy
Sillingy
Metz-Tessy
Epagny
Annecy-Haute-Savoie
Argonay
Pringy
Villaz
Nâves-Parmelan
Annecy-le-Vieux
ANNECY
Cran-Gevrier
Poisy
Meythet
Lovagny
Chavanod
Gorges du Fier
Seynod
Sévrier
Marcellaz-Albanais
Montagny-les-Lanches
Boussy
Chapeiry
St-Sylvestre
Quintal
St-Jorioz
Duingt
Alby-sur-Chéran
Viuz-la-Chiésaz
Mûres
Héry-sur-Alby
Gruffy
St-Girod
Chainaz-les-Frasses
Cusy
St-Ours
Allèves
St-Eustache
Lathuile
Doussard
Chevaline
Entrevernes
la Chapelle-St-Maurice
Leschaux
Col de Leschaux
Crêt de Châtillon
Bellecombe-en-Bauges
St-Offenge-Dessous
St-Offenge-Dessus
Arith
Lescheraines
la Motte-en-Bauges
Montcel
Trévignin
Bains
Pugny-Chatenod
St-François-de-Sales
le Noyer
le Châtelard
Doucy-en-Bauges (la Chapelle)
la Compôte
Jarsy
École
Aillon-le-Vieux
Aillon-le-Jeune
Mont du Nivolet
les Déserts (la Combe)
Ste-Reine
Thoiry
Verel-Pragondran
St-Jean-d'Arvey
St-Alban-Leysse
Barby
Puygros
Curienne
St-Pierre-d'Albigny
St-Jean-de-la-Porte
Challes-les-Eaux
St-Jeoire-Prieuré
Chignin
Cruet (St-Laurent)
la Thuile
Myans
Montmélian
Arbin
Francin
Planaise
les Marches
Chapareillan (Cernon)
Ste-Hélène-du-Lac
la Chavanne
Villard-Sallet
la Croix-de-la-Rochette
les Mollettes
Villaroux
la Rochette
Laissaud
Détrier
Arvillard
Pontcharra
Barraux
St-Maximin
la Chapelle-du-Bard
Allevard
la Buissière (les Granges)
St-Pierre-d'Allevard
le Cheylas
Morêtel-de-Mailles (le Champ-du-Pont)
Pinsot
Thorens-Glières
le Petit-Bornand-les-Glières
Plateau des Glières
Col de la Colombière
Entremont
le Grand-Bornand
Défilé des Étroits
St-Jean-de-Sixt
les Villards-sur-Thônes
la Clusaz
Thônes
Dingy-St-Clair
la Balme-de-Thuy
Mont Veyrier
Veyrier-du-Lac
Alex
Nécropole Nationale de Morette
Bluffy
Menthon-St-Bernard
Talloires
Les Clefs
Manigod
Col de la Croix Fry
Col des Aravis
la Giettaz
Chaîne des Aravis
Pointe Percée
Sallanches
Cordon
Demi-Quartier
Praz-sur-Arly
Flumet
St-Nicolas-la-Chapelle
Notre-Dame-de-Bellecombe
Crest-Voland
Col des Saisies
Signal de Bisanne
Cohennoz
Villard-sur-Doron
Beaufort
Queige
Ugine
Serraval
le Bouchet
Montmin
Col de la Forclaz
St-Ferréol
Marlens
Cons-Ste-Colombe
Faverges
Seythenex
Marthod
Thénésol
Allondaz
Césarches
Venthon
Pallud
Albertville
Conflans
Mercury
Gilly-sur-Isère
Grignon
Tours-en-Savoie
Verrens-Arvey
Tournon
Cléry
Frontenex
St-Vital
Monthion
Notre-Dame-des-Millières
Esserts-Blay
la Bâthie
Ste-Hélène-sur-Isère
Grésy-sur-Isère
Montailleur
Fréterive
Bonvillard
St-Paul-sur-Isère
Cevins
Rognaix
Feissons-sur-Isère
Aiton
Bonvillaret
Aiguebelle
Randens
Chamousset
Bourgneuf
Montgilbert
Chamoux-sur-Gelon
Châteauneuf
Betton-Bettonet
Hauteville
Coise-St-Jean-Pied-Gauthier
Villard-Léger
Montendry
St-Georges-des-Hurtières
Villard-d'Héry
la Trinité
le Pontet
Champ-Laurent
St-Alban-des-Hurtières
Argentine
Bourget-en-Huile
St-Pierre-de-Belleville (la Corbière)
Épierre
Montsapey
la Léchère (N.-D.-de-Briançon)
Bonneval
le Grand Arc
Montgirod
Hautecour (le Chef-Lieu)
Aigueblanche
Moûtiers
Salins-les-Thermes
les Avanchers-Valmorel
Fontaine-le-Puits
Villarlurin
Brides-les-Bains
St-Jean-de-Belleville
les Allues
Col de la Madeleine
le Cheval Noir
St-François-Longchamp
Grand Pic de la Lauzière
St-Léger
la Chapelle
Montgellafrey
les Chavannes-en-Maurienne
St-Rémy-de-Maurienne
N.-D.-du-Cruet
Montaimont
le Bellachat
St-Martin-sur-la-Chambre
la Chambre
St-Avre
St-Étienne-de-Cuines
Ste-Marie-de-Cuines
St-Martin-de-Belleville
146
PARC NAT. RÉG. DU MASSIF DES BAUGES
LAC D'ANNECY

119
133
147
E
F
G
H
Passy
Servoz
Chamonix-Mont-Blanc
les Houches
St-Gervais-les-Bains
Megève
Mont d'Arbois
Mont Joly
les Contamines-Montjoie
Aiguille du Midi
MASSIF DU MONT BLANC
MONT BLANC
Aiguilles de Bionnassay
Aiguille de Trélatête
Mer de Glace
Glacier des Bossons
Tunnel du Mont Blanc
Grandes Jorasses
Aiguille Verte
Aiguille d'Argentière
Aiguille du Chardonnet
Mont Dolent
Monts Rouges de Triolet
la Chenalette
Col du Grand St-Bernard
Mont Vélan
Courmayeur
Entrèves
la Palud
Pré-St-Didier
Morgex
la Salle
la Thuile
Col du Petit St-Bernard
Lancebranlette
Testa del Rutor
Becca du Lac
Monte Paramont
Valgrisenche
Rhêmes-Notre-Dame
Rhêmes-St-Georges
Val di Rhêmes
Valsavarenche
PARCO DEL GRAN
Arvier
Villeneuve
Avise
St-Nicolas
Saint-Oyen
Saint-Rhémy
St-Rhémy
Col de la Seigne
Col du Bonhomme
Cormet de Roselend
Lac de Roselend
Bourg-St-Maurice
Séez
Montvalezan
la Rosière 1850
Ste-Foy-Tarentaise
Villaroger
Arc 1600
Arc 1800
Arc 1950
Arc 2000
Aiguille Rouge
Mont Pourri
Peisey-Nancroix
Landry
Aime
Mâcot-la-Plagne
Plagne Bellecôte
Belle Plagne
Sommet de Bellecôte
Champagny-en-Vanoise
Bozel
Courchevel 1850
Courchevel 1650 Moriond
Méribel-Mottaret
Sommet de la Saulire
Pralognan-la-Vanoise
la Grande Casse
Grande Motte
Tignes
Val Claret
Val-d'Isère
Rocher de Bellevarde
Col de l'Iseran
Pointe de la Galise
Grande Aiguille Rousse
Levanna
Bonneval-sur-Arc
Pointe de Méan Martin
Bessans
Uia di Ciamarella
PARC NATIONAL DE LA VANOISE
TARENTAISE
BEAUFORTIN
Pointe de la Traversière
Grande Traversière
Grande Rousse Nord
Pointe des Mines
Pointe d'Archeboc
Pointe du Nant Cruet

134
120
148
149
A
B
C
D
1
2
3
4
5
6
Lesparre-Médoc
Gaillan-en-Médoc
Couquèques
Civrac-en-Médoc
Prignac-en-Médoc
Blaignan (Caussan)
St-Yzans-de-Médoc
Queyzans
Ordonnac
St-Germain-d'Esteuil
St-Seurin-de-Cadourne
Théâtre gallo-romain
St-Estèphe
Vertheuil
Cissac-Médoc
Lafite Rothschild
Mouton-Rothschild
St-Sauveur
Pauillac
St-Lambert
St-Julien-Beychevelle
St-Laurent-Médoc
Lanessan
Cussac-Fort-Médoc
Listrac-Médoc
Moulis-en-Médoc
Castelnau-de-Médoc
Avensan
Naujac-sur-Mer
Hourtin
Hourtin-Plage
Lac d'Hourtin
Phare d'Hourtin
Carcans
Carcans-Plage
Lac de Carcans
Base de Loisirs
Étang de Cousseau
Rés. Nat. de l'Étang de Cousseau
Lacanau-Océan
Lacanau
Lac de Lacanau
Brach
Ste-Hélène
Saumos
Salaunes
le Porge
le Porge-Océan
le Temple
Camp de Souge
Martignas-sur-Jalle
St-Médard-en-Jalles
St-Aubin-de-Médoc
Bordeaux-Mérignac
St-Jean-d'Illac
BORDEAUX
Lège-Cap-Ferret
Arès
Rés. Nat. des Prés Salés d'Arès Lège-Cap-Ferret
Andernos-les-Bains
Parcs à Huîtres
BASSIN D'ARCACHON
Île aux Oiseaux
Lanton
Audenge
Marcheprime
Bordeaux-Cestas
Dunes Boisées
F. Dom. de Lège et Garonne
Forêt Domaniale du Flamand
FORÊT
HAUT MÉDOC
PARC

121
135
136
149
E
F
G
H
1
2
3
5
6
Pleine-Selve
Courpignac
Expiremont
Mérignac
Chantillac
Bors
Canton de Baignes-Ste-Radegonde
St-Palais
Boisredon
Chamouillac
Souméras (Chez Galant)
Coux
Pommiers-Moulons
Sousmoulins
Chatenet
Chevanceaux
Boisbreteau
St-Ciers-sur-Gironde
St-Caprais-de-Blaye
Montendre
Jussas
Ste-Colombe
Polignac
Pouillac
St-Palais-de-Négrignac
St-Aubin-de-Blaye
Marcillac
Braud-et-St-Louis
Centrale Électrique
Corignac
Chepniers
Donnezac
Reignac
Montlieu-la-Garde
Étauliers
Orignolles
St-Martin-d'Ary
Montguyon
Neuvicq
Anglade
Bussac-Forêt
Île de Patiras
St-Androny
Eyrans
Cartelègue
Générac
Saugon
Campugnan
Clérac
Fours
Mazion
St-Genès-de-Blaye
St-Seurin-de-Cursac
Bedenac
St-Martin-Lacaussade
St-Paul
St-Girons-d'Aiguevives
St-Yzan-de-Soudiac
St-Pierre-du-Palais
Blaye
Cars
St-Savin
St-Christoly-de-Blaye
Saint-Mariens
Cercoux
Plassac
Berson
St-Vivien-de-Blaye
Civrac-de-Blaye
Cavignac
Laruscade
La Clotte
Chamadelle
Villeneuve
St-Trojan
Teuillac
Mombrier
Pugnac
Cézac
Lapouyade
Tizac-de-Lapouyade
St-Ciers-de-Canesse
Comps
Samonac
Lansac
Cubnezais
Marsas
Maransin
Lagorce
Les Peintures
Soussans
Margaux
Bayon-sur-Gironde
St-Seurin-de-Bourg
Tauriac
Marcenais
Bayas
Bourg
Peujard
Guîtres
Coutras
Cantenac
Labarde
Île Cazeau
Prignac-et-Marcamps
St-Laurent-d'Arce
Gauriaguet
St-Ciers-d'Abzac
St-Martin-de-Laye
Sablons
Arsac
Macau
Ambès
Virsac
Aubie-et-Espessas
St-Antoine
Salignac
St-Genès-de-Fronsac
Périssac
St-Martin-du-Bois
Abzac
St-Gervais
Mouillac
Bonzac
LA GARONNE
Ludon-Médoc
St-André-de-Cubzac
Vérac
Galgon
St-Denis-de-Pile
Le Pian-Médoc
la Lande-de-Fronsac
Savignac-de-l'Isle
Cubzac-les-Ponts
Villegouge
St-Louis-de-Montferrand
Cadillac-en-Fronsadais
Saillans
Lalande-de-Pomerol
Parempuyre
St-Vincent-de-Paul
St-Romain-la-Virvée
Lugon-et-l'Île-du-Carnay
Asques
St-Germain-de-la-Rivière
Lussac
la Dordogne
Ambarès-et-Lagrave
St-Loubès
St-Michel-de-Fronsac
Fronsac
Néac
Pomerol
Montagne
Blanquefort
Ste-Eulalie
St-Sulpice-et-Cameyrac
Izon
Libourne
Bassens
Carbon-Blanc
Vayres
Eysines
Bruges
Le Bouscat
Lormont
Yvrac
Montussan
Arveyres
St-Émilion
Beychac-et-Caillau
St-Sulpice-de-Faleyrens
St-Laurent-des-Combes
Cenon
Artigues-près-Bordeaux (Bel-Air)
St-Germain-du-Puch
Génissac
MÉRIGNAC
Tresses
Pompignac
Floirac
Salleboeuf
Nérigean
Moulon
Vignonet
Ste-Terre
Carignan-de-Bordeaux
Fargues-St-Hilaire
Bonnetan
Camarsac
Tizac-de-Curton
Branne
Cabara
PESSAC
TALENCE
Bègles
Bouliac
Croignon
Baron
Grézillac
Lugaignac
St-Jean-de-Blaignac
Ste-Florence
Loupes (les Faures)
St-Quentin-de-Baron
Cursan
Espiet
Guillac
St-Aubin-de-Branne
Lignan-de-Bordeaux
Naujan-et-Postiac
St-Vincent-de-Pertignas
Latresne
Cénac
Sadirac
le Pout
Camiac-et-St-Denis
Dardenac
Mérignas
Gradignan
VILLENAVE-D'ORNON
Créon
la Sauve
Blésignac
Faleyras
Jugazan
Canéjan
Cadaujac
Camblanes-et-Meynac (Camblanes)
Madirac (le Carpe)
St-Genès-de-Lombaud
ENTRE
St-Léon
Romagne
Rauzan
Quinsac
St-Caprais-de-Bordeaux
Bellefond
Cestas
Courpiac
Lugasson
Cambes
Haux
Targon
Cessac
St-Médard-d'Eyrans (le Bourg)
Baurech
Frontenac
Blasimon
Léognan
Isle-St-Georges
Ayguemorte-les-Graves
Tabanac
Baigneaux
Martillac
Beautiran
Capian
Montignac
DEUX MERS

136
122
135
150
151
A
B
C
D
1
2
3
4
5
6
Oriolles
Chillac
St-Félix
St-Martial
Juignac
Nanteuil-Auriac-de-Bourzac
St-Martial-Viveyrol
la Tour-Blanche
Cercles
Châtignac
St-Laurent-des-Combes
Bors (Canton de Montmoreau-St-Cybard)
Site Gallo-Romain Coue d'Auzenat
Brossac
Montboyer
Montignac-le-Coq
Halluaud
Verteillac
Bouteilles-St-Sébastien
St-Paul-Lizonne
Lusignac
Chapdeuil
Bourg-des-Maisons
Brie-sous-Chalais
Guizengeard (Chez Thomas)
Pillac
St-Séverin
Coutures
St-Vallier
Bardenac
Curac
Courlac
Bellon
Bertric-Burée
Petit-Bersac
Celles
Grand-Brassac
Chalais
Orival
Laprade
Nabinaud
Allemans
Boresse-et-Martron
Yviers
Rouffiac
St-Romain
Aubeterre-sur-Dronne
Comberanche-et-Épeluche
Sauvignac
Bourg-du-Bost
Villetoureix
Montagrier
Rioux-Martin
St-Quentin-de-Chalais
St-Antoine-Cumond
Chassaignes
St-Victor
St-Avit
les Essards
Bonnes
Ribérac
St-Méard-de-Drône
Médillac
Douchapt
Bazac
Chenaud
St-Martin-de-Ribérac
la Genétouze
St-Privat-des-Prés
Festalemps
Vanxains
Boscamnant
Parcoul
St-Aulaye
St-Vincent-Jalmoutiers
St-Sulpice-de-Roumagnac
St-Pardoux-de-Drône
le Fouilloux
Puymangou
Ponteyraud
Siorac-de-Ribérac
Segonzac
St-Aiguilin
la Jemaye
St-Aquilin
Chantérac
St-Martin-de-Coux
la Roche-Chalais
St-Vincent-de-Connezac
Servanches
St-André-de-Double
la Barde
Échourgnac
St-Jean-d'Ataux
St-Germain-du-Salembre
Chamadelle
les Églisottes-et-Chalaures
D O U B L E
Forêt de la Mole
St-Christophe-de-Double
Beauronne
St-Étienne-de-Puycorbier
Neuvic
Eygurande-et-Gardedeuil
St-Michel-de-Double
St-Barthélemy-de-Bellegarde
Douzillac
le Fieu
St-Martin-l'Astier
St-Louis-en-l'Isle
St-Front-de-Pradoux
Vallereuil
Porchères
St-Antoine-sur-l'Isle
St-Laurent-des-Hommes
St-Médard-de-Mussidan
Sourzac
Péage de Mussidan
St-Médard-de-Guizières
Camps-sur-l'Isle
St-Seurin-sur-l'Isle
le Pizou
Ménesplet
St-Martial-d'Artenset
Mussidan
Moulin-Neuf
Bourgnac
Issac
St-Sauveur-de-Puynormand
Gours
Puynormand
Montpon-Ménestérol
Beaupouyet
Petit-Palais-et-Cornemps
Minzac
St-Sauveur-Lalande
St-Géry
les Lèches
Beleymas
Église-Neuve-d'Issac
Lussac
Francs
Tayac
Villefranche-de-Lonchat
St-Martin-de-Gurson
Carsac-de-Gurson
St-Rémy
St-Géraud-de-Corps
Bosset
St-Jean-d'Eyraud
St-Cibard
St-Philippe-d'Aiguille
Puisseguin
les Salles-de-Castillon (Lamour)
Montpeyroux
Fraisse
St-Georges-Blancaneix
Laveyssière
Maurens
Gardegan-et-Tourtirac
Monfaucon
St-Méard-de-Gurçon
Lunas
Ginestet
St-Genès-de-Castillon
St-Christophe-des-Bardes
Belvès-de-Castillon
St-Vivien
Montazeau
Ste-Colombe
Bonneville-et-St-Avit-de-Fumadières
St-Étienne-de-Lisse
Nastringues
le Fleix
St-Magne-de-Castillon
St-Michel-de-Montaigne
Fougueyrolles
la Force
Castillon-la-Bataille
Montcaret
Vélines
St-Avit-St-Nazaire
Prigonrieux
Lamothe-Montravel
Port-Ste-Foy-et-Ponchapt
Mouliets-et-Villemartin
St-Seurin-de-Prats
St-Antoine-de-Breuilh
Ste-Foy-la-Grande
St-Pierre-d'Eyraud
Civrac-sur-Dordogne
Flaujagues
Pessac-sur-Dordogne
Pineuilh
Lamonzie-St-Martin
Gardonne (le Rieu-de-Laysse)
BERGERAC
Eynesse
St-André-et-Appelles
St-Philippe-du-Seignal
St-Pey-de-Castets
Pujols
Juillac
Gensac
St-Avit-de-Soulège
St-Laurent-des-Vignes
Ste-Radegonde
Bossugan
Doulezon
les Lèves-et-Thoumeyragues
Saussignac
Gageac-et-Rouillac
Coubeyrac
Razac-de-Saussignac
Ruch
St-Antoine-du-Queyret
St-Quentin-de-Caplong
la Roquille
Ligueux
Rouffignac-de-Sigoulès
Monbazillac
Caplong
Cunèges
Pomport
Massugas
Monestier
Riocaud
Listrac-de-Durèze
Sigoulès
Ribagnac
Mauriac
Margueron
Thénac
Blasimon
Pellegrue
Auriolles
Landerrouat
Villeneuve-de-Duras
Flaugeac
Mescoules
Cleyrac
Soussac
Loubès-Bernac
Cazaugitat
St-Astier
Sadillac
Sainte
A89
E70
N89
D708
D709

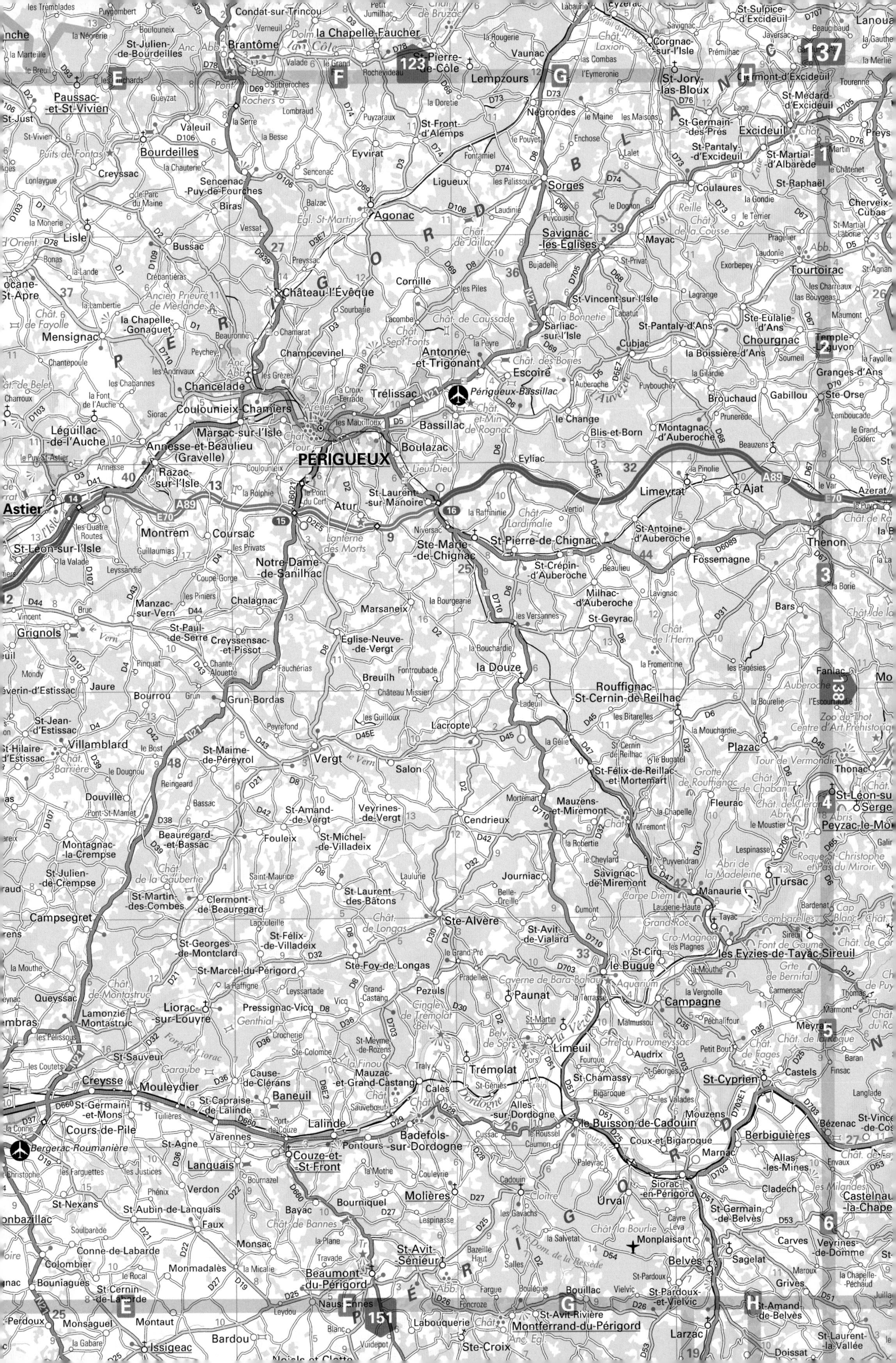

137
123
138
151
Condat-sur-Trincou
la Chapelle-Faucher
St-Pierre-de-Côle
Lempzours
Brantôme
St-Julien-de-Bourdeilles
Paussac-et-St-Vivien
Vaunac
Corgnac-sur-l'Isle
St-Jory-las-Bloux
Clermont-d'Excideuil
St-Médard-d'Excideuil
Excideuil
St-Germain-des-Prés
St-Pantaly-d'Excideuil
St-Martial-d'Albarède
Négrondes
Valeuil
Bourdeilles
St-Front-d'Alemps
Eyvirat
Creyssac
Sencenac-Puy-de-Fourches
Biras
Ligueux
Sorges
Coulaures
St-Raphaël
Agonac
Savignac-les-Églises
Mayac
Lisle
Bussac
Tourtoirac
Château-l'Évêque
Cornille
St-Vincent-sur-l'Isle
Sarliac-sur-l'Isle
St-Pantaly-d'Ans
Cubjac
Ste-Eulalie-d'Ans
Chourgnac
Mensignac
la Chapelle-Gonaguet
Champcevinel
Antonne-et-Trigonant
Escoire
la Boissière-d'Ans
Temple-Laguyon
Granges-d'Ans
Chancelade
Trélissac
Périgueux-Bassillac
Brouchaud
Gabillou
Ste-Orse
Coulounieix-Chamiers
Léguillac-de-l'Auche
Marsac-sur-l'Isle
Bassillac
le Change
Blis-et-Born
Montagnac-d'Auberoche
Annesse-et-Beaulieu (Gravelle)
PÉRIGUEUX
Boulazac
Eyliac
Razac-sur-l'Isle
Limeyrat
Ajat
Azerat
Astier
St-Laurent-sur-Manoire
Atur
Montrem
Coursac
St-Léon-sur-l'Isle
Ste-Marie-de-Chignac
St-Pierre-de-Chignac
St-Antoine-d'Auberoche
Fossemagne
Thenon
Notre-Dame-de-Sanilhac
St-Crépin-d'Auberoche
Milhac-d'Auberoche
Manzac-sur-Vern
Chalagnac
Marsaneix
Bars
Grignols
St-Paul-de-Serre
Creyssensac-et-Pissot
Église-Neuve-de-Vergt
St-Geyrac
la Douze
Jaure
Bourrou
Grun-Bordas
Breuilh
Rouffignac-St-Cernin-de-Reilhac
Fanlac
St-Jean-d'Estissac
Villamblard
St-Hilaire-d'Estissac
St-Maime-de-Péreyrol
Vergt
Salon
Lacropte
St-Félix-de-Reillac-et-Mortemart
Plazac
Thonac
Douville
St-Amand-de-Vergt
Veyrines-de-Vergt
Mauzens-et-Miremont
Fleurac
St-Léon-sur-Vézère
Sergeac
Peyzac-le-Moustier
Montagnac-la-Crempse
Beauregard-et-Bassac
Fouleix
St-Michel-de-Villadeix
Cendrieux
St-Julien-de-Crempse
St-Laurent-des-Bâtons
Journiac
Savignac-de-Miremont
Manaurie
Tursac
St-Martin-des-Combes
Clermont-de-Beauregard
Campsegret
Ste-Alvère
St-Avit-de-Vialard
Tayac
St-Georges-de-Montclard
St-Félix-de-Villadeix
Ste-Foy-de-Longas
St-Cirq
les Eyzies-de-Tayac-Sireuil
St-Marcel-du-Périgord
le Bugue
Queyssac
Lamonzie-Montastruc
Liorac-sur-Louyre
Pressignac-Vicq
Pezuls
Paunat
Campagne
Limeuil
Audrix
Meyrals
St-Sauveur
Creysse
Mouleydier
Cause-de-Clérans
Mauzac-et-Grand-Castang
Trémolat
Calès
St-Chamassy
St-Cyprien
Castels
St-Germain-et-Mons
St-Capraise-de-Lalinde
Baneuil
Alles-sur-Dordogne
le Buisson-de-Cadouin
Mouzens
Bézenac
Cours-de-Pile
Lalinde
Badefols-sur-Dordogne
Coux-et-Bigaroque
Berbiguières
Bergerac-Roumanière
Varennes
St-Agne
Couze-et-St-Front
Pontours
Marnac
Allas-les-Mines
Lanquais
Verdon
Molières
Cadouin
Urval
Siorac-en-Périgord
Cladech
Castelnaud-la-Chapelle
St-Nexans
St-Aubin-de-Lanquais
Bayac
Bourniquel
St-Germain-de-Belvès
Monbazillac
Faux
Conne-de-Labarde
Monsac
Monplaisant
Carves
Veyrines-de-Domme
Colombier
Monmadalès
St-Avit-Sénieur
Belvès
Sagelat
Bouniagues
St-Cernin-de-Labarde
Beaumont-du-Périgord
Bouillac
St-Pardoux-et-Vielvic
Grives
Monsaguel
Montaut
Naussannes
St-Avit-Rivière
Montferrand-du-Périgord
St-Amand-de-Belvès
Issigeac
Bardou
Labouquerie
Ste-Croix
Larzac
St-Laurent-la-Vallée
A89
E70
N21
D6
D8
D32
D703
D710

138
124
152
153
137
Lanouaille
Payzac
Arnac-Pompadour
St-Cyr-les-Champagnes
Troche
Vigeois
St-Jal
Seilhac
Savignac-Lédrier
St-Mesmin
St-Sornin-Lavolps
Beyssac
Concèze
Lascaux
Lagrange
Lagraulière
St-Clé
Preyssac-d'Excideuil
Anlhiac
Génis
Juillac
Chabrignac
Orgnac-sur-Vézère
Vignols
Perpezac-le-Noir
St-Bonnet-la-Rivière
St-Solve
Estivaux
St-Bonnet-l'Enfantier
Chanteix
Salagnac
Ste-Trie
Cherveix-Cubas
Boisseuilh
Rosiers-de-Juillac
St-Pardoux-l'Ortigier
Segonzac
Voutezac
St-Cyr-la-Roche
Sadroc
St-Mexant
St-Germain-les-Vergnes
Hautefort
Vars-sur-Roseix
Objat
Allassac
St-Robert
Teillots
Coubjours
Ayen
St-Cyprien
Favars
Badefols-d'Ans
Nailhac
Louignac
Perpezac-le-Blanc
St-Aulaire
Donzenac
Ste-Féréole
Chameyrat
Ste-Orse
St-Viance
Yssandon
Varetz
Ussac
Venarsal
La Chapelle-St-Jean
Châtres
Villac
Brignac-la-Plaine
Mansac
Malemort-sur-Corrèze
Aubazines
St-Rabier
Peyrignac
Azerat
Beauregard-de-Terrasson
Cublac
St-Pantaléon-de-Larche
BRIVE-LA-GAILLARDE
Dampniat
Terrasson-Lavilledieu
Le Lardin-St-Lazare
Auriac-du-Périgord
Les Farges
Condat-sur-Vézère
Larche
St-Cernin-de-Larche
Lissac-sur-Couze
Cosnac
Lanteuil
Albignac
Grèzes
Chavagnac
Noailles
Jugeals-Nazareth
Aubas
Montignac
St-Amand-de-Coly
Coly
La Dornac
Chartrier-Ferrière
Noailhac
Collonges-la-Rouge
Nespouls
Turenne
Ligneyrac
Meyssac
La Cassagne
Jayac
Nadaillac
Estivals
Saillac
Thonac
Valojoulx
La Chapelle-Aubareil
Cressensac
St-Léon-sur-Vézère
Sergeac
Archignac
Gignac
Sarrazac
Cavagnac
St-Geniès
Paulin
Cazillac
Tamniès
St-Crépin-et-Carlucet
Salignac-Eyvigues
Cuzance
St-Michel-de-Bannières
Marcillac-St-Quentin
Marquay
Borrèze
St-Denis-lès-Martel
Proissans
Martel
Baladou
Floirac
Orliaguet
Ste-Nathalène
Lachapelle-Auzac
Simeyrols
Sarlat-la-Canéda
Souillac
Mayrac
Creysse
St-André-d'Allas
St-Vincent-le-Paluel
Carlux
Cazoulès
Peyrillac-et-Millac
St-Sozy
Meyronne
Montvalent
Calviac-en-Périgord
St-Julien-de-Lampon
Lanzac
Le Roc
Beynac-et-Cazenac
St-Vincent-de-Cosse
Carsac-Aillac
Nadaillac-de-Rouge
Lacave
La Roque-Gageac
Vitrac
Vézac
Ste-Mondane
Veyrignac
Lamothe-Fénelon
Castelnaud-la-Chapelle
Groléjac
Calès
Alvignac
Domme
Cénac-et-St-Julien
St-Cirq-Madelon
Milhac
Fajoles
Payrac
Rignac
Rocamadour
St-Cybranet
Rouffilhac
Anglars-Nozac
Reilhaguet
Couzou
Daglan
Payrignac
Nabirat
Le Vigan
St-Projet
St-Martial-de-Nabirat
St-Aubin-de-Nabirat
Gourdon
PARC NATUREL
A
B
C
D
1
2
3
4
5
6
A20
E09
A89
E70

139
E
F
G
H
125
A89
E70
Egletons
Sarran
St-Salvadour
Meyrignac-l'Eglise
Rosiers-d'Egletons
Moustier-Ventadour
Château de Ventadour
Neuvic
Corrèze
Vitrac-sur-Montane
Lamazière-Basse
Orliac-de-Bar
Bar
Montaignac-St-Hippolyte
Chapelle-Spinasse
St-Hilaire-Luc
Sérandon
Eyrein
St-Pantaléon-de-Lapleau
St-Hilaire-Foissac
Naves
Gimel-les-Cascades
Les Angles-sur-Corrèze
St-Priest-de-Gimel
Lac de Ruffaud
Champagnac-la-Noaille
Lafage-sur-Sombre
Lapleau
Latronche
Sourniac
TULLE
Clergoux
Marcillac-la-Croisille
Lac de Marsillac
Soursac
Chanac-les-Mines
St-Bonnet-Avalouze
St-Martial-de-Gimel
St-Pardoux-la-Croisille
St-Merd-de-Lapleau
Laval-sur-Luzège
Viaduc des Rochers Noirs
Laguenne
Ladignac-sur-Rondelles
Espagnac
Gumond
Château de Pebeyre
Chalvignac
Mauriac
Ste-Fortunade
Pandrignes
Marc-la-Tour
St-Paul
Gros-Chastang
Bassignac-le-Haut
Auriac
Brageac
Lagarde-Enval
St-Sylvain
la Roche-Canillac
Champagnac-la-Prune
St-Martin-la-Méanne
Darazac
la Dordogne
Ally
le Chastang
Forgès
St-Bazile-de-la-Roche
St-Bonnet-Elvert
Rilhac-Xaintrie
Chaussenac
Beynat
Albussac
St-Chamant
Neuville
Servières-le-Château
St-Privat
Pleaux
Barriac-les-Bosquets
St-Martial-Entraygues
St-Julien-aux-Bois
Ménoire
Argentat
Hautefage
St-Geniez-ô-Merle
St-Martin-Cantalès
Monceaux-sur-Dordogne
St-Cirgues-la-Loutre
Lac d'Enchanet
Chenailler-Mascheix
St-Hilaire-Taurieux
St-Bonnet-les-Tours-de-Merle
Tours de Merle
Cros-de-Montvert
Arnac
St-Illide
St-Bazile-de-Meyssac
Tudeils
Vallée de la Dordogne
la Chapelle-St-Géraud
Sexcles
Goulles
Tours de Carbonnières
Marcillac-la-Croze
Brivezac
Nonards
Bassignac-le-Bas
Rouffiac
St-Santin-Cantalès
St-Victor
Reygade
Mercœur
St-Julien-le-Pèlerin
Montvert
Beaulieu-sur-Dordogne
Altillac
Camps-St-Mathurin-Léobazel
Nieudan
Sioniac
Gorges de la Cère
Laroquebrou
Vayrac
Cahus
Lamativie
Siran
St-Gérons
St-Étienne-Cantalès
Laval-de-Cère
Comiac
St-Paul-des-Landes
Gagnac-sur-Cère
Biars-sur-Cère
Calviac
Carennac
Bretenoux
Glanes
Teyssieu
Lacapelle-Viescamp
Prudhomat
Belmont-Bretenoux
Glénat
la Ségalassière
Sansac-de-Marmiesse
St-Laurent-les-Tours
Sousceyrac
Loubressac
St-Médard-de-Presque
Frayssinhes
St-Saury
Roumégoux
Autoire
St-Jean-Lespinasse
St-Céré
Latouille-Lentillac
Lacam-d'Ourcet
le Rouget
St-Mamet-la-Salvetat
Gouffre de Padirac
Grotte de Presque
St-Vincent-du-Pendit
St-Paul-de-Vern
Sénaillac-Latronquière
Labastide-du-Haut-Mont
Parlan
Cayrols
Thégra
St-Jean-Lagineste
Mayrinhac-Lentour
Ladirat
Bessonies
Vitrac
Lavergne
Bannes
Molières
Latronquière
Gorses
Rouziers
Gramat
Saignes
Aynac
Leyme
Terrou
St-Hilaire
Boisset
St-Julien-de-Toursac (les Estresses)
Albiac
Rueyres
Espeyroux
St-Médard-Nicourby
Lauresses
Quézac
153
140

140
126
139
154
155
A
B
C
D
1
2
3
4
5
6
Bort-les-Orgues
Champs-sur-Tarentaine-Marchal
St-Genès-Champespe
Lac de Lastioulles
Madic
St-Thomas
Sérandon
Champagnac
Ydes
Saignes
Vebret
Antignac
St-Étienne-de-Chomeil
Trémouille
Montboudif
Condat
Chanterelle
Espinchal
Montgreleix
Marcenat
Bassignac
Sauvat
Veyrières
La Monselie
Menet
Riom-ès-Montagnes
Arches
Sourniac
Vendes
Jaleyrac
Auzers
Trizac
Plateau de Trizac
Méallet
Moussages
Mauriac
le Vigean
Anglards-de-Salers
St-Vincent-de-Salers
Vallée du Mars
Ally
Escorailles
Drugeac
St-Bonnet-de-Salers
Salers
St-Paul-de-Salers
St-Martin-Valmeroux
Fontanges
St-Chamant
Ste-Eulalie
St-Martin-Cantalès
St-Cirgues-de-Malbert
St-Cernin
Tournemire
Girgols
Freix-Anglards
Marmanhac
Jussac
Reilhac
Naucelles
Crandelles
Ayrens
Teissières-de-Cornet
Paul-Landes
Ytrac
AURILLAC
Arpajon-sur-Cère
Sansac-de-Marmiesse
Roannes-St-Mary
Mamet-Salvetat
Vitrac
Marcolès
Lacapelle-del-Fraisse
Lafeuillade-en-Vézie
Prunet
Leucamp
Ladinhac
Teissières-lès-Bouliès
Vezels-Roussy
Labrousse
Vézac
Carlat
Cros-de-Ronesque
Polminhac
St-Simon
Yolet
Giou-de-Mamou
Vic-sur-Cère
Thiézac
Lascelle
St-Cirgues-de-Jordanne
Laroquevieille (Vercuères)
Mandailles-St-Julien
St-Jacques-des-Blats
Puy Mary
Puy Chavaroche
Puy Violent
MONTS DU CANTAL
Pas de Peyrol
Puy de Peyre Arse
Puy Griou
Plomb du Cantal
Puy du Rocher
Le Lioran
Laveissière
Murat
Chastel-sur-Murat
Dienne
Lavigerie
le Claux
Cheylade
Plateau du Limon
Apchon
Collandres
St-Hippolyte
Ségur-les-Villas
Allanche
Vernols
Chavagnac
Albepierre-Bredons
Laveissenet
Malbo
Pailherols
Jou-sous-Monjou
Badailhac
Raulhac
Thérondels
Mur-de-Barrez
Taussac
Brommat
Lacroix-Barrez
Ste-Geneviève-sur-Argence
Vitrac-en-Viadène
Alpuech
Cantoin
Lieutadès
Ste-Marie
Paulhenc
Pierrefort
St-Martin-sous-Vigouroux
Narnhac
Lacapelle-Barrès
Brezons
Cézens
Paulhac
Gourdièges
Landeyrat
Lugarde
St-Bonnet-de-Condat
Marchastel
St-Amandin
St-Saturnin
PARC NAT. RÉG. DES VOLCANS

141
127
142
155
E
F
G
H
la Godivelle
St-Alyre-ès-Montagne
Rés. Nat. des Sagnes de la Godivelle
Monts du Cézallier
Ardes
Apchat
Augnat
Lempdes-sur-Allagnon
Chambezon
Léotoing
Torsiac
Ste-Florine
Brassac-les-Mines
Auzon
Vergongheon
Azérat
Bournoncle-St-Pierre
Agnat
Champagnac-le-Vieux
Chassignolles
Anzat-le-Luguet
Autrac
St-Étienne-sur-Blesle (le Cheylat)
Blesle
Lorlanges
Espalem
Beaumont
Brioude
Chaniat
Lamothe
Leyvaux
Grenier-Montgon
St-Laurent-Chabreuges
Fontannes
Javaugues
Frugières-le-Pin
Laurie
Auriac-l'Église
Massiac
Lubilhac
Vieille-Brioude
Lavaudieu
Domeyrat
Molompize
Charmensac
Bonnac
St-Just-près-Brioude
la Chomette
Paulhaguet
Peyrusse
Ferrières-St-Mary
St-Mary-le-Plain
la Chapelle-Laurent
Mercoeur
Villeneuve-d'Allier
St-Ilpize
Ste-Anastasie
St-Poncy
Blassac
Lavoûte-Chilhac
Chilhac
Cerzat
Valjouze
Celoux
St-Cirgues
Aubazat
Mazeyrat-d'Allier
Joursac
Neussargues-Moissac
Rézentières
Vieillespesse
St-Austremoine
Arlet
Talizat
Celles (Ribes)
Lastic
Rageade
Chazelles
Langeac
Coltines
Montchauvet
Soulages
Cronce
Ferrussac
Chastel
Coren
Montchamp
Mentières
Tiviers
Védrines-St-Loup
Chanteuges
Valuéjols
Roffiac
Andelat
St-Flour
Pinols
Tailhac
Pébrac
Forêt de la Margeride
Vabres
St-Georges
Ruynes-en-Margeride
Tanavelle
Desges
les Ternes
Villedieu
Auvers
Anglards-de-St-Flour
Clavières
Mont Mouchet
Venteuges
Sériers
Garabit
Chaliers
la Besseyre-St-Mary
Saugues
Alleuze (la Barge)
Lorcières
Paulhac-en-Margeride
Faverolles
Vallée de la Haute Truyère
Neuvéglise
Lavastrie
Loubaresse
Juliangues
Chaulhac
Grèzes
Oradour
St-Privat-du-Fau
Fridefont
St-Marc
St-Just
Albaret-Ste-Marie
Blavignac
St-Léger-du-Malzieu
Gorges de la Truyère
St-Martial
Maurines
Albaret-le-Comtal
Chaudes-Aigues
Arzenc-d'Apcher
les Monts-Verts (le Bacon)
le Malzieu-Ville
Chanaleilles
St-Pierre-le-Vieux (Vareilles)
Lajo
Anterrieux
St-Juéry
Prunières
Fournels
Termes
St-Chély-d'Apcher
Jabrun
Deux-Verges
Noalhac
Chauchailles
la Fage-St-Julien
Ste-Eulalie
St-Rémy-de-Chaudes-Aigues
St-Laurent-de-Veyrès
St-Alban-sur-Limagnole
les Bessons
Rimeize
la Fage-Montivernoux
A75
N122
N102
M O N T S D E L A M

142
128
141
156
157
A
B
C
D
1
2
3
4
5
6
Arlanc
Doranges
Dore-l'Église
Medeyrolles
Sauvessanges
Usson-en-Forez
Merle-Leignec
St-Nizier-de-Fornas
St-Sauveur-la-Sagne
Mayres
St-Vert
St-Alyre-d'Arlanc
la Chapelle-Geneste
St-Jean-d'Aubrigoux
St-Pal-de-Chalencon
St-Hilaire-Cusson-la-Valmitte
Apinac
Rozier-Côtes-d'Au
Laval-sur-Doulon
St-Victor-sur-Arlanc
Malvières
la Chaise-Dieu
Cistrières
Bonneval
Craponne-sur-Arzon
Boisset
Valprivas
Bas-en-Basset
Connangles
Julianges
St-Julien-d'Ance
St-Georges-Lagricol
St-Didier-sur-Doulon
Berbezit
Vals-le-Chastel
Sembadel
Beaune-sur-Arzon
St-André-de-Chalencon
Solignac-sous-Roche
Montclard
St-Pal-de-Senouire
Félines
Chomelix
St-Pierre-du-Champ
Beauzac
St-Préjet-Armandon
Domeyrat
Collat
Monlet
Bellevue-la-Montagne
Roche-en-Régnier
Retournac
la Chapelle-Bertin
Chassagnes
Paulhaguet
Ste-Marguerite
Mazerat-Aurouze
Allègre
Mont Bar
Chamalières-sur-Loire
Varennes-St-Honorat
Céaux-d'Allègre
Vorey
St-Georges-d'Aurac
Chavaniac-Lafayette
St-Geneys-près-St-Paulien
Mézères
Ste-Eugénie-de-Villeneuve
Vernassal
Fix-St-Geneys
St-Paulien
St-Vincent
Rosières
Mazeyrat-d'Allier
Lissac
Beaulieu
Yssingeaux
Bessamorel
Vissac-Auteyrac
Vazeilles-Limandre
Blanzac
Lavoûte-sur-Loire
Siaugues-Ste-Marie (Siaugues-St-Romain)
Loudes
Borne
Malrevers
Chaspinhac
Queyrières
St-Arcons-d'Allier
St-Jean-de-Nay
St-Vidal
Polignac
St-Étienne-Lardeyrol
St-Hostien
Chaspuzac
Chadrac
le Monteil
Aiguilhe
Brives-Charensac
Blavozy
St-Pierre-Eynac
St-Julien-des-Chazes
le Vernet
Sanssac-l'Église
Espaly-St-Marcel
LE PUY-EN-VELAY
St-Germain-Laprade
Pébrac
Prades
St-Bérain
Vergezac
Ceyssac
Vals-près-le-Puy
St-Julien-Chapteuil
Cubelles
Bains
St-Christophe-sur-Dolaison
Lantriac
St-Privat-d'Allier
Coubon
Arsac-en-Velay
Cussac-sur-Loire
Laussonne
Saugues
Monistrol-d'Allier
St-Jean-Lachalm
Séneujols
Solignac-sur-Loire
Chadron
Moudeyres
le Brignon
le Monastier-sur-Gazeille
Freycenet-la-Tour
le Devès
St-Préjet-d'Allier
Esplantas
Croisances
Vazeilles-près-Saugues
Alleyras
Cayres
St-Martin-de-Fugères
Monts Breysse
Présailles
Freycenet-la-Cuche
le Bouchet-St-Nicolas
Costaros
Goudet
Alleyrac
Arlempdes
Salettes
St-Vénérand
Thoras
St-Christophe-d'Allier
St-Haon
Chambon-le-Château
St-Symphorien
Landos
St-Arcons-de-Barges
Barges
Issarlès
le Lac-d'Issarlès
St-Bonnet-de-Montauroux
Rauret
St-Paul-de-Tartas
Coucouron
Laval-Atger
St-Paul-le-Froid
Grandrieu
St-Étienne-du-Vigan
Pradelles
Auroux
St-Cirgues-en-Montagne
N102
N88
D906
la Dore
la Senouire
l'Allier
la Loire
la Borne
l'Ance

144
130
158
159
143
Roussillon
Salaise-sur-Sanne
Sonnay
Bellegarde-Poussieu
Revel-Tourdan
St-Romain-de-Surieu
Ville-sous-Anjou
Balbins
St-Hilaire-de-la-Côte
Grenoble-Isère
Brézins
Pajay
St-Barthélemy
Beaurepaire
Pact
Jarcieu
Lapeyrouse-Mornay
Marcilloles
St-Siméon-de-Bressieux
Bressieux
Châtenay
Viriville
Thodure
Beaufort
Agnin
Anjou
Bougé-Chambalud
Sablons
Serrières
Chanas
Épinouze
Manthes
Marcollin
Lentiol
Marnans
St-Pierre-de-Bressieux
Brion
St-Rambert-d'Albon
St-Sorlin-en-Valloire
Moras-en-Valloire
Lens-Lestang
Camp de Chambaran
Peyraud
Bogy
Champagne
Colombier-le-Cardinal
St-Désirat
Anneyron
Hauterives
Le Palais Idéal
le Grand-Serre
St-Clair-sur-Galaure
Roybon
Chasselay
Montfalcon
Chambaran
Forêt de Chambaran
St-Étienne-de-Valoux
Andancette
Andance
Albon
Tour d'Albon
Châteauneuf-de-Galaure
Tersanne
Thorrenc
Talencieux
Beausemblant
Fay-le-Clos
Mureils
St-Martin-d'Août
St-Christophe-et-le-Laris
Montrigaud
Dionay
Murinais
Bessins
Ruines Romaines
Laveyron
la Motte-de-Galaure
Miribel
St-Bonnet-de-Valclérieux
Ardoix
Sarras
St-Uze
St-Barthélemy-de-Vals
St-Vallier
Défilé de St-Vallier
Claveyson
Ratières
St-Avit
Montchenu
Bathernay
Crépol
St-Laurent-d'Onay
St-Antoine-l'Abbaye
St-Appolinard
Chevrières
St-Vérand
St-Marcellin
Ozon
Eclassan
Ponsas
Margès
Charmes-sur-l'Herbasse
Arthémonay
le Chalon
Montmiral
St-Michel-sur-Savasse
Montagne
St-Bonnet-de-Chavagne
Chatte
Arras-sur-Rhône
Serves-sur-Rhône
Bren
St-Donat-sur-l'Herbasse
Palais Delphinal
Geyssans
Parnans
Sécheras
Marsaz
Cheminas
Lemps
Érôme
Gervans
Chantemerle-les-Blés
Chavannes
Triors
la Sône
St-Hilaire-du-Rosier
St-Just-de-Claix
St-André-en-Royans
Vion
Étables
Larnage
Crozes-Hermitage
Peyrins
Génissieux
Châtillon-St-Jean
St-Lattier
St-Jean-de-Muzols
Tain-l'Hermitage
Veaunes
St-Bardoux
Clérieux
Mercurol
Chanos-Curson
Mours-St-Eusèbe
Romans-sur-Isère
St-Paul-lès-Romans
Eymeux
St-Nazaire-en-Royans
Auberives-en-Royans
Pont-en-Royans
Tournon-sur-Rhône
St-Barthélemy-le-Plain
Mauves
Granges-les-Beaumont
Bourg-de-Péage
Hostun (St-Maurice)
La Baume-d'Hostun
La Motte-Fanjas
St-Thomas-en-Royans
Ste-Eulalie-en-Royans
Jaillans
Rochechinard (les Robins)
Beaumont-Monteux
Chatuzange-le-Goubet
Beauregard-Baret (Meymans)
St-Jean-en-Royans
Oriol-en-Royans
Glun
Plats
Châteaubourg
Pont-de-l'Isère
Châteauneuf-sur-Isère
Gare de Valence T.G.V.
St-Sylvestre
St-Marcel-lès-Valence
Alixan
Marches
Rochefort-Samson
Barbières
St-Martin-le-Colonel
St-Romain-de-Lerps
Cornas
St-Péray
Bourg-lès-Valence
Besayes
Bouvante
Valence
Guilherand-Granges
Montélier
Charpey
St-Vincent-la-Commanderie
Toulaud
Soyons
Malissard
Chabeuil
Peyrus
Léoncel
Col de la Bataille
Châteaudouble
Charmes-sur-Rhône
Portes-lès-Valence
Montvendre
Combovin
Plateau d'Ambel
Omblèze (les Bouaches)
Barcelonne
Beaumont-lès-Valence
St-Georges-les-Bains
Montéléger
Étoile-sur-Rhône
St-Julien-en-Quint
St-Laurent-du-Pape
Montmeyran
la Baume-Cornillane
Plan-de-Baix
Beauchastel
la Voulte-sur-Rhône
Upie
Ourches
Gigors-et-Lozeron
Marignac-en-Diois
Montoison
Eygluy-Escoulin
St-Andéol
Livron-sur-Drôme
Allex
Vaunaveys-la-Rochette
Beaufort-sur-Gervanne
Vachères-en-Quint
Suze (les Jaux)
Cobonne
Eurre
Ste-Croix
Le Pouzin
Loriol-sur-Drôme
Crest
Montclar-sur-Gervanne
Pontaix
Véronne
Barsac
Rompon
A
B
C
D

Voiron
131
145
Le Touvet
St-Blaise-du-Buis
Réaumont
St-Cassien
Rives
Coublevie
St-Julien-de-Raz
St-Joseph-de-Rivière
Monastère de la Grande Chartreuse
St-Pierre-de-Chartreuse
St-Jean-de-Moirans
la Buisse
Beaucroissant
Renage
Moirans
Voreppe
Pommiers-la-Placette
PARC NATUREL RÉGIONAL DE LA CHARTREUSE
St-Étienne-de-St-Geoirs
Izeaux
St-Geoirs
Plan
St-Paul-d'Izeaux
St-Michel-de-St-Geoirs
la Forteresse
Tullins
St-Quentin-sur-Isère
l'Isle Rose
Veurey-Voroize
Montaud
Noyarey
Morette
Cras
Quincieu
Serre-Nerpol (les Caves)
Vatilieu
Poliénas
N.-D.-de-l'Osier
Chantesse
l'Albenc
Vinay
Beaulieu (le Gua)
Têche
Rovon
St-Gervais
Mont-St-Martin
Proveysieux
Sarcenas
le Sappey-en-Chartreuse
St-Ismier
Fontanil-Cornillon
Quaix-en-Chartreuse
Biviers
Montbonnot-St-Martin
St-Égrève
Corenc
la Tronche
Meylan
Domène
Sassenage
Fontaine
Seyssinet-Pariset
GRENOBLE
Gières
Murianette
Revel
Venon
ST-MARTIN-D'HÈRES
Poisat
Eybens
St-Martin-d'Uriage
Herbeys
Seyssins
St-Nizier-du-Moucherotte
Échirolles
Bresson
le Pont-de-Claix
Claix
Vaulnaveys-le-Haut
Chamrousse
Crolles
Bernin
Froges
Villard-Bonnot
St-Nazaire-les-Eymes
Autrans
Engins
Cognin-les-Gorges
Malleval-en-Vercors
Méaudre
Lans-en-Vercors
PARC NATUREL RÉGIONAL DU VERCORS
Beauvoir-en-Royans
Presles
Rencurel
Villard-de-Lans
St-Paul-de-Varces
Varces-Allières-et-Risset
Champagnier
Jarrie
Brié-et-Angonnes
Vaulnaveys-le-Bas
Vizille
Livet-et-Gavet (Riouperoux)
Vif
Champ-sur-Drac
Notre-Dame-de-Mésage
Séchilienne
St-Pierre-de-Mésage
St-Barthélemy-de-Séchilienne
Choranche
Châtelus
St-Julien-en-Vercors
Échevis (la Cure)
St-Laurent-en-Royans
Corrençon-en-Vercors
St-Martin-en-Vercors
le Gua
St-Georges-de-Commiers
Laffrey
la Morte (le Couvent)
St-Jean-de-Vaulx
Notre-Dame-de-Commiers
St-Théoffrey
Cholonge
Notre-Dame-de-Vaulx
Villard-St-Christophe
Lavaldens
Château-Bernard
Miribel-Lanchâtre
St-Martin-de-la-Cluze
Monteynard (les Blais)
la Motte-d'Aveillans
Pierre-Châtel
St-Andéol
la Chapelle-en-Vercors
St-Guillaume
Avignonet
Sinard
la Motte-St-Martin
St-Honoré
Nantes-en-Ratier
Oris-en-Rattier
VALBONNAIS
Valbonnais
St-Agnan-en-Vercors
St-Paul-lès-Monestier
Monestier-de-Clermont
Treffort
Susville
la Mure
Sousville
Gresse-en-Vercors
Col de l'Allimas
Prunières
Ponsonnas
Cognet
Mayres-Savel
Vassieux-en-Vercors
St-Michel-les-Portes
St-Arey
St-Pierre-de-Méaroz
St-Michel-en-Beaumont
la Salle-en-Beaumont
St-Laurent-en-Beaumont
St-Jean-d'Hérans
Mont Aiguille
St-Martin-de-Clelles
Lavars
St-Sébastien
Quet-en-Beaumont
Clelles
Cornillon-en-Trièves (le Grand Oriol)
Cordéac
Chichilianne
Mens
Percy
TRIÈVES
Ambel
Chamaloc
le Monestier-du-Percy
Prébois
Romeyer
St-Baudille-et-Pipet
Die
Col de Menée
St-Maurice-en-Trièves
Lalley
Tréminis
159
Treschenu-Creyers
St-Disdier
Molières-Glandaz
Col de la Croix
146

146
132
145
160
161
A
B
C
D
1
2
3
4
5
6
E712
E70
A43
N85
D1006
D1091
N91
D902
D526
D530
D300
Morêtel-de-Mailles
(le Champ-du-Pont)
Pinsot
Goncelin
Theys
le Champ-près-Froges
les Adrets
Hurtières
Tencin
la Pierre
Chât. de Monteynard
la Terrasse
la Ferrière
Haute Vallée
du Bréda
Puy Gris
le Pleynet
Station
des Sept Laux
Prapoutel
Pipay
Massif
d'Allevard
Refuge
de la Combe Madame
Ref. des Sept Laux
Aiguilles
de l'Argentière
Montagne des Sept Laux
Combe d'Olle
le Rivier
d'Allemont
Défilé de Maupas
Casc.
St-Mury-Monteymond
Revollat
St-Agnes
Bonnot
Refuge Jean Collet
Grand Pic
de Belledonne
Refuge
de la Pra
CHAINE DE BELLEDONNE
la Chambre
St-Avre
St-Martin-sur-la-Chambre
St-Étienne-de-Cuines
Ste-Marie-de-Cuines
F. du Cuchet
les Côtes dessus
Zone Nordique
du Grand Coin
le Grand Coin
Montpascal
Montvernier
Pontamafrey-Montpascal
le Châtel
Hermillon
St-Jean-
-de-Maurienne
Jarrier
N.-D.
des Grâces
St-Pancrace
Villargondran
St-Alban-des-Villards
le Premier
Villard
le Bessay
le Villard Martinan
le Plan
Champ
les Roches
St-Colomban-
-des-Villards
Valmaure
Refuge
de l'Oule
les Bottières
N.-D.
de la Salette
la Toussuire
Villarembert
le Corbier
Fontcouverte-
-la-Toussuire
Montricher-Albanne
(le Bochet)
Albiez-
-le-Jeune
Bonvillard
Albiez-Montrond
(Albiez-le-Vieux)
Combe
Génin
Col
du Glandon
Col de la Croix
de Fer
Pierre
Aigüe
Malcrozet
St-Sorlin-d'Arves
la Chal
St-Jean-d'Arves
la Villette
Entraigues
le Vallonnet
le Chalmieu
Montrond
les Rieux
le Mollard
Saute-
Jarnan
Refuge
de l'Etendard
les Côtes
Pravel
Lac
de Grand-Maison
Chalets
du Rieu Claret
MASSIF DE LA MAURIENNE
Grand Perron
des Encombres
Villard
Clément
St-Julien-Mont-Denis
Charbutan
St-Martin-de-la-Porte
Beaune
Villard Bernon
le Thyl
l'Arpont
Péage
St-Michel-de-Maurienne
Orelle
St-Martin-d'Arc
Col du
Télégraphe
Albannette
les Combes
Valmeinier
la Combe
les Déserts
Valmeinier 1800
Mont Coburn
le Col
le Villard
Prarion
Valloire
les Diseurs
les Choseaux-
-Verneys
la Rivine
Bonnenuit
Aiguille
de l'Épaisseur
Aiguilles d'Arves
la Grande
Chible
les Karellis
Montricher
le Bettaix
Levassaix
les Menuires
Reberty
les Bruyères
Pointe de
la Masse
Refuge
du Lac du Lou
Val Thorens
Mont Bréquin
Vaujany
la Villette
Casc.
l'Enversin d'Oz
Oz
Ref.
de la Fare
le Bessay
Oz Station
Allemond
la Traverse
Sardonne
L. Besson
T. d'Orient.
L. Blanc
Pic
de l'Etendard
les Grandes Rousses
Pic Bayle
Pic du Lac
Blanc
Croix
de Chamrousse
Rochetaillée
Livet
les Sables
Villard-
-Reculas
l'Alpe d'Huez
Huez
Clavans-en-Haut-Oisans
(Clavans-le-Haut)
Clavans le Bas
Romanche
Oulles
la Paute
la Garde
Casc. de Sarenne
Auris-en-Oisans
Auris
Refuge
du Taillefer
le Bourg-d'Oisans
Prégentil
la Grenonière
Ornon
la Rive
Gorges
de l'Infernet
le Clapier
Villard-
-Reymond
Villard-
-Notre-Dame
Casc.
Col d'Ornon
les Travers
le Perron
Chalets de la Boire
la Salse
Refuge du Rif Tort
Besse
Chalets du Fay
Ref. des Châtons
Mizoën
Bge
du Chambon
le Freney-
-d'Oisans
Singuigneret
Ref. des Clots
Oratoire du Chazelet
le Chazelet
les Terrasses
les Hières
Mais.
du Parc
Hameau
de Valfroide
Rivet de
la Cime
la Grave
Villar-
-d'Arêne
le Pied
du Col
L. du Chambon
Bons
Mont-de-Lans
l'Alpe
de Mont-de-Lans
Chalet Communal
de la Fée
les Deux Alpes
l'Alpe
de Vénosc
Glacier
de Mont-
-de-Lans
Refuge de la Selle
Vénosc
le Bourg d'Arud
les Gauchoirs
la Danchère
le Rochail
L. de Lauvitel
Chantelouve
(les Bosses)
les Siauds
la Chalp
les Daurens
Pic du Mas de
la Grave
Aiguilles de
la Saussaz
Aiguille du Goléon
Refuge
des Aiguilles d'Arves
Aiguille d'Argentière
T. d'Orient.
Col
du Galibier
le Grand
Galibier
Camp
des Rochilles
Refuge des Drayères
Refuge
de Laval
Ref. de la Fruitière
Refuge
du Chardonnet
Jardin Alpin
du Lautaret
Col du Lautaret
Mais. du Parc
Rés. Nat.
de Combeynot
Pic Ouest de
Combeynot
le Lauzet
le Casset
le Monêtier-
-les-Bains
les Guibertes
Refuge
Evariste Chancel
Bec
de l'Homme
Ref. de l'Aigle
Gl. de la
Girose
LA MEIJE
le Rateau
Pic Gaspard
Ref.
du Promontoire
Refuge du Pavé
Refuge de l'Alpe
de Villar-d'Arêne
Col d'Arsine
Refuge
du Châtelleret
Massif
du Soreiller
Refuge
du Soreiller
Roche
Méane
la Grde
Ruine
Refuge Adèle
Planchard
Pic
de Neige Cordier
Pic Bourcet
Tête de
la Maye
Roche Faurio
Ref. des Écrins
Glacier Blanc
Refuge
du Glacier Blanc
Mgne des Agneaux
BARRE
DES ECRINS
Pré de Madame Carle
Station
de Serre-Chevalier
Rés. Nat. du Torrent
de St-Pierre
T. d'Orient.
Refuge
Temple
Ecrins
Pic Coolidge
Refuge
Cézanne
Glacier Noir
MT PELVOUX
Chambran
Cime de la Condamine
Ailefroide
Refuge
du Pelvoux
Pelvoux
(St-Antoine)
Vallon de Celse Niere
Refuge
du Sélé
Pnte
du Sélé
Puy Aillaud
St-Sébastien
Vallouise
Aiguille du Plat de
la Selle
Lanchâtra
Casc.
St-Christophe-
-en-Oisans
la Bernardière
Refuge
de la Muzelle
L. de
la Muzelle
Roche de
la Muzelle
Ref.
de l'Alpe du Pin
Champhorent
la Bérarde
Rés. Nat. de la Hte Vallée
du Vénéon
Tête de Lauranoure
Confolens le Bas
Casc.
de Confolens
le Périer
PARC
NATIONAL
DES
ECRINS
MASSIF DES ÉCRINS
OISANS
Valsenestre
Pointe Swan
Refuge de la Lavey
Aiguilles des Arias
Refuge
du Carrelet
Pointe du Vallon
des Étages
Refuge de la Pilatte
Pnte Richardson
les Bans
Entraigues
Rés. Nat. du Haut Béranger
Pic de Valsenestre
la Chapelle-
-en-Valjouffrey
le Villard
Gragnolet
Valjouffrey
le Désert
Valjouffrey
(la Chalp)
les Faures
Casc.
de la Pisse
Pic
des Souffles
Aiguille
de l'Olan
Refuge
de Font Turbat
les Rouies
l'Olan
Refuge du Pigeonnier
Refuge
des Souffles
Refuge
de l'Olan
Refuge Bivouac
de Chalance
Rés. Nat. de
la Haute Séveraisse
Refuge du Clot
Refuge
des Bans
Pic de Bonvoisin
les Grésonnières
Puy-
-St-Vincent
St-Vincent
les Alberts
les Prés
les Vignes
Narreyroux
Station
1600
l'Argentière-
-la-Bessée
St-Michel-
-Beaumont
T. d'Orient.
N.-D. de la Salette
Ste-Luce
la Salette-Fallavaux
(l'Église)
les Côtes-
-de-Corps
Corps
L. du Sautet
Ambel
Aspres-
-lès-Corps
VALGAUDEMAR
Grun
de St-Maurice
l'Esparcelet
Villar-
-Loubière
les Andrieux
Casc.
de Combefroide
le Bourg
Casc.
du Casset
le Rif du Sap
la Chapelle-
-en-Valgaudémar
Mais.
du Parc
le Roux
Vall. de la Séveraisse
St-Maurice-
-en-Valgodemard
Navette
les Oulles du Diable
la Chaup
Refuge
de Vallonpierre
le Sirac
St-Firmin
la Broue
St-Jacques-
-en-Valgodemard
Beaufin
Monestier-
-d'Ambel
Combardeng
le Chaperon
le Banc du Peyron
ou le Petit Chaillol
Pic
de Parières
les Choucières Vertes
Refuge du Pré
de la Chaumette
Pic de Pian
Pic de Colle Blanche
Pic de Mal Cros
Vieux Chaillol
Aiguille
de Cédéra
le Glaizil
Chauffayer
les Costes
Molines-en-Champsaur
Vallée du Drac de Champoléon
Rés. Nat. du Cirque
du Grand Lac des Estaris
les Lauzes
Freissinières
les Viollins
Dormillouse
les Hauts
Gicons
Pouillardencq
St-Eusèbe-
-en-Champsaur
Séveraissette
Vallée de la
les Fermonds
Champoléon
Lacoue
la Motte-en-Champsaur
Route Napoléon
Charbillac
les Infournas
le Collet
St-Disdier
les Evarras
Orcières
Pic
de Rocheclaire
Tête
de Vautisse

147
133
161
162
E
F
G
H
1
2
3
4
5
6
PARC NATIONAL DE LA VANOISE
MASSIF DU MONT CENIS
BRIANÇONNAIS
PARC RÉG. DU QUEYRAS
Val de Suze
Modane
Bessans
Lanslevillard
Lanslebourg-Mont-Cenis
Termignon
Sollières-Sardières (Sollières-l'Endroit)
Aussois
Bramans
Avrieux
Villarodin-Bourget
Fourneaux
St-André
Freney
Col du Mont Cenis
Lac du Mt Cenis
Pointe de Ronce
Pointe de Charbonnel
Pointes de la Grande Felouse
Rocciamelone
Moncenisio
Novalesa
Bar Cenisio
Molaretto
San Martino
Venaus
Bussoleno
Susa
Meana-di-Susa
Giaglione
Gravere
Chiomonte
Exilles
Salbertrand
Dents d'Ambin
Aiguille de Scolette
Aiguille de Péclet
Mt du Borgne
Glacier Sommeiller
Bardonecchia
Rochemolles
Melezet
Pian del Colle
Beaulard
Savoulx
Oulx
Sauze d'Oulx
Jouvenceaux
Sportinia
Désertes
Fenils
Solomiac
Cesena-Torinese
Sestrière
Champlas-Séguin
Champlas-du Col
Clavière
Montgenèvre
C. de Montgenèvre
Val-des-Prés
Névache
la Salle-les-Alpes
St-Chaffrey
Briançon
Puy-St-Pierre
Puy-St-André
Villar-St-Pancrace
Cervières
St-Martin-de-Queyrières
Col d'Izoard
Pic de Rochebrune
Arvieux
Château-Ville-Vieille (Château-Queyras)
Aiguilles
Abriès
Ristolas
Molines-en-Queyras
St-Véran
la Roche-de-Rame
St-Crépin
Col Agnel
Monte Granero
Monte Orsiera
Pragelato
Usseaux
Fenestrelle
Mentoulles
Perosa-Argentina
Prali Villa
Bric Froid
Punta Ciatagnera
Bobbio-Pellice
Villar-Pellice
Viso Mozzo

148
A
B
C
D
1
2
3
4
5
6
134
164
165
D'ARCACHON
Île aux Oiseaux
Parcs à Huîtres
Lanton
Pisciculture
Certes
Audenge
Croix d'Hins
Marcheprime
Arcachon
le Canon
l'Herbe
les Arbousiers
Bélisaire
Phare du Cap-Ferret
le Cap-Ferret
la Pointe
CAP FERRET
le Moulleau
Parc Mauresque
Pyla sur Mer
le Pilat
la Teste-de-Buch
Notre-Dame des Monts
la Hume
Gujan-Mestras
Chante-Cigale
Parc de Loisirs de la Hume
Parc Ornithologique du Teich
Château Ruat
le Teich
Biganos
Facture
la Courbe
les Trucails
Vigneau
les Argentières
Lacanau de Mios
les Douils
Lamothe
Mios
Peyot
la Carreyre
Arnauton
Lillet
Argilas
le Pilat Plage
Truc de la Truque
Rés. Nat. du Banc d'Arguin
Dune du Pilat
Maison Forestière de Gailllouneys
Castandet
Cazaux
Caudos
Salles
Perrin
le Caplanne
le Béguey
Bilos
Lanot
F. Dom. de la Teste
Étang de Cazaux et de Sanguinet
Langeot
l'Aiguille
Sanguinet
les Hautes Rives
Meoule
Lombard
Corneilley
le Clercq
St-Michel du Vieux Lugos
Lugos
Béliet
Belin-Béliet
Mais. du Parc
Mons
le Puch
Biscarrosse Plage
Ispe
Mayotte
Forêt Com. de Biscarrosse
la Gare de Lugos
Nigon
Petit Étang de Biscarrosse
En Bergoin
Camp de Naouas
Biscarrosse
St-Roch
le Muret
Saugnacq-et-Muret
F. Dom. de Biscarrosse
En Bonnet
Lahitte Centre
le Mouliès
Parentis-en-Born
Castelnau
Muret
Étang de Biscarrosse et de Parentis
Gastes
Poms
Mothes
Herran
Esleys
Maynage
Ychoux
Liposthey
Pissos
Lucats
Mongaillard
Ste-Eulalie-en-Born
Zone Militaire Interdite
F. Dom. de Ste-Eulalie
Petit Ligautenx
Grand Ligautenx
Escoursolles
Labouheyre
Daugnague
la Guirosse
Pontenx-les-Forges
St-Jean
Sce
Étang d'Aureilhan
Aureilhan
Merquedey
St-Paul-en-Born
Jean de Crabe
Lüe
Gaillard
Labrit
Mimizan Plage
Abb.
Mimizan
Méneou
Terrenave
Commensacq
Angoulin
Bourroc
Leych
Jouanicot
Escource
Écomusée de la Grande Lande
Marquèze
le Plaisy
Train touristique
F. Dom. de Mimizan
Bias
Bouheben
Cap de Pin
Solférino
Capas
F. Dom. de St-Julien-en-Born
Larden
Sallebert
Onesse-et-Laharie
Lestage
Pierre de Grimann
Contis les Bains
Lesbordes
Cornalis
le Platiet
Cusson
Mézos
St-Julien-en-Born
Lit-et-Mixe
le Cout
Laharie
Plaisance
Cap
Vallée de l'Eyre
la Leyre
la Grande Leyre
Courant de Ste-Eulalie
A660
A63
N250
D1250
N10
E05
E70
N134
D834
D650
D3
D5E5
D216
D256
D112
D652
D218
D259
D217
D260
D108
D1010
D46
D147
D110
D110E1
D83
D305
D333
D146
D348
D410
D43
D140
D400
D47
D626
D87
D67
D44
D63
D367
D34
D38
D385
D325
D325E
D402
D77
D41
D167
D166
D403
D340
D66
D14
D652
D108E3

Leognan
Mignoy
(le Bourg)
St-Georges
Ayguemorte-les-Graves
Tabanac
Martillac
Eyrans
Beautiran
Mongenan
le Tourne
Langoiran
Capian
Baigneaux
Montignac
Ladaux
St-Genis-du-Bois
D E U X M E R S
Domaine de Montesquieu
Castres-Gironde
Portets
Paillet
Villenave-de-Rions
Soulignac
Cantois
la Brède
St-Selve
Arbanats
Virelade
Rions
Cardan
Escoussans
Arbis
St-Pierre-de-Bat
Rés. Nat. de Saucats-la-Brède
Saucats
St-Morillon
Péage
Autoroute des Deux Mers
Laroque
Omet
Donzac
Gornac
Mourens
Chât. de Bel-Air
Jeansotte
les Landes
Podensac
Chât. des Ducs d'Épernon
Chât. de Benauge
St-Martial
Tournebride
L A N D E S
le Barp
Sablaret
la Tuilerie
Cabanac-et-Villagrains
St-Michel-de-Rieufret
Cérons
Béguey
Cadillac
Loupiac
Monprimblanc
St-Germain-de-Grave
Semens
Barsac
Illats
Gabarnac
Ste-Croix-du-Mont
Chât. de Malromé
Jaugut
Chantier
Baillet
la Vignolle de Salles
le Désert
Douence
Villagrains
Manine
Chât. de Landiras
Artigues
Preignac
Verdelais
Tombe de Toulouse-Lautrec
St-Andre-du-Bois
le Pian-sur-Garonne
Bruillet
Landiras
Pujols-sur-Ciron
Mareuil
St-Maixant
St-Pierre-d'Aurillac
Châl. de Malle
Toulenne
St-Macaire
St-Pierre-de-Mons
St-Loubert
St-Pardon-de-Conques
Langon
Bieujac
R É G I O N A L
Cantarane
Guillos
Brot
Batsères
les Arrougeys
Lasalle
Bommes
Yquem
Sauternes
Fargues
St-Magne
Cès
Pillon
Budos
le Ciron
Châl. Filhot
Haudoua
Base de Loisirs
Hostens
Janic
Louchats
Laulan
Léogeats
Auros
Branne
la Régasse
Sarton
Origne
Balizac
la Saubotte
Roaillan
Mazères
Châl. de Roquetaillade
Coimères
Joué
Triscos
Pinot
Noaillan
le Nizan
Brouqueyran
Canet
Rétis
Tours
Boutox
la Berdotte
Pichemonge
le Tuzan
Gardit
la Broque
Châl.
la Burthe
Villandraut
Aubiac
Cazats
le Mirail
Castelnau de Cernès
Uzeste
Capsus
Biganon
Mano
St-Symphorien
St-Léger-de-Balson
Privaillet
Labardin
Lignan-de-Bazas
Marimbault
St-Vincent
Bazas
St-Côme
D E S
Villemégea
Pont de la Trave
la Trave
Châl. de la Fue
Pompéjac
Belhade
Peyredieu
Préchac
Min de Cossarieu
Sauviac
Hourtoy
Vallée de la Petite Leyre
Argelouse
Larrival
Jeambos
les Gillets
Châl. de Cazeneuve
Bernos-Beaulac
Cudos
Moustey
Montauzey
Berdoy
Bourideys
Merrein
Beaulac
Artiguev
Richet
le Brous
Souis
Insos
Agnaout
la Petite Leyre
la Ville
Harribey
Cazalis
Lucmau
Briel
Pétron
le Bouc
Sore
la Grotte
le Crec
Escaudes
Bern
Pirette
Callen
Gruey
le Thus
Lucbernet
Captieux
Garillon
F. Com. de Transacq
Pince
Anc. Ateliers de Produits Résineux
Luxey
Giscos
les Houssats
Caplanne
Camp Militaire de Captieux
Maillas
Trensacq
Lagavarre
l'École du Poteau
le Pont Long
G A S C O G N E
Lesgouadies
Sabres
Broustic
Commanderie de Bessaut
les Traverses
Perrègue
Quartier de Capboeuf
Anc. Moulin de Lestrat
Bourriot-Bergonce
Bergonce
Tarisson
le Sen
Jourets
Labrit
les Chinans
Ch. d'Albret
Lencouacq
Retjons
Chap. de Lugaut
Lussolle
le Barrail
Luglon
Vert
Cachen
A63
A62
A65
E05
E70
E72
N134
N524
134
135
149
150
165
166

150
136
149
166
167
A
B
C
D
1
2
3
4
5
6
Frontenac
Baigneaux
Martres
Daubèze
Cleyrac
Soussac
Auriolles
Pellegrue
Cazaugitat
St-Genis-du-Bois
St-Brice
Sauveterre-de-Guyenne
Caumont
St-Ferme
Esclottes
Savignac-de-Duras
Lubersac
St-Sernin
Ste-Eulalie-d'Eymet
Fonroque
Coirac
Castelmoron-d'Albret
Ste-Colombe-de-Duras
St-Jean-de-Duras (Raynaud)
St-Sulpice-de-Pommiers
St-Martin-du-Puy
Rimons
Baleyssagues
Soumensac
Gornac
Castelviel
St-Hilaire-du-Bois
Landerrouet-sur-Ségur
Dieulivol
Duras
le Puy
Neuffons
St-Martial
St-Laurent-du-Bois
St-Félix-de-Foncaude (Foncaude)
St-Martin-de-Lerm
Cours-de-Monségur
Monségur
Taillecavat
Auriac-sur-Dropt
Pardaillan
Agnac
Eymet
Mesterrieux
Coutures
la Sauvetat-du-Dropt
Saint-Exupéry
Camiran
Loubens
St-Sulpice-de-Guilleragues
Lévignac-de-Guyenne
St-Pierre-sur-Dropt
Moustier
St-Laurent-du-Plan
Bagas
Roquebrune
Ste-Gemme
St-Géraud
Monteton
Roumagne
St-Pardoux-Isaac
Morizès
St-André-du-Bois
Ste-Foy-la-Longue
les Esseintes
St-Sève
St-Hilaire-de-la-Noaille
St-Vivien-de-Monségur
Allemans-du-Dropt
Miramont-de-Guyenne
Fossès-et-Baleyssac
Caubon-St-Sauveur
Puysserampion
Pian-sur-Garonne
Gironde-sur-Dropt
la Réole
St-Michel-de-Lapujade
Cambes
Caudrot
Casseuil
Montagoudin
Lavergne
St-Martin-de-Sescas
Barie
Floudès
Bassanne
Lachapelle
Peyrière
Castets-en-Dorthe
Mongauzy
Castelnau-sur-Gupie
St-Pardon-de-Conques
Blaignac
Fontet
Bourdelles
Lamothe-Landerron
St-Martin-Petit
Lagupie
St-Avit
Montignac-Toupinerie
Armillac
Castillon-de-Castets
Puybarban
Loupiac-de-la-Réole
Hure
Mauvezin-sur-Gupie
Bieujac
Pondaurat
Jusix
Escassefort
Seyches
Savignac
Ste-Bazeille
Beaupuy
Brannens
Noaillac
St-Barthélemy-d'Agenais
Meilhan-sur-Garonne
Couthures-sur-Garonne
Virazeil
Auros
Puymiclan
Tourtrès
Brouqueyran
Berthez
la Garonne
Marmande
Gaujac
Agmé
Labretonie
Lados
Aillas
St-Sauveur-de-Meilhan
Marcellus
Birac-sur-Trec
Cocumont
St-Pardoux-du-Breuil
Gans
Labescau
Sigalens
Montpouillan
Longueville
Hautesvignes
Gajac
Fourques-sur-Garonne
Taillebourg
Fauguerolles
Gontaud-de-Nogaret
St-Côme
Sendets
Samazan
Caumont-sur-Garonne
Birac
Fauillet
Cauvignac
Romestaing
Guérin
Sénestis
Varès
Sauviac
Masseilles
Ste-Marthe
le Mas-d'Agenais
Grateloup-St-Gayrand
Lavazan
Bouglon
Tonneins
Marions
Grignols
Argenton
Grézet-Cavagnan
Lagruère
Sillas
Cours-les-Bains
Calonges
Ruffiac
Ste-Gemme-Martaillac (Bladas)
Villeton (le Pont Canal)
Clairac
Antagnac
Poussignac (l'École)
Razimet
Lerm-et-Musset
St-Martin-Curton
Labastide-Castel-Amouroux (Veyries)
Puch-d'Agenais
Bourran
Goualade
Beauziac (Bouchet)
Leyritz-Moncassin
Monheurt
Casteljaloux
Villefranche-du-Queyran
Nicole
La Réunion (Mirande)
St-Léon
Damazan
Aiguillon
Giscos
St-Michel-de-Castelnau
Anzex
St-Léger
Lagarrigue
Galapian
Pindères
Lartigue
Pompogne
Caubeyres
Buzet-sur-Baïse
Port-Ste-Marie
Sauméjan
Fargues-sur-Ourbise
St-Pierre-de-Buzet
Thouars-sur-Garonne
St-Laurent
Hourquey
Ambrus
Allons
Houeillès
Mongaillard
Feugarolles
Xaintrailles
Pompiey
Vianne
Bruch
Montesquieu
Lavardac
Barbaste
Durance
Espiens
Boussès
Nérac
Calignac
Losse
Lubbon
Arx
Baudignan
Réaup-Lisse
Andiran
Fréchou
Forêt Dom. de Capbourteil
F. Dom. de Campet
A62
E72

136
137
151
152
167
168
Issigeac
Bardou
Naussannes
Montaut
Monsaguel
Singleyrac
St-Perdoux
Sadillac
St-Julien-d'Eymet
St-Capraise-d'Eymet
Boisse
Nojals-et-Clotte
Labouquerie
Ste-Croix
St-Avit-Rivière
Montferrand-du-Périgord
Larzac
Ste-Foy-de-Belvès
St-Romain-de-Monpazier
St-Marcory
Lolme
Marsalès
Salles-de-Belvès
Plaisance
Razac-d'Eymet
St-Aubin-de-Cadelech
Monmarvès
St-Léon-d'Issigeac
Faurilles
Rampieux
Ste-Sabine-Born
Tourliac
Lavalade
St-Cassien
Monpazier
Capdrot
Mazeyrolles
St-Quentin-du-Dropt
Cavarc
Ste-Radegonde
Mazières-Naresse (Loys)
Serres-et-Montguyard
Cahuzac
Castillonnès
Lalandusse
Doudrac
Parranquet
Gaugeac
Lauzun
Douzains
Ferrensac
Rives
Rayet
St-Martin-de-Villeréal
Biron
Soulaures
St-Cernin-de-l'Herm
Bourgougnague
Sérignac-Péboudou
Montauriol
Bournel
Villeréal
Vergt-de-Biron
St-Colomb-de-Lauzun
St-Étienne-de-Villeréal
Dévillac
Lacapelle-Biron
Blanquefort-sur-Briolance
Montaut
Laussou
Sauveterre-la-Lémance
Ségalas
Lougratte
Montignac-de-Lauzun
Monviel
St-Maurice-de-Lestapel
St-Eutrope-de-Born (St-Vivien)
St-Front-sur-Lémance
Paulhiac
Gavaudun
Laperche
Monbahus
Moulinet
Cancon
Boudy-de-Beauregard
Salles
Cuzorn
Villebramar
Monflanquin
Montagnac-sur-Lède
Tombeboeuf
Beaugas
Castelnaud-de-Gratecambe
Lacaussade
Fumel
Montastruc
St-Pastour
Monsempron-Libos
Monségur
Condezaygues
Soturac
Montayral
Verteuil-d'Agenais
Coulx
Pailloles
la Sauvetat-sur-Lède
Savignac-sur-Leyze
St-Aubin
St-Vite
Brugnac
Monclar
Pinel-Hauterive
Casseneuil
Lédat
Mauroux
St-Étienne-de-Fougères
Trentels
St-Georges
Thézac
Ste-Livrade-sur-Lot
Villeneuve-sur-Lot
Bias
St-Sylvestre-sur-Lot
Trémons
Castelmoron-sur-Lot
Fongrave
Allez-et-Cazeneuve
Cazideroque
Tournon-d'Agenais
Laparade
Pujols
Penne-d'Agenais
Granges-sur-Lot
le Temple-sur-Lot
Dausse
Anthé
Dolmayrac
Valeilles
Lafitte-sur-Lot
Montpezat
Ste-Colombe-de-Villeneuve
St-Sardos
Lacépède
St-Antoine-de-Ficalba
Auradou
Massoulès
St-Beauzeil
Montaigu-de-Quercy
Cours
Sembas
Hautefage-la-Tour
St-Amans-du-Pech
Massels
Roquecor
St-Salvy
Laugnac
Castella
Frespech
Prayssas
Monbalen
Cassignas
Blaymont
Lacour
Madaillan (Fraisse)
la Croix-Blanche
Laroque-Timbaut
Lusignan-Petit
Bajamont (St-Arnaud)
Beauville
Bourg-de-Visa
Touffailles
Engayrac
St-Robert
Dondas
Foulayronnes
Sauvagnas
St-Hilaire-de-Lusignan
Fauroux
Colayrac-St-Cirq
Pont-du-Casse
la Sauvetat-de-Savères
St-Nazaire-de-Valentane
Sérignac-sur-Garonne
St-Martin-de-Beauville
Brassac
Brax
le Passage
AGEN
St-Caprais-de-Lerm
St-Maurin
Tayrac
Bon-Encontre
Montjoi
Castelsagrat
Puymirol
Ste-Colombe-en-Bruilhois
Roquefort
Castelculier
St-Pierre-de-Clairac
Perville
Lafox
St-Romain-le-Noble
Estillac
Boé
St-Jean-de-Thurac
St-Urcisse
Grayssas
St-Clair
Moncaut
Sauveterre-St-Denis
Clermont-Soubiran
Gasques
Aubiac
Moirax
St-Nicolas-de-la-Balerme
Layrac
St-Sixte
St-Paul-d'Espis
Caudecoste
Lamagistère
St-Vincent-Lespinasse
Donzac
Valence
Goudourville
Pommevic
Nomdieu
Agen-la Garenne
Autoroute des Deux Mers
E
F
G
H
1
2
3
4
5
6

152
St-Amand-de-Belvès
St-Laurent-la-Vallée
Doissat
Ste-Foy-de-Belvès
Daglan
St-Pompont
Orliac
Bouzic
St-Martial-de-Nabirat
St-Aubin-de-Nabirat
Nabirat
Payrignac
Gourdon
le Vigan
St-Projet
PARC
Florimont-Gaumier
Léobard
Campagnac-lès-Quercy
Mazeyrolles
Prats-du-Périgord
Besse
Salviac
Dégagnac
St-Clair
Saint-Cirq-Souillaguet
Soucirac
Séniergues
Ginouillac
Carlucet
Montfaucon
Vaillac
St-Chamarand
Marminiac
Cazals
Rampoux
Lavercantière
Concorès
St-Germain-du-Bel-Air
Frayssinet
Beaumat
Labastide-Murat
Villefranche-du-Périgord
Montcléra
Gindou
Peyrilles
Soulomès
Sauveterre-la-Lémance
Loubejac
St-Caprais
les Arques
Thédirac
Montamel
Lamothe-Cassel
St-Sauveur-la-Vallée
Frayssinet-le-Gélat
Goujounac
Pomarède
Montgesty
Uzech
Ussel
St-Cernin
Cassagnes
Lherm
St-Denis-Catus
Gigouzac
Mechmont
St-Martin-de-Vers
Montcabrier
Pontcirq
les Junies
Catus
Nadillac
Cras
Lauzès
St-Martin-le-Redon
St-Médard
Nuzéjouls
Boissières
Maxou
Francoulès
Duravel
Touzac
Puy-l'Évêque
Prayssac
Castelfranc
Labastide-du-Vert
Crayssac
Calamane
St-Pierre-Lafeuille
Valroufié
Espère
Mercuès
Vire-sur-Lot
Lagardelle
Luzech
Parnac
Caillac
Pradines
Laroque-des-Arcs
Vers
St-Géry
Grézels
Albas
Douelle
Lamagdelaine
Arcambal
Lacapelle-Cabanac
Bélaye
St-Vincent-Rive-d'Olt
CAHORS
Floressas
Sérignac
151
Cambayrac
Trespoux-Rassiels
Flaujac-Poujols
Aujols
Masquières
le Boulvé
Fargues
Sauzet
Carnac-Rouffiac
St-Matré
Villesèque
Labastide-Marnhac
Laburgade
Cremps
Courbiac
Saux
Bagat-en-Quercy
St-Pantaléon
le Montat
Belmontet
Valprionde
Ste-Croix
St-Daunès
Lascabanes
Lhospitalet
Cieurac
Lalbenque
Belvèze
Montcuq
Cézac
Pern
Lebreil
St-Cyprien
Ste-Alauzie
Fontanes
Bouloc
Montlauzun
St-Laurent-Lolmie
St-Paul-de-Loubressac
Labastide-de-Penne
Ste-Juliette
Touffailles
Tréjouls
Castelnau-Montratier
Flaugnac
Montdoumerc
Belfort-du-Quercy
Lauzerte
Montagudet
Sauveterre
Puylaroque
Miramont-de-Quercy
St-Amans-de-Pellagal
Cazes-Mondenard
Montpezat-de-Quercy
Montbarla (St-Georges)
Montfermier
Lapenche
Cayriech
Montesquieu
Durfort-Lacapelette
Labarthe
Montalzat
Vazerac
Molières
Auty
Septfonds
Monteils
Caussade
Puycornet
St-Vincent
Mirabel
L'Honor-de-Cos (Léribosc)
Lafrançaise
Moissac
Réalville
168
169
A20
E09

138
139
153
154
169
170
E
F
G
H
NATUREL
RÉGIONAL
DES CAUSSES DU QUERCY
Parc animalier
Issendolus
Thémines
Albiac
Rueyres
Espeyroux
Anglars
Rudelle
Lacapelle-Marival
St-Maurice-en-Quercy
Labathude
St-Médard-Nicourby
Montet-et-Bouxal (la Vitarelle)
Laresses
Sabadel-Latronquière
Quézac
St-Julien-de-Toursac
le Bastit
Flaujac-Gare
Grotte de Roucadour
Théminettes
le Bourg
Reilhac
Lunegarde
St-Simon
Sonac
St-Médard
le Bouyssou
Ste-Colombe
St-Bressou
Prendeignes
Maurs
St-Étienne-de-Maurs
Durbans (Ladignac)
Assier
Issepts
Fons
Fourmagnac
Cardaillac
St-Perdoux
Bagnac-sur-Célé
St-Constant
Fontanes-du-Causse
Quissac
Espédaillac
Livernon
Grèzes
Reyrevignes
Camburat
Lissac-et-Mouret
Planioles
Viazac
St-Jean-Mirabel
Montmurat
Montredon
Caniac-du-Causse
Sénaillac-Lauzès
Espagnac-Ste-Eulalie
Corn
Boussac
Cambes
Camboulit
Figeac
Lunan
St-Félix
Felzins
Lentillac-St-Blaise
Boisse-Penchot
Livinhac-le-Haut
Obél. de l'Aiguille
Blars
St-Sulpice
Brengues
Béduer
Faycelles
Capdenac
Capdenac-Gare
Bouillac
Viviez
Marcilhac-sur-Célé
Le Château de Cuzals
Orniac
Carayac
Frontenac
St-Pierre-Toirac
Larroque-Toirac
Gréalou
Sonnac
Asprières
les Albres
St-Chels
Sauliac-sur-Célé
Cabrerets
Balaguier-d'Olt
Ambeyrac
Foissac
Causse-et-Diège (Gelle)
Naussac
Montbrun
Cajarc
Cadrieu
Saujac
Larnagol
Galgan
Peyrusse-le-Roc
Valzergues
Tour-de-Faure
Cirq-Lapopie
Calvignac
Cénevières
St-Martin-Labouval
Crégols
Salvagnac-Cajarc
Montsalès
Ols-et-Rinhodes (Ols)
Salles-Courbatiès
Drulhe
Vaureilles
la Capelle-Balaguier
Ste-Croix
Villeneuve
St-Igest
Lanuéjouls
Anglars-St-Félix
St-Jean-de-Laur
Lugagnac
Limogne-en-Quercy
Concots
Puyjourdes
St-Rémy
Maleville
Privezac
Esclauzels
Promilhanes
Martiel
Toulonjac
Brandonnet
Compolibat
Escamps
Varaire
Bach
Vaylats
Beauregard
Laramière
Savignac
Villefranche-de-Rouergue
Saillac
Vidaillac
Morlhon-le-Haut
la Bastide-l'Évêque
St-Projet
Vailhourles
la Rouquette
Puylagarde
Sanvensa
St-Salvadou
Rieupeyroux
la Capelle-Bleys
Camp de Caylus
Belmont-Ste-Foi
Loze
Lacapelle-Livron
Mouillac
Parisot
Castanet
Monteils
Vabre-Tizac
Caylus
St-Georges
Lunac
Lescure-Jaoul
la Salvetat-Peyralès
Lavaurette
Ginals
Najac
la Fouillade
Verfeil
St-André-de-Najac
Bor-et-Bar
Jouqueviel (le Tel)
St-Antonin-Noble-Val
Varen
Laguépie
St-Martin-Laguépie
St-Christophe
Montirat
Mirandol-Bourgnounac
Montrosier
Féneyrols
Milhars
Cazals
Lacapelle-Ségalar
Gorges de l'Aveyron
le Viaur
l'Aveyron

154
140
153
170
171
A
B
C
D
1
2
3
4
5
6
St-Julien-de-Toursac (les Estresses)
Lacapelle-del-Fraisse
Leucamp
Barrez
Graissac
Ladinhac
Mourols
Sansac-Veinazès
St-Antoine
Leynhac
Labesserette
Lapeyrugue
St-Symphorien-de-Thénières
Calvinet
Junhac
Montsalvy
St-Hippolyte
Montézic
Huparlac
Sénezergues
Cassaniouze
Mourjou
Fournoulès
St-Constant
Campouriez
St-Amans-des-Cots
Soulages-Bonneval
Vieillevie
Entraygues-sur-Truyère
le Fel
St-Santin
Grand-Vabre
St-Parthem
Florentin-la-Capelle
Espeyrac
Sénergues
Conques
Flagnac
Almont-les-Junies
Livinhac-le-Haut
Golinhac
le Nayrac
Decazeville
Viviez
Firmi
Noailhac
St-Cyprien-sur-Dourdou
St-Félix-de-Lunel
Campuac
Estaing
Coubisou
Aubin
Cransac
Auzits
Nauviale
Pruines
Mouret
Villecomtal
Sébrazac
Espalion
St-Côme-d'Olt
Bessuéjouls
Muret-le-Château
Rodelle
Lugan
Montbazens
Bournazel
St-Christophe-Vallon
Marcillac-Vallon
Valady
Bozouls
Roussennac
Goutrens
Salles-la-Source
Gabriac
Clairvaux-d'Aveyron
Rignac
Sébazac-Concourès
Montrozier
Rodez-Marcillac
Onet-le-Château
Balsac
Belcastel
Mayran
Bertholène
Laissac
Druelle
RODEZ
le Monastère
Ste-Radegonde
Agen-d'Aveyron
Colombiès
Moyrazès
Olemps
Luc-la-Primaube
Rieupeyroux
Flavin
Pont-de-Salars
Baraqueville
Boussac
Castanet
Gramond
Calmont
Prades-Salars
Pradinas
Manhac
Trémouilles
Canet-de-Salars
Quins
Camboulazet
Comps-la-Grand-Ville
Sauveterre-de-Rouergue
Ste-Juliette-sur-Viaur
La Salvetat-Peyralès
Naucelle
Tayrac
Cabanès
Camjac
Arvieu
Salmiech
Salles-Curan
Castelmary
Centrès
Cassagnes-Bégonhès
Tauriac-de-Naucelle
Auriac-Lagast
Pampelonne
Rullac-St-Cirq
Alrance
Lac de Pareloup
F. des Palanges
Causse du Comtal
le Lot
Abbatiale Ste-Foy
Trou de Bozouls

140
141
155
E
F
G
H
1
2
3
4
5
6
Chaudes-Aigues
St-Laurent-de-Veyrès
les Bessons
Rimeize
Alpuech
Lacalm
la Terrisse
la Trinitat
Brion
la Fage-Montivernoux
Fau-de-Peyre
Fontans
Grandvals
Cassuéjouls
Aumont-Aubrac
Serverette
Javols
Malbouzon
la Chaze-de-Peyre
St-Urcize
Laguiole
Recoules-d'Aubrac
Ste-Colombe-de-Peyre
Prinsuéjols
St-Gal
Nasbinals
Marchastel
St-Sauveur-de-Peyre
Recoules-de-Fumas
Ribennes
Curières
Lac des Salhiens
Grte de Déroc
Casc. de Déroc
AUBRAC
Monts d'Aubrac
le Buisson
Aubrac
Maison de l'Aubrac
Condom-d'Aubrac
St-Laurent-de-Muret
Lachamp
St-Léger-de-Peyre
Antrenas
St-Chély-d'Aubrac
Forêt Dom. d'Aubrac
Station de Ski de Brameloup
Refuge des Rajas
Signal de Mailhe-Biau
Servières
la Bête du Gévaudan
Montrodat
Marvejols
Castelnau-de-Mandailles
Prades-d'Aubrac
les Salces
Gabrias
Chirac
Palhers
les Hermaux
St-Bonnet-de-Chirac
Grèzes
le Monastier-Pin-Moriès
Barjac
Aurelle-Verlac
Trélans
Cultures
Lassouts
St-Germain-du-Teil
Dom. Médiéval des Champs
St-Geniez-d'Olt
Pomayrols
St-Pierre-de-Nogaret
les Salelles
Esclanèdes
Chanac
Ste-Eulalie-d'Olt
le Lot
Forêt Dom. de Mende
Cruéjouls
Pierrefiche
St-Laurent-d'Olt
Banassac
St-Martin-de-Lenne
St-Saturnin-de-Lenne
la Capelle-Bonance
la Canourgue
Campagnac
Coussergues
Vimenet
Causse de Sévérac
St-Saturnin
Sabot de Malepeyre
Palmas
Buzeins
la Capelle
Ste-Enimie
la Tieule
Gaillac-d'Aveyron
Laval-du-Tarn
Sévérac-l'Église
Recoules-Prévinquières
Cirque de Pougnadoires
le Recoux
Lapanouse
Sévérac-le-Château
St-Georges-de-Lévéjac
Point Sublime
le Massegros
Gorges du Tarn
la Malène
Mas-St-Chély
Ségur
Vézins-de-Lévézou
les Vignes
St-Rome-de-Dolan
Hures-la-Parade
PARC
St-Léons
Micropolis
St-Pierre-des-Tripiers
Mostuéjouls
Curan
St-Laurent-de-Lévézou
Verrières
Rivière-sur-Tarn
le Rozier
Peyreleau
Grte de Dargilan
Meyrueis
St-Beauzély
Compeyre
Aguessac
St-André-de-Vézines
Causse Noir
Castelnau-Pégayrols
Chaos de Montpellier-le-Vieux
la Roque-Ste-Marguerite
Lanuéjouls
171
172
A75
E11
N88

156
142
155
172
173
A
B
C
D
1
2
3
4
5
6
MARGERIDE
St-Denis-en-Margeride
la Villedieu
St-Sauveur-de-Ginestoux
St-Jean-la-Fouillouse
Auroux
Réservoir de Naussac
Fontanes
Pradelles
Chastanier
Naussac
Langogne
Lespéron
Lavillatte
Auberge
St-Alban-en-Montagne
le Plagnal
Rocles
Pierrefiche
St-Flour-de-Mercoire
Cellier-du-Luc
St-Étienne-de-Lugdarès
les Laubies
Ferme de Fiougage
Estables
St-Gal
St-Amans
Arzenc-de-Randon
Chaudeyrac
Châteauneuf-de-Randon
Pierre Branlante
Mon. à Du Guesclin
l'Habitarelle
Cheylard-l'Évêque
Luc
Laveyrune
Rieutort-de-Randon
Lac de Charpal
Plateau du Palais du Roi
St-Laurent-les-Bains
Borne
la Bastide-Puylaurent
Laubert
Montbel
le Moure de la Gardille
Sources de l'Allier
Chastel-Nouvel
Pelouse
Belvezet
St-Frézal-d'Albuges
Chasseradès
Laval-d'Aurelle
Tunnel de Gravil
le Born
Badaroux
Allenc
Sommet du Goulet
Prévenchères
Pont Notre-Dame
MENDE
Signal de Flagit
Chadenet
Bagnols-les-Bains
Montselgues
le Rocher de Moise
Forêt Dom. de Mende
Lanuéjols
Mausolée Gallo-Romain
St-Julien-du-Tournel
le Bleymard
Mas-d'Orcières
Altier
Pourcharesses
Belv. de Chassezac
Gorges du Chassezac
la Garde-Guérin
Ste-Marguerite-Lafigère
Pied-de-Borne
Dolmen
Balsièges
le Lion de Balsièges
St-Bauzile
Brenoux
Serre des Countrats
Cubières
Cubiérettes
Truc de Balduc
St-Étienne-du-Valdonnez
Le Bleymard Mont-Lozère
MONT LOZÈRE
Col de Finiels
Sommet de Finiels
Source du Tarn
Villefort
Bge de Villefort
St-André-Capcèze
Malons-et-Elze
Ponteils-et-Brésis
Col de Montmirat
Montmirat
Forêt Dom. du Mont Lozère
Pic Cassini
Rel. de l'Aigle
Concoules
le Mas de la Barque
Sauveterre
les Bondons
Fraissinet-de-Lozère
Casc. de Runes
Écomusée du Mont Lozère
CÉVENNES
Belvédère des Bouzèdes
Génolhac
Aujac
Rocheblave
Quézac
Ispagnac
Castelbouc
Prades
le Tarn
Cocurès
Bédouès
le Pont-de-Montvert
Vialas
Montbrun
Florac
Mais. du Parc
Chât. de Charbonnières
St-Chély-du-Tarn
la Salle-Prunet
Forêt Domaniale du Bougès
St-Maurice-de-Ventalon
Chamborigaud
St-Julien-d'Arpaon
St-Andéol-de-Clerguemort (Lézinier)
St-Frézal-de-Ventalon (le Géripon)
St-Privat-de-Vallongue (la Combe)
Plaine de Chanet
Causse Méjan
Cassagnas
St-Laurent-de-Trèves
St-André-de-Lancize
St-Hilaire-de-Lavit
St-Michel-de-Dèze (Valescure)
St-Julien-des-Points (la Lèche)
Ste-Cécile-d'Andorge
Barre-des-Cévennes
Col des Faïsses
Vebron
Nîmes le Vieux
Fraissinet-de-Fourques
NATIONAL
Le Collet-de-Dèze
St-Germain-de-Calberte
Molezon (Biasses)
St-Martin-de-Lansuscle
St-Martin-de-Boubaux
Branoux-les-Taillades
Lamelouze (les Appens)
Gatuzières
Rousses
St-Flour-du-Pompidou
le Pompidou
Meyrueis
Roquedols
Bassurels
Tunnel du Marquaires
Gorges du Tapoul
Ste-Croix-Vallée-Française
Gabriac
Notre-Dame de Valfrancesque
St-Étienne-Vallée-Française
Moissac-Vallée-Française (le Clautrier)
St-Paul-la-Coste
Corniche des Cévennes
PARC
St-André-de-Valborgne
St-Roman-de-Tousque
Col de l'Exil
Forêt Domaniale de l'Aigoual
Abîme de Bramabiau
MONT AIGOUAL
Tourgueille
St-Marcel de Fontfouillouse
les Plantiers
Saumane
Peyrolles
Mialet
N106
N88
N102
D906

142
143
157
158
173
174
Aubenas
Largentière
Privas
Alès
Bourg-St-Andéol
Pont-St-Esprit
Vallon-Pont-d'Arc
Joyeuse
Les Vans
Barjac
St-Ambroix
Villeneuve-de-Berg
Alba-la-Romaine
Vals-les-Bains
Thueyts
Montpezat-sous-Bauzon
Antraigues-sur-Volane
Valgorge (le Villard)
Ruoms
Vogüé
Lussan
Navacelles
Goudargues
Bessèges
Gorges de l'Ardèche
Plateau du Coiron
Parc Naturel Régional des Monts d'Ardèche

158
144
157
174
175
St-Julien-en-St-Alban
Flaviac
le Pouzin
Loriol-sur-Drôme
Crest
Montclar-sur-Gervanne
Coux
St-Symphorien-sous-Chomérac
Chabrillan
Grâne
Aouste-sur-Sye
Mirabel-et-Blacons
Saillans
Chomérac
Alissas
Saulce-sur-Rhône
Cliousclat
Mirmande
Divajeu (Lambres)
Piégros-la-Clastre
Aubenasson
St-Sauveur-en-Diois
St-Lager-Bressac
Rochessauve
St-Bauzile
la Roche-sur-Grane
Autichamp
la Répara-Auriples
St-Vincent-de-Barrès
Cruas
la Coucourde
les Tourrettes (le Logis-Neuf)
Marsanne
Roynac
Puy-St-Martin
Saou
Soyans
Forêt de Saou
St-Pierre-la-Roche
St-Martin-sur-Lavezon
Condillac
Francillon-sur-Roubion
Mornans
Meysse
Savasse
Sauzet
St-Marcel-les-Sauzet
la Laupie
Bonlieu-sur-Roubion
Cléon-d'Andran
Manas
Charols
Pont-de-Barret
le Poët-Célard
Bourdeaux
Bézaudun-sur-Bîne
Rochemaure
Ancône
St-Gervais-sur-Roubion
Rochebaudin
Félines-sur-Rimandoule
les Tonils
Aubignas
la Bâtie-Rolland
Salettes
Eyzahut
Crupies
le Teil
Montboucher-sur-Jabron
Puygiron
la Bégude-de-Mazenc
Souspierre
le Poët-Laval
Comps
Orcinas
MONTÉLIMAR
Rochefort-en-Valdaine (Chambaud)
Portes-en-Valdaine
Dieulefit
Vesc
Bouvières
Espeluche
la Touche
Aleyrac
Montjoux
Allan
Malataverne
Châteauneuf-du-Rhône
Viviers
Montjoyer
Roche-St-Secret-Béconne
Chaudebonne (les Nauds)
Valouse
Donzère
Réauville
Salles-sous-Bois
Montbrison-sur-Lez
Teyssières
Taulignan
Roussas
Valaurie
Grignan
le Pègue
St-Ferréol-Trente-Pas
Les Granges-Gontardes
Chantemerle-lès-Grignan
Rousset-les-Vignes
St-Pantaléon-les-Vignes
Condorcet
Pierrelatte
la Garde-Adhémar
Chamaret
Grillon
Valréas
Venterol
Colonzelle
Aubres
les Pilles
Bourg-St-Andéol
Clansayes
Nyons
St-Paul-Trois-Châteaux
Montségur-sur-Lauzon
Richerenches
Solérieux
La Baume-de-Transit
Vinsobres
St-Restitut
St-Marcel-d'Ardèche
Châteauneuf-de-Bordette
Visan
Mirabel-aux-Baronnies
Piégon
Bénivay-Ollon
St-Just
Lapalud
Suze-la-Rousse
Bouchet
Tulette
St-Maurice-sur-Eygues
Mérindol-les-Oliviers
Bollène
Buisson
Villedieu
Lamotte-du-Rhône
St-Roman-de-Malegarde
Puyméras
Pont-St-Esprit
Ste-Cécile-les-Vignes
Roaix
Vaison-la-Romaine
Faucon
Pierrelongue
Rochegude
Mondragon
Cairanne
Rasteau
St-Romain-en-Viennois
St-Marcellin-lès-Vaison
Mornas-les-Adrets
Lagarde-Paréol
Entrechaux
Crestet
Uchaux (la Galle)
Mornas
Séguret
Sablet
Beaumont-du-Ventoux
Vénéjan
St-Étienne-des-Sorts
Piolenc
Sérignan-du-Comtat
Travaillan
Malaucène
Bagnols-sur-Cèze
Gigondas
Suzette
Camaret-sur-Aigues
Violès
Dentelles de Montmirail
la Roque-Alric
Lafare
Chusclan
ORANGE
Vacqueyras
le Barroux
St-Hippolyte-le-Graveyron
Orsan
Jonquières
Beaumes-de-Venise
Crillon-le-Brave
Bédoin
Caromb
Laudun-l'Ardoise
Aubignan
Modène
St-Pierre-de-Vassols
LE RHÔNE
A7
N7
E15

144
145
159
160
175
176
E
F
G
H
1
2
3
4
5
6
Pontaix
Barsac
Vercheny
Aurel
Molières-Glandaz
Laval-d'Aix
Aix-en-Diois
(Pont de Quart)
Châtillon-en-Diois
Treschenu-Creyers
Menée
Borne
Glandage
Col de la Croix Haute
Tunnel du Bois Noir
la Croix-Haute
Lus-la-Croix-Haute
Agnières-en-Dévoluy
St-Roman
Montmaur-en-Diois
(les Nals)
St-Benoit-en-Diois
Rimon-et-Savel
Barnave
Recoubeau-Jansac
Menglon
Luzerand
Ravel
Tunnel de Boulc
Boulc
Montlaur-en-Diois
Pennes-le-Sec
Aucelon
Luc-en-Diois
Miscon
Lesches-en-Diois
Val-Maravel
(Fourcinet)
Tunnel du Prieuré
Beaurières
Col de Cabre
DIOIS
Rochefourchat
Pradelle
Brette (le Monestier)
Poyols
Saut de la Drôme
Tunnel du Col Bonnet
Beaumont-en-Diois
Jonchères
St-Nazaire-le-Désert
Volvent
la Beaume
la Haute-Beaume
Montbrand
la Faurie
St-Julien-en-Beauchêne
Aspres-sur-Buëch
St-Pierre-d'Argençon
la Bâtie-des-Fonds
Charens
Bellegarde-en-Diois
St-Dizier-en-Diois
Valdrôme
Station de Valdrôme
Chalancon
Gumiane
Establet
Arnayon
(Berlières)
la Motte-Chalancon
Cornillon-sur-l'Oule
la Charce
Ste-Marie
Bruis
Montmorin
Pommerol
la Piarre
Aspremont
Sigottier
Serres
Villeperdrix
Cornillac
Rémuzat
Sahune
Montréal-les-Sources
Eyroles
Curnier
Rosans
Verclause
Moydans
Ribeyret
l'Épine
Montclus
Base de loisirs de Germanette
Méreuil
Montrond
St-Genis
le Poët-Sigillat
Pelonne
St-André-de-Rosans
Sorbiers
Montjay
Chanousse
Trescléoux
Lagrand
Eyguians
Arpavon
Montaulieu
Ste-Jalle
Bellecombe-Tarendol
Lemps
Montferrand-la-Fare
Roussieux
(Bardin)
St-Sauveur-Gouvernet
Chauvac-Laux-Montaux
Villebois-les-Pins
Étoile-St-Cyrice
Orpierre
Saléon
Nossage-et-Bénévent
Laragne-Montéglin
Rochebrune
Bésignan
BARONNIES
BOCHAINE
Beauvoisin
Vercoiran
Ste-Euphémie-sur-Ouvèze
St-Auban-sur-l'Ouvèze
Montguers
Rioms
(Fontenouille)
Col de Perty
Laborel
Ste-Colombe
Châteauneuf-de-Chabre
(Quartier-de-l'École)
la Roche-sur-le-Buis
Buis-les-Baronnies
la Rochette-du-Buis
le Poët-en-Percip
Montauban-sur-l'Ouvèze
(Bagnols)
Izon-la-Bruisse
Ballons
Barret-sur-Méouge
Antonaves
St-Pierre-Avez
Salérans
Montagne de Chabre
Mévouillon
(Gresse)
Vers-sur-Méouge
(le Plan)
Eygalayes
Nécropole Nationale
Lachau
Eygaliers
Plaisians
Mollans-sur-Ouvèze
Montagne de Bluye
Aulan
Villefranche-le-Château
Séderon
Éourres
St-Léger-du-Ventoux
Brantes
Barret-de-Lioure
Curel
Montfroc
St-Vincent-sur-Jabron
Savoillan
Reilhanette
Montbrun-les-Bains
les Omergues
Châteauneuf-Miravail
(les Curniers)
MONT VENTOUX
Mont Serein
le Chalet Reynard
Ferrassières
Aurel
Sommet de Lure
Station de Lure
MONTAGNE DE LURE
Redortiers
(le Contadour)
St-Trinit
Sault
Flassan
Saumane
l'Hospitalet

160
146
159
176
177
A
B
C
D
1
2
3
4
5
6
St-Disdier
St-Eusèbe-en-Champsaur
la Motte-en-Champsaur
Champoléon
les Infournas
Bénévent-et-Charbillac (les Gentillons)
Orcières-Merlette
Orcières
Prapic
le Noyer
Col du Noyer
Ref. Napoléon
St-Étienne-en-Dévoluy
Agnières-en-Dévoluy
Col des Rioupes
Superdévoluy
la Joue du Loup
Poligny
St-Bonnet-en-Champsaur
St-Michel-de-Chaillol
Chaillol 1600
St-Jean-St-Nicolas (Pont-du-Fossé)
la Fare-en-Champsaur (les Baraques)
St-Julien-en-Champsaur
Buissard
Chabottes
St-Léger-les-Mélèzes
Col du Festre
Montagne d'Aurouze
St-Laurent-du-Cros
Station de Laye
Laye
Forest-St-Julien
Ancelle
la Cluse
Observatoire du Plateau de Bure
F. Dom. de Gap Chaudun
Station Gap-Bayard
Col Bayard
Laiterie de Col Bayard
Col de Manse
CHAMPSAUR
Réallon
Forêt Domaniale des Sauvas
Chauvet
la Rochette
Rabou
Château de Charance
Montmaur
la Roche-des-Arnauds
GAP
la Bâtie-Neuve
Chorges
St-Apollinaire
Prunières
Châtel. du Terrail
Man. de Kapados
Rambaud
la Bâtie-Vieille
Montgardin
Veynes
Furmeyer
Manteyer
la Freissinouse
Savines
Lac de Serre-Ponçon
Châteauneuf-d'Oze
Céüse 2000
Mgne de Céüse
Pelleautier
Neffes
Jarjayes
Avançon
Notre-Dame du Laus
St-Étienne-le-Laus
Pontis
Les Demoiselles Coiffées
Salle du Bal des Demoiselles Coiffées
Oze
St-Auban-d'Oze
F. Dom. de Céüse
Col des Guérins
Sigoyer
Châteauvieux
Valserres
Théus
Rousset
Bge de Serre-Ponçon
le Sauze-du-Lac
Remollon
Espinasses
le Saix
Lettret
Tallard
la Bréole
Fouillouse
Piégut
Rochebrune
St-Vincent-les-Forts
Esparron
Venterol
Lardier-et-Valença
Barcillonnette
Vitrolles
la Saulce
Curbans
Gigors
Bréziers
Station St-Jean Montclar
Bellaffaire
Turriers
Montclar (Serre-Nauzet)
Plan de Vitrolles
Faucon-du-Caire
St-Martin-lès-Seyne
Monêtier-Allemont
Claret
Selonnet
Ventavon
le Caire
F. Dom. des Gorges du Sasse
Astoin
Seyne
Chabanon-Selonnet
Melve
Lazer
Bayons
la Motte-du-Caire
Autoroute du Val de Durance
Sigoyer
Clamensane
le Grand Puy
Upaix
Thèze
Laragne-Montéglin
Ferme Béridon
Auzet
le Poët
Vaumeilh
Nibles
Valavoire
Châteaufort
Verdaches
Valernes
Barles
Mison
St-Geniez
Authon
N.-D. de Dromont
Défilé de la Pierre Écrite
Rocher de Dromont
Ribiers
Plan de la Baume
Entrepierres
Beaujeu
Site de l'Ichtyosaure
Sisteron
le Castellard-Melan
Hautes-Duyes
la Javie
Bevons
le Brusquet
Noyers-sur-Jabron
Salignac
la Robine-sur-Galabre
Thoard
Sourribes
Draix
Valbelle (les Richaud)
Peipin
Aubignosc
Marcoux
Archail
Forêt Domaniale du Jabron
Égl. St-Martin
Centre Géologique de St-Benoit
Volonne
Barras
Courbons
N.-D. du Bourg
LURE
Château-Arnoux-St-Auban
DIGNE-LES-BAINS
Parc botanique
Châteauneuf-Val-St-Donat (les Chabannes)
l'Escale
Champtercier
Anc. Abb. de N.-D. de Lure
Base de Loisirs Lac des Ferréols

146
147
161
162
177
178
E
F
G
H
1
2
3
4
5
6
Champcella
St-Crépin
Col du Queyras
Bramousse
St-Véran
Belvédère du Viso
Refuge Agnel
Mont-Dauphin
Eygliers
Guillestre
Ceillac
Réotier
Risoul
Risoul 1850
St-Clément-sur-Durance
Châteauroux-les-Alpes
PARC NAT.
Vars (Ste-Marie)
Refuge-Hotel des Cassettes
Col de Vars
Cheminées de Fées
St-Paul-sur-Ubaye
Maurin
Maljasset
Aiguille de Chambeyron
Tête des Toillies
Chianale
Pontechianale
Monte Ferra
Pelvo d'Elva
Monte Chersogno
Chiappera
Acceglio
Tête de Sautron
EMBRUNAIS
Embrun
Crots
Baratier
St-Sauveur
Crévoux
les Orres
Station des Orres
St-André-d'Embrun
Puy-Sanières
Meyronnes
Larche
Colle della Maddalena
Argentera
Bersezio
Monte Oserot
Fort de Tournoux
la Condamine-Châtelard
Ste-Anne-la-Condamine
UBAYE
le Lauzet-Ubaye
Méolans-Revel (la Fresquière)
Jausiers
Faucon-de-Barcelonnette
St-Pons
Barcelonnette
les Thuiles
Pra-Loup
Uvernet-Fours
Enchastrayes
le Sauze
le Super-Sauze
Grande Séolane
Station des Agneliers
CIME DE LA BONETTE
Col de Restefond
Col de la Bonette
Refuge de Bayasse
Col d'Allos
les Trois Évêchés
MONT PELAT
Col de la Cayolle
Allos
Lac d'Allos
N.-D. de Valvert
St-Dalmas-le-Selvage
St-Étienne-de-Tinée
Auron
Mt Ténibre
Prads-Haute-Bléone
Colmars
Villars-Colmars
Beauvezer
Entraunes
PARC NATIONAL
St-Martin-d'Entraunes
Châteauneuf-d'Entraunes
Villeneuve-d'Entraunes
Péone
Valberg
Beuil
Guillaumes
Thorame-Haute
Thorame-Basse
Tartonne (Plan-de-Chaude)
Peyresq
Villetalle Basse

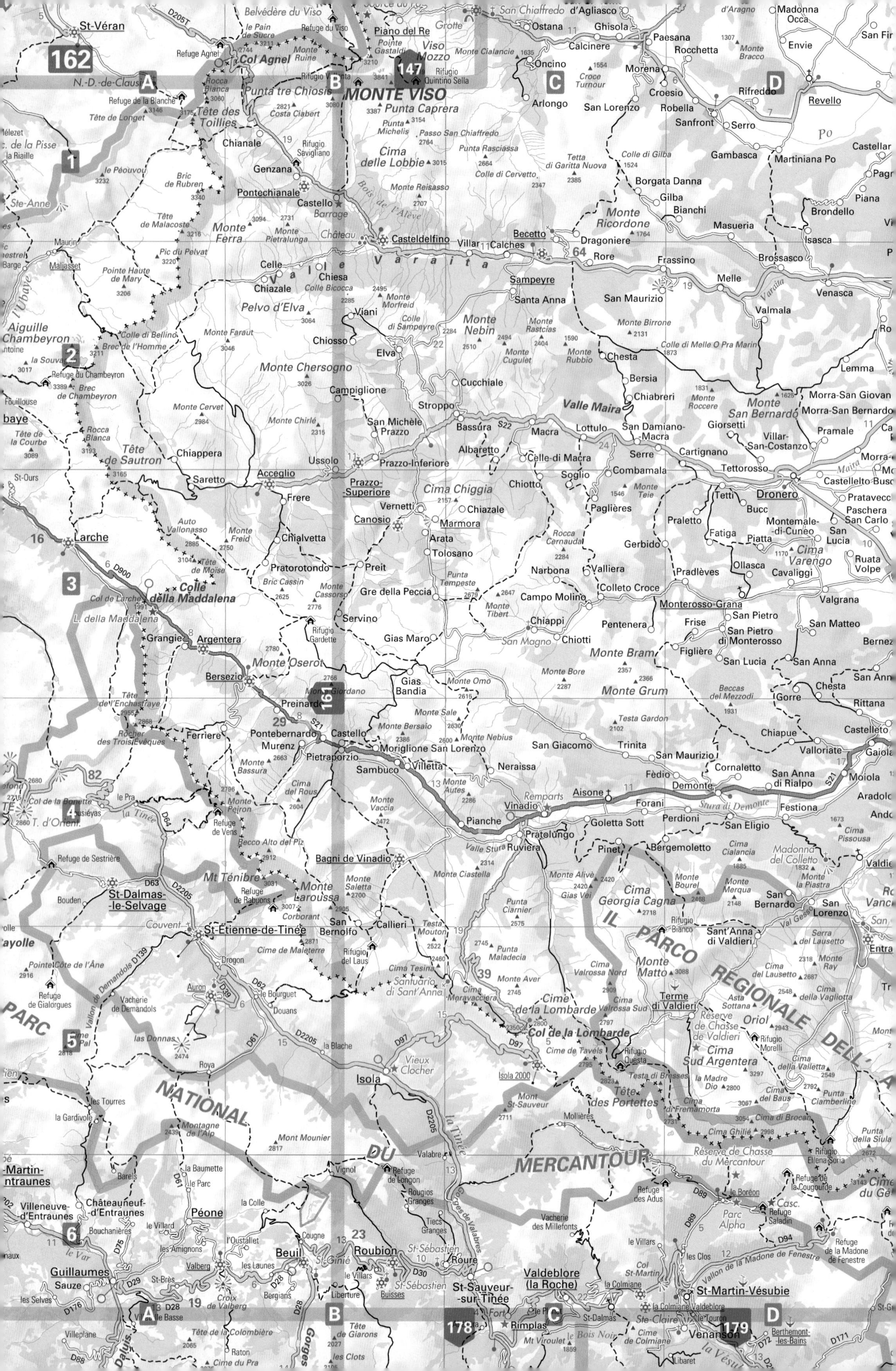
162
147
161
82
178
179
A
B
C
D
1
2
3
4
5
6
St-Véran
Belvédère du Viso
Refuge Agnel
Col Agnel
Refuge du Viso
Piano del Re
Viso Mozzo
Monte Viso
Rifugio Quintino Sella
Punta tre Chiosis
Punta Caprera
San Chiaffredo
d'Agliasco
Ostana
Ghisola
Calcinere
Oncino
Paesana
Rocchetta
Madonna Occa
Envie
Monte Bracco
Morena
Croesio
Robella
Sanfront
Serro
Rifreddo
Revello
Arlongo
San Lorenzo
Croce Turnour
Po
Castellar
Refuge de la Blanche
Tête des Toillies
Tête de Longet
Chianale
Rifugio Savigliano
Genzana
Pontechianale
Castello
Barrage
Punta Michelis
Passo San Chiaffredo
Cima delle Lobbie
Punta Rasciassa
Colle di Cervetto
Tetta di Garitta Nuova
Colle di Gilba
Gambasca
Martiniana Po
Borgata Danna
Gilba
Bianchi
Piana
Brondello
Masueria
Isasca
le Péouvou
Bric de Rubren
Tête de Malacoste
Monte Reisasso
Bois de l'Alève
Monte Ferra
Monte Pietralunga
Château
Casteldelfino
Villar
Calches
Becetto
Dragoniere
Rore
Frassino
Brossasco
Monte Ricordone
Maurin
Maljasset
Pic du Pelvat
Pointe Haute de Mary
Celle
Chiazale
Chiesa
Colle Bicocca
Valle Varaita
Sampeyre
Santa Anna
San Maurizio
Melle
Venasca
Valmala
Monte Birrone
Colle di Melle O Pra Marin
Aiguille Chambeyron
Pelvo d'Elva
Monte Morfreid
Viani
Colle di Sampeyre
Monte Nebin
Monte Rastcias
Monte Cugulet
Monte Rubbio
Chesta
Colle di Bellino
Brec de l'Homme
Monte Faraut
Chiosso
Elva
Lemma
Refuge du Chambeyron
Brec de Chambeyron
Monte Chersogno
Cucchiale
Bersia
Chiabreri
Monte Roccere
Monte San Bernardo
Morra-San Giovanni
Morra-San Bernardo
Campiglione
Stroppo
Valle Maira
Monte Cervet
Monte Chirlé
San Michele Prazzo
Bassura
Macra
Lottulo
San Damiano-Macra
Giorsetti
Villar-San-Costanzo
Pramale
Rocca Blanca
Tête de Sautron
Chiappera
Ussolo
Prazzo-Inferiore
Albaretto
Celle-di Macra
Serre
Cartignano
Tettorosso
Morra
Saretto
Acceglio
Prazzo-Superiore
Chiotto
Soglio
Combamala
Maira
Dronero
Castelletto-Busca
St-Ours
Frere
Cima Chiggia
Chiazale
Monte Teie
Tetti
Bucc
Pratavecchia
Paschera San Carlo
Vernetti
Canosio
Marmora
Paglières
Praletto
Fatiga
Piatta
Montemale-di-Cuneo
San Lucia
Larche
Auto Vallonasso
Monte Freid
Chialvetta
Arata
Rocca Cernauda
Gerbido
Cima Varengo
Tolosano
Ruata Volpe
Tête de Moïse
Pratorotondo
Preit
Narbona
Valliera
Ollasca
Cavaliggi
Col de Larche
Colle della Maddalena
Bric Cassin
Monte Cassorso
Gre della Peccia
Punta Tempeste
Colleto Croce
Pradlèves
Campo Molino
Valgrana
Monte Tibert
Monterosso-Grana
L. della Maddalena
Rifugio Gardette
Servino
Chiappi
Chiotti
San Pietro
San Pietro di Monterosso
San Matteo
Pentenera
Frise
Grangie
Argentera
Gias Maro
San Magno
Monte Bram
Figlière
San Lucia
San Anna
Monte Oserot
Bersezio
Gias Bandia
Monte Bore
Monte Omo
Monte Grum
Chesta
Gorre
Rittana
Tête de l'Enchastraye
Monte Giordano
Preinardo
Beccas del Mezzodi
Monte Sale
Testa Gardon
Chiapue
Castelletto
Rocher des Trois Evêques
Ferriere
Pontebernardo
Castello
Monte Bersaio
Monte Nebius
San Giacomo
Trinita
San Maurizio
Valloriate
Gaiola
Murenz
Pietraporzio
Moriglione
San Lorenzo
Neraissa
Cornaletto
Monte Bassura
Sambuco
Villetta
Fèdio
Demonte
San Anna di Rialpo
Moiola
Col de la Bonette
Cima del Rous
Monte Autes
Remparts
Aisone
Forani
Stura di Demonte
Festiona
Aradolo
le Pra
Bousiéyas
T. d'Ornent
la Tinée
Monte Peiron
Refuge de Vens
Monte Vaccia
Pianche
Vinadio
Goletta Sott
Perdioni
San Eligio
Pratolungo
Ruviera
Valle Stura
Pinet
Bergemoletto
Cima Ciasalanca
Madonna del Colletto
Cima Pissousa
Refuge de Sestrière
Becco Alto del Piz
Bagni de Vinadio
Monte Ciastella
Monte Alivè
Gias Vei
Monte Bourel
Monte Merqua
Monte la Piastra
Valdieri
Mt Ténibre
Refuge de Rabuons
Monte Laroussa
Monte Saletta
Cima Georgia Cagna
San Bernardo
San Lorenzo
Bouden
St-Dalmas-le-Selvage
Corborant
San Bernolfo
Callieri
Punta Ciarnier
Rifugio Bianco
Sant'Anna di Valdieri
Val Gesso
Couvent
St-Étienne-de-Tinée
Cime de Maleterre
Rifugio del Laus
Testa Mouton
Punta Maladecia
Il Parco Regionale dell'A
Serra del Lausetto
Cima Tesina
Cima Valrossa Nord
Monte Matto
Cima del Lausetto
Monte Ray
Pointe Côte de l'Âne
Drogon
Vallon de Demandols
Santuario di Sant'Anna
Monte Aver
Cima della Vagliotta
Refuge de Gialorgues
Auron
Vacherie de Demandols
le Bourguet
Douans
Cima Moravacciera
Cime de la Lombarde
Cima Valrossa Sud
Terme di Valdieri
Asta Sottana
Réserve de Chasse de Valdieri
Oriol
Parc
las Donnas
la Blache
Vieux Clocher
Col de la Lombarde
Cime de Tavels
Rifugio Questa
Rifugio Morelli
Cima Sud Argentera
Isola 2000
Testa di Bresses
La Madre Dio
Cima della Valletta
Roya
Isola
Tête des Portettes
Mont St-Sauveur
Cima di Fremamorta
Cima del Baus
Punta Ciamberline
les Tourres
National
la Gardivole
Montagne de l'Alp
Mont Mounier
Mollières
Cima di Brocan
Cima Ghilié
Rifugio Ellena Soria
Punta della Siula
Réserve de Chasse du Mercantour
Du
Mercantour
St-Martin-d'Entraunes
Barels
la Baumette
le Parc
Vignol
Valabre
Refuge de Longon
Rougios Granges
Refuge des Adus
le Boréon
Refuge de la Cougourde
Cime du Gélas
Châteauneuf-d'Entraunes
Villeneuve-d'Entraunes
la Colle
Péone
Tiecs Granges
Vacherie des Millefonts
Parc Alpha
Refuge Saladin
Casc.
Refuge de la Madone de Fenestre
Bouchanières
le Villard
l'Oustallet
les Amignons
Cougne
Beuil
Roubion
St-Sébastien
le Var
les Villars
Col St-Martin
les Clos
Vallon de la Madone de Fenestre
Guillaumes
Sauze
St-Brès
Valberg
les Launes
St-Ginié
le Villars
Roure
Valdeblore (la Roche)
la Colmiane
St-Martin-Vésubie
les Selves
Croix de Valberg
Bergians
St-Sébastien
Buisses
St-Sauveur-sur-Tinée
Liberture
Villeplane
Tête de la Colombière
Tête de Giarons
Gorges
Fort
le Pinet
Rimplas
St-Dalmas
Ste-Claire
la Colmiane-Valdeblore
le Touron
Venanson
Berthemont-les-Bains
Daluis
Cime du Pra
Raton
les Clots
Mt Viroulet
le Bois Noir
Cime de Colmiane
Libaret
la Vésubie
N.-D.-de-Clausis
Ste-Anne
la Riaille
Mélezet
Col de la Pisse
Barge
l'Ubaye
la Souva
Fouillouse
Tête de la Courbe
Gorges de Valabres
la Tinée
Valle Maira
D205T
D900
D64
D63
D2205
D139
D39
D62
D61
D97
D89
D94
D75
D28
D29
D30
D176
D88
D72
D171
S21
S22
16
29
64
39
19
23

163
179
E
F
G
H
Via-dei-Romani
Scarnafigi
Firmino
Saluzzo
Savigliano
Marene
Cherasco
Verduno
Gallo d'Alba
Diano d'Alba
La Morra
Marengo Soprano
Castiglione Falletto
Montelupo Albese
Serralunga d'Alba
Sinio
Barolo
Novello
Albaretto della Torre
Cervere
San Giovanni
Narzole
Stura di Demonte
Lagnasco
Solere
San Lorenzo
Manta
Falicetto
Genola
Salmour
Roddino
Cissone
Verzuolo
Villanovetta
Monsola
Maira
Mellea
Rio Ghidone
Bene Vagienna
Piasco
Vottignasco
Levaldigi
Fossano
Somano
Costigliole-Saluzzo
San Antonio
Bossolasco
Dogliani
Villafalletto
Ceretto
Rossana
Piozzo
Farigliano
Bonvicino
Tanaro
Trinità
Bec Casale
Belvedere Langhe
Busca
San Rocco
Centallo
Maddalene
Sant Albano Stura
San Giuseppe
Tarantasca
Grana
Carrù
Murazzano
Castelleto Busca
Madonna-del-Bosco
Montanera
Magliano-Alpi
Bastia Mondovì
Marsaglia
Costa
Monastero
San Pietro del Gallo
Succhi
Carleveri
Pasquero
Rocca Cigliè
Villata
Roatà Rossi
Castelleto-Stura
Pesio
Mondovì Est
Torresina
Paschera
San Defendente
Ronchi
Crava
Rocca-de-Baldi
Niella Tanaro
San Lorenzo
Passatore
Riforano
Morozzo
Avagnina
San Giovanni Govoni
Mondovì Ovest
Lesegno
Ruata del Prato
Caraglio
Madonna dell' Olmo
Piana
Tetti Pèsio
Margarita
Pogliola
Mazzuco
Briaglia
San Michele Mondovì
Ceva
San Rocco di Bernezzo
San Bernardo
Confreria
Acceglio
Rua Lerda
Trucchi
Merlo
Mondovì
Montegrosso
Santo Stefano
Renaudo
CUNEO
Rivetta
Civalleri
Blangetti
Spinetta
Canale
San Maria Rocca
Pianfei
Pasco
Cervasca
San Michele
San Croce
Beinette
Mussi
Branzola
Bongiovanni
Vasco
Casotto
Mongia
Scagnello
Vignolo
Monte Coletto
Castagnaretta
Le Combe
Villanova-Mondovì
Bertolini
Monastero di Vasco
Roccasparvera
Mellana
San Mauro
San Magno
Serra San Giuseppe
Caravagna
Montaldo di Mondovì
Battifollo
Beguda
Fontanelle
Boves
Peveragno
San Giacomo
Bertolini
Monte Croce
Borgo San Dalmazzo
Rivoira
Cerati
San Giovenale
Chiusa di Pesio
Roccaforte-Mondovì
Frabosa-Sottana
Roburent
Lisio
Roccavione
Vermenagna
Tetto Piano
Castellar
Terme di Lurisia
Annunziata
Dho
Miroglio
Mondagnola
San Giacomo
Viola
Bagnasco
Robilante
Pradeboni
Vigna
Prea
Frabosa-Soprana
Bec Colme
Corsaglia
Pamparato
Pieverta
Tetto Toniette
San Giacomo
Monte Besimanda
Baracco
Rastello
Monte Alpet
Piano Stope
San Bernardo
San Bartolomeo
PARCO
Rifugio Artesina
Artesina
Colla di Mora
Valcasotto
Roaschia
B Costa Rossa
Merlet
Rocca Ciaciarampi
Vernante
Certosa di Pesio
Cima Durand
Monte Mondolè
Bec Mindino
San Giovanni
Monte Testa
NATURALE
Cima Robert
Entracque
Punta Mirauda
Cima Cars
Monte Fantino
Monte Bussaia
Monte Grosso
Sottana
Monte Baussetti
Monte Vecchio
ALTA VALLE PESIO E TANARO
Trinità
Folchi
Monte Jurin
Rifugio Garelli
Rifugio Havis de Giorgio
Monte Antoroto
Rocca d'Orse
Trappa
Pallanfrè
Limone Piemonte
Cima delle Saline
Punta del Zucco
Cima della Fascia
Monte delle Carsene
Cima della Brignola
Cima Ruscarina
Monte Aiera
Monte Garbella
Riserva Naturale
Bec Matlas
San Giovanni
Monte Colombo
Limonetto
Tunnel de Tende
Colle de la Boaire
Cima delle Colme
Ormea
Punta Savina
Cima Plisser
Monte Carbone
ARGENTERA
Col de Tende
Monte del Frisson
Cima di Pertega
Carnino Superiore
Viozene
Pornassino
Monte Armetta
Monte Dubasso
Cima del Sabbione
Valle d'Upega
Upega
Cima di Piano Cavallo
Cima della Scandeiera
Vievola
Capraùna
Alto
Mt. Clapier
Val Castérino
Granges de Pont Riche
Le Salse
Nava
Rocca delle Penne
Cime Gélas
Refuge de Valmasque
Vallon de Casterino
Refuge de Nice
Vallée des Merveilles
St-Sauveur
Tende
Morignole
Armo
Bens
Monesi
Mendatica
Ottano
Ranzo
Gravures Rupestres
N.-D. des Fontaines
Monte Frontè
Triora
Vessalico
Borghetto
Arroscia
St-Dalmas-de-Tende
la Brigue
Pieve di Teco
Casanova
St-Grat
Refuge des Merveilles
Monte Monéga
Cènova
Calderara
Cartari
Granile
Verdeggia
Rezzo
Lavina
Grange du Colonel
Bergue Supérieur
Realdo
Monte Pellegrino
Monte Prearba
Motini-di-Triora
Bergue Inférieur
E74
E717
A6
S20
S22
S28
S231
S564
S589
S662
D43
D91
D191
D6204

A
B
C
D
1
2
3
4
5
6
148
180
181
GOLFE
DE GASCOGNE
Côte d'Argent
St-Julien-en-Born
Lit-et-Mixe
Cap de l'Homy-Plage
Uza
Lévignacq
F. Dom. de Lit-et-Mixe
Mixe
Lugadets
Naboude
F. Dom. de Vielle St-Girons
Bernadic
St-Girons Plage
Vielle-St-Girons
Chancerelle
Quartier de Labaste
Bénédit
Linxe
Vielle
Huchet
Étang de Léon
Rés. Nat. du Courant d'Huchet
Courant d'Huchet
St-Michel-Escalus
la Palue
Castets
Léon
l'Atelier
St-Michel
Maa
Moliets Plage
Moliets-et-Maa
Haou de Cé
Jacquelot
Messanges
Moïsan
Vieux-Boucau-Port-d'Albret-Plage
Quartier Caliot
Azur
Herm
Magescq
Vieux-Boucau-les-Bains
Quartier de Laudouar
Lessègues
Étang de Soustons
Baron
Jeansous
Soustons
Brousmaout
Jeantic
Houdin
F. Com. de Soustons
les Écureuils
le Bas Hardy
Étg de Hardy
Marthian
la Bagnère
Balenton
Marcadérou
le Penon
le Lac Blanc
Lac Blanc
Rés. Nat.
Étang Noir
le Bas Tosse
Clapet
Atlantic Park
Aygueblue
le Haut Tosse
Seignosse
Tosse
Saubion
Lescrouzades
Bas Mées
les Semis
Lac d'Hossegor
Soorts
Côte Basque
St-Geours-de-Maremne
Bains de Saubusse
Angoumé
Soorts-Hossegor
Angresse
Casablanca
la Gare
Rivière-Saas-et-Gourby
St-Vincent-de-Tyrosse
Tercis-les-Bains
Autoroute de la Côte Basque
Saubusse
Capbreton
Sarga
Siest
Barbé
Josse
Pey
Orist
Péage
Bénesse-Maremne
St-Jean-de-Marsacq
Saubrigues
Orx
Cassouat
St-Lon
Labenne Océan
Labenne
Ondres-Plage
Navachon
St-Martin-de-Hinx
l'Adour
la Pinède des Singes
L. d'Yrieu
St-Robert
Buc
St-Étienne-d'Orthe
Rasport
Tarnos-plage
Ondres
St-André-de-Seignanx
Camiade
Biarrotte
le Port
Port-de-Lanne
Barre de l'Adour
Lille
Tarnos
St-Martin-de-Seignanx
Biaudos
Ste-Marie-de-Gosse
Orthevielle
Boucau
Quartier Neuf
Sames
Hastingues
Labas
Bousquet
St-Laurent-de-Gosse
Château de Montpellier
Base de Loisirs
la Bourgade
Sames
Blancpignon
Marguit
St-Barthélemy
la Chambre d'Amour
Cinq Cantons
St-Étienne
Citadelle
les Barthes
Rocher de la Vierge
ANGLET
BAYONNE
la Joyeuse
Guiche
Comexa
Urcuit
Urt
BIARRITZ
Biarritz-Bayonne-Anglet
Mouguerre-Port
Lahonce
Bergeron
Butte de Miremont
Châ. de Gramont
St-Pierre-d'Irube
Croix de Mouguerre
Peyrolle
Bidache
Ilbarritz
Chapelet
Oyarzabal
Mouguerre
les Salines
Bardos
Ste-Madeleine
Bassussarry
Briscou
Larrandou
Quartier Lambert
Bidart
Villefranque
Elizaberry
Guéthary
Arbonne
Arcangues
Héguia
St-Jean Ferme
Pointe de Ste-Barbe
Elizaldia
Bidart
Arrauntz
Pilota Plaza
la Bastide-Clairence
Chourio
Ahetze
Alotz
Chap. Sauveur
Fort Louis XIV
Socoa
Ciboure
St-Jean-de-Luz
Ustaritz
Route Impériale
Quartier de Pessarou
Alciette
A63
A64
E05
E70
E80
N10
N117
N124
D824

148
149
165
166
181
182
E
F
G
H
Onesse-et-Laharie
Laharie
le Cout
Hourre
Plaisance
Morcenx
Sindères
Luglon
le Barrail
Vert
Garein
Cité des Cigales
Base de loisirs
Menjuc
Garrosse
Morcenx-Bourg
Arjuzanx
Chât. de Castillon
Arengosse
la Chapelle
Barbet
Lesperon
Tireveste
Souquet
Cerbouyère
Peye
Villenave
Labastide
Ygos-St-Saturnin
Geloux
Cère
Criéré
Laborde
Baqué
Ousse-Suzan
Suzan
Estuchat
Rion-des-Landes
le Pelletet
Beylongue
le Bon
St-Martin-d'Oney
Campet-et-Lamolère
Uchacq-et-
Rouncaou
Pouyès
Lestage
Boos
Marcel
St-Yaguen
la Midouze
Batanès
le Moulin de St-Orens
Gaube
St-Pierre-du-Mont
Taller
Lacomère
Laluque
Berdot
Menjouay
Carcen-Ponson
Lesgor
Lauray
Meilhan
Campagne
St-Perdon
Base de loisirs
Eizou
Cangran
Ponson
Carcarès-Ste-Croix
Bourg Neuf
Tartas
Champigny
Cluquelardit
la Gare
Bégaar
Harlan
Baqué
Gauché
Haut-Mauco
Benquet
Gourbera
Chapelle des Miracles
Petche
Chauton
le Leuy
Aurice
Bas-Mauco
Pontonx-sur-l'Adour
St-Jean-de-Lier
Audon
Gouts
Buglose
Gurgues
Vicq-d'Auribat
Onard
le Luc
Souprosse
St-Étienne
Lamothe
Cauna
Chât. d'Estignols
Ladebat
les Bets
Gousse
Cassen
Plaine de l'Adour
Goudosse
Péré
Ste-Eulalie
Bayle
Berceau de St-Vincent de Paul
Téthieu
Préchacq-les-Bains
Louer
St-Geours-d'Auribat
Poyanne
Laurède
Nerbis
Mugron
Toulouzette
l'Adour
St-Sever
la Pince
St-Vincent-de-Paul
l'Église
Goos
Gamarde-les-Bains
Lourquen
le Gabas
Montaut
Banos
Aureilh
Abb.
Loustalot
St-Paul-lès-Dax
Eyranx
Yzosse
Candresse
Nousse
Lahosse
Hauriet
Poyaller
Brocas
Audignon
le Moulin Neuf
Eyres-Moncube
Mées
Dax
Narrosse
Montfort-en-Chalosse
St-Aubin
Hinx
Larbey
Maylis
Abbaye
Dumes
Seyresse
Chât. des Évêques
Bégu
Poyartin
Gibret
Baigts
Caupenne
le Camps
Doazit
Oeyreluy
Saint-Pandelon
Saugnac-et-Cambran
Sort-en-Chalosse
Garrey
Ozourt
Castelnau-Chalosse
Bergouey
Chât. de Candale
Horsarrieu
Ste-Colombe
Heugas
Sin de Brougnon
Clermont
Donzacq
St-Laurent
Serreslous-et-Arribans
Crypte de St-Girons
St-Girons
Serres-Gaston
Moulin de Bénesse
Bénesse-lès-Dax
Mimbaste
Bastennes
St-Cricq-Chalosse
Hagetmau
Estanquet
Labaigjuzan
Vieux Bourg
Gaujacq
Higuères
Ragot
Marchyan
Pomarez
Maison de la Dame
Brassempouy
Cazalis
Musée de la Faïence
St-Lon-les-Mines
Bordesoule
Gnaou
Pouy
Gaas
Pouillon
Castel-Sarrazin
Momuy
Lacrabe
Maniou
Menuzé
Latéoulère
Nassiet
Morganx
Bélus
Cagnotte
Estibeaux
Labastide-Chalosse
Monségur
Misson
le Bourgadot
Amou
Castaignos-Souslens
Hatche
Pourtaou
Mouscardès
Tilh
Arsague
Argelos
Poudenx
Châtt. Aspremont
Lapalu
Habas
Bonnegarde
Marpaps
Beyries
Peyre
Peyrehorade
Labatut
St-Girons-en-Béarn
Sault-de-Navailles
Monget
Malaussanne
Cauneille
Sorde-l'Abbaye
le Vieux-Bourg
Ossages
Bonnut
Bassercles
Castelner
Oeyregave
Abb.
St-Cricq-du-Gave
Lahontan
le Pradeau
Lacadée
Arget
Quartier du Haut
Puyoô
Ste-Marie
Labeyrie
Péage
Loustau
Pyrénéenne
Châtt.
Bellocq
Ramous
St-Boès
Sallespisse
St-Médard
Piets-Plasence-Moustrou
Léren (Lacroutz)
Cassaber
Baigts-de-Béarn
Laclotte
Hagetaubin
Casteide-Candau
Abb. Laïque
St-Pé-de-Léren (Chalosse)
Bérenx
Castétarbe
Tour Moncade
Mascouette
Morlanne
Chapelle d'Ordios
Carresse-Cassaber
Salles-Mongiscard
Pont Vieux
Orthez
Balansun
Poteau de Lannes
la Gaîté
St-Dos
Magret
Ste-Suzanne
Mesplède
Bouillon
Auterrive
Salies-de-Béarn
Quartier du Cout
Haut de Départ
Base de Loisirs
Castétis
Perrin
Doumy
Labastide-Villefranche
Castagnède
Pène du Mu
Mignot
Castillon (Canton d'Arthez-de-Béarn)
Géus-d'Arzacq
Uzan
Arancou
Tour
Escos
Lasbordes
Lanneplaà
Pierrette
Biron
Cantegrit
Marcerin
Arthez-de-Béarn
Oraàs
Quartier des Antys
l'Hôpital-d'Orion
Laà-Mondrans
Sarpourenx
Argagnon
Doazon
Arnos
Viellenave-sur-Bidouze
Bergouey-Viellenave
la Saline
Peyrède
Castetner
la Commanderie
Urdès
Boumourt
Mazerolles
Abitain
Athos-Aspis
Orion
Ozenx-Montestrucq
Loubieng
Maslacq
Gouze
Audéjos
Mont
Herm
Lendresse
Charritte
Burgaronne
Montestrucq
Casteide-Cami
E80
A64
N117
N124
N134
D824 N124
D834 N134
D933
D947
D945

166
149
150
165
182
183
A
B
C
D
L A N D E S
A R
M
G
A
E
S
C
O
V A L
Brocas
Cachen
Bélis
Arue
Chap. de Lugaut
Lussolle
Estampon
Lapeyrade
Baudignan
Roquefort
St-Gor
Vielle-Soubiran
Estigarde
Rimbez-et-Baudiets
Maillères
Canenx-et-Réaut
Sarbazan
St-Martin de Noët
Chicot
le Ginx
Cère
Capsus
Pouyblanc
Parentis
Pouydesseaux
Bostens
Lucbardez-et-Bargues
St-Justin
Betbezer-d'Armagnac
Créon-d'Armagnac
St-Julien-d'Armagnac
Labastide-d'Armagnac
Lagrange
Gabarret
Herré
St-Avit
Gaillères
Ste-Foy
Lacquy
le Frêche
Uchacq-et-Parentis
MONT-DE-MARSAN
St-Pierre-du-Mont
Beaussiet
St-Médard
Bougue
St-Cricq-Villeneuve
Villeneuve-de-Marsan
Arthez-d'Armagnac
Lannemaignan
Mauléon-d'Armagnac
Cazaubon
Mauvezin-d'Armagnac
Barbotan les Thermes
Parleboscq (Sarran)
Larée
Mazerolles
Laglorieuse
Pujo-le-Plan
Perquie
Montégut
Castex-d'Armagnac
Estang
Marguestau
Campagne-d'Armagnac
Bretagne-de-Marsan
Artassenx
Monguilhem
Toujouse
Lias-d'Armagnac
Réans
Benquet
Bascons
Maurrin
St-Gein
Hontanx
Bourdalat
Monlezun-d'Armagnac
Panjas
Bourrouillan
Castandet
Laujuzan
Mormès
Salles-d'Armagnac
Manciet
St-Maurice-sur-Adour
Grenade-sur-l'Adour
le Vignau
Lussagnet
le Houga
Caupenne-d'Armagnac
Ste-Christie-d'Armagnac
Larrivière-Saint-Savin
Bordères-et-Lamensans
Cazères-sur-l'Adour
Renung
Magnan
Lanne-Soubiran
Nogaro
Montgaillard
Eyres-Moncube
Montsoué
Fargues
Duhort-Bachen
Luppé-Violles
Arblade-le-Haut (Cadet)
Urgosse
Loubédat
Buanes
Classun
Eugénie-les-Bains
Aire-sur-l'Adour
Vergoignan
St-Griède
St-Martin-d'Armagnac
Sorbets
Bétous
Coudures
Vielle-Tursan
Bahus-Soubiran
Barcelonne-du-Gers
Arblade-le-Bas
Lelin-Lapujolle
Caumont
Fustérouau (Thomas)
Bouzon-Gellenave (St-Go)
St-Loubouer
Castelnau-Tursan
Bernède
St-Germé
Maulichères
Sarragachies
Termes-d'Armagnac
Aubagnan
Bats
Urgons
Pécorade
Corneillan
St-Mont
Tarsac
Riscle
Izotges
Samadet
Geaune
Sorbets
Latrille
Lannux
Labarthète
Cahuzac-sur-Adour
Tasque
Payros-Cazautets
Clèdes
Ségos
Aurensan
Cannet (Tucot)
Goux
Plaisance
Monségur
Arboucave
Mauries
Maumusson-Laguian
St-Lanne
Préchac-sur-Adour
Lacajunte
Puyol-Cazalet
Miramont-Sensacq
St-Agnet
Verlus
Projan
Viella
Jû-Belloc
Mant
Pimbo
Sarron
Moncla
Portet
Aubous
Aydie
Castelnau-Rivière-Basse
St-Aunix-Lengros
Malaussanne
Philondenx
Lauret
Diusse
Mont-Disse
Garlin
Castetpugon
Tieste-Uragnoux (le Château)
Montagut
Poursiugues-Boucoue
Boueilh-Boueilho-Lasque
Tadousse-Ussau
Conchez-de-Béarn
Madiran
Hères
Cabidos
Coublucq
Baliracq-Maumusson
Mascaraàs-Haron
Aurions-Idernes
Arrosès
Soublecause
Arzacq-Arraziguet
Vignes
Pouliacq
Ribarrouy
Cadillon
Crouseilles
Labatut-Rivière
Louvigny
Claracq
St-Jean-Poudge
Lasserre
Hagedet
Morlanne
Garos
Méracq
Mialos
Garlède-Mondebat
Taron-Sadirac-Viellenave
Burosse-Mendousse
Vialer
Sémeacq-Blachon
Bétracq
Monpezat
Lascazères
Caussade-Rivière
Bouillon
Pomps
Uzan
Fichous-Riumayou
Lème
Séby
Mouhous
Lannecaube
Arricau-Bordes
Castillon (Canton de Lembeye)
Villefranque
Estirac
Larreule
Auga
Thèze
Lalonquette
Carrère
Gayon
Lalongue
Lespielle
Moncaup
Lonçon
Viven
Miossens-Lanusse
Corbère-Abères
Sombrun
Arnos
Mazerolles
Momas
Aubin
Argelos
Doumy
Astis
Sévignacq
Escurès
Lembeye
Bassillon-Vauzé
Lahitte-Toupière
Maubourguet
Larreule
Lafitole
Bournos
Simacourbe
Samsons-Lion
Vidouze
Casteide-Cami

150
151
167
168
183
184
Arx
St-Pau
Réaup-Lisse
Lisse
Andiran
Fréchou
Puy-Fort-Éguille
Cazal du Bos
Garlies
Larroudé
Laplume
Égl. St-Pierre de Cazaux
Brimont
Goulens
Marmont-Pachas
Pécaillou
Meylan
Peyrouet
Nomdieu
Fieux
St-Vincent-de-Lamontjoie
Lamontjoie
Dauri
Pomarède
Mézin
Lahitte
Lasserre
Francescas
Baulens
Cieuse
Goubin
Pouy
Poudenas
Sos
Gueyze
Loulié
la Gélise
la Grangerie
Lannes
Artigues
le Haget
Moncrabeau
Gardères
St-Cirice
Estrépouy
Ligardes
Pouy-Roquelaure
Campagno
la Croix Blanche
Pergain-Taillac
Taillac
les Martres
la Cassore
le Colomé
Villeneuve-de-Mézin
Bernadon
Arbussan
Ste-Maure-de-Peyriac
St-Pé-St-Simon
Loustaunau
Jouet
Puypardin
Cannes
Lasbadies
Mothes
Vicnau
Lialores
le Bédat
Gazaupouy
Téoulé
Rignac
St-Mézard
St-Caprais
St-Aignan
Berrac
Cadreils
l'Ourtiguet
Heuguère
Sempe
Torrebren
Fourcès
Cornéillan
Heux
Sempé
Cahuzac
Scieurac
Gensac
Lasserre
Hastérac
St-Martin-de-Goyne
Triqué
la Romieu
Larroque-Engalin
Collégiale
la Hillère
St-Avit-Frandat
Égl. de Luzanet
Labarrère
la Croix d'Arech
Villa Gallo-Romaine
Balarin
Larroque-sur-l'Osse
las Cabanes
le Goalard
Condom
Castelnau-sur-l'Auvignon
Aurens
Lagarde
Castéra-Lectourois
Lacassagne
Castelnau-d'Auzan
Poujoulé
Arquizan
Séviac
Montréal
Moreau
Rome
Beaumont
Larressingle
Caussens
Lassale
Blaziert
Corbin
Marsolan
Lançon
Picat
Lectoure
Ste-Croix
Bouau
le Chiro
Garbay
Lauraët
la Guinle
le Camus
Cauboué
Belit
Lamothe
Vopillon
Herret
Béraut
St-Orens-Pouy-Petit
Lagraulet-du-Gers
Mouchan
Cassaigne
Roquepine
Bellevue
Terraube
Esplavis
Hillo
Gondrin
Cazeneuve
Bretagne-d'Armagnac
Châtt. de Tauzia
Maignaut-Tauzia
Mas-d'Auvignon
la Haille
Escagnan
Anc. Abb. de Flaran
Valence-sur-Baïse
St-Puy
Monluc
Eauze
la Pélinguette
Quille Campot
Château du Busca-Maniban
Mansencôme
Lamothe-Goas
Pauilhac
le Baqué
St-Amand
Lahitte
Poliqnac
Ampeils
Roques
Lagardère
la Sauvetat
Fleurance
Labarthe
le Panier Fleuri
Mauras
Courrensan
Cacarens
Bidalet
Beaucaire
Ayguetinte
Ste-Radegonde
St-Jau
Argentens
aux Capots
Pardeillan
Bezolles
Larroque-St-Sernin
Noulens
Ramouzens
Justian
Jugavarre
Lannepax
Mourède
Rozès
le Hiton
Castéra-Verduzan
Cézan
Réjaumont
les Pignés
Naùque
Théous
Bascous
Jouéou
Miran
Min de Bonas
l'Hérété
Lanquin
Montestruc-sur-Gers
le Baleyron
le Sentex
Seignebon
Gimat
Marambat
Girac
Bonas
Préchac
Puységur
la Parisienne
l'Izaute
Démû
le Moulin de Beaulieu
Vic-Fezensac
St-Paul-de-Baïse
Envives
Séailles (Lagouardère)
Lagraulas
Jegun
Labâtisse
Lavardens
Encondesse
Mérens
Casteljaloux
Gavarret-sur-Aulouste
Ste-Christie
Avéron-Bergelle
Barres
Mérix
Pléhaut
Roquefort
Margouët-Meymes (Lahougeyre)
Bats
le Pimbat-Cruzalet
Herrebouc
Peyrusse-Massas
En Sajas
Mirepoix
Castillon-Debats
le Parré
Préneron (St-André)
Roquebrune
St-Jean-Poutge
Antras (le Gay)
St-Lary
Roquelaure
Châtt. du Rieutort
Gaudoux
le Rambert
Preignan
Pionné
le Bédat
Châtt. Castelmore
Caillavet
Tour Gallo-Romaine
Castillon-Massas
Aignan
Héouré
Belmont
le Boupat
Biran
Liot
Castin
Malartic
Fromentas
Castelnavet
Lupiac
Pujos
Tudelle
Tour Gallo-Romaine
Ordan-Larroque
Leboul (l'Échau)
Meujot
Hargotte
Ardens
Lauriou
Bazian
le Brouilh-Monbert
Monbert
Duran
Châtt. de St-Cricq
Loussous-Débat
St-Jean
Cazaux-d'Anglès
St-Jean de Bazillac
Statue de d'Artagnan
Bières
St-Pierre-d'Aubézies
Riguepeu
Châtt. de Mazères
Nux
Montégut
Couloumé-Mondebat
les Arrames
Embats
AUCH
le Grand Garros
Lasserade
Mondebat
Peyrusse-Grande
Callian
la Caillaouère
Peyrusse-Vieille
Larroque
Guillot
St-Arailles
Mirannes
Pessan
Ricau
Gazax-et-Baccarisse
Brétous
Barran
Louslitges
Hourné
Castelnau-d'Anglès
Pavie
Beaumarchés
Baccarisse
Caussade
l'Isle-de-Noé
Lasséran
Cayron
Donj.
Bière
Courties
Armous-et-Cau
Bassoues
St-Jean-le-Comtal
Auterive
Pébé
Montesquiou
Tourdun
Scieurac-et-Flourès
le Prat
Lasseube-Propre
Ladevèze-Rivière
Mouchès
Lamazère
Boucagnères
Mascaras (le Château)
Pouylebon
Estipouy
Orbessan
Durban
Traversères
Ladevèze-Ville (Castex)
Juillac
Base de Loisirs
Miramont-d'Astarac
Marciac
Laveraët
St-Christaud
Monclar-sur-Losse
Samson
Labéjan
Sansan
Aulin
Armentieux
le Parc d'Artigues
Idrac-Respaillès
Bars
Mirande
Grangé
Chap. St-Roch
Garrané
Ornézan
Auriébat
les Perdigues
Plavès
Le Forgeron
Monlezun
Pallanne
St-Martin
Compreste
Artiguedieu
Lasbordes
Faget-Abbatial
Châtt. de Marignan
St-Médard
Loubersan
Seissan
St-Justin
Ricourt
Marseillan
En-Guillempey
Berdoues
Mongardin
Monferran-Plavès
Sauveterre
Blousson-Sérian
Tillac
St-Maur
Noailhan
Labarthe
Lamongie
Semboués
Cazaux-Villecomtal
Laas
le Ballambin
le Tugagé
Ponsampère
St-Clamens
Lapalu
Clermont-Pouyguillès
Pouy-Loubrin
Tacho
Monfaucon
Sérian
Troncens
Monpardiac
Bazugues
Lourties

168
151
152
167
184
185
A
B
C
D
Caudecoste
Lamagistère
Valence
Golfech
Donzac
Goudourville
Pommevic
St-Vincent-Lespinasse
Moissac
Boudou
Malause
Dunes
St-Loup
Espalais
Auvillar
Astaffort
Fals
Cuq
Lizac
Labastide-du-Temple
Meauzac
Sistels
St-Cirice
St-Antoine
Bardigues
Merles
St-Nicolas-de-la-Grave
Castelsarrasin
Gimbrède
Flamarens
Mansonville
St-Michel
le Pin
Châl. de St-Roch
Castelmayran
Caumont
St-Aignan
Castelferrus
Sempesserre
Ste-Mère
Miradoux
Peyrecave
Castéra-Bouzet
Angeville
Asques
St-Arroumex
Site Archéologique de St-Genès
St-Porquier
Escatalens
Cordes-Tolosannes
St-Avit-Frandat
Castet-Arrouy
Lachapelle
St-Jean-du-Bouzet
Poupas
Puygaillard-de-Lomagne
Garganvillar
Lafitte
Plieux
Gramont
Marsac
Balignac
Lavit
Gensac
Fajolles
Coutures
Labourgade
Montaïn
Lectoure
l'Isle-Bouzon
Montgaillard
Larrazet
Bourret
St-Créac
Maumusson
Sérignac
Finhan
Magnas (le Lau)
Mauroux
St-Clar
Castéron
Esparsac
Glatens
Belbèse
St-Sardos
Castelnau-d'Arbieu
Gaudonville
Beaumont-de-Lomagne
Vigueron
Mas-Grenier
Monbéqui
Avezan
Base de Loisirs
Urdens
St-Léonard
Tournecoupe
Cumont
Lamothe-Cumont
Auterive
Comberouger
Brugnens
Pessoulens
Gimat
Bouillac
Verdun-sur-Garonne
Estramiac
Marignac
Avensac
Cadeilhan
Bivès
Faudoas
Escazeaux
Savenès
Céran
Bajonnette
Homps
Maubec
Goas
Beaupuy
Goutz
Châl. d'Esclignac
Solomiac
le Cause
Cabanac-Séguenville
Gariès
Lagraulet-St-Nicolas
le Burgaud
Aucamville
Lalanne
Pis
Monfort
Taybosc
Ste-Gemme
St-Brès
Labrihe
Sarrant
Brignemont
Bellesserre
St-Cézert
Gavarret-sur-Aulouste
Miramont-Latour
Ste-Christie
Tourrenquets
Maravat
Sérempuy
Cox
Maison du Potier
Drudas
Puycasquier
Mansempuy
Ste-Anne
Laréole
Puysségur
Launac
Mirepoix
Larra
Crastes
Augnax
St-Antonin
Mauvezin
Place Centrale
Châl. du Bartras
St-Georges
Cologne
Cadours
Pelleport
Preignan
Montaut-les-Créneaux
Nougaroulet
St-Sauvy
Ansan
St-Orens
Sirac
Ardizas
St-Cricq
Encausse
Caubiac
le Grès
Thil
Bretx
Touget
Thoux
Lac de Thoux-St-Cricq
Garac
Vignaux
Montaigut-sur-Save
Leboulin (l'Echac)
Blanquefort (l'Arnauton)
Ste-Marie
St-Germier
Roquelaure-St-Aubin
Monbrun
Bellegarde-Ste-Marie
Menville
Lahitte
Marsan
Montégut
Escornebœuf (En-Gaillardet)
Catonvielle
le Castéra
Lévignac
Aubiet
Ste-Livrade
Pradère-les-Bourguets
Pessan
Lussan
Gimont
Beaupuy
Razengues
Clermont-Savès
Ségoufielle
Lasserre
Mérenville
l'Isle-Arné
Giscaro
Maurens
l'Isle-Jourdain
Juilles
St-Caprais
Frégouville
Monferran-Savès
Pujaudran
Léguevin
Brax
Castelnau-Barbarens
Bédéchan
Montiron
Aurimont
Marestaing
Rudelle
Haulies
St-André
Tirent-Pontéjac
Lahas
Castillon-Savès
Auradé
Lias
Plaisance-du-Touch
Fontenilles
Traversères
Boulaur
Bézéril
Endoufielle
Bonrepos-sur-Aussonnelle
Lartigue
Saramon
Polastron
Noilhan
Cazaux-Savès
Empeaux
Saiguède
Fonsorbes
St-Martin-Gimois
Labastide-Savès
St-Lys
Faget-Abbatial
Sémézies-Cachan
Mongausy
St-Soulan
Pompiac
Seysses-Savès
St-Thomas
Lamaguère
St-Élix
Montamat
Gaujac
Pellefigue
Samatan
Lombez
Nizas
Savignac-Mona
Ste-Foy-de-Peyrolières
Bragayrac
Cambernard
Tachoires
Monblanc
Sabonnères
Saintes
Libou
Châl. de la Tour
la Save
Garonne
la Gimone
A62
E72
N21
N124
N224
N2124

152
153
169
185
186
E
F
G
H
Lafrançaise
Piquecos
Montastruc
Réalville
Cayrac
Albias
Bioule
Nègrepelisse
Montricoux
Bruniquel
Penne
Gorges de l'Aveyron
Vaour
Aveyron
F. Dom. de la Grésigne
MONTAUBAN
St-Étienne-de-Tulmont
Vaïssac
Puygaillard-de-Quercy
Larroque
Puycelci
St-Beauzile
Ste-Cécile-du-Cayrou
Le Verdier
Montbeton
Lacourt-St-Pierre
Léojac
Génébrières
Bressols
St-Nauphary
la Salvetat-Belmontet
Monclar-de-Quercy
la Sauzière-St-Jean
Castelnau-de-Montmiral
Montech
Corbarieu
Montdurausse
St-Urcisse
Verlhac-Tescou
Montbartier
Reyniès
Labastide-St-Pierre
Villebrumier
Orgueil
Nohic
Varennes
Beauvais-sur-Tescou
Montgaillard
Salvagnac
Tauriac
Villemur-sur-Tarn
Montvalen
Lisle-sur-Tarn
Fabas
Canals
Grisolles
Fronton
Bondigoux
Layrac-sur-Tarn
Grazac
Villaudric
Mirepoix-sur-Tarn
Rabastens
Coufouleux
Loupiac
Pompignan
Roquemaure
la Magdelaine-sur-Tarn
Bessières
Mézens
Buzet-sur-Tarn
St-Sulpice
St-Lieux-lès-Lavaur
Giroussens
Grenade
Castelnau-d'Estrétefonds
Bouloc
Villeneuve-lès-Bouloc
Vacquiers
Montjoire
Paulhac
St-Jory
Saint-Sauveur
Cépet
Gargas
Villariès
Bazus
Roquesérière
St-Jean-de-Rives
Merville
Bruguières
Labastide-St-Sernin
Gémil
Montastruc-la-Conseillère
Azas
Lugan
Ambres
Gratentour
Montberon
Garidech
Lespinasse
Pechbonnieu
St-Loup-Cammas
Montpitol
St-Jean-Lherm
Daux
Seilh
Gagnac-sur-Garonne
Castelginest
Lapeyrouse-Fossat
St-Agnan
Lavaur
Aussonne
St-Alban
St-Geniès-Bellevue
Garrigues
Mondonville
Fenouillet
Fonbeauzard
Launaguet
Castelmaurou
Gragnague
Bonrepos-Riquet
Beauzelle
Aucamville
Rouffiac-Tolosan
St-Jean
l'Union
St-Marcel-Paulel
Verfeil
Cornebarrieu
Blagnac
Beaupuy
Toulouse-Blagnac
Lavalette
Teulat
Belcastel
Montrabé
Mondouzil
St-Pierre
Montcabrier
Bannières
Viviers-lès-Lavaur
COLOMIERS
Pibrac
Balma
Pin-Balma
Gauré
Mons
Drémil-Lafage
Villeneuve-lès-Lavaur
Maurens-Scopont
Tournefeuille
Flourens
Bourg-St-Bernard
Vendine
Francarville
la Salvetat-St-Gilles
Quint-Fonsegrives
Vallesvilles
Saussens
TOULOUSE
St-Pierre-de-Lages
Lanta
Prunet
Loubens-Lauragais
Aigrefeuille
Cugnaux
Ramonville-St-Agne
Lauzerville
St-Orens-de-Gameville
Mascarville
Villeneuve-Tolosane
Portet-sur-Garonne
Auzielle
Ste-Foy-d'Aigrefeuille
Frouzins
Labège
Castanet-Tolosan
Caraman
Escalquens
Odars
Préserville
Maureville
Auriac-sur-Vendinelle
Seysses
Roques
Pinsaguel
Vieille-Toulouse
Tarabel
Belberaud
Fourquevaux
Roquettes
Pins-Justaret
Lacroix-Falgarde
Vigoulet-Auzil
Mervilla
Rebigue
Caragoudes
Montlaur
Labastide-Beauvoir
Ségreville
Cambiac
Saubens
Pompertuzat
Mourvilles-Basses
Toutens

170
153
154
169
186
187
A
B
C
D
1
2
3
4
5
6
Montrosier
Féneyrols
Milhars
Roussayrolles
Mouzieys-Panens
Laparrouquial
Lacapelle-Ségalar
le Ségur
Almayrac
Tanus
Pampelonne
Bourgnounac
Marnaves
Bournazel
St-Marcel-Campes
Trévien
Ste-Gemme
Tréban
Montauriol (Lamothe)
Vaour
Tonnac
Vindrac-Alayrac
Cordes-sur-Ciel
Salles
Monestiés
Jardin des Paradis
Livers-Cazelles
St-Benoît-de-Carmaux
Carmaux
St-Jean-de-Marcel
Moularès
Lacapelle-Pinet
Ledas-et-Penthiès
Itzac
Campagnac
Loubers
Amarens
Souel
Combefa
Virac
Rosières
Crespin
Padiès (la Salle)
Valence-d'Albigeois
Alos
Frausseilles
Milhavet
Labastide-Gabausse
Blaye-les-Mines
Taïx
le Garric
Andouque (Ligots)
Valderiès
Vieux
Andillac
Donnazac
Noailles
Mailhoc
Villeneuve-sur-Vère
Cagnac-les-Mines
Saussenac
St-Julien-Gaulène
Cahuzac-sur-Vère
Castelnau-de-Montmiral
Cestayrols
Castanet
Ste-Croix
Lescure-d'Albigeois
St-Grégoire
Arthès
St-Juéry
Ambialet
Montels
Broze
Fayssac
Senouillac
Bernac
Castelnau-de-Lévis
Labastide-de-Lévis
Terssac
Marssac-sur-Tarn
ALBI
Cunac
Marsal
le Tarn
Courris
Gaillac
Rivières
Brens
Lagrave
Florentin
le Sequestre
Puygouzon
Cambon
Bellegarde
Villefranche-d'Albigeois
Montans
Lisle-sur-Tarn
Rouffiac
Carlus
Saliès
Fréjairolles
Mouzieys-Teulet
Cadalen
Aussac
Fénols
Poulan-Pouzols
Lamillarié
Labastide-Dénat
Dénat
Terre-Clapier (St-Salvy-de-Fourestes)
Técou
Orban
Fauch
Teillet
Lasgraisses
Sieurac
Ronel
Rayssac
Parisot
Peyrole (St-Maurice)
Labessière-Candeil
Lombers
Roumégoux
St-Antonin-de-Lacalm
Mont-Roc
Puybegon
Busque
Laboutarie
Réalmont
Arifat
Graulhet
Montdragon
St-Genest-de-Contest
St-Julien-du-Puy
St-Lieux-Lafenasse
St-Gauzens
Briatexte
Cabanès
Vénès
Montredon-Labessonnié
Labastide-St-Georges (le Gravas)
Missècle (en Pons)
Fiac
Brousse
Lautrec
Peyregoux
Montfa (la Chicane)
Moulayrès (St-Martin)
Viterbe
Puycalvel
Montpinier
St-Jean-de-Vals
St-Germier
Massac-Séran
Damiatte
Serviès
Guitalens-L'Albarède
Cuq (en Carivenc)
Jonquières
Laboulbène
Roquecourbe
Lacrouzette
Marzens (St-Sauveur)
Teyssode
St-Paul-Cap-de-Joux
Pratviel
Carbes (la Bautié)
Burlats
le Sidobre
Roquevidal
Vielmur-sur-Agout
Magrin
Prades
Bertre
Fréjeville
CASTRES
St-Salvy-de-la-Balm
Cambon-lès-Lavaur
Algans
Sémalens
Saïx
Lagarrigue
Noailhac
Boissezon
Lacroisille
Appelle
Puylaurens
Cambounet-sur-le-Sor
Valdurenque
Cuq-Toulza
St-Germain-des-Prés
Soual
Viviers-lès-Montagnes
Navès
St-Sernin-lès-Lavaur
Péchaudier
St-Affrique-les-Montagnes
Castres-Mazamet
Mouzens
Aguts
Blan
Lempaut
Lescout
Labruguière
Puéchoursi
Poudis
Montgey
le Cabanial
St-Avit
Verdalle
Caucalières
Payrin-Augmontel
Pont-de-Larn
Nogaret
Garrevaques
Palleville
Belleserre
Lagardiolle
Massaguel
Escoussens
Aussillon
Bout-du-Pont
St-Julia
Dourgne
Aiguefonde
Mazamet
A68
N88
N112
N126
D988

154
155
171
172
187
188
E
F
G
H
Réquista
Villefranche-de-Panat
Lestrade-et-Thouels
Ayssènes
le Truel
St-Victor-et-Melvieu
St-Rome-de-Tarn
Castelnau-Pégayrols
Montjaux
Viala-du-Tarn
St-Georges-de-Luzençon
St-Rome-de-Cernon
Roquefort-sur-
St-Jean-d'Alcapiès
St-Affrique
Vabres-l'Abbaye
St-Izaire
Broquiès
Brousse-le-Château
Connac
St-Jean-Delnous
Lédergues
Coupiac
Plaisance
la Bastide-Solages
Trébas
Curvalle
St-André
Alban
Balaguier-sur-Rance
St-Sernin-sur-Rance
Rebourguil
Montlaur
St-Félix-de-Sorgues
Versols-et-Lapeyre
St-Jean-et-St-Paul
Belmont-sur-Rance
Camarès
Sylvanès
Gissac
Montagnol
Fayet
Brusque
Peux-et-Couffouleux
Mounes-Prohencoux
Combret
Laval-Roquecezière
St-Sever-du-Moustier
Murasson
Barre
Arnac-sur-Dourdou
Mélagues
Montfranc
Pousthomy
Massals
St-Salvi-de-Carcavès
Lacaune
Moulin-Mage
Murat-sur-Vèbre
Nages
St-Geniès-de-Varensal
Castanet-le-Haut
St-Gervais-sur-Mare
Viane
Lacaze
Gijounet
Berlats
Espérausses
Vabre
Ferrières
Castelnau-de-Brassac
Brassac
le Margnès (Lagrange)
Lamontélarié
le Bez
Anglès
la Salvetat-sur-Agout
Fraisse-sur-Agout
Cambon-et-Salvergues
St-Julien (les Castagnès)
St-Vincent-d'Olargues
Olargues
Colombières-sur-Orb
St-Martin-de-l'Arçon
Mons
St-Étienne-d'Albagnan
Prémian
Riols
St-Pons-de-Thomières
le Soulié
Vieussan
Rosis
Forêt Dom. de Lacaune
MONTS DE LACAUNE
DES GRANDS
PARC NATUREL RÉGIONAL DU HAUT-LANGUEDOC
Montagne de l'Espinouse
Lac de la Raviège
Lac des Saint-Peyres
Lac du Laouzas
Monts du Somail
Dolmen de Tiergues
Monastère de Notre-Dame d'Orient
Châtt. des Évêques de Vabres
Pyramide du Lagast
Tour de Peyrebrune
Viaduc de Millau
Lac de Villefranche-de-Panat
St-Amans-Valtoret
Labastide-Rouairoux
Berlou
Ferrières-Poussarou

172
155
156
171
188
189
A
B
C
D
NATUREL
RÉGIONAL
CAUSSES
Millau
Creissels
Lanuéjols
la Roque-Ste-Marguerite
Forêt Domaniale de l'Aigoual
St-Sauveur-Camprieu
Abîme de Bramabiau
Revens
Trèves
Causse-Bégon
Dourbies
Camp d'Instruction du Larzac
Nant
St-Jean-du-Bruel
la Cavalerie
Lapanouse-de-Cernon
Ste-Eulalie-de-Cernon
Roquefort-sur-Soulzon
l'Hospitalet-du-Larzac
Sauclières
Alzon
Arrigas
Aumessas
Mars
Aulas
Bréau-et-Salagosse
Molières-Cavaillac
Bez-et-Esparon
Avèze
Campestre-et-Luc
Viala-du-Pas-de-Jaux
St-Jean-et-St-Paul
Montdardier
la Couvertoirade
Cornus
Blandas
Cirque de Navacelles
Vissec
Sorbs
Rogues
St-Beaulize
Marnhagues-et-Latour
Fondamente
le Caylar
St-Michel
St-Maurice-Navacelles
St-Jean-de-Buèges
les Rives
St-Félix-de-l'Héras
Romiguières
le Clapier
Ceilhes-et-Rocozels
Roqueredonde
Pégairolles-de-l'Escalette
St-Pierre-de-la-Fage
la Vacquerie-et-St-Martin-de-Castries
Pégairolles-de-Buèges
Tauriac-de-Camarès
Avène
Soubès
St-Étienne-de-Gourgas
Poujols
les Plans
Lodève
Joncels
Fozières
St-Privat
St-Guilhem-le-Désert
Soumont
Usclas-du-Bosc
le Bosc
Arboras
St-Jean-de-la-Blaquière
Lunas
le Bousquet-d'Orb
Olmet-et-Villecun
le Puech
Montpeyroux
St-Jean-de-Fos
Aniane
St-Saturnin-de-Lucian
St-Geniès-de-Varensal
Graissessac
Camplong
St-Étienne-Estréchoux
Lavalette
Dio-et-Valquières
Celles
Octon
Lac du Salagou
Jonquières
St-Félix-de-Lodez
Lagamas
Gignac
St-Gervais-sur-Mare
la Tour-sur-Orb
Brenas
Lacoste
Clermont-l'Hérault
Ceyras
St-André-de-Sangonis
Carlencas-et-Levas
Mérifons
Liausson
Mourèze
Villeneuvette
Brignac
Popian
Pouzols
St-Bauzille-de-la-Sylve
le Pradal
Bédarieux
Villemagne-l'Argentière
Hérépian
Lamalou-les-Bains
Salasc
Valmascle
Nébian
Canet
le Pouget
Vendémian
Pézènes-les-Mines
Cabrières
Lieuran-Cabrières
Péret
Aspiran
Tressan
Puilacher
le Poujol-sur-Orb
les Aires
Faugères
Fos
Roquessels
Montesquieu (le Mas Rolland)
Vailhan
Bélarga
Plaissan
Caussiniojouls
Cabrerolles
Neffiès
Fontès
Adissan
Paulhan
Campagnan
St-Pargoire
Laurens
Gabian
Nizas
Usclas-d'Hérault
St-Pons-de-Mauchiens
St-Nazaire-de-Ladarez
Roquebrun
Autignac
Fouzilhon
Roujan
Caux
Cazouls-d'Hérault
Pouzolles
Margon
Lézignan-la-Cèbe
Montagnac
Causses-et-Veyran
A75
E11
A750
N109

156
157
173
174
189
190
E
F
G
H
1
2
3
4
5
6
ALÈS
St-Jean-du-Gard
F. Dom. de la Vallée Borgne
Mialet
St-Jean-du-Pin
St-Christol-lès-Alès
Générargues
Anduze
Bagard
Boisset-et-Gaujac
Ribaute-les-Tavernes
Vézénobres
St-Hilaire-de-Brethmas
Méjannes-lès-Alès
Lasalle
Soudorgues
Thoiras
Ste-Croix-de-Caderle
Notre-Dame-de-la-Rouvière
St-André-de-Majencoules
Mandagout (Beaulieu)
St-Martial
Colognac
St-Bonnet-de-Salendrinque
Vabres
St-Félix-de-Pallières
Tornac
Massillargues-Attuech
Lézan
Cardet
Cassagnoles
Massanes
Maruéjols-lès-Gardon
Ners
St-Roman-de-Codières
Cros (la Combe)
Monoblet
Fressac
Durfort-et-St-Martin-de-Sossenac
le Vigan
Sumène
Forêt Dom. de la Fage
St-Hippolyte-du-Fort
Ledignan
Aigremont
Canaules-et-Argentières
St-Nazaire-des-Gardies
Savignargues
Puechredon
Logrian-Florian
St-Jean-de-Crieulon (Villesèque)
Roquedur (Roquedur-le-Bas)
St-Julien-de-la-Nef
la Cadière-et-Cambo
Conqueyrac
Sauve
Moulès-et-Baucels
St-Bresson
St-Laurent-le-Minier
Ganges
Laroque
Cazilhac
Montoulieu
Quissac
St-Théodorit
Bragassargues
Cannes-et-Clairan
Montmirat
Orthoux-Sérignac-Quilhan
Crespian
Liouc
Sardan
Vic-le-Fesq
Combas
Montpezat
St-Mamert-du-Gard
St-Geniès-de-Malgoirès
Pompignan
Ferrières-les-Verreries
Corconne
Brouzet-lès-Quissac
Claret
Brissac
St-Bauzille-de-Putois
Agonès
Gorniès (l'Escoutet)
St-André-de-Buèges
Notre-Dame-de-Londres
Lauret
Sauteyrargues
Vacquières
Lecques
Gailhan
Fontanès
Carnas
St-Clément
Aspères
Salinelles
Villevieille
Sommières
Causse-de-la-Selle
St-Martin-de-Londres
Mas-de-Londres
Rouet (les Camps)
Valflaunès
Fontanès
Garrigues
Campagne
Aujargues
Congénies
Calvisson
Nages-et-Solorgues
Viols-le-Fort
Viols-en-Laval (Cambous)
Cazevieille
Pic St Loup
St-Mathieu-de-Tréviers
St-Jean-de-Cuculles
Ste-Croix-de-Quintillargues
St-Bauzille-de-Montmel
Buzignargues
Galargues
Saussines
Boisseron
Aubais
Aigues-Vives
St-Hilaire-de-Beauvoir
St-Jean-de-Cornies
Montaud
St-Drézéry
Beaulieu
Restinclières
St-Christol
Sussargues
St-Geniès-des-Mourgues
Vérargues
Lunel
Marsillargues
Gallargues-le-Montueux
les Matelles
St-Vincent-de-Barbeyrargues
Assas
Teyran
Prades-le-Lez
St-Gély-du-Fesc
Argelliers
Puéchabon
Murles
Combaillaux
Vailhauquès
St-Clément-de-Rivière
Castries
Vendargues
Baillargues
Valergues
Lunel-Viel
St-Brès
Lansargues
St-Just
Mudaison
Montferrier-sur-Lez
Clapiers
Jacou
le Crès
Grabels
Montarnaud
la Boissière
MONTPELLIER
Castelnau-le-Lez
St-Aunès
Mauguio
Candillargues
St-Georges-d'Orques
Juvignac
Murviel-lès-Montpellier
Aumelas (Mas Arnaud)
St-Paul-et-Valmalle
Pignan
Lavérune
St-Jean-de-Védas
Lattes
Pérols
Montpellier-Méditerranée
Étang de Mauguio
la Grande-Motte
le Grau-du-Roi
Saussan
Cournonterral
Cournonsec
Fabrègues
Villeneuve-lès-Maguelone
Palavas-les-Flots
Carnon-Plage
Montbazin
Gigean
Mireval
Vic-la-Gardiole
Poussan
Villeveyrac
Golfe d'Aigues-Mortes
Anc. Cath. St-Pierre de Maguelone
Pointe de l'Espiguette
Port-Camargue
Aigues-Mortes
A9
A750
E15
E80

174
157
158
190
191
173
Seynes
Vallérargues
Laudun-l'Ardoise
Bois de St-Quentin
Uzès
St-Quentin-la-Poterie
Montaren-et-St-Médiers
St-Siffret
Flaux
Valliguières
Tavel
Pujaut
Roquemaure
Sauveterre
Villeneuve-lès-Avignon
Rochefort-du-Gard
Les Angles
Remoulins
Pont du Gard
Vers-Pont-du-Gard
Castillon-du-Gard
Collias
Argilliers
St-Bonnet-du-Gard
Fournès
Domazan
Saze
Estézargues
Aramon
Barbentane
Théziers
Montfrin
Meynes
Sernhac
Lédenon
Cabrières
Poulx
Bezouce
St-Gervasy
Marguerittes
NÎMES
Gorges du Gardon
Camp des Garrigues
Caveirac
Clarensac
Langlade
Milhaud
Caissargues
Bouillargues
Manduel
Redessan
Rodilhan
Jonquières-St-Vincent
Beaucaire
Tarascon
Vallabrègues
Boulbon
Comps
Maillane
St-Étienne-du-Grès
Fontvieille
Paradou
Garons
Bellegarde
Nîmes-Arles-Camargue
Bernis
Uchaud
Aubord
Vestric-et-Candiac
Codognan
Générac
Beauvoisin
Vauvert
St-Gilles
Fourques
ARLES
Le Cailar
St-Laurent-d'Aigouze
Aigues-Mortes
Étang de Scamandre
Étang du Charnier
Étang de Vaccarès
PARC
NATUREL
RÉGIONAL
DE
CAMARGUE
Réserve Naturelle Zoologique et Botanique
GRAND RHÔNE
LE RHÔNE
Petit Rhône
Salins du Midi
Albaron
Mas Thibert
Moulin de Daudet
Raphèle-les-Arles
St-Hippolyte
A9
A54
E80
E15
N100
N113
N572

158
159
175
176
191
192
F
G
H
E
Jonquières
Beaumes-de-Venise
Caromb
Aubignan
Modène
St-Pierre-de-Vassols
Flassan
Courthézon
Loriol-du-Comtat
Sarrians
Carpentras
Mazan
Mormoiron
Villes-sur-Auzon
Monieux
Châteauneuf-du-Pape
Bédarrides
Monteux
Blauvac
Malemort-du-Comtat
Méthamis
Sorgues
Althen-des-Paluds
Entraigues-sur-la-Sorgue
Pernes-les-Fontaines
St-Didier
Venasque
le Beaucet
la Roque-sur-Pernes
Vedène
St-Saturnin-lès-Avignon
Velleron
Murs
Lioux
St-Saturnin-lès-Apt
AVIGNON
Palais des Papes
Jonquerettes
le Thor
L'Isle-sur-la-Sorgue
Saumane-de-Vaucluse
Notre-Dame-de-Sénanque
Gordes
Joucas
Roussillon
Fontaine-de-Vaucluse
Morières-lès-Avignon
Châteauneuf-de-Gadagne
Avignon-Caumont
Caumont-sur-Durance
Lagnes
Cabrières-d'Avignon
Gargas
Rognonas
Chartreuse-de-Bonpas
St-Pantaléon
Goult
Apt
Châteaurenard
Noves
Cabannes
Cavaillon
Maubec
Oppède (les Poulivets)
Ménerbes
Beaumettes
Robion
Taillades
Lacoste
Bonnieux
Buoux
Eyragues
Verquières
St-Andiol
Plan-d'Orgon
Mollégès
Cheval-Blanc
Orgon
St-Rémy-de-Provence
MONTAGNE
PARC NATUREL RÉGIONAL
Petit Luberon
Forêt Domaniale du Luberon
Gorges de Régalon
Mérindol
Puyvert
Lourmarin
Lauris
Cadenet
Eygalières
Sénas
NATUREL RÉGIONAL
ALPILLES
les Baux-de-Provence
Mallemort
Charleval
la Roque-d'Anthéron
Maussane-les-Alpilles
Aureille
Eyguières
Lamanon
Alleins
Vernègues
Aurons
Mouriès
Rognes
St-Estève-Janson
Lambesc
SALON-DE-PROVENCE
Pélissanne
St-Martin-de-Crau
St-Cannat
Grans
Lançon-Provence
Éguilles
Miramas
Cornillon-Confoux
la Fare-les-Oliviers
Coudoux
Ventabren
St-Chamas
Velaux
ISTRES
Étang de
Berre-l'Étang
Rognac
VITROLLES
St-Mitre-

176
159
160
192
193
A
B
C
D
1
2
3
4
5
6
St-Trinit
Revest-du-Bion
Plateau d'Albion
Redortiers (le Contadour)
Saumane
l'Hospitalet
la Rochegiron
Anc. Abb. de N.-D. de Lure
Châteauneuf-Val-St-Donat (les Chabannes)
Mallefougasse-Augès
Cruis
Montlaux (les Jacons)
Lardiers
St-Etienne-les-Orgues
Banon
St-Christol
Ongles
Revest-St-Martin
Peyruis
Ganagobie
Montsalier
Sigonce
Prieuré de Ganagobie
Fontienne
Limans
Revest-des-Brousses
Lagarde-d'Apt
Simiane-la-Rotonde
Lurs
Forcalquier
Pierrerue
Anc. Abb. de Valsaintes
N.-D. des Anges
N.-D. de Salagon
Mane
Niozelles
la Brillanne
Oraison
Vachères
St-Saturnin-lès-Apt
Oppedette
Aubenas-les-Alpes
Rustrel
Gignac
Ste-Croix-à-Lauze
St-Michel-l'Observatoire
St-Maime
Villeneuve
Carr. d'Ocre
Viens
Dauphin
Reillanne
St-Martin-les-Eaux
Volx
Caseneuve
Apt
St-Martin-de-Castillon
Villemus
Céreste
Montjustin
Manosque
Valensole
Lac des Vannades
Buoux
Sivergues
Auribeau
Castellet
Montfuron
Mourre Nègre
Vitrolles-en-Luberon
Pierrevert
Grand Luberon
LUBERON
RÉGIONAL DU LUBERON
Cabrières-d'Aigues
Peypin-d'Aigues
la Bastide-des-Jourdans
Ste-Tulle
Vaugines
la Motte-d'Aigues
Cucuron
Lourmarin
St-Martin-de-la-Brasque
Grambois
Corbières
Gréoux-les-Bains
Autoroute du Val de Durance
Cadenet
Ansouis
Beaumont-de-Pertuis
Vinon-sur-Verdon
Château de Cadarache
Villelaure
la Tour-d'Aigues
la Bastidonne
Mirabeau
Pertuis
St-Paul-lès-Durance
Centre d'Etudes Nucléaires
St-Julien
la Durance
St-Estève-Janson
le Puy-Ste-Réparade
Pont de Mirabeau
Ginasservis
N.-D. de Consolation
Peyrolles-en-Provence
Jouques
la Verdière
Meyrargues
Venelles
Rians
Artigues
Esparron
St-Martin
Vauvenargues
St-Marc-Jaumegarde
Mgne Ste-Victoire
Oppidum Pain de Munition
Brue-Auriac
AIX-EN-PROVENCE
Croix de Provence
Château du Général
Puyloubier
le Tholonet
St-Antonin-sur-Bayon
Pourrières
Seillons-Source-d'Argens
Châteauneuf-le-Rouge
Trophée de Marius Tombeau
Meyreuil
Ollières
Rousset
St-Hilaire
Nécropole Nationale de Luynes
Pourcieux
Bras
Bouc-Bel-Air
Fuveau
St-Maximin-la-Ste-Baume
Basilique Ste-Marie-Madeleine
A51
A8
E712
E80

178
161
162
177
195
194
A
B
C
D
1
2
3
4
5
6
Méailles
Annot
le Fugeret
Allons
Braux
St-Benoît
Entrevaux
Puget-Théniers
Daluis
Sausses
St-Léger
Castellet-lès-Sausses
Auvare
la Croix-sur-Roudoule
Puget-Rostang
Rigaud
Lieuche
Pierlas
Touët-sur-Var
Villars-sur-Var
Tournefort
Massoins
Malaussène
Clans
Bairols
Marie
Rimplas
Gorges de Daluis
Gorges Sup. du Cians
Gorges Inf. du Cians
le Var
Chemins de fer de Provence
Angles
Vergons
Ubraye
Rouaine
la Rochette
Val-de-Chalvagne
Amirat
Collongues
les Mujouls
Sallagriffon
Sigale
Aiglun
Roquesteron
Roquesteron-Grasse
la Penne
Ascros
St-Antonin
Cuébris
Pierrefeu
Toudon
Tourette-du-Château
Revest-les-Roches
les Ferres
Conségudes
Bouyon
Demandolx
Soleilhas
St-Auban
Briançonnet
Gars
le Mas
Peyroules (la Rivière)
Valderoure
Séranon
Caille
Andon
Gréolières
Cipières
Coursegoules
Bézaudun-les-Alpes
Châteauvieux
la Martre
la Bastide
la Roque-Esclapon
Escragnolles
Caussols (St-Lambert)
Gourdon
Courmes
Tourrettes-sur-Loup
Vence
St-Paul
la Colle-sur-Loup
le Bar-sur-Loup
St-Vallier-de-Thiey
Mons
Cabris
Châteauneuf-Grasse
Opio
le Rouret (St-Pons)
Roquefort-les-Pins (le Plan)
CAGNES-SUR-MER
Villeneuve-Loubet
GRASSE
St-Cézaire-sur-Siagne
Spéracèdes
le Tignet
Peymeinade
Valbonne
Biot
Mouans-Sartoux
Mougins
Seillans
Fayence
Tourrettes
Callian
Montauroux
Auribeau-sur-Siagne
la Roquette-sur-Siagne
Pégomas
Tanneron
Bargemon
Claviers
Callas
LE CANNET
Vallauris
ANTIBES
Mandelieu-la-Napoule
CANNES
Cap d'Antibes
Île Ste-Marguerite
Île St-Honorat
ÎLES DE LÉRINS
St-Paul-en-Forêt
Bagnols-en-Forêt
Lac de Saint-Cassien
Les Adrets-de-l'Esterel
Théoule-sur-Mer
Forêt Domaniale de l'Esterel
Mont Vinaigre
Pic de l'Ours
Pointe de l'Esquillon
le Muy
la Motte
Roquebrune-sur-Argens
Puget-sur-Argens
FRÉJUS
ST-RAPHAËL
Agay
Anthéor
Plateau de Calern
Montagne du Cheiron
Observatoire
CÔTE
L'ESTEREL

179
162
163
195
E
F
G
H
1
2
3
4
5
6
St-Dalmas
Ste-Claire
le Touron
Venanson
Berthemont-les-Bains
Refuge des Merveilles
Grange du Colonel
Granile
Bergue Supérieur
Bergue Inférieur
Verdeggia
Realdo
Monte Gerbonte
Creppo
Triora
Corte
Andagna
Cetta
Perallo
Gavan
Rifugio Allavena
Cime de Colmiane
Libaret
Mont Tournairet
Roquebillière Vieux
Roquebillière
Belvédère
les Granges de la Brasque
la Bollène-Vésubie
Authion
l'Authion
Forêt
Col de Turini
Grange de Praï
Forêt de Cairos
Maurion
Fontan
Saorge
Anc. Couvent des Franciscains
la Madone de Poggio
la Lagouna
la Maglia
la Giandola
Gorges de Saorge
Bois Noir
Quinson
Lantosque
la Pra d'Alart
Pélasque
Camari
St-Colomban
Loda
St-Jean
la Tour
le Figaret
le Suquet
Pierre Plate
T. d'Orient.
Peïra Cava
Turini
Moulinet
Agandon
Breil-sur-Roya
la Miséricorde
C. de Brouis
Monte Gouta
Monte Alto
Pigna
Castel-Vittorio
Monte Mera
Monte Vetta
Monte Collettazzo
Vignai
Monte Ceppo
Carmo Binelli
Buggio
Baiardo
Utelle
St-Jean la Rivière
Gorges de la Mescla
Madone d'Utelle
Belv. du Saut des Français
le Cros d'Utelle
Duranus
l'Engarvin
Lucéram
le Piaon
Gorges du Piaon
Berrins
Pont
Sospel
Mont Grazian
Piène Haute
Libre
Monte Colombin
Rochetta-Nervina
Monte Morgi
Fanghetto
Olivetta-San-Michele
Olivetta
Airole
Monte Abellio
Val Nervia
Monte Calvaira
Isolabona
Apricale
Monte Bignone
Perinaldo
San Romolo
Monte Rebuffao
Dolceaqua
Château
Monte Caggio
Borello
Verrezo
Défilé du Chaudan
le Chaudan
Bonson
Levens
les Traverses
Coaraze
le Pontet
le Plantier
Col de Braus
Chap. St-Grat
St-Laurent
Touët-de-l'Escarène
C. de Castillon
Vallée du Caraï
Mont Razet
T. d'Orient.
Castillon
Collabassa
Bevera
Torri
Trucco
Monte Baraccone
Soldano
Seborga
Gilette
le Plan du Var
Gorges de la Vésubie
Bendejun
Gerps
Berre-les-Alpes
l'Escarène
Gorges du Paillon
Gazouil
San Pancrazio
San Antonio
Scalza
San Lorenzo
Camporosso
San Biagio della Cima
Vallebona
Coldirodi
Ste-Claire
la Roquette-sur-Var
la Part
Laval
Sclos de Contes
St-Blaise
Contes
la Vernéa
Gaudissart
Ste-Agnès
Peille
Monti
Castellar
Latte
Seglia
Péage
Vestige
Vallecrosia Alta
Sasso di Bordighera
Ospedaletti
Bordighera
Capo Nero
Mad. della Ruota
Punta di Migliarese
St-Martin-du-Var
la Croix de Fer
le Colombier
Châteauneuf-Villevieille
Blausasc
Carros
Plan d'Arriou
Castagniers
Tourrette-Levens
la Grave de Peille
Peillon
Gorbio
l'Annonciade
Ventimiglia
Vallecrosia
Mortola
Jardin
Capo Mortola
Aspremont
Mont Chauve d'Aspremont
la Bégude
Ste-Thècle
St-Martin de Peille
Carnolès
MENTON
Koaland
Capo Sant'Ampeglio
Carros-le-Neuf
Colomars
Grte St-André
Cantaron
Drap
Notre-Dame
Scoperta
la Turbie
Beausoleil
Monte-Carlo
Roquebrune-Cap-Martin
Cap Martin
RIVIERA DU PONANT
St-Jeannet
St-André-de-la-Roche
Falicon
la Trinité
Laghet
Péages
la Provençale
C. d'Èze
la Condamine
Palais
Jard.
St-Roman
St-Pancrace
Èze
MONACO
Jardin exotique
Cap-d'Ail
St-Pons
Cimiez
Mont Alban
Beaulieu-sur-Mer
Villefranche-sur-Mer
St-Nicolas
Magnan
Mont Boron
Citad.
Zoo
St-Jean-Cap-Ferrat
Gaude
Parc des Miniatures
Musée Chéret
Ste-Réparate
St-Laurent-du-Var
NICE
Cap Ferrat
l'Île Rousse 3h00
Bastia 4h00
Ajaccio 4h00
Calvi 3h00
Baie des Anges
CORNICHES DE LA RIVIERA
Cros de Cagnes
Nice-Côte d'Azur
les Bouches du Loup
Villeneuve-Loubet-Plage
Marineland
de la Brague
Fort Carré
ANTIBES
Chât. Grimaldi
T. d'Orient.
la Garoupe
du Graillon
CÔTE D'AZUR
MER MÉDITERRANÉE

180
164
A
B
C
D
1
2
3
4
5
6
Cap du Figuier
Pointe Ste-Anne
la Corniche
Abbadia
Socoa
Fort Mais. Louis XIV
St-Jean-de-Luz
Ciboure
Urrugne
Hendaye
Irun
Mugondo
Béhobie
Biriatou
Ermitage de St-Martial
Xoldokocana
Mandale
Peñas de Haya
Endarlatsa
Arditurri
Bera (Vera de Bidasoa)
Zalain
Lesaka
Biurgarin
Lasaca
Frain
Igantzi
Berrizaun
Etxalar
Embalse de Articuza
Artikutza
Arantza
Sunbilla
Embalse de Sorano
Elgorriaga
Auritz
Ituren
Oteitza
Oyeregui
Narbarte
Doneztebe (Santesteban)
Latsaga
Legasa
Mugaire
Oronc
Lekaroz
Elizondo
Arraioz
Irurita
Gartzain
Ciga
Aniz
Zuraurre de Ciga
Oitz
Donamaria
Urrotz
Saldias
Beintza-Labaien
Eratsun
Almandoz
Berroeta
Embalse de Leurza
Arrarats
Igoa
Orokieta
Basaburua
Jauntsarats
Ilarregi
Eltzaburu
Puerto de Velato
Ventas de Arraitz
Arraitz
Alkotz
Lantz
Auza
Larraintzar
Etxaleku
Urritzola Galain
Beunza
Lizaso
Olagüe
Embalse de Eugi
Eugi
Iragi
Egozkue
Urtasun
Leazkue
Usetxi
Zarrantz
Erice
Aróstegui
Muskitz
Cia
Ciaurriz
Etsain
Leranotz
Zubiri
Nuin
Usi
Larumbe
Osinaga
Marcaláin
Anoz
Ostiz
Inbuluzketa
Sarasibar
Esquíroz
Larrasoaña
Akerreta (Venta de Aquerreta)
Olave
Ollacarizqueta
Orrio
Zuriain
Ilurdotz
Ororbia
Ariz
Péage
Ballariáin
Ansóain
Sorauren
Oricáin
Arre
Egulbati
Zabaldika
Elia
Loza
Orcoyen
Echálaz
Huarte
Egüés
Eransus
Olza (Ororbia)
Burlada
Mendióroz
Cizur Mayor (Zizur Nagusi)
Pamplona (Iruñea)
Ardanaz
Azoa
Uroz
Gazólaz
Paternáin
Cizur Menor
Mutilva Baja
Aranguren
Lizoáin
Beortegui
Eskirotz
Pamplona
Tajonar
Zolina
Lérruz
Urroz
Idoate
Galar
Astráin
Zulueta
Labiano
Unciti
Villaveta
Lónguida
Larequi
Erdozáin
Agoitz
Itoiz
Orbaiz
Usoz
Artozqui
Nagore
Arce
Gurpegui
Zunzarren
Ariz
Lacabe
Gorraiz
Urdiroz
Imízcoz
Ardaitz
Errea
Aintzioa
Saragüeta
Arrieta
Villanueva
Lusarreta
Orondritz
Esnotz
Erro
Lintzoain
Mezkiritz
Biskarreta-Gerediain
Auritzberri (Espinal)
Auritz (Burguete)
Cilveti
Orreaga (Roncesvalles)
Changoa
Orbaitzeta
Orbara
Aria
Hiriberri (Villanueva de Ae
Garralda
Aribe
Garaioa
Olaldea
Abaurrea Baja
Abaurrea Alta
Oroz-Betelu
Azparren
Erremendia
Elcóaz
Ayechu
Ongoz
Adoáin
Ahetze
Ustaritz
Chap. St-Sauveur
Jatxou
Halsou
Larressore
Musée-Demeure d'Edmond Rostand
Cambo-les-Bains
Hasparren
Ayherre
Bonloc
Mont Ursuya
Mendionde
Macaye
Louhossoa
Espelette
Souraïde
Itxassou
Pas de Roland
Laxia
Haranéa
Mt Urzumu
St-Pée-sur-Nivelle
Base de Loisirs fin 2011
Lac de St-Pée
Amotz
Ascain
Serrès
Col de St-Ignace
Montagne de Ciboure
Sare
la Rhune
Train Touristique
Ihalar
Istilarté
Lehenbiscai
Ainhoa
Dancharia
Ibantelli
Grottes de Sare
Zugarramurdi
Atxuria
Urdax (Urdazubi)
Telleria
Artzamendi
Arouchia
Bidarray
Olhaénéa
Hélette
Baïgoura
Irissarry
Ossès
St-Martin-d'Arrossa
Pic d'Iparla
Pic de Tutulia
Gorramendi
Alcurrunz
Amaiur (Maya)
Bozate
Azpilkueta
Erratzu
Arizkun
Col d'Ispéguy
St-Étienne-de-Baïgorry
Irouléguy
Anhaux
Ascarat
Uhart-Cize
Ispoure
St-Jean-Pied-de-Port
Lasse
Caro
Aincille
St-Michel
Banca
Aldudes
Chocoa
Arnéguy
Luzaide (Valcarlos)
Ondarolle
Esnazu
Urepel
Borde
Dolmen d'Arrodondo
Dolmen d'Arlxvita
Luchianénéa
Urdos
la Bastide
Oustéléguy
Ihitza
Chouhourra Borda
Grte d'Oxocelhaya et d'Isturits
Gréciette
St-Esteben
Urcuray
Zelhaya
Ahotzia
Vallée de la Bidassoa

164
165
181
182
E
F
G
H
1
2
3
4
5
6
Bergouey-Viellenave
Abitain
Athos-Aspis
Burgaronne
Orion
Ozenx-Montestrucq
Loubieng
Maslacq
Castetner
Mont
Arraute-Charritte
Orègue
Ilharre (Plaça)
Sauveterre-de-Béarn
Oraàs
Masparraute
Autevielle-St-Martin-Bideren
Andrein
Barraute-Camu
Castetbon
Sauvelade
Lagor
Abidos
Os-Marsillon
Isturits
Amorots-Succos
Labets-Biscay
Guinarthe-Parenties
Osserain-Rivareyte
Gabat
Arbouet-Sussaute
St-Gladie-Arrive-Munein
Laàs
Narp
Ossenx
Mourenx
Béguios
Amendeuix-Oneix
Espiute
Montfort
Audaux
St-Martin-d'Arberoue
Luxe-Sumberraute
Garris
Arbérats-Sillègue
Aïcirits-Camou-Suhast
Tabaille-Usquain (Campagne)
Gestas
Araujuzon
Araux
Bugnein
Viellenave-de-Navarrenx
Bastanès
Vielleségure
Méharin
St-Palais
Domezain-Berraute
Nabas
Rivehaute
Lahourcade
Béhasque-Lapiste
Etcharry
Castetnau-Camblong
Méritein
Armendarits
Beyrie-sur-Joyeuse
Aroue-Ithorots-Olhaïby
Charre
Navarrenx
Jasses
Site Archéologique d'Elhigna
Pont de Quinquil
Lichos
Susmiou
Château de Mongaston
Ogenne-Camptort
Iholdy
Orsanco
Larribar-Sorhapuru
Sus
Angous
la Joyeuse
Uhart-Mixe
Charritte-de-Bas
Arrast-Larrebieu
Dognen
Gurs
Lay-Lamidou
Lucq-de-Béarn
St-Nicolas
Cim. Basque
Lantabat (St-Martin)
Ostabat-Asme
Arhansus
Lohitzun-Oyhercq
Ainharp
Moncayolle-Larrory-Mendibieu
Espès-Undurein
Préchacq-Navarrenx
Préchacq-Josbaig
Saucède
Suhescun
Larceveau-Arros-Cibits
Juxue
Viodos-Abense-de-Bas
Berrogain-Laruns
l'Hôpital-St-Blaise
Geüs-d'Oloron
Aren
St-Goin
Poey-d'Oloron
Chéraute
Géronce
Orin
Ainhice-Mongelos
Bunus
Pagolle
Mauléon-Licharre
Château d'Andurain
Jaxu
Gamarthe
Ibarrolle
Col d'Osquich
Garindein
Verdets
Ledeuil
Moumour
Bustince-Iriberry
Lacarre
Château d'Harispe
St-Just-Ibarre
St-Antoine
Musculdy
Ordiarp
Gotein-Libarrenx
Roquiague
Barcus
Esquiule
Estos
Jean-Vieux
Chapelle St-Blaise
Bussunarits-Sarrasquette
Idaux-Mendy
Menditte
Pont Ste-Marie
Bidos
Hosta
Ahaxe-Alciette-Bascassan
Aussurucq
Sauguis-St-Étienne
la Madeleine
Féas
Agnos
Mendive
Lecumberry
Béhorléguy
Ossas-Suhare
Ance
Source de la Bidouze
Forêt des Arbailles
Trois-Villes
Dolmen de Chuberaw
Gouffre
Alos-Sibas-Abense
Aramits
Asasp-Arros
Camou-Cihigue
Tardets-Sorholus
Font. d'Ahusquy
Alçay-Alçabéhéty-Sunharette
Lanne-en-Barétous
Lichans-Sunhar
Laguinge-Restoue
Montory
Arette
Ancienne Abbaye
Issor
Lurbe-St-Christau
St-Sauveur
Lacarry-Arhan-Charritte-de-Haut
Etchebar
Haux
Sce de la Nive
Licq-Athérey
Escot
Tumulus
Les Chalets d'Iraty
Forêt d'Iraty
la Mouline
Gorges de Lourdios
Lourdios-Ichère
Larrau
Haute Soule
Ste-Engrâce (la Caserne)
Issarbe
Irati
Pic d'Orhy
2017
Gorges d'Holzarté et d'Olhadubi
Calla
Ste-Engrâce
Osse-en-Aspe
Bedous
Sierra de Abodi
Gorges de Kakouetta
Gorges d'Ehujarré
Arette la Pierre St-Martin
Lées-Athas
Accous
Pic Lakhoura
1877
Gouffre Lépineux
Pic d'Anie
2504
Refuge de Labérouat
Refugio Belagua
Lescun
Vallée
Izalzu
Ochagavía
Uztárroz
Jaurrieta
Ezcároz
Lhers
Aumet
Oronz
Zuriza
Reserva Nacional de los Valles
Esparza
Isaba
Ibilcieta
Sarriés
Urzainqui
PARC
Refuge d'Arlet
Igal
Refugio de Oza
Izal
Güesa
Roncal
Vidángoz
Argible
1203
Gallués
Iciz
Uscarrés
Garde
Sierra de

182
166
196
181
A
B
C
D
1
2
3
4
5
6
Lacq
Artix
Mourenx
Pardies
Noguères
Abidos
Os-Marsillon
Lahourcade
Urdès
Boumourt
Mazerolles
Momas
Argelos
Auriac
Sévignacq
Coslédaà-Lube-Boast
Escurès
Lembeye
Bassillon-Vauzé
Aubin
Bournos
Doumy
Astis
Casteide-Cami
Lacq-Audéjos
Serres-Ste-Marie
Cescau
Viellenave-d'Arthez
Caubios-Loos
Navailles-Angos
Lasclaveries
Lussagnet-Lusson
Simacourbe
Samsons-Lion
Peyrelongue-Abos
Luc-Armau
Bougarber
Labastide-Monréjeau
Uzein
Sauvagnon
Escoubès
Monassut-Audiracq
Maspie-Lalonquère-Juillacq
Gerderest
Lucarré
Momy
Labastide-Cézéracq
Besingrand
Beyrie-en-Béarn
Base de Loisirs
Serres-Castet
Montardon
St-Castin
Anos
Barinque
Riupeyrous
Higuères-Souye
Bernadets
Abère
St-Laurent-Bretagne
Anoye
Maure
Bentayou
Denguin
Poey-de-Lescar
Pau-Pyrénées
Aussevielle
Tarsacq
Abos
Siros
Buros
Maucor
Morlaàs
St-Jammes
Gabaston
Lespourcy
Baleix
Villenave-près-Béarn
Pontiacq-Viellepinte
Bédeille
Parbayse
Arbus
Lescar
Lons
PAU
Billère
Jurançon
Gelos
Bizanos
Idron
Lée
Ousse
Sendets
Serres-Morlaàs
Sedzère
Sedze-Maubecq
Urost
Escaunets
Lombia
Séron
Monein
Cuqueron
Artiguelouve
Laroin
Andoins
Espéchède
Saubole
Arrien
Eslourenties-Daban
Lourenties
Aast
Ponson
Lucq-de-Béarn
Lacommande
Aubertin
St-Faust
La Cité des Abeilles
Mazères-Lezons
Uzos
Aressy
Meillon
Artigueloutan
Limendous
Nousty
Soumoulou
Gardères
Luquet
Cardesse
Rontignon
Narcastet
Assat
Gomer
Espoey
Ger
Ledeuix
Parc Aquatique
Estialescq
Gan
Lasseube
Bordes
Angaïs
Lucgarier
Hours
Livron
Barzun
Goès
Estos
Précilhon
Oloron-Ste-Marie
Escout
Escou
Herrère
Bidos
Agnos
Gurmençon
Baliros
Pardies-Piétat
Boeil-Bezing
Beuste
Lagos
N.-D. de Piétat
Bosdarros
St-Abit
Arros-de-Nay
Baudreix
Bordères
Bourdettes
Mirepeix
Bénéjacq
Labatmale
Pontacq
Ossun
Nay
Coarraze
Lasseubetat
Haut-de-Bosdarros (la Chapelotte)
Rébénacq
Lamarque-Pontacq
St-Vincent
Igon
Ogeu-les-Bains
Buziet
Buzy
Bescat
Asson
Montaut
Barlest
Loubajac
Eysus
Asasp-Arros
Lurbe-St-Christau
Lys
Bruges-Capbis-Mifaget
Lestelle-Bétharram
Forêt de Mourle
Dolmen Calhau de Teberne
Sévignacq-Meyracq
St-Pé-de-Bigorre
Peyrouse
Bartrès
Poueyferré
Arudy
Izeste
Ste-Colome
Escot
Louvie-Juzon
Arthez-d'Asson
LOURDES
Cromlechs de lou Couraus
Castet
Sarrance
Bilhères
Bielle
Omex
Ségus
Ossen
Aspin-en-Lavedan
Réserve Naturelle de la Vallée d'Ossau
Forêt de Très Crouts
Pic de Pibeste
Agos-Vidalos
Gère-Bélesten
Aste-Béon
Ouzous
Salles
Geu
Bedous
Aydius
Louvie-Soubiron
Béost
Ferrières
Arbéost
Sère-en-Lavedan
Ayzac-Ost
Boô-Silhen
St-Pastous
Argelès-Gazost
Ayros-Arbouix
Laruns
Eaux-Bonnes
Col d'Aubisque
Accous
Arras-en-Lavedan
Arcizans-Dessus
Gaillagos
Arcizans-Avant
Préchac
Beaucens
Aucun
St-Savin
Adast
Cette-Eygun
Arrens-Marsous
Pierrefitte-Nestalas
Soulom
Villelongue
Gourette
Pic de Ger
Estaing
Etsaut
Borce
Vallée d'Aspe
Vallée d'Ossau
Artouste-Fabrèges
Lac d'Estaing
Viscos
Chèze
Saligos
Grust
Sazos
Sassis
Luz-St-Sauveur
Cauterets
Fort du Portalet
Urdos
Chalet-Refuge de Gabas
Pic de la Sagette
Lac de Bious-Artigues
Pic du Midi d'Ossau
Lac d'Artouste
Refuge de Migouélou
Refuge de Larribet
Refuge Ledormeur
Refuge d'Ilhéou
La Raillère
Pont d'Espagne
Refuge de Pombie
Balaïtous
NATIONAL
DES
Refuge de Russell
Station de Ski de Fond du Somport
Col du Somport
Col du Pourtalet
Candanchu
Ref. Wallon Marcadau
Refuge des Oulettes
Ref. d'Estom
Vallée du Marcadau
Vallée de Gaube

166
167
183
184
196
197
E
F
G
H
1
2
3
4
5
6
TARBES
Bagnères-de-Bigorre
Lannemezan
Maubourguet
Vic-en-Bigorre
Rabastens-de-Bigorre
Miélan
Trie-sur-Baïse
Castelnau-Magnoac
Tournay
Capvern
Montréjeau
St-Bertrand-de-Comminges
Arreau
Campan
Tarbes-Lourdes-Pyrénées
PLATEAU DE LANNEMEZAN
Pic du Midi de Bigorre
Col du Tourmalet
Col d'Aspin
Pic de Néouvielle
Réserve Naturelle du Néouvielle
Barèges
A64
E80
N21

184
168
183
197
198
A
B
C
D
1
2
3
4
5
6
Samatan
Lombez
Masseube
Simorre
Monbardon
Boulogne-sur-Gesse
L'Isle-en-Dodon
Montesquieu-Guittaut
St-Ferréol-de-Comminges
Péguilhan
Montbernard
Mondilhan
St-Pé-Delbosc
Escanecrabe
Ciadoux
Montgaillard-sur-Save
Lespugue
Montmaurin
Cassagnabère-Tournas
Aurignac
Aulon
Peyrouzet
St-Élix-Séglan
Alan
Boussan
Montoulieu-St-Bernard
Fabas
Lussan-Adeilhac
Rieumes
Montégut-Savès
Sauvimont
Montblanc
Savignac-Mona
Bragayrac
Sabonnères
Beaufort
Pébées
Montgras
Lahage
Forgues
Plagnole
Lautignac
Savères
Labastide-Clermont
Pouy-de-Touges
Gratens
Marignac-Lasclares
Castelnau-Picampeau
Le Fousseret
Montoussin
St-Élix-le-Château
Lavelanet-de-Comminges
Mondavezan
Cazères
Palaminy
Couladère
Martres-Tolosane
Boussens
Mancioux
St-Martory
Roquefort-sur-Garonne
Mazères-sur-Salat
Cassagne
Marsoulas
Salies-du-Salat
Mane
Betchat
Figarol
Montespan
Ganties
Encausse-les-Thermes
Soueich
Aspet
Milhas
Arbas
Herran
Fougaron
Urau
Mauvezin-de-Prat
Prat-Bonrepaux
Lacave
Mercenac
Caumont
Lorp-Sentaraille
St-Lizier
Montégut-en-Couserans
Moulis
Audressein
Castillon-en-Couserans
Engomer
Arrien-en-Bethmale
Vallée de Bethmale
Les Bordes-sur-Lez
Sentein
Vallée du Biros
Balacet
Bonac-Irazein
St-Lary
Portet-d'Aspet
Col de Portet d'Aspet
Col de Mente
Station du Mourtis
Boutx
St-Béat
Marignac
Cierp-Gaud
Val de Burat
Arlos
Fos
Melles
Argut-Dessous
Cap de Gauch
Tour à Signaux
Vallée de Luchon
Cier-de-Luchon
Gouaux-de-Luchon
Mayrègne
Artigue
Antignac
Salles-et-Pratviel
Canejan
Bausén
Refuge Jacques Husson
Monte Umbre
St-Gaudens
Valentine
Villeneuve-de-Rivière
Labarthe-Inard
Estancarbon
Beauchalot
Miramont-de-Comminges
Labarthe-Rivière
Pointis-Inard
Rieucazé
Lespiteau
Aspret-Sarrat
Régades
Sauveterre-de-Comminges
Barbazan
Valcabrère
Montréjeau
Gourdan-Polignan
Ausson
Clarac
Pointis-de-Rivière
Martres-de-Rivière
Ardiège
Cier-de-Rivière
Loures-Barousse
Izaourt
Luscan
Malvezie
Col des Ares
Génos
St-Pé-d'Ardet
Lourde
Antichan-de-Frontignes
Frontignan-de-Comminges
Fronsac
Chaum
Eup
Siradan
Saléchan
Mauléon-Barousse
Ourde
Sost
Esténos
Ponlat-Taillebourg
Labarthe-Rivière
Villefranche
Gaujan
Molas
Anan
Puymaurin
Nénigan
Lunax
Cabas-Loumassès
Manent-Montané
Lalanne-Arqué
Mont-d'Astarac
Thermes-Magnoac
Panassac
Bézues-Bajon
Arrouède
Chélan
Sariac-Magnoac
Blajan
St-Plancard
Sarrecave
Nizan-Gesse
St-Loup-en-Comminges
Villemur
Gensac-de-Boulogne
Larroque
Lalouret-Laffiteau
Cardeilhac
Larcan
St-Marcet
Lodes
St-Ignan
Saux-et-Pomarède
Latoue
Lieoux
Landorthe
St-Médard
Savarthès
Estadens
Rouède
Castagnède
Castelbiague
Montastruc-de-Salies
Chein-Dessus
COMMINGES
PARC
DES
PYRÉNÉES
A64
E80
A645
N125

168
169
185
186
198
199
E
F
G
H
1
2
3
4
5
6
Muret
Roquettes
Pins-Justaret
Lacroix-Falgarde
Auzil
Péchabou
Rebigue
Pompertuzat
Montlaur (St-Lautier)
Caragoudes
Labastide-Beauvoir
Mourvilles-Basses
Cambernard
Lamasquère
Saubens
Goyrans
Aureville
Corronsac
Deyme
Toulouse Sud
Autoroute fin 2011
Ste-Colombe
Varennes
St-Germier
Parayré
St-Clar-de-Rivière
Labastidette
Villate
Donneville
Montgiscard
Baziège
Mauremont
Clermont-le-Fort
Espanès
Montbrun-Lauragais
N.-D. de Roqueville
Ayguesvives
Trébons-sur-la-Grasse
Villenouvelle
Lherm
N.-D. du Bout du Pont
Labarthe-sur-Lèze
Plateau du Tucol
Vernet
Venerque
Pouze
Belbèze-de-Lauragais
Montgaillard-Lauragais
Poucharramet
St-Hilaire
Eaunes
Estantens
Issus
Labruyère-Dorsa
Nouëilles
Montesquieu-Lauragais
Mers
St-Rome
Villefranche-de-Lauragais
Lavernose-Lacasse
le Fauga
Lagardelle-sur-Lèze
Grépiac
St-Léon
Vieillevigne
Gardouch
Renneville
Bérat
Cap Débat
Mauzac
Beaumont-sur-Lèze
Miremont
Auragne
Caussidières
Daujas
Montclar-Lauragais
Seyre
Longages
Castex
Montaut
Noé
Auribail
Auterive
Mauvaisin
Nailloux
Beauteville
Bois-de-la-Pierre
Lagrâce-Dieu
Puydaniel
Montgeard
Lagarde
Capens
Volestre
Base de Loisirs
Marquefave
St-Sulpice-sur-Lèze
Mauressac
le Secourieu
Peyssies
Montgazin
Rive Droite de la Garonne
Grazac
Cintegabelle
Aignes
Monestrol
Caignac
Carbonne
Esperce
les Baccarets
Gibel
Retenue du Manciès
Lacaugne
Caujac
le Grand Hers
Salles-sur-Garonne
Lézat-sur-Lèze
St-Quirc
Lissac
Calmont
Artenac-le-Haut
Rieux-Volvestre
Mailholas
Labatut
Canté
Mazères
Rosefond
Mais. des Comtes de Foix
Gaillac-Toulza
Latrape
St-Ybars
Saverdun
Molandier
Castagnac
Marliac
Gensac-sur-Garonne
Bax
Ste-Suzanne
Massabrac
Montesquieu-Volvestre
Gouteverrnisse
Canens
Durfort
Justiniac
Brie
Lapeyrère
Latour
Loubaut
Villeneuve-du-Latou
St-Christaud
Gouzens
Thouars-sur-Arize
Esplas
le Vernet
Montaut
Méras
Sieuras
le Fossat
Unzent
Fornex
Castex
la Bastide-de-Besplas
St-Martin-d'Oydes
Gaudiès
Montberaud
Carla-Bayle
Lescousse
St-Amans
Bonnac
Péage
Villeneuve-du-Paréage
Trémoulet
la Bastide-de-Lordat
Lahitère
Daumazan-sur-Arize
Campagne-sur-Arize
Artigat
St-Michel
Bézac
Ste-Croix-Volvestre
Castéras
Montbrun-Bocage
Escosse
Pamiers
le Carlaret
Lanoux
Madière
Ludiès
St-Amadou
les Bordes-sur-Arize
Sabarat
Pailhès
Monesplé
la Tour-du-Crieu
Mérigon
Camarade
St-Victor-Rouzaud
Montfa
Mauvezin-de-Ste-Croix
Dolmen de Bidot
St-Jean-du-Falga
Vernìolle
les Pujols
Lasserre
Montardit
le Mas-d'Azil
Gabre
St-Bauzeil (le Prieu)
Benagues
les Issards
Barjac
Grotte du Mas d'Azil
le Pas du Roc
Montégut-Plantaurel
Artix
Coussa
Arvigna
Contrazy
Rieux-de-Pelleport
NATUREL
Aigues-Juntes (le Fourné)
Cazaux
Varilhes
St-Félix-de-Rieutord
Ségura
Clermont
Plan d'Eau de Mondély
Loubens
Montesquieu-Avantès
Allières
Suzan
Crampagna
Dalou
Malléon
Montjoie-Couserans
Montseron
Durban-sur-Arize
la Bastide-de-Sérou
Cadarcet
Baulou
Loubières
St-Jean-de-Verges
Gudas (Cazals)
Castelnau-Durban
Lescure
Mine de cuivre
Montels
Riv. souterraine de Labouiche
St-Girons
Rimont
Larbont
Alzen
Nescus
Arabaux
Anc. Abb. de Combelongue
Esplas-de-Sérou
Montagagne
St-Martin-de-Caralp
Cos
Vernajoul
Carla-de-Roquefort
Eycheil
Encourtiech (le Coch)
Sentenac-de-Sérou
Serres-sur-Arget
St-Pierre-de-Rivière
FOIX
L'Herm
Pradières (Minjou)
Lacourt
Riverenert
Burret
Bénac
Ganac
RÉGIONAL
Erp
le Bosc (la Cabirole)
Brassac
Roquefort-les-Cascades
Ferrières-sur-Ariège
Soula
Leychert
Tr Lafont
Forêt Dom. du Consulat de Foix
Montgaillard
Soulan (St-Pierre)
Col de Péguère
Prayols
Celles
Freychenet
Boussenac (Espres)
Col de Port
Col des Caugnous
St-Paul-de-Jarrat
Biert
Montoulieu
Souèix-Rogalle
Aleu
Massat
Forêt Dom. de Saurat
Saurat
Tour de Montorgueil
Oust
Mercus-Garrabet
Bédeilhac-et-Aynat
Grotte de Bédeilhac
Arignac
Seix
Vallée du Garbet
le Port
Ercé
Rabat-les-Trois-Seigneurs
Surba
Bompas
Arnave
ARIÉGEOISES
Pic des Trois Seigneurs
Gourbit
Quié
Tarascon-sur-Ariège
Cazenave-Serres-et-Allens
Couflens de Betmajou
Chât. de la Garde
Chât. de Mirabat
A64
A66
E09
E80
N20

186
170
185
199
200
A
B
C
D
1
2
3
4
5
6
Revel
Castelnaudary
Villefranche-de-Lauragais
Avignonet-Lauragais
St-Félix-Lauragais
Juzes
Vaudreuille
la Pomarède
Labécède-Lauragais
les Cammazes
Sorèze
Durfort
Cahuzac
Massaguel
Dourgne
St-Amancet
Arfons
Saissac
Montolieu
Brousses-et-Villaret
Cuxac-Cabardès
Col de Naurouze
Labastide-d'Anjou
St-Papoul
St-Martin-Lalande
Villepinte
Bram
Alzonne
Pezens
CARCA
Montréal
Fanjeaux
Mas-Stes-Puelles
Salles-sur-l'Hers
Villeneuve-la-Comptal
Payra-sur-l'Hers
Belpech
Mirepoix
Limoux
Alet-les-Bains
Couiza
Espéraza
Quillan
Chalabre
Lavelanet
Bélesta
Puivert
Montségur
Montferrier
Villeneuve-d'Olmes
Léran
Laroque-d'Olmes
Aigues-Vives
Sonnac-sur-l'Hers
Rivel
Nébias
Rennes-le-Château
St-Hilaire
St-Polycarpe
Caudeval
Vals
Pujols
Belvèze-du-Razès
Lauraguel
Canal du Midi
Bassin de St-Ferréol
Lac des Cammazes
Bassin de Lampy
Montagne Noire
Barrage de Montbel
Gorges de la Frau
Sce de Fontestorbes
A61
E80
N113
Carcassonne en Pays Cathare

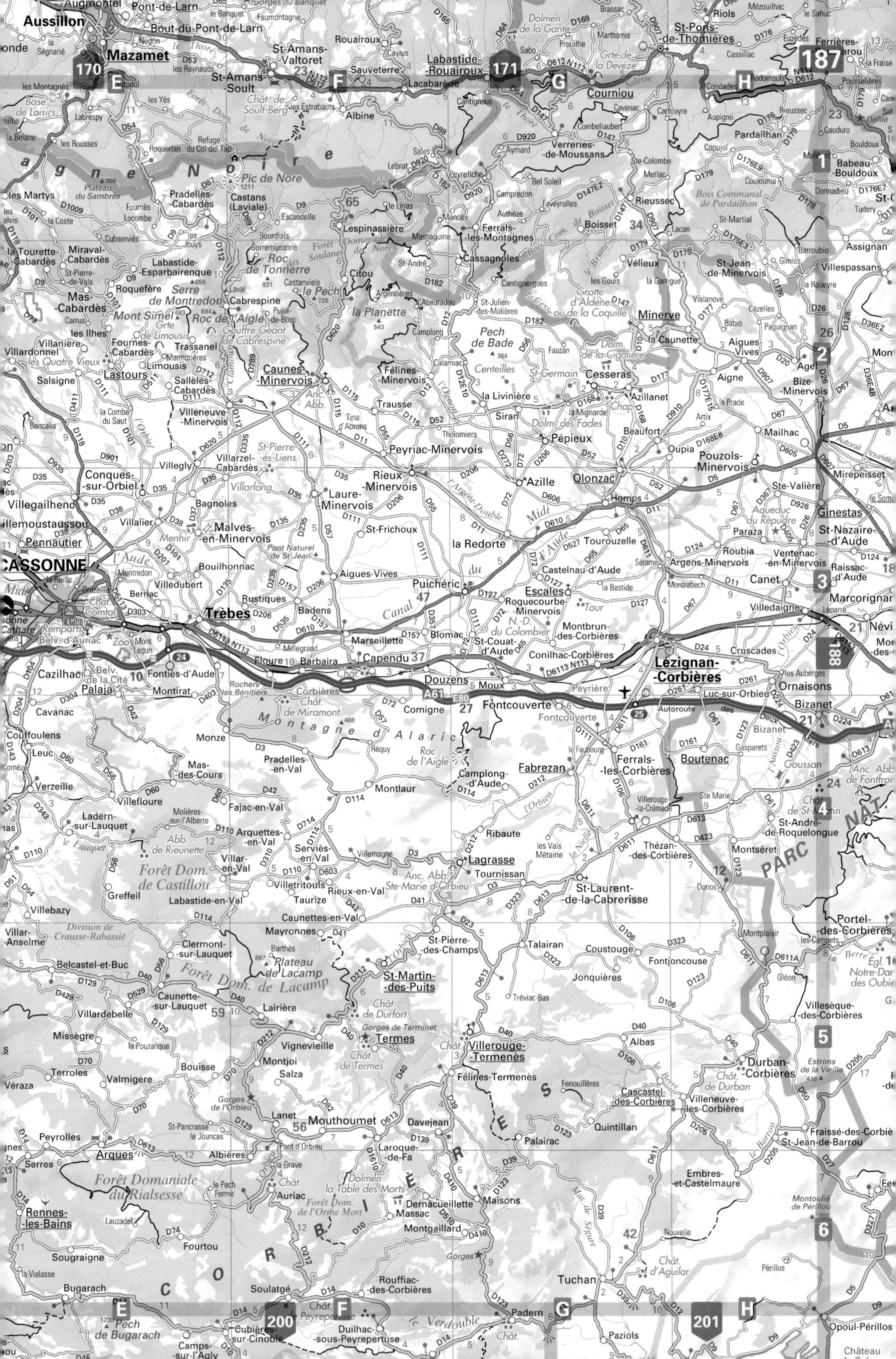

Augmontel
Pont-de-Larn
Aussillon
Bout-du-Pont-de-Larn
Mazamet
170
E
F
G
H
171
187
St-Amans-Valtoret
St-Amans-Soult
Rouairoux
Sauveterre
Labastide-Rouairoux
Lacabarède
Albine
Dolmen de la Gante
Riols
St-Pons-de-Thomières
Courniou
Ferrières-Poussarou
Rodomouls
Condades
Cassillac
Verreries-de-Moussans
Pardailhan
Babeau-Bouldoux
Montagne Noire
Pic de Nore
Pradelles-Cabardès
Castans (Laviale)
Lespinassière
Ferrals-les-Montagnes
Cassagnoles
Rieussec
Boisset
St-Jean-de-Minervois
Villespassans
Assignan
Miraval-Cabardès
La Tourette-Cabardès
Labastide-Esparbairenque
Roc de Tonnerre
Mas-Cabardès
Roquefère
Serre de Montredon
Cabrespine
Roc de l'Aigle
Gouffre Géant de Cabrespine
Mont Simel
Citou
Vélieux
Minerve
la Caunette
Aigues-Vives
Agel
Lastours
Fournes-Cabardès
Limousis
Trassanel
Villardonnel
Salsigne
Caunes-Minervois
Félines-Minervois
Pech de Bade
Cesseras
Azillanet
Bize-Minervois
Salleles-Cabardès
Villeneuve-Minervois
Trausse
la Livinière
Siran
Pépieux
Beaufort
Oupia
Mailhac
Pouzols-Minervois
Peyriac-Minervois
Villarzel-Cabardès
Villegly
Conques-sur-Orbiel
Rieux-Minervois
Laure-Minervois
Azille
Olonzac
Homps
Ste-Valière
Mirepeisset
Ginestas
Villegailhenc
Villemoustaussou
Pennautier
Bagnoles
Villalier
Malves-en-Minervois
St-Frichoux
la Redorte
Tourouzelle
Paraza
Roubia
St-Nazaire-d'Aude
CARCASSONNE
Bouilhonnac
Villedubert
Aigues-Vives
Puichéric
Castelnau-d'Aude
Argens-Minervois
Ventenac-en-Minervois
Canet
Raissac-d'Aude
Escales
Rustiques
Badens
Trèbes
Roquecourbe-Minervois
Villedaigne
Marcorignan
Berriac
Cité Remparts
Château Comtal
Marseillette
Blomac
Montbrun-des-Corbières
Canal du Midi
St-Couat-d'Aude
Conilhac-Corbières
Cruscades
Lézignan-Corbières
Floure
Barbaira
Capendu
Douzens
Moux
Cazilhac
Fontiès-d'Aude
Palaja
Montirat
Comigne
Fontcouverte
Ornaisons
Luc-sur-Orbieu
Bizanet
Cavanac
Montagne d'Alaric
Monze
Couffoulens
Leuc
Pradelles-en-Val
Roc de l'Aigle
Camplong-d'Aude
Fabrezan
Ferrals-les-Corbières
Boutenac
Mas-des-Cours
Verzeille
Villefloure
Montlaur
Fajac-en-Val
Ladern-sur-Lauquet
Arquettes-en-Val
Ribaute
Villerouge-la-Crémade
Thézan-des-Corbières
Montséret
St-André-de-Roquelongue
PARC NAT.
Villar-en-Val
Serviès-en-Val
Lagrasse
Tournissan
Forêt Dom. de Castillou
Villetritouls
Rieux-en-Val
Taurize
St-Laurent-de-la-Cabrerisse
Greffeil
Labastide-en-Val
Villebazy
Caunettes-en-Val
Mayronnes
Portel-des-Corbières
Villar-Anselme
Clermont-sur-Lauquet
St-Pierre-des-Champs
Talairan
Coustouge
Fontjoncouse
Belcastel-et-Buc
Plateau de Lacamp
Forêt Dom. de Lacamp
St-Martin-des-Puits
Jonquières
Caunette-sur-Lauquet
Villardebelle
Lairière
Villesèque-des-Corbières
Missègre
Termes
Villerouge-Termenès
Albas
Vignevieille
Montjoi
Durban-Corbières
Terroles
Bouisse
Salza
Valmigère
Véraza
Félines-Termenès
Cascastel-des-Corbières
Villeneuve-les-Corbières
Lanet
Mouthoumet
Davejean
Quintillan
Peyrolles
Arques
Albières
Palairac
Fraissé-des-Corbières
St-Jean-de-Barrou
Serres
Laroque-de-Fa
Embres-et-Castelmaure
Forêt Domaniale du Rialsesse
Auriac
Dernacueillette
Maisons
Rennes-les-Bains
Massac
Montgaillard
Fourtou
Sougraigne
Tuchan
Château d'Aguilar
Bugarach
Soulatgé
Rouffiac-des-Corbières
Padern
Pech de Bugarach
200
201
Cubières-sur-Cinoble
Duilhac-sous-Peyrepertuse
Paziols
Opoul-Périllos
Camps-sur-l'Agly
CORBIÈRES
A61
E80

188
172
187
201
A
B
C
D
1
2
3
4
5
6
Roquebrun
Berlou
Autignac
Fouzilhon
Roujan
Caux
Lézignan-la-Cèbe
Cazouls-d'Hérault
Ferrières-Poussarou
Causses-et-Veyran
St-Geniès-de-Fontedit (St-Geniès-le-Bas)
Magalas
Pouzolles
Margon
Alignan-du-Vent
Pézenas
Aumes
Cessenon-sur-Orb
Murviel-lès-Béziers
Puissalicon
Coulobres
Abeilhan
Tourbes
Castelnau-de-Guers
Prades-sur-Vernazobre
Puimisson
Espondeilhan
Servian
Valros
Nézignan-l'Évêque
Babeau-Bouldoux
St-Chinian
Pierrerue
Cazedarnes
Pailhès
Thézan-lès-Béziers
Lieuran-lès-Béziers
Bassan
Corneilhan
St-Thibéry
Montblanc
Cébazan
Assignan
Villespassans
Anc. Abb. de Fontcaude
Cazouls-lès-Béziers
Lignan-sur-Orb
Boujan-sur-Libron
Jardins de St-Adrien
Creissan
Puisserguier
Maraussan
BÉZIERS
Bessan
Cruzy
Quarante
Maureilhan
Béziers-Montblanc
Montouliers
Capestang
Montady
Béziers-Vias
Cers
Vias
Argeliers
Oppidum d'Ensérune
Colombiers
Villeneuve-lès-Béziers
Portiragnes
Poilhes
Montels
Ouveillan
Abb. de Fontcalvy
Nissan-lez-Enserune
Sauvian
Sérignan
Rés. Nat. de Roque-Haute
Farinette-Plage
Mirepeisset
Lespignan
Vendres
Sérignan-Plage
Ginestas
Sallèles-d'Aude
St-Nazaire-d'Aude
St-Marcel-sur-Aude
Cuxac-d'Aude
Salles-d'Aude
Étang de Vendres
Valras-Plage
Raissac-d'Aude
Moussan
Coursan
Fleury
Marcorignan
Oppidum de Montlaurès
Narbonne-Vinassan
Névian
Montredon-des-Corbières
Vinassan
NARBONNE
Armissan
Gouffre de l'Œil-Doux
Les Cabanes de Fleury
St-Pierre-sur-Mer
NARBONNAISE
Pech-Loubaud
Montagne de la Clape
Narbonne-Plage
Aquajet
Narbonne-Jonquières
Anc. Abb. de Fontfroide
N.-D. des Auzils
Cim. Marin
Bages
Prat de Cest
Étg de Gruissan
Gruissan
Gruissan-Plage
Châtl. Fort
Peyriac-de-Mer
Étang de Bages et de Sigean
Étang de l'Ayrolle
Portel-des-Corbières
Réserve Africaine
Île de l'Aute
Oppidum de Pech de Maho
Île Ste-Lucie
Notre-Dame des Oubiels
Sigean
Port-la-Nouvelle
Gasparets
Roquefort-des-Corbières
La Palme
Feuilla
Caves
La Franqui-Plage
Treilles
Leucate
Cap Leucate
Leucate-Plage
Chap. St-Aubin
Fitou
Les Cabanes de Fitou
Opoul-Périllos
Port Leucate
A9
A61
E15
E80
GOLFE

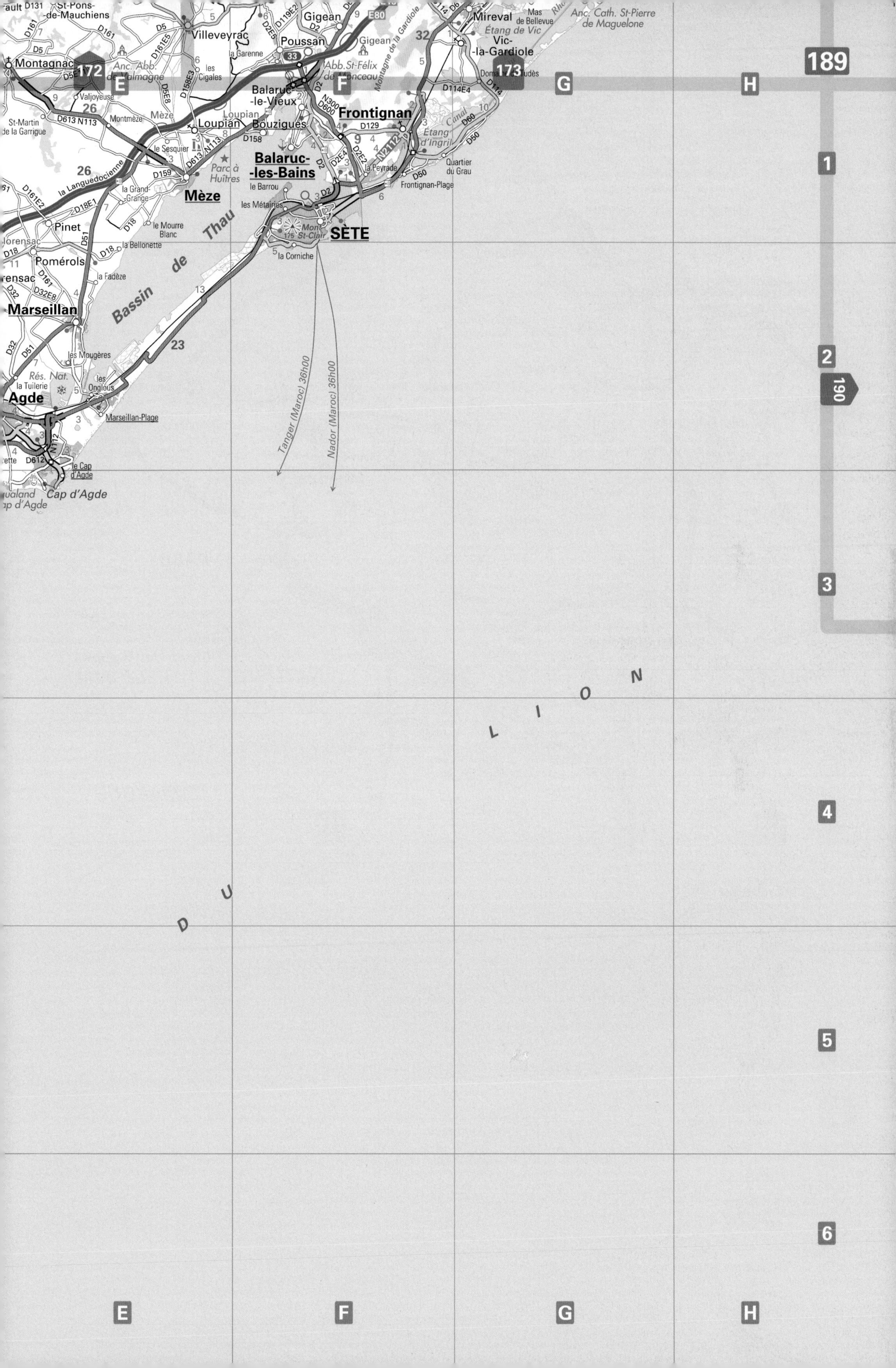
189
Villeveyrac
Gigean
Poussan
Mireval
Vic-la-Gardiole
Étang de Vic
Anc. Cath. St-Pierre de Maguelone
Montagnac
Anc. Abb. de Valmagne
Abb. St-Félix de Monceau
Balaruc-le-Vieux
Frontignan
Loupian
Bouzigues
Balaruc-les-Bains
Mèze
Parc à Huîtres
Étang d'Ingril
Quartier du Grau
Frontignan-Plage
la Peyrade
le Barrou
les Métairies
Mont St-Clair
SÈTE
la Corniche
Pinet
Pomérols
Marseillan
Bassin de Thau
la Fadèze
la Bellonette
le Mourre Blanc
les Mougères
Rés. Nat.
la Tuilerie
les Onglous
Agde
Marseillan-Plage
le Cap d'Agde
Cap d'Agde
Tanger (Maroc) 36h00
Nador (Maroc) 36h00
L I O N
D U
E
F
G
H
1
2
3
4
5
6
190
172
173

NÎMES
Marguerittes
Montfrin
St-Pierre-de-Mézoargues
Comps
Vallabrègues
Vic-le-Fesq
Combas
Montpezat
Baraques Montpezat
St-Pierre-de Vacquière
Mas de Provence
Quartier de Villeverde
Tour Magne
Planétarium
Mas Menan
190
Lecquières
St-Côme-et-Maruéjols
St-Étienne-d'Escattes
Maruéjols
Clarensac
le Hameau des Chênes
Maison Carrée
Arènes
Caveirac
Rodilhan
Redessan
Chap. St-Laurent
St-Roman
St-Vincent
Abb. St-Roman
Fontanès
Salinelles
Souvignargues
Sinsans
St-Dionizy
Oppidum
Langlade
Manduel
Bouillargues
Mas du Mistral
Jonquières-St-Vincent
Bornes Milliaires
Pauvre Ménage
Beaucaire
Château Gaillard
Villevieille
Aujargues
Congénies
Nages-et-Solorgues
Calvisson
Solorgues
Boissières
Milhaud
Caissargues
Nîmes-Costières
les Garrigues
Mas St-Louis
St-Pierre
Mas des Sables
Lansac
Châ. de Galès
Château
Junas
Bizac
Bernis
Garons
Nîmes-Arles-Camargue
Bellegarde
Sautebraut
les Lecques
les Corrèges
LE RHÔNE
Boisseron
Aubais
Vergèze
Uchaud
Aubord
St-Roch
Aigues-Vives
Villetelle
Mus
Vestric-et-Candiac
Viguier
St-Christol
St-Sériès
Saturargues
Codognan
Générac
Bellevue
Vérargues
Gallargues-le-Montueux
Péage
Pont Romain
Ambrussum
Châte. de Condiac
Beauvoisin
Petit Rhône
Arles
Truchet
Fourques
Trébon
Arènes
Saint-Ciergues
Vauvert
la Cassagne
St-Gilles
Anc. Abb.
Canal de Sète
Lunel
Aimargues
Marsillargues
le Cailar
la Jasse de Barry
Mas de Mourgues
St-André
Tête de la Camargue
la Furanne
Saliers
Gimeaux
Cirque
Pont de Crau
ARL
Lunel-Viel
Valergues
St-Just
St-Nazaire-de-Pézan
Châte. de Teillan
Mas de Bony
Mas Bousquet
Mas de Valescure
Gallician
Franquevaux
Espeyran
Figarès
Écluse de St-Gilles
Petit Mas de Vert
Barret
Candillargues
Tartuguière
Mas de Carthagène
St-Laurent-d'Aigouze
Marais du Charnier
Étang du Charnier
Étang de Scamandre
Canal du Rhône
Ste-Cécile
Tour de Mondony
Mas du Pont de Rousty
Albaron
Gageron
Tour d'Amphoux
PARC
Marais de la Grand Mar
Azegat
Mas de Barbut
Mas de Terre de Port
Mas Psalmody
Abb.
Mas des Iscles
Tamariguières
Tour Carbonnière
Quatret
le Paty de la Trinité
Mas d'Agon
Villeneuve
Mauguio
Tour de Constance
Aigues-Mortes
Remparts
Mas Grand St-Jean
Montcalm
Châte. d'Avignon
Domaine de Méjanes
Étang de Vaccarès
Châte. de l'Arme
la Grande-Motte
le Grau-du-Roi
Aquarium
Port-Camargue
Salins du Midi
Mas de Jarras-Listel
Étang de Caitives
Cuvette du Lairan
le Canet
la Cure
Mas Sénébier
NATUREL
RÉGIONAL
Paulon
Château d'Astouin
Pioch Badet
les Frignants
Réserve Naturelle
Zoologique et Botanique
Mas de Fielouse
Salin-de
Aigues-Mortes
Pin Fourcat
Mourgue
la Petite Camargue
Étg de Rollan
Mas d'Icard
Cacharel
Maison du Parc
DE
CAMARGUE
Parc Ornithologique
Pointe de l'Espiguette
St Roman
Bac
la Capelude
le Grand Radeau
le Boumian
Phare de la Gacholle
Stes-Maries-de-la-Mer
Golfe des Saintes-Maries ou de Beauduc
173
174
189
M E R
A
B
C
D
1
2
3
4
5
6

Cavaillon
Robion
Taillades
Maubec
Oppède (les Poulivets)
Ménerbes
191
Beaumettes
Boulbon
Graveson
Maillane
Eyragues
St-Andiol
Verquières
Plan-d'Orgon
Mollégès
Tarascon
Mas-Blanc-des-Alpilles
St-Rémy-de-Provence
Site Antique de Glanum
St-Etienne-du-Grès
Orgon
Cheval-Blanc
M O N T A G N
PARC NATUR
Petit Luberon
Gorges de Régalon
les Bastides
Mérindol
PARC NATUREL RÉGIONAL DES ALPILLES
Eygalières
Refuge de Jean Moulin
Sénas
les Baux-de-Provence
Rochers d'Entreconque
Fontvieille
Moulin de Daudet
Paradou
Maussane-les-Alpilles
Aureille
Eyguières
Lamanon
Mallemort
Charleval
la Roque-d'An
Alleins
Vernègues
Aurons
Mouriès
Mas de Brau
SALON-DE-PROVENCE
Pélissanne
St-Martin-de-Crau
Marais de Meyranne
Grans
Lançon-Provence
Miramas
Cornillon-Confoux
St-Chamas
la Fare-les-Oliviers
GRAND RHÔNE
ISTRES
Étang de Berre
Berre-l'Étang
Rognac
Velaux
Vitrolles
Marseille-Provence
MARIGNANE
Saint-Victoret
Gignac-la-Nerthe
St-Mitre-les-Remparts
Fos-sur-Mer
MARTIGUES
Port-de-Bouc
Châteauneuf-les-Martigues
Chaîne de l'Estaque
Ensuès-la-Redonne
Le Rove
Carry-le-Rouet
Sausset-les-Pins
Port-St-Louis-du-Rhône
GOLFE DE FOS
Cap Couronne
M É D I T E R R A N É E
174
175
192
E
F
G
H

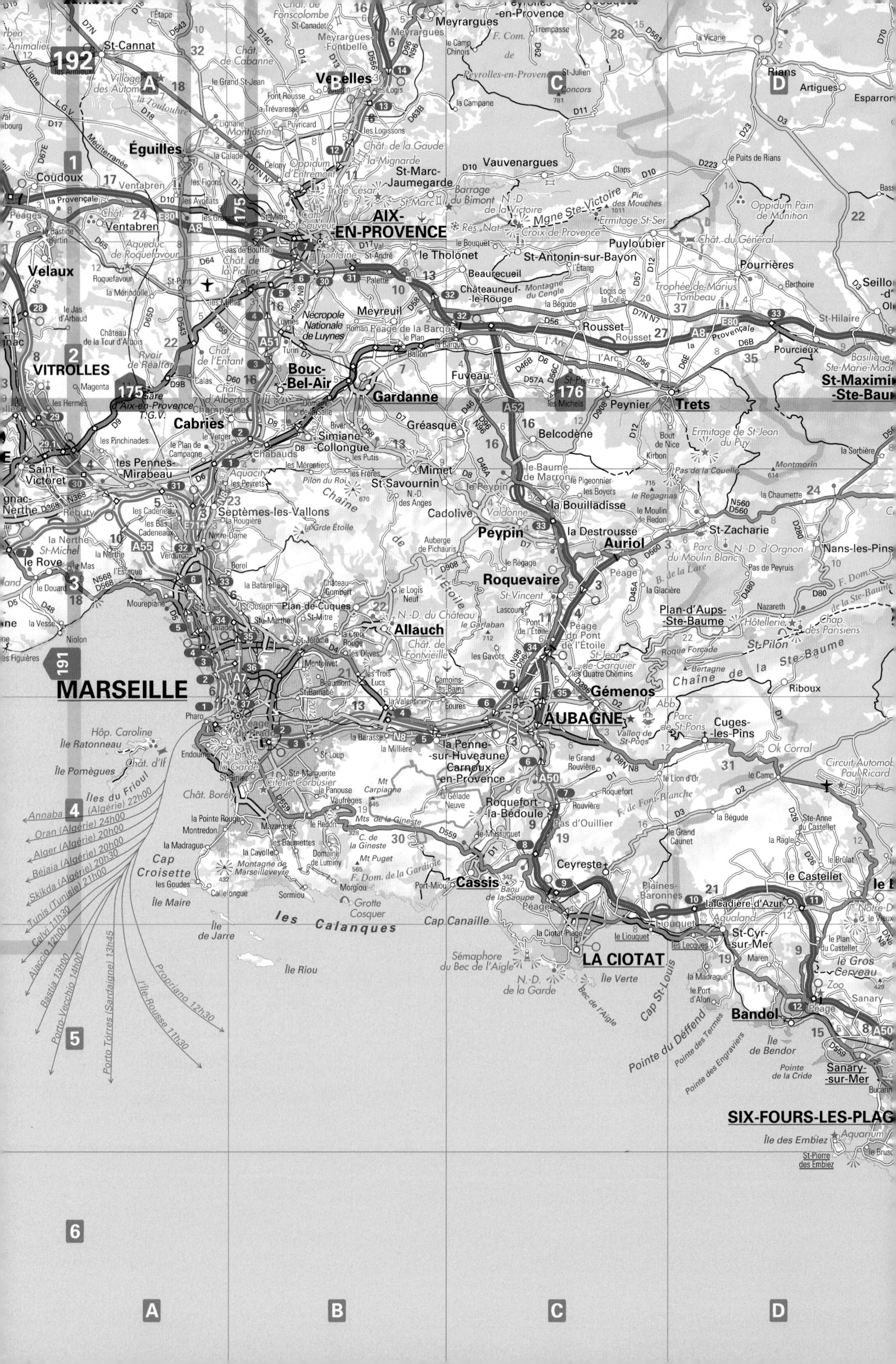

192
175
176
191
MARSEILLE
AIX-EN-PROVENCE
VITROLLES
AUBAGNE
LA CIOTAT
SIX-FOURS-LES-PLAGES
St-Cannat
Éguilles
Coudoux
Ventabren
Velaux
Vauvenargues
St-Marc-Jaumegarde
Mgne Ste-Victoire
Puyloubier
Pourrières
Rians
Meyrargues
Venelles
le Tholonet
Meyreuil
Gardanne
Bouc-Bel-Air
Cabriès
Simiane-Collongue
Gréasque
Fuveau
Rousset
Trets
Peynier
Belcodène
Mimet
St-Savournin
Cadolive
Peypin
la Bouilladisse
la Destrousse
Auriol
Roquevaire
St-Zacharie
Plan-d'Aups-Ste-Baume
Gémenos
Cuges-les-Pins
Allauch
Plan-de-Cuques
Septèmes-les-Vallons
les Pennes-Mirabeau
Saint-Victoret
le Rove
la Penne-sur-Huveaune
Carnoux-en-Provence
Roquefort-la-Bédoule
Cassis
Ceyreste
la Cadière-d'Azur
le Castellet
St-Cyr-sur-Mer
Bandol
Sanary-sur-Mer
Nans-les-Pins
Pourcieux
Château-Gombert
Cap Croisette
Les Calanques
Cap Canaille
Île Riou
Île de Jarre
Île Maire
Île Ratonneau
Île Pomègues
Îles du Frioul
Châ. d'If
Île Verte
Île de Bendor
Île des Embiez
Annaba (Algérie) 22h00
Oran (Algérie) 24h00
Alger (Algérie) 20h00
Béjaia (Algérie) 20h00
Skikda (Algérie) 20h30
Tunis (Tunisie) 21h00
Calvi 11h30
Ajaccio 12h00
Bastia 13h00
Porto-Vecchio 14h00
Porto Torres (Sardaigne) 13h45
L'Île-Rousse 11h30
Propriano 12h30
A
B
C
D
1
2
3
4
5
6

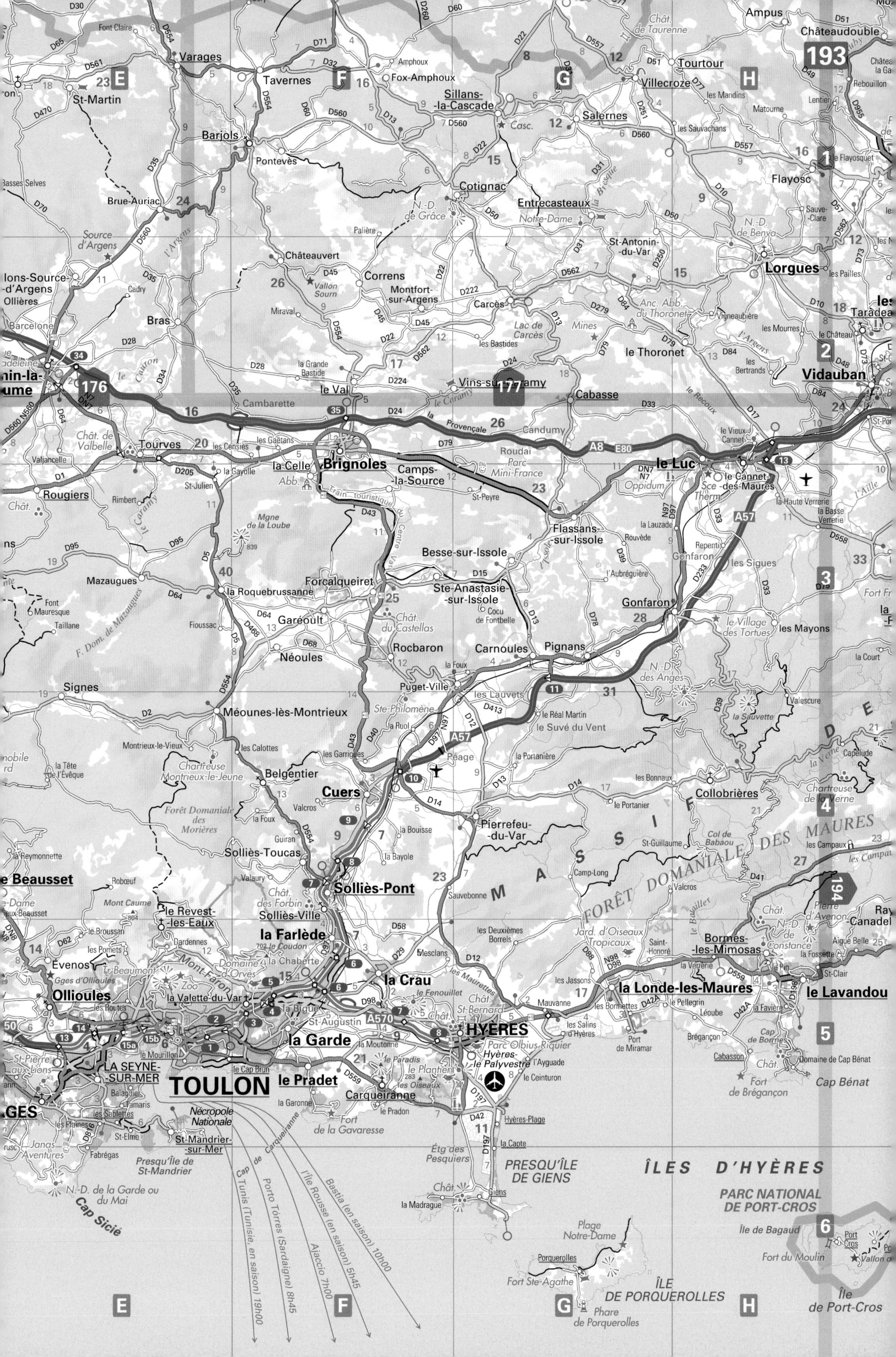

Ampus
Châteaudouble
193
Chât. de Taurenne
Tourtour
Villecroze
Varages
Tavernes
Amphoux
Fox-Amphoux
Sillans-la-Cascade
Salernes
St-Martin
Barjols
Pontevès
Cotignac
Entrecasteaux
Flayosc
N.-D. de Grâce
Notre-Dame
N.-D. de Benva
Brue-Auriac
Source d'Argens
St-Antonin-du-Var
Lorgues
Châteauvert
Correns
Vallon Sourn
Montfort-sur-Argens
Carcès
Anc. Abb. du Thoronet
Taradeau
Lac de Carcès
Mines
le Thoronet
Vidauban
Bras
Barcelone
la Grande Bastide
Vins-sur-Caramy
le Val
Cabasse
176
177
Cambarette
la Provençale
Candumy
Tourves
Châr. de Valbelle
les Censiès
les Gaëtans
la Celle
Brignoles
Camps-la-Source
Roudaï Parc Mini-France
le Luc
Oppidum
le Cannet-des-Maures
le Vieux-Cannet
Rougiers
la Gayolle
St-Julien
Rimbert
St-Peyre
Flassans-sur-Issole
Mgne de la Loube
Besse-sur-Issole
Gonfaron
les Sigues
Mazaugues
la Roquebrussanne
Forcalqueiret
Ste-Anastasie-sur-Issole
Font Mauresque
Taillane
Garéoult
Chât. du Castellas
Cocu de Fontbelle
le Village des Tortues
les Mayons
F. Dom. de Mazaugues
Fioussac
Néoules
Rocbaron
Carnoules
Pignans
N.-D. des Anges
Signes
Puget-Ville
la Foux
les Lauvets
le Réal Martin
le Suvé du Vent
la Sauvette
Méounes-lès-Montrieux
Ste-Philomène
Montrieux-le-Vieux
les Calottes
les Garrigues
Péage
la Portanière
Chartreuse Montrieux-le-Jeune
la Tête de l'Évêque
Belgentier
Cuers
Collobrières
Chartreuse de la Verne
Forêt Domaniale des Morières
Valcros
Pierrefeu-du-Var
le Portanier
Solliès-Toucas
la Bouisse
la Bayole
St-Guillaume
Col de Babaou
le Beausset
Solliès-Pont
MASSIF DES MAURES
FORÊT DOMANIALE DES MAURES
Sauvebonne
Camp-Long
Chât. des Forbin
Solliès-Ville
Mont Caume
le Revest-les-Eaux
la Farlède
les Deuxièmes Borrels
Jard. d'Oiseaux Tropicaux
Saint-Honoré
Bormes-les-Mimosas
Pierre d'Avenon
N.-D. de Constance
Évenos
Gges d'Ollioules
Mont Faron
Zoo
la Chabette
Mesclans
la Crau
le Lavandou
Ollioules
la Valette-du-Var
les Mauvettes
la Londe-les-Maures
Mauvanne
St-Augustin
Chât. St-Bernard
le Pellegrin
Léoube
les Salins d'Hyères
Port de Miramar
HYÈRES
la Garde
Parc Olbius-Riquier
Hyères-le Palyvestre
Brégançon
Cap de Bormes
La Seyne-sur-Mer
TOULON
le Pradet
le Plantier
l'Ayguade
le Ceinturon
Cabasson
Domaine de Cap Bénat
Carqueiranne
Cap Bénat
Fort de Brégançon
les Sablettes
Nécropole Nationale
Fort de la Gavaresse
Hyères-Plage
St-Mandrier-sur-Mer
la Capte
Presqu'Île de St-Mandrier
Étg des Pesquiers
PRESQU'ÎLE DE GIENS
ÎLES D'HYÈRES
PARC NATIONAL DE PORT-CROS
N.-D. de la Garde ou du Mai
Cap Sicié
la Madrague
Giens
Plage Notre-Dame
Porquerolles
Île de Bagaud
Fort du Moulin
Port Cros
Fort Ste-Agathe
ÎLE DE PORQUEROLLES
Phare de Porquerolles
Île de Port-Cros
Tunis (Tunisie, en saison) 19h00
Porto Torres (Sardaigne) 8h45
Ajaccio 7h00
l'Île Rousse (en saison) 5h45
Bastia (en saison) 10h00
A8 E80
A57
A570
194

194
DRAGUIGNAN
le Muy
les Arcs
FRÉJUS
ST-RAPHAËL
Mandelieu-la-Napoule
LE CANNET
CANNES
Théoule-sur-Mer
Ste-Maxime
St-Tropez
Golfe de St-Tropez
Cogolin
Grimaud
Gassin
Ramatuelle
Cap Camarat
la Croix-Valmer
Cavalaire-sur-Mer
Rayol-Canadel-sur-Mer
CORNICHE DES MAURES
CORNICHE DE L'ESTEREL
Cap du Dramont
Pointe des Sardinaux
Île du Levant
PARC NATIONAL DE PORT-CROS
Île Port-Cros
177
178
193
195
A
B
C
D
1
2
3
4
5
6

195
194
178
179
E
F
G
H
1
2
3
4
5
6
NICE
MONACO
MENTON
ANTIBES
CAGNES-SUR-MER
Nice-Côte d'Azur
Villefranche-sur-Mer
Beaulieu-sur-Mer
St-Jean-Cap-Ferrat
Cap Ferrat
Cap-d'Ail
Eze
Beausoleil
Monte-Carlo
la Condamine
Palais
la Turbie
Roquebrune-Cap-Martin
Cap Martin
Ventimiglia
Bordighera
Mortola
Breil-sur-Roya
Sospel
Castillon
Ste-Agnès
Gorbio
Peille
Peillon
l'Escarène
Lucéram
Contes
Levens
Utelle
Carros
Gattières
St-Jeannet
Vence
la Gaude
St-Paul
la Colle-sur-Loup
St-Laurent-du-Var
Villeneuve-Loubet
Villeneuve-Loubet-Plage
Biot
Vallauris
Golfe-Juan
Juan les Pins
Cap d'Antibes
Fort Carré
Île Ste-Marguerite
Île St-Honorat
Abb. de Lérins
ÎLES DE LÉRINS
Baie des Anges
CORNICHES DE LA RIVIERA
CÔTE D'AZUR
RIVIERA
Calvi 3h00
Ajaccio 4h00
Bastia 4h00
l'Île Rousse 3h00

196
182
183
A
B
C
D
1
2
3
4
5
6
Lac de Gaube
Refuge de Russell
Ref. Wallon Marcadau
Refuge des Oulettes de Gaube
Refuge de Packe
Pic de Neouvielle
L. d'Oredon
Refuge de l'Oule
Vielle-Aure
Soulan
Espiaube
Vignec
la Cabane
Saint-Lary
Cadeilhan-Trachère
Pragnères
L. de Cap de Long
Chalet-Refuge d'Orédon
Pic Long
Pics d'Estaragne
Chap. des Templiers
Le Plan
Eget
Ens
Tramezaïgues
Vignemale
Refuge de Bayssellance
Gèdre
Piau Engaly
Aragnouet
Châl.
Baños de Panticosa
Chaos de Coumély
PYRÉNÉES
Vallée d'Ossoue
Héas
Vallon de la Géla
Vallon de Saux
Tunnel d'Aragnouet-Bielsa
Vallée de Rioumajou
Refuge Grange de Holle
Mais. du Parc
Refuge de Barroude
Sierra de Sandaruelo
Gavarnie
Gavarnie-Gèdre-les-Espécières
Pic des Tentes
Refuge des Espuguettes
Cirque de Troumouse
Circo de Barrosa
Reserva Nacional de Viñamala
Ref.
Cirque d'Estaube
Ref. Tuquerouye
Sierra Pelada
Pic d'Arriouère
Refuge de la Brèche de Roland
Cirque de Gavarnie
Pic du Marboré
Grande Cascade
Pics de la Cascade
Sierra de Liena
Reserva Nacional de Los Circos
Hospice de Rioumajou
Tendenera
Sierra Tendenera
Valle de Pineta
Refugio de Garizoí Delgado Ubeda
Monte Perdido
Refuge
Espierba
Chisagüés
Parzán
Punta Suelza
Pico del Cuezo
Valle de Araza
Sia Puerto
N260
Torla
Bielsa
Linás de Broto
Víu
Frajén
Broto
Oto
Yosa
Montinier
la Punta de la Trallata
Vellos
Cinca
Cinqueta
Escuain
Revilla
Buesa
Sarvisé
Fanlo
Buisán
Nerín
HU631
Jalle
Estaronillo
Tella
Salinas de Sin
A138
Gistain
Señes
Sin
Serveto
Plan
Basarán
Ayerbe de Broto
Bestué
Cortalavina
Desfiladero de las Devotas
Embalse de Plan de Escun
Bergua
Ceresuela
Puertolas
Hospital
Punta Llerga
Pena las Once
Cortillas
Cillas
Asín de Broto
Vio
Santa María
Lafortunada
Saravillo
Cajol
Buerba
Sasa
Burgasé
Castellar
Yeba
Gallisué
Embalse de Laspana
Entremon
Sanfelices
Aso
Irués
Berroy
Lardiés
Sase
Giral
Belsierre
Ceresa
Pena Solana
Cotiella
Circo de Armena
Fiscal
Arresa
Muro
Ginuábel
Campol
Villamana
Morillo de San Pietro
Puyarruego
Laspuña
Escalona
Fanlillo
San Juste
Javierre
Tricas
Ascaso
Lavelilla
Lacort
Cancias
Ligüerre de Ara
Albella-y-Jánovas
Jánovas
San Lorién
Collado Gulliver
Espin
San Vicente
Araguás
Oncins
Sierra Ferrera
Torrelisa
Sa de Picardiello
Planillo
Ferrera
Silves
Boltana
Labuerda
los Molinos
el Plano
San Juan
Fenillosa
Sa del Galardón
el Pueyo-de-Araguás
la Atiart
N138
Campodarbe
Marqudged
Forsado Bajo
Punta Cabellos
Guillé
Sieste
Samper
Canardo
Laguarta
Aínsa
Foradada-de-Toscar
Guaso
Usana
Sa de Arro
Alcanadre
Banastón
Fuendecampo
Latorrecilla
Sa de Bruello
Ena
Arro
Lascorz
Matidero
Torrolluala del Obico
Morcat
Aineto
Serrato
Morillo de Tou
Gerbe
Charo
Torruéllola de la Plana
el Pueyo
Griébal
Ranin
Binueste
Bibán
Santa-María-de-Buil
Tierrantona
Alast Rué
Balced
Urriales
Buetas
Sarratillo
Coscojuela-de-Sobrarbe
Morillo de Monclús
Azpe
las Bellostas
Ministerio
Lavilla
Bentué de Nocito
Letosa
Camporrotuno
Arasanz
Bara
Bagüeste
Castellazo
Embalse de Medrano
el Humo
Formigales
Used
Avellada
Sarsa de Surta
Arcusa
Guarra
Otin
Palo
Nasarre
Forcas
el Coscollar
la Pardina
Lapilla
Castejón de Sobrarbe
Latorre
Samitier
Troncedo
Sa de Guara
Cabeza
Paules
Mondot
Trillo
Salinas de Trillo
Rodellar
Cerro de Asba
Javierre
Sierra Balced
Eripol
Cuna
Olsón
Lamata
Ecanilla
Besiáns
Sa Arangol
Pedruel
Betorz
Almazorre
Clamosa
el Mon
Arrés
las Almunias
Hospitaled
Perarrúa
Pano
Punta de la Virgen de la Sierra
Abizanda
Bárcabo
Lapenilla
Ejep
Santa Cilia
Formiga
Alcanadre
Alto de Penarrueba
Lecina
Torre de Obato
Panillo
Puy de Cinca
Calcón
Bastaras
Sa Rufás
Santa Lucía
Aguas
Panzano
Suelves
Sierra de Cunarda
Yaso
Espaldar
Mipanas
Grustán
San Salvador
Labata
Morrano
San Pelegrín
Naval
la Muela
Embalse de el Grado
Lecinas
San Román
Graus
Sieso de Huesca
Radiquero
Alquézar
Salinas
Montaruedo
Secastilla
Esera

183
184
197
198
E
F
G
H
1
2
3
4
5
6
Vielle-Louron
Cazaux
Cazaux-Fréchet-Anéran-Camors
Adervielle-Pouchergues
Estarvielle
Mont
Génos
Loudenvielle
Val Louron
Germ
Peyresourde Balestas
Peyragudes
Jurvielle
Portet-de-Luchon
Poubeau
Billière
Cathervielle
St-Pierre
Col de Peyresourde
Garin
Oô
Cazeaux-de-Larboust
Gouaux-de-Larboust
les Granges d'Astau
Ref. du Lac d'Oô
Lac d'Oô
Mayrègne
Vallée d'Oueil
Panorama du Kiosque
St-Paul-d'Oueil
Benque-Dessous-et-Dessus
Castillon-de-Larboust
Sacourvielle
St-Aventin
Trébons-de-Luchon
Antignac
Salles-et-Pratviel
Moustajon
Sode
Pratviel de Salles
Artigue
Juzet-de-Luchon
Cazaril-Laspènes
Montauban-de-Luchon
Bagnères-de-Luchon
St-Mamet
Superbagnères
l'Ourson
Vallée du Lys
Bourdalès
Pont de Ravi
Forêt Dom. de Bagnères-de-Luchon
Gouffre d'Enfer
Hospice de France
Refuge de Venasque
Port de Venasque
2444
Col du Portillon
Monte Umbre
1445
Bausén
Canejan
Sant Joan de Toran
Refuge Jacques Husson
Estoéou
Fylie
Forêt Dom. du Biros
Les
Bossòst
Arrés de Jos
Arró
Vilamòs
Begós
Es Bòrdes (las Bordas)
Arròs
Aubèrt
Vila
Montcorbau
Vilac
Barrados
Salien
Valle de Aran
Bagergue
Unha
Gessa
Salardú
Vaquèira
Gausac
Casau
Vielha (Viella)
Betren
Casarilh
Escunhau
Garòs
Arties
Tuca
Güells del Joeu
Puerto de la Bonaigua
Pic de l'Abeillé
3029
Refuge de la Soula
Lac d'Espingo
Lac de Caillauas
Pic des Spijeoles
3065
Refuge
Lac du Portillon
Batchimale
Montanas de Aiguas Pasas
Refugio d'Estos
Posets
3371
Refugio Viados
L. de Millares
L. Turmo
L. del Sein
Lac de Perramo
Baños de Benasque
Refugio de la Renclusa
Trou du Toro
Casau
Lac Greguena
3308
Pico de la Maladeta
Mtes Malditos
Pico de Aneto
3404
Puerto de Viella
2424
Túnel de Vielha
Pico de Mulleres
Refugio de la Restanca
Refugio de Colomers
Benasque
Cerler
Juan de Plan
Eriste
Anciles
Sahún
L. Cabo de la Vall
Embase de Baserca
L. d'Anglios
Refugio Ventosa Icalvell
Palanca de los Pasos
Aneto
Senet
Caldes de Boí
Sierra Vieja
Sierra de Chía
Sesué
Eresué
Ramastué
Villanova
Sos
Arasán
Chía
Urmella
Bordas Castanesa
Bono
Estet
Puig Gelado
2452
Erill la Vall
Boí
Taüll
L. Morano
Lac Tort
L. Preso
San Nicolas
Barbaruéns
el Run
Castejón de Sos
Bisaurri
Fonchanina
Castanesa
Denúy
Ribera
Ardanúy
Barruera
Cardet
Durro
Seira
Gabás
Renanué
San Valero
Villarrué
Neril
San Martín
San Feliú
Laspaúles
Vilaller
Montanúy
Sa de Cardet
Cóll
Saraís
Sierra del Corrunco
las Feixas
Sierra Calva
Baciero
la Muria
Abella
Llesp
Irán
Cordilla de Cervin
Llert
Espés
Alins
Castarnés
Irgo
Sarroqueta
Bonansa
Castell de Tor
Gotárta
Peranera
Sierra Peranera
Manyanet
Llarg
Biescas
Aguascaldas
Turbon
Campo
las Vilás de Turbó
Cirés
Pont-de-Suerte
Malpás
Sas
Benes
Castellnou de Avellanós
los Molinos
Padarin
Serrate
Morillo de Liena
Ballabriga
Buira
Sentis
Avellanós
Aguiro
Astell
Obeix
Espluga
Valle-de-Lierp (Egea)
Brallans
Calvera
Sierra de Sis
las Iglesias
Lareu
Santa Cruz
Bacamorta
Torre-la-Ribera
Visalibóns
Beranúy
Embalse de Escales
Viu de Llevata
Perves
Cherallo
Bastida de Bellera
Antist
Estabill
Pena Chordal
Villacarli
Pardinella
Obis
Betesa
Santoréns
Sarroca-de-Bellera
Galiron
Nocellas
Merli
Biescas de Obarra
Pallerol
Aulet
Castarné de les Olles
Abella d'Adons
Aguilar
los Camps
Serradúy (Barrio del Pou)
Superún
Adons
Plá de Corruncúy
Pinyana
Nahéns
Senterada
Santa-Liestra-y-San-Quilez
Abenozas
Carrasquero
Brocolo
Sopeira
Torruella de Aragón
Esdolomada
Riguala
San Gervás
Ciérvoles
Corona
Erdao
Roda de Isabena
la Puebla-de-Roda
Puimolar
Iscles
Rivera de Valls
Torre de Tamurcia
Sa de Set Comelles
Reguart
Bufaluy
Fantova
San Esteban de Mall
Masos de Tamurcia
Esplugo de Serra
Monso
Sobrecastell
Castellet
Serradell
Erina
Monesma-y-Cajigar
Suerri
Sa de Berganuy
la Puebla de Fantova
Güe
Isabena
Berganuy
Arén
Orrit
Sapeira
Toralla
Ribert
Pobla-de-Segur
Treserra
Claravàlls
Soliva
Esplugatreda
Torrelabad
Salanova
Badias
Sa de Sant Marcos
Escarlá
Gurp
San Joan de Vinyafrescal
Santa Engracia
Salás-de-Pallars
el Soler
Castigleu
Puyol
Soliveta
Lascuarre
Laguarres
Espills
Colls
Portaespana
Santas Masas
Cajigar
Sant Adria
Seros
Embalse de San Antonio
N230
N260
N13
A139
D618
D125
D46
C141
L500
Ribagorzana
Noguera Ribagorzana
Esera

198
184
185
197
PYRÉNÉES
ARIÉGEOISES
A
B
C
D
1
2
3
4
5
6
Luentein
Estoéou
Eylie
Forêt Dom.
Granges des Echarts
de Bonac
Réserve Domaniale du Mont Valier
Forêt Dom. de Bordes
Esbints
Aunac
Couflens de Betmajou
Chât. de la Garde
Estours
Chât. de Mirabat
Arrous
Miramont
St-Pierre
Ercé
le Calvaire
Ourtrigous
Pitrail
Arac
Carol
Trabiet
Pic des Trois Seigneurs
Pic de Piouloú
Pic de Pomebrunet
Pont de la Taule
Saburdac
Angladure
Crouzats
Pic de Barrès
Vallée d'Ustou
le Trein
Bielle
Sérac
Ustou (St-Lizier)
Garbet
Aulus-les-Bains
Pic de Peyroutet
Roc de Querqu
Pic de Barlonguère
Refuge des Estagnous
Mont Valier
Mont du Petit Valier
Pic de la Pale de la Clauère
les Cuns d'Aula
Faup
Angouls
Couflens
Col de Latrape
Fouillet
Casc. du Fouillet
Pic de Girantes
Forêt Dom. de Suc-et-Sentenac
Suc-et-Sentenac
Orus
Vicdessos
Mair de Diu de Montgarri
Tuc de Berbégué
Pic de Montaud
Salau
Pic de Soubirou
Stillon
Guzet-Neige
Pic de Freychet
Pic de Mont Rouge
Casc. d'Ars
Ref. des Étangs de Bassiès
Pic des Planes
Saleix
Auzat
Sem
Olbier
Goulier
Pic du Far
Cirque de Cagateille
Pic de Séron
Pic Rouge de Bassiès
Pic de Puntussan
Forêt Dom. du Montcalm
Artiès
Bagergue
Noguera Pallaresa
Pic de Bassibié
Cap de Ruhos
Pic de Certescans
Pic de Turguilla
Vaquèira-Beret
Vaquèira
Alòs de Isil
Mont Rouch
Pic de Montareing
Pic de Marterat
Pic de Couillac
Pointe des Trois Comtes
l'Artigue
Ourre
Marc
Forêt Dom. de Goulier
Cayanes-d'en-Bas
L. de Airofo
Vielha e Mijaran
Sierra de Pilas
Lac Mayor
Sierra dels Canals
Lac de Cerlescans
Refuge de l'Étang du Pinet
Orris de Pujol
Carafa
Lac de la Gola
Noarre
Quanca
Pic de Brougat
Pic du Montcalm
Isil
Àrreu
Borén
Port de la Bonaiguá
Pic du Port de Sullo
Pic d'Estats
L.de Barbote
Pic de Canalbonne
Pic de Malcaras
Pic de l'Étang Fourcat
Pic de l'Aspre
Pic de Tristagne
Sorpe
Isavarre
Cerbi
Gavàs
Unarre
Tavascan
Aineto
Bonaiguá
Refugio de Colomers
València d'Àneu
Esterri d'Àneu
Son
Refugio de Saboredo
Estahon
Lleret
Lladorre
Refugio de Val Ferrera
Pic de Cabayrou
Pointe de Peyreguils
Cap de la Coste Grande
Escalarre
Lladrós
Boldís Jussà
Pic de Cataverdis
Pic des Langounelles
Refugio d'Amitges
la Guingueta d'Àneu
Arròs de Cardós
Esterri de Cardós
la Força d'Àreu
Àreu
Pic de Médécourbe
Pic des Bareytes
PARQUE
L. de San Mauricio
Jou
Berrós Subirá
Estaon
Estais
Bonestarre
Anàs
Refugio de Coma Pedrosa
NACIONAL
Espot
Super-Espot
Berrós Jussà
Cassibrós
Ribera de Cardós
Lladorre
Vall Farrera
Norís
Noguera de Tor
Arinsal
AIGÜES TORTES
L. Morano
L. Cubeso
Escaló
Escart
Araós
Ainet de Besan
Alins
Ercs
VALLS
L.Saburo
L. Negro
Noguera
Pallaresa
Pal
Lac Tort
L. Mar
L. Estangento
Baiasca
Arestui
Terveu
Tírvia
Burch
Os de Civís
Sispony
Avella
Andorra la Vella
Montesclado
Llavorsí
Farrera
Santa Coloma
Monseny
Capdella
Central
Caregné
Escás
Berasti
Vixesarri
Espúy
Llesúy
Sorre
Surp
Rodès
Roni
Civis
Sant Juliá
Montana de Seuri
Sauri
Altrón
Rialp
Montenastró
Romadriu
Ars
Asnurri
Olp
Pujal
Torre-de-Capdella
Cometa
Sant Joan Fumat
Arcabell
Farga de Moles
Flamisell
Inou
Ilanós
los Molinos
Monrós
Montana de Rubio
Sex
Solanell
Astell
Pobellá
Enviny
Sort
Cal Roger
Obeix
Paúls
Sa de la Solana
Montardit
Sant Andreu
Anserall
Calvinyá
Besca
Anchs
Mencuy
la Plana
Vilamur
Rubió
Estach
el Canto
Llagunes
Castellbo
Seo-de-Urgel
Antist
Estabill
Escós
Baró
Tornafort
Soriguera
Arabel
Pallerols
Agudes
Sellúy
Arcalis
Feixa
Vilarrubla
Guils
Avellanet
Castellciutat
Alás
Poleta-de-Belleni
Balestuy
Junyet
Solans
Vilamitjana
Serch
Ortedó
Mentúy
Peramea
Bahent
Castellás
Argestues
Parroquia de Ortó
Montferrer
Senterada
Moncortés
Guerri-de-la-Sal
Sant Sebastiá
Miraval
Arfa
Adrall
Bastia de Ortons
Sa de Peracals
Pujol
Espahent
Gramós
Ges
Reguart
Peracals
Bresca
Buseu
Castells
Bereu
Plá-de-Sant-Tirs
Monso
Pico del l'Aguila
Riumajo
Tahús
Bellpúy
Trejubell
Novès-de-Segre
Castellas
Tost
Rojo
Tora
Adrahent
la Guardia-de-Arés
Poblo-de-Segur
Sosis
Cornella
Claverol
Ortoneda
Sa de Prada
Coll d'Annat
Sisqué
Arés
Joan
Pont-de-Claverol
Fescal
Cabó
Barceloneta
Sant Marti de Canals
Senyús
Vilar
Montant
La Vansa
Peramola
Pujal
la Vansa (Sorribes)
Erbasabina
Organá
Segre
Osera
Embalse de San Antonio
Aramunt
Carreu
Sa de Carreu
Sa de San Juan
Figols
Collado de Port

185
186
199
200
E
F
G
H
1
2
3
4
5
6
Surba
Bompas
Croquié
Montségur
Tarascon-sur-Ariège
Arnave
Cazenave-Serres-et-Allens
Gourbit
Quié
N.-D. de Sabart
Les Monts d'Olmes
Fontaine de l'Esqueille source
Pas de l'Ours
Pelail
l'Espine
l'Alibert
Métaine du Sarrat
Métaine des Arbres
Trassoulas
Belvis
la Peyre
Belfort-sur-Rebenty
Joucou
Grotte de Lombrives
Pic du Han
Pic Galinat
Pic de St-Barthélemy
Pic de Soularac
Montagne de Tabe
Carrière de Talc
Gorges de la Frau
Roquefeuil
Espezel
Belcaire
Comus
Camurac
Caillens
Galinagues
Munès
Génat
Grotte de la Vache
Alliat
Niaux
Ussat-les-Bains
Ornolac-Ussat-les-Bains
Lapège
Illier-et-Laramade
Capoulet-et-Junac
Miglos
Larnat
Sinsat
Bouan
Aulos
Verdun
Senconac
Caychax
Appy
Axiat
Château-Verdun
les Cabannes
Larcat
Albiès
Vèbre
Urs
Lordat
Vernaux
Caussou
Prades
Montaillou
Niort-de-Sault
Mazuby
Rodome
Aunat
Mérial
Gorges du Rebenty
Défilé d'Adouxes
Forêt Domaniale du Rebenty
Fontanès-de-Sault
la Fajolle
Laramade
Lercoul
Bouiche de Gestiès
Gestiès
Norgeat
Aston
Pech
Lassur
Garanou
Luzenac
Unac
Bestiac
Siguer
Pic de la Bède
Goulier-Endron
Bouychet
Sarradeil
Pic du Col Taillat
Sarrat des Auzels
Perles-et-Castelet
Tignac
Col du Chioula
Signal de Chioula
Refuge du Chioula
Pic de Serembarre
Campagna-de-Sault
Grotte de l'Ours
Escouloubre
Pic du Midi de Siguer
Pic de Baljésou
Pic de Bèze
Plateau de Beille
Ginébrière
le Castelet
Vaychis
Ignaux
Sorgeat
Goulours
Lavail
Col du Pradel
Ascou-Pailhères
Mijanès-Donezan
Mijanès
Rouze
Château d'Usson
le Puch
le Pla
Artigues
Carcanières
Savignac-les-Ormeaux
Ax-les-Thermes
Ascou
Orgeix
Orlu
Vallée d'Orlu
Pêtches
Prat Moll
Bourbourou
Ax-Bonascre le Saquet
Plateau du Saquet
Tute de l'Ours
le Mas
Quérigut
F. Dom. des Ares
Pic des Redouneilles
Pic du Pas du Bouc
Pic de Bourbonne
Pic de l'Étang Blaou
Pic de Thoumasset
Campalou
Pic d'Espaillat
Mérens-les-Vals
Église
Pic de la Tribuna
Pic dels Recantous
Puig del Pla de Bernat
Étang de Naguille
Coll de Terrers
Puig de Terrers
Station de Puyvalador
Riutort
Fontrabiouse
Pic du Port
Pic de Bagnels
Pic de la Coume de Seignac
Pic de Mil-Menut
Pic de la Coume d'Enfer
Pic Nègre de Joclar
Refuge de Rulhe
Pic du Sal
Forêt Dom. de Mérens
Pic de l'Esquine d'Ase
Ref. d'en Beys
Barraques de la Jaça de la Llosa
Esposolla
el Serrat
Pic de Serrère
Pic de la Portaneille
Pic d'Étang Faury
Puig de la Portella Gran
Refuge de Camporells
F. Dom. de Camporells
Puig de la Cometa d'Espagne
Formiguères
Pic de Casamanya
ANDORRA
Casc. des Bésines
Ref. des Bésines
Forêt Dom. de l'Hospitalet
Puig Pedros
Puig del Pam
Llorts
l'Hospitalet-près-l'Andorre
Estany de Lanòs
Mont Llaret
Roc d'Aude
les Angles
Ransol
San Joan de Caselles
Soldeu
Pic de Cabanette
Puig de Coma d'Or
Puig Carlit
el Tossal Colomer
Lac des Bouillouses
Ordino
Canillo
Prats
Meritxell
Col de Puymorens
Parc Animalier
Port d'Envalira
Tunnel de Puymorens
Puig de Font Viva
Puig Oriental de Coll Roig
Chalet Refuge des Bouillouses
Massana
les Bons
Cortals d'Encamps
Péage
Refuge
Gau-Roig
Tunnel d'Envalira
Pas de la Casa
Pic de Font Freda
Porté-Puymorens
el Castell
Puig Occidental de Coll Roig
Forêt Dom. de la Calma
Bolquère 2000
la Llagonne
Anyos
Encamp
Cortals
Cirque dels Pessons
Pic de les Valletes
Gorge de la Fou
Porta
el Punxo
F. Com. de Bolquère
Engordany
San Miguel d'Engolasters
Pic Negre d'Envalira
Pics Orientaux de Font Nègre
les Airelles
l'Ermitage
Pyrénées 2000
les Escaldes
Etang de l'Illa
Madriu
Pic de Peiraforca
Carol
Courbassil
Mas Vilalta
Égat
Superbolquère
Bolquère
Chaos de Targassonne
Targassonne
Font-Romeu-Odeillo-Via
Pic de Camp Colomer
Dolmen
les Escaldes
Dorres
Four Solaire
St-Pierre-dels-Forcats
Sant Julià de Lòria
Bena
Brangoli
Estavar
Bajanda
Eyne
Eyne 2600
Refugio dels Estanys de la Pera
Quers
Riutès
Latour-de-Carol
Santa Maria
Ur
Angoustrine-Villeneuve-des-Escaldes
Saillagouse
Carabara
St-Fructueux
Iravals
Yravals
Enveitg
Llívia
Gorguja
Llo
Refugio de Cap del Rec
Girul
Meranges
Guils de Cerdanya
Puigcerdà
Onzès
Caldegues
Err
PARC NATUREL
Llès
Bourg-Madame
Hix
Ste-Léocadie
Bescarán
Viliella
Coborriu de la Llosa
Éller
Gréixer
Ger
Bolvir
Nahuja
Escarán
Aránser
Pla Dellés
Talltendre
Ordèn
Talltorta
Age
Osséja
Cotzé
Castellnou de Carcolsé
Lles de Cerdanya
Ras
Cortàs
Vilallobent
Palau-de-Cerdagne
Station d'Err-Puigmal
Aristot
Músser
la Serra
Ardòvol
All
Olopte
Escadarcs
Queixans
el Puig
Estimariú
Prullans
Urtx
Valcebollère
Sanavastre
el Vilar d'Urtx
Puigmal
Torres
el Pont de Bar
Travesseres
Isòvol
Toloriu
Malesa
Bellver de Cerdana
Alp
Arseguell
Bar
Prats
Das
P. de Dòrria
Martinet
San Juan
Béixec
Nas
Bor
Riu
Urús
la Molina
Dòrria
Vilanova de Banat
Cavá
Villec
Turo del Canal
Super Molina
Lleto
Ansabell
el Querforadat
Estana
Tossa
Planoles
Tosas
Rigart
Fornells de la Muntanya
Nevà
la Roca Gran
Túnel del Cadí
SIERRA DEL CADÍ
Llansada
Campelles
Cadí
Sa de Monne
Gréixer
Gavarrós
Castellar de Nuch
Cadinell
Bastareny
Sant Vicenç de Rus
Pedra Picada
Roca Raja
Josa
Sa de Moreu
Gisclareny
Broca
Perlata
Bagà
Gósol
Tuxent
Saldes
Maçaners
Guardiola de Berga
la Pobla de Lillet
Aranyonet
Gombrèn
Aspà
San Julián de Cerdanyola
Pelat de Turbau

200
186
187
199
A
B
C
D
1
2
3
4
5
6
Quillan
Ginoles
Coudons
Belvis
Belvianes-et-Cavirac
Gorges de la Pierre-Lys
St-Julia-de-Bec
St-Louis-et-Parahou
Pech de Bugarach
Col de St-Louis
Cubières-sur-Cinoble
Camps-sur-l'Agly
Duilhac-sous-Peyrepertuse
Châţ. de Peyrepertuse
le Verdouble
Padern
Cucugnan
Châţ. de Quéribus
Grau de Maury
Ermitage St-Antoine de Galamus
Gorges de Galamus
Joucou
Quirbajou
Marsa
St-Martin-Lys
Cailla
Axat
Artigues
Lapradelle
Caudiès-de-Fenouillèdes
Prugnanes
St-Paul-de-Fenouillet
Maury
Mas Amiel
Lesquerde
Aunat
Bessède-de-Sault
le Clat
Forêt Domaniale d'en Malo-Bac Estable
Gorges de St-Georges
Puilaurens
N.-D. de Laval
Gorges de St-Jaume
Fenouillet
Clue de la Fou
Fosse
St-Martin
les Bordes
Salvezines
le Caunil
Gesse
Gorges de l'Aude
Grotte de l'Aguzou
F E N O U I L L È D E S
Latour-de-France
Planèzes
Rasiguères
Lansac
St-Arnac
Ansignan
Felluns
le Vivier
Vira
Gincla
Escouloubre
le Bousquet
Buillac
Roquefort-de-Sault
Ste-Colombe-sur-Guette
Counozouls
Montfort-sur-Boulzane
Prats-de-Sournia
Trilla
Caramany
Cassagnes
Bge de l'Agly
Cuxous
Châţ. d'Usson
Bains de Carcanières
le Puch
le Pla
Carcanières
le Mas
Quérigut
Col d'Aussières
Rabouillet
Sournia
Pézilla-de-Conflent
Campoussy
Trévillach
Bélesta
Caladroy
Pic Dourmidou
la Moulinasse
Col de Jau
Refuge de Caillou
la Coûme
Mosset
Tarerach
Montalba-le-Château
les Orgues
Néfiach
Ille-sur-Têt
le Coscollet
Madrès
Puyvalador
Riutort
Molitg-les-Bains
Comes
Arboussols
Marcevol
Anc. Prieuré
Eus
Marquixanes
Rodès
Vinça
Bouleternère
St-Michel-de-Llotes
Corbère
Urbanya
Campôme
St-Vincent
Catllar
Prades
Ria-Sirach
Codalet
Los Masos (Llonat)
Rigarda
Joch
Finestret
Espira-de-Conflent
Estoher
Casefabre
Candell
Camélas
Ste-Colombe-de-las-Illas
Col de Sansa
Réal
Montailla
Nohèdes
Rés. Nat. de Nohèdes
Rés. Nat. de Conat
Conat
Caillan
Vilanova
Sansa
Matemale
Railleu
Rés. Nat. de Jujols
Fort Libéria
Villefranche-de-Conflent
Grtes des Canalettes
Corneilla-de-Conflent
St-Michel de Cuxa
Sirach
Taurinya
Clara
Glorianes
Prieuré
Serrabonne
Boule-d'Amont
Angles
Caudiès-de-Conflent
Lloumet
Ayguatébia-Talau
Evol
Jujols
Serdinya
Veinat de Baix
Fuilla (Veinat del Mig)
Col de Millères
Fillols
Refuge du Mas Malet
les Gorges du Llech
Baillestavy
la Trinité
Col Fourtou
Prunet-et-Belpuig
Calmeilles
Talau
Oreilla
Olette
Souanyas
Marians
Forêt Dom. du Conflent
Aytua
Vernet-les-Bains
Gorges de St-Vincent
Refuge de Balatg
Ref. de Bonne Aigue
la Bastide
Valmanya
St-Marsal
Canaveilles
Llar
Thuès-entre-Valls
Nyer
Escaro
Défilé des Graus
Thorrent
Sahorre
Casteil
Zoo
Abb. St-Martin du Canigou
Refuge des Cortalets
los Masos
Taillet
Taulis
Llagonne
les Cortals
Pont Séjourné
Train Jaune
Thuès-les Bains
Forêt Dom. de Très Estelles
Vallée de la Rotja
PIC DU CANIGOU
Puig Sec
Mont-Louis
Citadelle
Sauto
Fontpédrouse
Gorges de la Carança
Pic de Très Estelles
Bolquère
Cabanasse
Pont Gisclard
St-Pierre-dels-Forcats
Planès
Prats-Balaguer
Roc dels Cimbells
Pic de la Costa Llisa
Py
Refuge Arago
Puig del Roc Nègre
NATUREL RÉGIONAL DES PYRÉNÉES CATALANES
Réserve Naturelle de Py
Station de St-Pierre-dels-Forcats
Eyne 2600
Réserve Naturelle de Nyer
Mantet
Crête des Sept Hommes
Montbolo
Palalda
Amélie-les-Bains
Ref. du Ras de la Carança
Cabane des Estables
Corsavy
Vallée du Bonabosc
Gorges de la Fou
Alzine-Rodone
Arles-sur-Tech
Puig de la Collada Verda
Rés. Nat. de Prats-de-Mollo-la-Preste
Réserve Naturelle de Mantet
Réserve Naturelle de la Vallée d'Eyne
Pic de la Dona
Forêt Dom. du Haut Vallespir
Montferrer
Mas Gaillard
Can Partère
Pic du Géant
Roc Colom
Vallter
Veinat d'en Coume
HAUT VALLESPIR
Refugio de Ull de Ter
P. de la Vache
P. de Coma Armada
Pla des Hospitalets
Fort Lagarde
la Barragane
la Preste
Tour de Mir
Prats-de-Mollo-la-Preste
le Tech
la Forge del Mitg
Serralongue
Corral de la Falgarona
Station de Puigmal
P. de Fenestrelles
Núria
Puigmal de Sègre
Puigmal d'Err
Sierra del Catllar
Sa de la Balmeta
Vall-Llobre
Espinavell
Col d'Ares
Tours de Cabrens
St-Laurent-de-Cerdans
Mont Capell
Pico Falcó
Coma del Catllar
Setcasas
Freser
Sierra de Fembra Morta
Mont Falgas
Lamanère
Mont Nègre
Coustouges
Can Damond
Villeroge
Muga
P. de Dòrria
Caralps
Tregura de Dalt
Freixenet de Dalt
Molló
Rocabruna
P. del Caso
Serrat
Tragurá
Vilallonga de Ter
Beget
Puig de Bassagoda
Planoles
Ventola
Ribes de Freser (Ribas de Freser)
Pardinas
Llanars (Llanás)
Camprodon
Bassegoda
Rigart
Segadell
Avella
Campellas
Salarsa
Sa de Bestraca
Sierra del Puli
Sierra Caballera
Taga
Puig Perrus
Bruguera
Sant Martí d'Ogassa
Ogassa
San Pablo de Seguriés
Oix
Sadernes
Puig Malvai
Loma de Santa Mán
Sierra de Malfura
Toralles
Sa Pineda
Sant Pere d'Auira
Sant Salvador de Bianya
San Juan de les Abadeas
Capsec
Castellfollit de la Roca
Montagut
Tortellà
Salas de Llierca
Campdevànol
Ter
Vall de Vianya
Sta Lucia de Puigmal
la Cana
San Jaime

Paziols
Vingrau
Opoul-Périllos
Château de Salses
Fort de Salses
Salses-le-Château
Port Leucate
Aqualand
les Capitelles
le Lydia
Étang de Leucate ou de Salses
Tautavel
Domaine de Mont Pins
Mas de Vespeill
Port-Barcarès
le Barcarès
Estagel
Cases-de-Pène
Espira-de-l'Agly
Rivesaltes
St-Hippolyte
St-Laurent-de-la-Salanque
Fenouillèdes
Calce
Peyrestortes
Baixas
Claira
Torreilles
Torreilles-Plage
Montner
Perpignan-Rivesaltes
Pia
Villelongue-de-la-Salanque
Ste-Marie-Plage
Mas de las Fonts
Belvédère de Força Réal
St-Estève
Bompas
Ste-Marie
la Têt
Corneilla-la-Rivière
Pézilla-la-Rivière
Villeneuve-la-Rivière
Baho
Canet-en-Roussillon
Aquarium
PERPIGNAN
Canet-Plage
Millas
St-Féliu-d'Amont
St-Féliu-d'Avall
le Soler
Toulouges
Palais des Rois de Majorque
Cabestany
St-Nazaire
Étang de Canet
Corbère-les-Cabanes
Saleilles
Pavillons
Canohès
Villeneuve-de-la-Raho
Alénya
Thuir
Caves
Pollestres
Théza
Corneilla-del-Vercol
St-Cyprien-Plage
St-Cyprien
Castelnou
Ponteilla
Llupia
Terrats
Ste-Colombe-de-la-Commanderie
Trouillas
Montescot
Bages
Elne
Latour-Bas-Elne
Parc Aquatique
ROUSSILLON
Mas Sabole
Villemolaque
St-Jean-Lasseille
Ortaffa
Mas Riols
le Tech
Réserve Naturelle du Mas Larrieu
Caixas
Fourques
Passa
Monestir del Camp
Banyuls-dels-Aspres
Palau-del-Vidre
Taxo d'Amont
Taxo d'Aval
Montauriol
Tordères
Tresserre
Brouilla
Argelès Plage
CÔTE VERMEILLE
Llauro
Oms
St-Génis-des-Fontaines
St-André
Argelès-sur-Mer
le Racou
Collioure
Tanger (Maroc, en saison) 36h00
Vivès
Péage
le Boulou
Villelongue-dels-Monts
Sorède
Cap Gros
Port-Vendres
Notre-Dame de Roure
St-Jean-Pla-de-Corts
Laroque-des-Albères
la Vallée des Tortues
la Vallée Heureuse
la Vall
Dolm. de Cova de l'Alarb
Chât. Royal
Cap Béar
Montesquieu-des-Albères
St-Martin de Fenollar
Notre-Dame de la Consolation
Cosprons
Cap Oullestrell
Vieux Pont du Diable
Céret
Maureillas-las-Illas
les Cluses
Mas Anglade
Forêt Dom. des Albères
Rés. Nat. de la Forêt de Massane
Valbonne
Banyuls-sur-Mer
Reynès
L'Albère
Col de l'Ouillat
Pic Neulos
Tour Madeloc
Aquarium Laboratoire Arago
Cap du Troc
Cap l'Abeille
Palalda
les Hauts de Céret
Riunoguès
le Perthus
Col du Perthus
St-Martin-de-l'Albère
Mas Parer
Puig del Mas
Cap Réderis
Réserve Naturelle de Cerbère-Banyuls
Montalba-d'Amélie
Fort de Bellegarde
Llobregat
Puig des Pradets
Mas de les Abelles
la Selva
Stèle des Évadés
C. de Banyuls
Cerbère
Cap Cerbère
Col des Balistres
Port Bou
Roc de France
las Illas
Puig de Prunes
la Junquera
Cantallops
Col d'el Tourn
Puig de Tarbaous
Mas Soulanells
Molinàs
Colera
Puig del Tourn
la Vajol
Los Estanys
Vilartolí
Espolla
Puig d'Esquers
Agullana
l'Estrada
Pico del Portell
Maçanet de Cabrenys
Tapis
Capmany
San Clemente Sasebas
Rabós
Vilamaniscle
Llansá
Darnius
Setcases
Embalse de la Buadella
Masarach
Mollet de Peralada
Garriguella
Mont Roig
Viure
Vilarnadal
Puerto de la Selva
Monasterio de San Pedro de Roda
San Lorenzo de la Muga
Buadella
les Escaules
Vilajuïga
Serra de Rodes
la Selva de Mar
Albaña
Terrades
Vilatenim
Pont de Molins
Cabanas
Peralada
Marza
Pau
Palau-Saverdera
CAP DE CREUS
Port-Lligat
Lliurona
Llers
els Hostalets
Pedret
PARC NAT. DEL
Vilarig
Vilabertran
Vilanova de la Muga
Cadaqués
Cistella
Vilatenim
Castelló d'Empúries (Castelló de Ampurias)
Rosas
Puig del Aliga
Vilanant
Alfar
Vila-Sacra
Santa Margarida
Lladó
Aviñonet de Puig Ventós
Taravaus
Vilafant
Figueres (Figueras)
Empuriabrava
Beuda
Cabanellas
Fortia
Cap de Norfeu
Maya de Moncal
Navata
Borrassà
Santa Leocadia de Algama
Riumórs
GOLFO DE ROSAS
Ordis
Vilamalla

A
B
C
D
1
2
3
4
5
6
Marseille 11h30
Nice 5h30
Savona (Italie) 6h00
Toulon (en saison) 5h45
Savona (Italie, en saison) 6h00
Punta di l'Acciolu
Tour
Ogliastro
Phare de la Pietra
l'Île-Rousse
Tour de Saleccia
Lozari
N197
Parc Botanique
Monte Négru
Punta di Vallitone
Marine de Davia
Punta di Varcale
Corbara
Monticello
Occiglioni
Santa-Reparata-di-Balagna
Citadelle
Algajola
Marine de Sant'Ambrogio
Punta Spano
Pigna
Couvent de Corbara
Sant'Antonino
Belgodère
Palasca
Toccone
Costa
Occhiatana
Anc. Couvent de Tuani
Punta Caldanu
Lumio
Aregno
Lavatoggio
Cateri
Avapessa
Bocca di Salvi
San Petru
Ville-di-Paraso
Speloncato
la Revellata
Grotte des Veaux Marins
Calvi
Montegrosso (Lunghignano)
Muro
Feliceto
Nessa
Pioggiola
Olmi-Cappella
San Raineru
Cassano
Zilia
N.-D. de-la-Serra
Petra Maio
Montemaggiore
San Parteo
Vallica
Mausoléo
Capu di a Conca
Prigugio
Calvi-Sainte-Catherine
Anc. Couvent d'Alzi Pratu
Santa Restituta
Monte Grosso
Punta di Cantaleli
Capo Cavallo
Sémaphore
Moncale
Calenzana
204
Torre Truccia
Monte Cintu
Tarazone
Suare
Truccia
Torre Mozza
la Figarella
Refuge de l'Ortu di u Piobbu
Capu a u Dente
Monte Padru
Capu di a Mursetta
Chaos de Bocca Rezza
Monte Corona
Cima di a Statoja
Asco
Gorges
l'Argentella
Pieve
Capu di l'Argentella
Amacu
Frassigna
Capu Ladroncellu
Pont Génois
Punta di Ciuttone
Bocca Bassa
Forêt Territoriale de Bonifatu
Cirque de Bonifatu
Forêt Territoriale de Tartagine-Melaja
Forêt Communale d'Asco
B A L A G N E

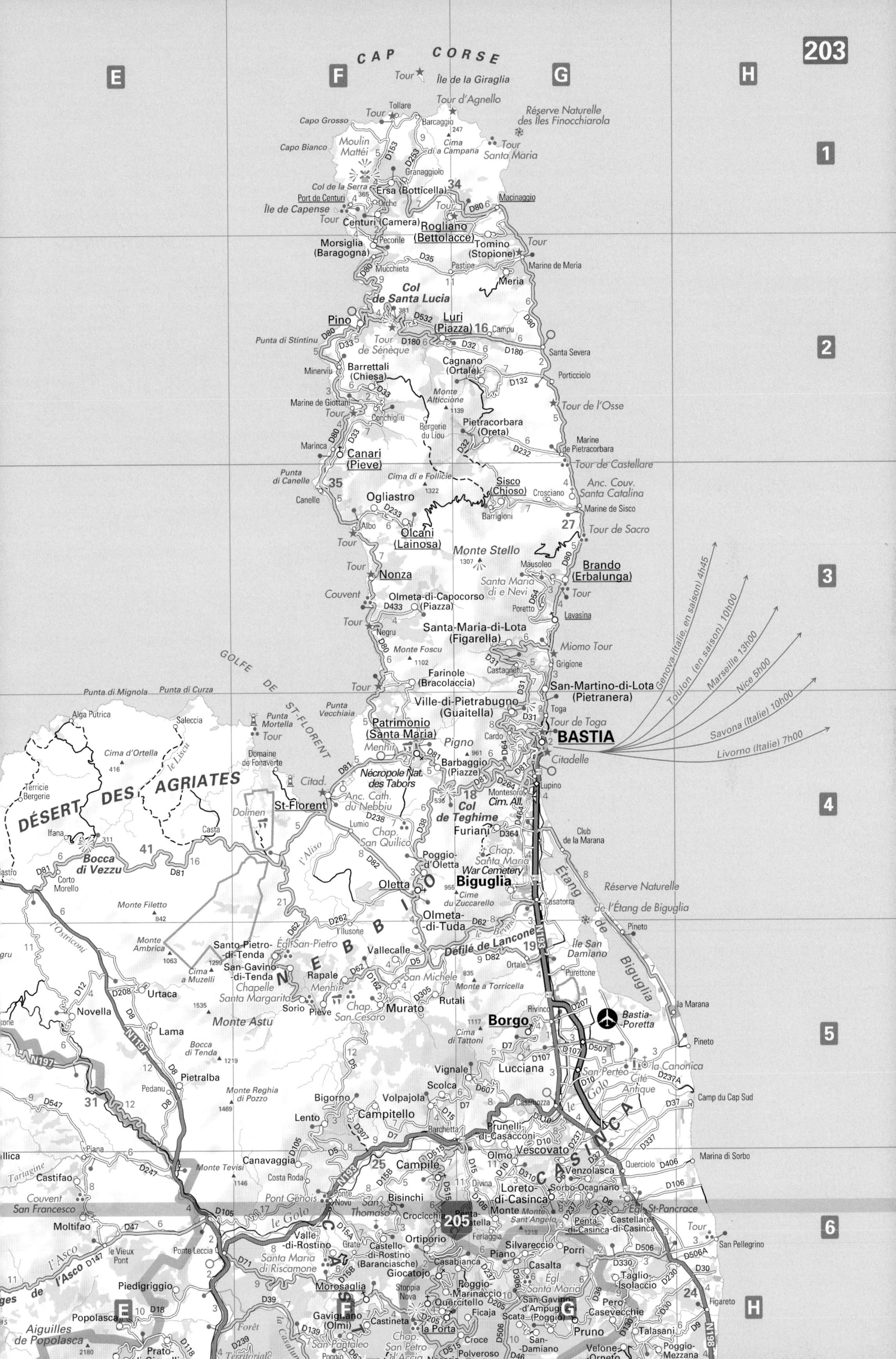
CAP CORSE
E
F
G
H
1
2
3
4
5
6
Tour
Île de la Giraglia
Tour d'Agnello
Réserve Naturelle des Îles Finocchiarola
Tollare
Capo Grosso
Barcaggio
Cima di a Campana
Tour Santa Maria
Capo Bianco
Moulin Mattéi
Granaggiolo
Col de la Serra
Port de Centuri
Ersa (Botticella)
Île de Capense
Macinaggio
Centuri (Camera)
Rogliano (Bettolacce)
Tomino (Stopione)
Morsiglia (Baragogna)
Pecorile
Marine de Meria
Mucchieta
Pastina
Meria
Col de Santa Lucia
Pino
Luri (Piazza)
Campu
Punta di Stintinu
Tour de Sénèque
Santa Severa
Barrettali (Chiesa)
Cagnano (Ortale)
Porticciolo
Minerviu
Marine de Giottani
Monte Alticcione
Tour de l'Osse
Conchigliu
Bergerie du Liou
Pietracorbara (Oreta)
Marinca
Canari (Pieve)
Marine de Pietracorbara
Tour de Castellare
Punta di Canelle
Cima di e Follicie
Sisco (Chioso)
Crosciano
Anc. Couv. Santa Catalina
Canelle
Ogliastro
Marine de Sisco
Albo
Barrigioni
Olcani (Lainosa)
Tour de Sacro
Monte Stello
Mausoleo
Brando (Erbalunga)
Nonza
Santa Maria di e Nevi
Couvent
Olmeta-di-Capocorso (Piazza)
Poretto
Lavasina
Santa-Maria-di-Lota (Figarella)
Negru
Miomo Tour
Monte Foscu
Castagnetu
Grigione
GOLFE DE ST-FLORENT
Farinole (Bracolaccia)
San-Martino-di-Lota (Pietranera)
Punta di Mignola
Punta di Curza
Ville-di-Pietrabugno (Guaitella)
Toga
Tour de Toga
Alga Putrica
Saleccia
Punta Mortella
Punta Vecchiaia
Patrimonio (Santa Maria)
BASTIA
Cima d'Ortella
le Liscu
Domaine de Fonaverte
Menhir
Pigno
Citadelle
Barbaggio (Piazze)
Genova (Italie, en saison) 4h45
Toulon (en saison) 10h00
Marseille 13h00
Nice 5h00
Savona (Italie) 10h00
Livorno (Italie) 7h00
DÉSERT DES AGRIATES
Terricie Bergerie
Citad.
Nécropole Nat. des Tabors
Lupino
Dolmen
St-Florent
Anc. Cath. du Nebbiu
Col de Teghime
Montesoro
Cim. All.
Ifana
Casta
Lumio
Furiani
Club de la Marana
Bocca di Vezzu
Chap. San Quilico
Chap. Santa Maria
l'Aliso
Poggio-d'Oletta
War Cemetery
Étang de Biguglia
Corto Morello
Oletta
Biguglia
Réserve Naturelle de l'Étang de Biguglia
Monte Filetto
Cime du Zuccarello
Casatorra
Olmeta-di-Tuda
NEBBIO
Pineto
l'Ostriconi
Égl. San-Pietro
l'Ilusone
Monte Ambrica
Santo-Pietro-di-Tenda
Défilé de Lancone
Île San Damiano
Vallecalle
Ortale
Cima a Muzelli
San-Gavino-di-Tenda
Rapale
San Michele
Purettone
Chapelle Santa Margarita
Menhir
Monte a Torricella
Urtaca
Sorio
Pieve
Chap. San Cesaro
Murato
Rutali
Rivinco
Novella
Monte Astu
Cima di Tattoni
Borgo
Bastia-Poretta
la Marana
Lama
Bocca di Tenda
Pineto
San Perteo
la Canonica
Pedanu
Pietralba
Vignale
Lucciana
Cité Antique
Monte Reghia di Pozzo
Scolca
le Golo
Camp du Cap Sud
Bigorno
Volpajola
Casamozza
Lento
Campitello
Barchetta
CASINCA
Prunelli-di-Casacconi
Piana
Canavaggia
Vescovato
Marina di Sorbo
Monte Tevisi
Campile
Olmo
Venzolasca
Querciolo
Tartagine
Castifao
Costa Roda
Loreto-di-Casinca
Sorbo-Ocagnano
Couvent San Francesco
Pont Génois
Ponte Novu
Bisinchi
San Thomaso
Divina
Égl. St-Pancrace
Moltifao
Crocicchia
Penta-Acquatella
Monte
Monte Sant'Angelo
Penta-di-Casinca
Castellare-di-Casinca
Tour
205
Ferlaggia
San Pellegrino
l'Asco
le Vieux Pont
Ponte Leccia
Valle-di-Rostino
Grate
Castello-di-Rostino (Baranciasche)
Ortiporio
Silvareccio
Porri
Santa Maria di Riscamone
Casabianca
Piano
Casalta
Taglio-Isolaccio
Giocatojo
Poggio-Marinaccio
Égl. Santa Maria
Piedigriggio
Morosaglia
Stoppia Nova
Quercitello
San-Gavino-d'Ampugnani
Pero-Casevecchie
Popolasca
Ficaja
Scata (Poggio)
Figareto
Aiguilles de Popolasca
Forêt
Gavignano (Olmi)
Castineta
la Porta
Pruno
Talasani
Prato-di-Giovellina
Territoriale
San Pantaleo
Chap. San Petro d'Accia
Croce
San-Damiano
Velone-Orneto
Poggio-Mezzana
Poggio
Nocario
Polveroso
N193
N197
N1197
N198
D80
D81
D82
D62
D5
D7
D10
D105
D107
D207
D507
D237A
D37
D337
D406
D106
D506
D506A
D330
D230
D30
D71
D47
D147
D39
D18
D139
D239
D118
D15
D515
D205
D237
D306
D36
D130
D9

Capo Cavallo
Sémaphore
Torre Truccia
Truccia
Torre Mozza
Monte Cintu
Moncale
Calenzana
Tarazone
Suare
la Figarella
Chaos de Bocca Rezza
Capu a u Dente
Refuge de l'Ortu di u Piobbu
Monte Corona
Capu Ladroncellu
Cirque de Bonifatu
Forêt Territoriale de Bonifatu
Frassigna
Pieve
Amacu
Capu di l'Argentella
l'Argentella
Capu di a Mursetta
Punta di Ciuttone
Bocca Bassa
Tour Maraghiu
Golfe de Galéria
Prezzuna
Forêt Territoriale de Tartagine
Monte Padru
Cima di a Statoja
Asco
Gorges
Pont Génois
Forêt Communale d'Asco
Giunte
Refuge de Carrozzu
a Muvrella
Refuge d'Ascu Stagnu
Haut-Asco
Capu Biancu
Capu a u Perdatu
Tour
Galéria
Punta Muvrareccia
Punta Bianca
Punta Validori
Calca
Capu Tondu
Forêt Comm. du Filosorma
FILOSORMA
PARC
Chiorna
Manso
Barghiana
Mont Estremo
Punta Minuta
Capu Larghia
MONTE CINTO
Refuge de l'Erco
Corscia
Poggio di Lozzi
Lozzi
Calacuccia
Refuge Tighiettu
Capu Falu
Capu Tafunatu
Paglia Orba
Calasima
Albertacce
Barrage
Casamaccioli
NATUREL
Punta Palazzu
Tour
Isola di Gargalu
Réserve Naturelle de Scandola
Capu Licchia
Col de Palmarella
Forêt de Tetti
Forêt Territoriale du Fango
Forêt du Perticatu
Girolata
Golfe de Girolata
Punta Muchillina
Bocca a Croce
Curzu
Osani
Cap Seninu
Pinetu
Partinello
Vetriccia
Serriera
Punta a Scopa
Refuge de Puscaghia
Refuge Ciuttulu di i Mori
Cascade de Radule
Col de Vergio
Castellu di Vergio
Capu di u Facciatu
Forêt Territoriale de Valdu-Niellu
Punta Artica
GOLFE DE PORTO
Bussaglia
Porto Marina
Porto
Ota
Pont Génois
Évisa
Aitone
Forêt Territoriale d'Aitone
Capu a u Tozzu
Forêt Comm. de Corte Campotile
Custarella
Passerelle de Pinello
Gorges de Spelunca
Cristinacce
Cimatella
Bergerie de Grotelle
Capu a Chiostru
Refuge de Manganu
Lac de Melo
Capu a i Sorbi
Tour de Turghiu
Capu Rossu
Les Calanche
Piana
Marignana
Col de Sevi
Renno (Poggio)
Cascade
Chimiglia
Monte Sant'Eliseo
Monte Ravu
Letia
St-Roch
St-Martin
Guagno-les-Bains
Soccia
Orto
Poggiolo
u Fiume Grossu
Guagno
Punta di Monte Ghiuvanni
Capu Ricciu
Capu di Calazzu
Revinda
Balogna
l'Arignala
Capu di Radi
Vico
Chigliani
Murzo
Punta di Sirenese
Forêt Territoriale de Libio
Tour
Punta d'Orchinu
Punta di Crulia
Capu a a Cuma
Couvent de St-François
Nesa
Punta di a Cuma
Punta di Curiccia
Punta Riccinosa
Punta di a Spusata
Mont Tretorre
Pastricciola
Chiusa
Forêt de Pastricciola
Tour d'Omigna
Lozzi
Appriciani
Parapoghiu
Muna
Monte Cervellu
Rezza (Nucicchie)
Marchese
Cargèse
Égl. Grecque
Coggia (Cruciate)
Cérasa
Arbori (Mercolaccia)
Rochers
Rosazia
Salice
Azzana
Piane
u Cruzini
Punta di Cargèse
Grotte de Molendinu
Cathédrale Sant'Appiano
Figure d'Appriciani
Sagone
Esigna
Coggia Maio
Vedolaccia
Lopigna
Sant'Eliseo
Vignale
Tour de Sagone
Punta di Trio
Arro
Ambiegna
Cruica
Vero
GOLFE
DE SAGONE
Casaglione
Tour de Capigliolo
Tiuccia
u Castellu
LA CIRNACA
Punta Sant'Eliseo
Église San-Giovanni
Statue Menhir
la Gravona
Sari-d'Orcino
Suarichio
Ucciani
Golfe di a Liscia
Cannelle
Sant'Andréa-d'Orcino
Sarrola-Carcopino
Tavaco
Fiascu
Carbuccia
GRAVONA
Tour d'Ancone
Calcatoggio
Appietto
Valle-di-Mezzana (Poggiale)
Peri
Cascade d'A
Pevani
San Petru
Erbaido
Cuttoli-Corticchiato (Casarimacciu)
Résidences du Golfe de Lava
Piscia Rossa
Gorges du Prunelli
Tour Pelusella
Pichio
Afa
Urcheja
Pedi Morella
Tolla
Golfu di Lava
Alata
Tuscia
Scamata
Ocana
Pont de Zipitoli
Bge. de Tolla
Capo di Feno
Tour
Villanova
Poggio
Château de la Punta
Bottacina
Vignola
Pagliaggioli
Punta Pozzo di Borgo
Mezzavia
Arghiaccia
Gigliu
Radicale
Castelluccio
Bastelicaccia (Suaralta)
Eccica-Suarella
Eccica
PRUNE
Forêt Territoriale
Anse de Minaccia
Chap. Impériale
Aspretto
Pisciatello
Cauro
Quasqua
Capigliolo
Monte Salario
Citadelle
Ajaccio-Napoléon Bonaparte
Mutuleju
de Santa-Maria-Siché
Source Minérale d'Altaccia
AJACCIO
Scudo
Chap. des Grecs
Tour de Capitello
Marina Viva
Col Saint-Georges
Grosseto-Prugna
Santa-Ma
Porticcio
Tour
Monte Rosso
Cardo-Torgia
Pointe de la Parata
Tour
Îles Sanguinaires
Albitreccia
Tour Castelluccio
Molini
Isolella
Bisinao
Urbalacone
Ziglia
Nice 9h00
Toulon 7h00
Marseille 12h00
202
206

San Francesco
Moltifao
le Golo
Valle-di-Rostino
Castello-di-Rostino (Baranciasche)
Crocicchia
Penta-Acquatella
Monte
Penta-di-Casinca
Castellare-di-Casinca
Egl. St-Pancrace
San Pellegrino
Ponte Leccia
Santa Maria di Riscamone
Ortiporio
Casabianca
Giocatojo
Morosaglia
Silvareccio
Porri
Piano
Casalta
Taglio-Isolaccio
Pietralba
Piedigriggio
Poggio-Marinaccio
Quercitello
Ficaja
San-Gavino-d'Ampugnani
Scata (Poggio)
Pero-Casevecchie
Figareto
Popolasca
Aiguilles de Popolasca
Prato-di-Giovellina
Castiglione
Gavignano (Olmi)
Castineta
la Porta
Croce
Polveroso
San-Damiano
Pruno
Velone-Orneto
Talasani
Poggio-Mezzana
Santa-Lucia-di-Moriani (San Nicolao)
Saliceto
Monte San Petrone
Piazzole
Monacia-d'Orezza
San-Giovanni-di-Moriani (Reggetto)
Aiti
Lano
San-Lorenzo
Campana
Piedicroce
Rapaggio
Parata
Moriani-Plage
San-Nicolao
Omessa
Castirla
Erone
Cambia
Stazzona
Valle-d'Orezza (Tramica)
Santa-Maria-Poggio
Vanga di l'Oru
Rusio
Carticasi
Carcheto-Brustico
Carpineto
Tarrano (Ortia)
Felce (Piova)
Santa-Reparata-di-Moriani (Forci)
Cervione
Valle-di-Campoloro (Mucchietu)
Soveria
Tralonca
Punta de Caldane
Piobetta
Pietricaggio
Perelli
Piazzali
Valle-d'Alesani
la Madonna
Prunete
San-Giuliano (Favalello)
Santa-Lucia-di-Mercurio
Bustanico
Sermano
Alando
Alzi
Mazzola
Ortale
Novale
Sant'Andréa-di-Cotone (Chigliacci)
Chiatra
Pietra-di-Verde
Tour
Corte
Castellare-di-Mercurio
Favalello
Sant'Andréa-di-Bozio (Rebbia)
Pianello
Matra
Moïta
Campi
Canale-di-Verde
Phare d'Alistro
Gorges du Tavignano
Forêt Territoriale du Tavignano
Gorges de la Restonica
Erbajolo
Zuani
Zalana
Monte Sant' Appia
Linguizzetta
Tour d'Alistro
Poggio-di-Venaco
Riventosa
Casanova
Chap. San Martino
Focicchia
Piedicorte-di-Gaggio
Pietraserena
Ampriani
Tox
Tallone
Santo-Pietro-di-Venaco
Altiani
Chap. San Giovanni
Giuncaggio
Pancheraccia
Venaco
Monte Cardo
Monte Rotondo
Gorges de Tavignano
Pont Génois
Pianiccia
Marine de Bravone
Tour de Bravona
Punta Felicina
Noceta
Rospigliani
Forêt Communale de Venaco
Pont du Vecchio
Fortin de Pasciolo
Refuge de Petra Piana
Vivario
Muracciole
Vezzani
Antisanti
Casaperta
Riva Bella
Frassiccia
Tour de Diane
Forêt Territoriale de Rospa-Sorba
Pietroso
Nivischio
Casevecchie
Rottani
Campo al Quarcio
Étang de Diane
Caterragio
Refuge de l'Onda
Punta Renosa
Monte d'Oro
Col de Sorba
Agnatello
Letto Majo
Teppa
Refuge de Vivario Tattone
Guarchetta
Refuge de la Gare de Vizzavona
Aghione
Ancien Fort Génois de Matra
Aléria
Casc. des Anglais
COL DE VIZZAVONA
Refuge du Col de Vizzavona
Ghisoni
Défilé de l'Inzecca
Pinzalone
Samuleto
Site Antique
Casabianda
Étang del Sale
Pénitencier de Casabianda
Réservoir d'Alzitone
Busso
Refuge de Capannella
St-Antoine
Lugo-di-Nazza
Bocognano
Monte Renoso
Poggio-di-Nazza
Aristone
Étang d'Urbino
Ghisonaccia Gare
Ajola
Valcaccia
Refuge San Pietro di Verde
Col de Verde
FIUMORBO
Prunelli-di-Fiumorbo
Chapelle San Giovanni
Ghisonaccia
Tour de Vignale
Isolaccio-di-Fiumorbo
Abbazia
Station du Val d'Ese
Refuge de Prati
Bastelica
San-Gavino-di-Fiumorbo
Pietrapola
Serra-di-Fiumorbo
Morta
Casamozza
Marina du Caprone
Chapelle Santa Maria
Pedi Quarciu
Ania
Château de Coasina
Vix
Étang de Palu
Scrivano
Palneca
Refuge de Vizziluga
Ciamannacce
Ventiseri
Tasso
Vangone
Cité de l'Air
Sampolo
Cozzano
Refuge d'Usciolu
Chisa
Travo
Giovicacce
Lustinchellu
u Vergaju
Solaro
Guitera-les-Bains
Zicavo
Ordioni
Frasseto
Bains de Guitera
Ref. des Bergeries de Bassetta
Zévaco
Corrano
Monte Malo
Petra di Lama
Solenzara
Monte Incudine
Punta di Tintennaja
Azilone-Ampaza
Plateau du Coscione
Refuge d'Asinao
Forciolo
Olivese
Sari-Solenzara
la Penna
Tramuta
RÉGIONAL DE CORSE

206
204
AJACCIO
Ajaccio-Napoléon Bonaparte
Îles Sanguinaires
Pointe de la Parata
Tour Castelluccio
GOLFE D'AJACCIO
Nice 9h00
Toulon 7h00
Marseille 12h00
Porto-Torres (Sardaigne) 4h00
Porticcio
Presqu'île de l'Isolella
Pietrosella
Cauro
Grosseto-Prugna
Albitreccia
Urbalacone
ORNANO
TARAVO
Punta di a Castagna
Coti-Chiavari
Forêt Territoriale de Chiavari
Col de Cortonu
Capu di Muru
Capu Neru
Serra-di-Ferro
Porto Pollo
Punta di Porto Pollo
Site Préhistorique de Filitosa
Site Protohistorique de Calzola-Castellucciu
Petreto-Bicchisano
Casalabriva
Sollacaro
Olmeto
Marseille 12h30
GOLFE DE VALINCO
Porto-Torres (Sardaigne) 3h30
Propriano
Tour de la Calanca
Viggianello
Punta di Campomoro
Belvédère-Campomoro
Menhir de Capu di Locu
Grossa
Bilia
Giuncheto
Menhir de Vaccil-Vecchi
Alignement de Pagliaju
Capu di Senetosa
Tizzano
Dolmen de Fontanaccia
Alignement de Stantari
Alignement du Renaju
Capu di Zivia
Rocher du Lion de Roccapina
A
B
C
D
1
2
3
4
5
6

Zicavo
Frasseto
Zévaco
Corrano
Bains de Guitera
Ref. des Bergeries de Bassetta
Campo
Azilone-Ampaza
Olivese
Forciolo
Monument Préhistorique de Foce
CORSE
Monte Incudine
Monte Malo
Forêt Territoriale de Tova
Punta di Tintennaja
Refuge d'Asinao
Plateau du Coscione
Ordioni
Petra di Lama
Solenzara
Sari-Solenzara
Togna
la Penna
Tramuta
205
Cannella
Aiguilles de Bavella
Village de Bavella
Refuge de Paliri
Forêt Territoriale de Sambucu
COL DE BAVELLA
Fozzaninco
Bucchinera
Col de la Vaccia
Argiusta-Moriccio
Moca-Croce
Favone
Tarcu
Cantoli
Aullène
Quenza
Ste-Marie
Maison du Parc
Spartu
Punta di Quercitella
Massif de Zonza est
Serra-di-Scopamène
Zérubia
Sorbollano
Zonza
Forêt de Vittoli
Conca
Fautea
Tour
Cargiaca
Paccionituli
Massif de Zonza
San-Gavino-di-Carbini
Site Archéologique de Cucuruzzu
Forêt Territoriale de l'Ospedale
Tagliu Rossu
Ste-Lucie de Porto-Vecchio
a Testa
Olmucciu
Vardiola
Pinarellu
Martini
Santa-Maria-Figaniella
Loreto-di-Tallano
Zoza
Altagène
Levie
Carabona
Gualdaricciu
Ste-Lucie-de-Tallano
Sant'Andréa
Mela
Carbini
Fozzano
Olmiccia
Anc. Couv. de St-François
Col de Mela
Casc.
Pointe de Finaggia
Pointe de Pineta Piana
Capu
Lecci
Torraccia
Poggioli
Tour de Pinarellu
Arbellara
Pantano
Agnarone
l'Ospédale
Gialla
Porto-Vecchiaccio
Fossi
Cirendinu
Acoravo
Bisene
Tirolo
Chialza
Punta di a Vaca Morta
Castellu d'Arraggiu Rnes Mégalithiques
Monument Mégalithique de Torre
San Ciprianu
Arraggiu
Marseille 14h00
La Spezia (Italie, en saison) 12h00
Granace
Orio
Casa
Radici
Carpulitanu
Ste-Trinité
Palavese
Marina di Fiori
Cala Rossa
Forconcello
Foce
Vignalella
Furcone
Golfe de Porto-Vecchio
Napoli (Italie, en saison) 16h30
Poretta
Punta di a Chiappa
Sartène
Mola
Montagne de Cagna
Cipponu
Remparts
Piccovaggia
Granajola
Muratellu
Porto-Vecchio
Îles Cerbicale
ORTOLO
Arca
Petra Longa Filippi
Murtone
Plage de Palombaggia
Réserve Naturelle des Îles Cerbicale
Borivoli
Ceccia
Naseo
Giannuccio
l'Uomo di Cagna
Sotta
Precoggio
Site Préhistorique de Tappa
Bocca di l'Oru
Chapelle San Giovanni
Cardetto
Usciolo
Champ de Tir du Toro
Serragia
San Gavino
Cuo
Poggiale
Tarrabucceta
San Quilichinu
Monacia-d'Aullène
Ogliastrello
Chera
Petra Longa Salvini
Pianottoli-Caldarello
Figari Sud-Corse
Chapelle Sant'Agostino
Chiova d'Asinu
Suartone
Tour de Sponsaglia
Figari
Santa Lucia
Caldarello
Rés. Nat. des Tre Padule de Suartone
Tour d'Olmeto
Barrage de Figari
Tour de Caldarello
Golfu Di Sant'Amanza
i Frasselli
Golfe de Ventilegne
Ricetti
Punta di u Cappicciolu
Tour de Sant'Amanza
Ancien Ermitage de la Trinité
Site Préhistorique de l'Araguina
Gurgazu
Capo di Feno
Bonifacio
Citadelle
Ancien Couvent St-Julien
Aquarium
Île Cavallo
Grotte Marine de Sdragonato
Ciappili
Ruines Romaines de Piantarella
Anciennes Carrières Romaines
CAPO PERTUSATO
Pyramide de la Sémillante
Nécropole Nationale
Palau (Sardaigne, en saison) 2h30
Réserve Naturelle des Bouches de Bonifacio
ÎLES LAVEZZI
BOUCHES DE BONIFACIO
Ísola la Presa
Ísola Santa Maria
Í. Corcelli
Í. Piana
Monte Capello
Ísola Ràzzoli
Faro Punta Filetto
Napoli (Italie, en saison) 14h00
Monte Budello
Í. Barrettini
Ísola Budelli
PARCO NAZIONALE DELL' ARCIPELAGO DE LA MADDALENA
ÍSOLA MADDALENA
1h00
SARDEGNA
Punta Falcone
Punta Zanotto
Ísola Spargi
Í. Spargiotto
Guardia Preposti
P. Boccala N.O.
Messa del Cervo
Becco di Vela
Santa Teresa di Gallura
Capo Testa
la Ficaccia
Casa di Garibaldi

A

C

217

D

Dorlisheim (67) 50 D6
Dormans (51) 44 D2
Dormelles (77) 64 B3
la Dornac (24) 138 B3
Dornas (07) 143 F5
Dornecy (58) 83 G5
Dornes (58) 99 F6
Dornot (57) 26 B6
Dorres (66) 199 G4
Dortan (01) 117 G3
Dosches (10) 66 C3
Dosnon (10) 45 G6
Dossenheim-Kochersberg (67) 50 D5
Dossenheim-sur-Zinsel (67) 50 C3
Douadic (36) 95 G6
Douai (59) 8 D2
Douains (27) 41 F2
Douarnenez (29) 53 E2
Douaumont (55) 25 F6
Doubs (25) 104 A4
Doucelles (72) 60 A3
Douchapt (24) 136 D2
Douchy (02) 21 H1
Douchy (45) 64 C6
Douchy-lès-Ayette (62) 8 B3
Douchy-les-Mines (59) 9 E2
Doucier (39) 103 E6
Doucy-en-Bauges (73) 132 B3
Doudeauville (62) 1 G5
Doudeauville (76) 19 G3
Doudeauville-en-Vexin (27) 19 F5
Doudelainville (80) 6 D5
Doudeville (76) 17 E3
Doudrac (47) 151 F1
Doue (77) 44 A4
Doué-la-Fontaine (49) 93 F1
Douelle (46) 152 C3
le Douhet (17) 121 F2
Douillet (72) 59 H3
Douilly (80) 21 G1
Doulaincourt-Saucourt (52) 68 A3
Doulcon (55) 24 D5
Doulevant-le-Château (52) 67 G2
Doulevant-le-Petit (52) 67 G2
Doulezon (33) 136 A6
le Doulieu (59) 2 D4
Doullens (80) 7 G3
Doumely-Bégny (08) 23 G2
Doumy (64) 166 B6
Dounoux (88) 69 H4
Dourbies (30) 172 C1
Dourdain (35) 57 H2
Dourdan (91) 63 E1
Dourges (62) 8 C1
Dourgne (81) 186 C1
Douriez (62) 6 D2
Dourlers (59) 10 A3
le Dourn (81) 171 E2
Dournazac (87) 123 G4
Dournon (39) 103 F4
Dours (65) 183 F2
Doussard (74) 132 B3
Doussay (86) 94 B4
Douvaine (74) 118 D3
Douville (24) 137 E4
Douville-en-Auge (14) 14 D4
Douville-sur-Andelle (27) 19 E5
Douvrend (76) 6 A6
Douvres (01) 130 D1
Douvres-la-Délivrande (14) 14 B3
Douvrin (62) 3 E6
Doux (08) 23 H4
Doux (79) 93 H5
Douy (28) 61 H5
Douy-la-Ramée (77) 43 G2
Douzains (47) 151 E2
Douzat (16) 122 B3
la Douze (24) 137 G3
Douzens (11) 187 F3
Douzillac (24) 136 D3
Douzy (08) 24 C2
Doville (50) 12 C4
Doye (39) 103 G5
Doyet (03) 113 E4
Dozulé (14) 14 D4
Dracé (69) 116 B5
Draché (37) 94 D3
Drachenbronn-Birlenbach (67) 51 F2
Dracy (89) 83 E2
Dracy-le-Fort (71) 101 G5
Dracy-lès-Couches (71) 101 E4
Dracy-Saint-Loup (71) 100 D3
Dragey-Ronthon (50) 35 G3
Draguignan (83) 177 H5
Draillant (74) 119 E3
Drain (49) 75 F4
Draix (04) 160 D6
Draize (08) 23 G2
Drambon (21) 86 B6
Dramelay (39) 117 F3
Drancy (93) 42 D3
Drap (06) 195 F2
Dravegny (02) 22 C6
Draveil (91) 42 D5
Drée (21) 85 F6
Drefféac (44) 74 A2
Drémil-Lafage (31) 169 G5
le Drennec (29) 31 E3
Dreuil-lès-Amiens (80) 7 F6
Dreuilhe (09) 186 B5
Dreux (28) 41 F5
Drevant (18) 97 H6
Dricourt (08) 23 H5
Driencourt (80) 8 C5
Drincham (59) 2 B2
Drocourt (62) 8 C1
Drocourt (78) 41 H2
Droisy (27) 40 D4
Droisy (74) 131 H1
Droiturier (03) 114 C5
Droizy (02) 22 A6
Drom (01) 117 E4
Dromesnil (80) 6 D6
Drosay (76) 17 E3
Drosnay (51) 46 B6
Droué (41) 61 G5
Droue-sur-Drouette (28) 41 H6
Drouges (35) 57 H5
Drouilly (51) 46 A4
Droupt-Saint-Basle (10) 66 A1
Droupt-Sainte-Marie (10) 66 A1
Drouville (54) 49 E5
Drouvin-le-Marais (62) 2 D6
Droux (87) 110 B5
Droyes (52) 67 E1
Drubec (14) 15 E4
Drucat (80) 6 D4
Drucourt (27) 15 G5
Drudas (31) 168 D4
Druelle (12) 154 B4
Drugeac (15) 140 A3
Druillat (01) 117 E6
Drulhe (12) 153 H3
Drulingen (67) 50 B3
Drumettaz-Clarafond (73) 131 H4
Drusenheim (67) 51 F4
Druy-Parigny (58) 99 F5
Druye (37) 78 C6
Druyes-les-Belles-Fontaines (89) 83 F4
Dry (45) 80 C2
Duault (22) 32 C5
Ducey (50) 35 H4
Duclair (76) 17 F6
Ducy-Sainte-Marguerite (14) 14 A4
Duerne (69) 129 G4
Duesme (21) 85 F3
Duffort (32) 183 G2
Dugny (93) 42 D3
Dugny-sur-Meuse (55) 47 F1
Duhort-Bachen (40) 166 B4
Duilhac-sous-Peyrepertuse (11) 187 F6
Duingt (74) 132 B2
Duisans (62) 8 A2
Dullin (73) 131 G5
Dumes (40) 165 H4
Dun (09) 186 A5
Dun-le-Palestel (23) 111 E4
Dun-le-Poëlier (36) 96 C1
Dun-les-Places (58) 100 B1
Dun-sur-Auron (18) 98 A4
Dun-sur-Grandry (58) 99 H3
Dun-sur-Meuse (55) 24 D5
Duneau (72) 60 C5
Dunes (82) 168 A1
Dunet (36) 110 C2
Dung (25) 88 C4
Dunière-sur-Eyrieux (07) 143 H6
Dunières (43) 143 F2
Dunkerque (59) 2 B1
Duntzenheim (67) 50 D4
Duppigheim (67) 50 D6
Duran (32) 167 H5
Durance (47) 150 C6
Duranus (06) 195 F1
Duranville (27) 15 H5
Duras (47) 150 C1
Duravel (46) 152 A3
Durban (32) 167 H6
Durban-Corbières (11) 187 H5
Durban-sur-Arize (09) 185 F5
Durbans (46) 153 E1
Durcet (61) 38 C4
Durdat-Larequille (03) 112 D4
Dureil (72) 77 G1
Durenque (12) 171 F1
Durfort (09) 185 G3
Durfort (81) 186 C1
Durfort-et-Saint-Martin-de-Sossenac (30) 173 G2
Durfort-Lacapelette (82) 152 A6
Durlinsdorf (68) 89 F4
Durmenach (68) 89 F4
Durmignat (63) 113 E5
Durnes (25) 103 H2
Durningen (67) 50 D5
Durrenbach (67) 51 E3
Durrenentzen (68) 71 G4
Durstel (67) 50 B3
Durtal (49) 77 F3
Durtol (63) 127 E3
Dury (02) 21 H1
Dury (62) 8 C3
Dury (80) 7 G6
Dussac (24) 123 H6
Duttlenheim (67) 50 D6
Duvy (60) 21 F6
Duzey (55) 25 G5
Dyé (89) 83 H1
Dyo (71) 115 F3

E

Eancé (35) 57 H5
Eaubonne (95) 42 C3
Eaucourt-sur-Somme (80) 6 D4
Eaunes (31) 185 F1
Eaux-Bonnes (64) 182 B5
Eaux-Puiseaux (10) 65 H5
Eauze (32) 167 E3
Ébaty (21) 101 G4
Ebblinghem (59) 2 C4
Eberbach-Seltz (67) 51 G2
Ebersheim (67) 71 G2
Ebersmunster (67) 71 G2
Ébersviller (57) 26 D4
Éblange (57) 26 D4
Ébouleau (02) 22 D2
Ébréon (16) 122 B1
Ébreuil (03) 113 G6
l'Écaille (08) 23 F4
Écaillon (59) 8 D2
Écalles-Alix (76) 17 F4
Écaquelon (27) 18 A5
Écardenville-la-Campagne (27) 40 C1
Écardenville-sur-Eure (27) 41 E1
Écausseville (50) 12 D3
Écauville (27) 40 C1
Eccica-Suarella (2A) 204 D6
Eccles (59) 10 B3
Échalas (69) 129 H5
Échallat (16) 122 A3
Échallon (01) 117 H4
Échalot (21) 85 F3
Échalou (61) 38 B4
Échandelys (63) 127 H5
Échannay (21) 101 F1
Écharcon (91) 42 D6
Échassières (03) 113 F5
Échauffour (61) 39 G5
Échavanne (70) 88 C3
Échay (25) 103 F3
Échebrune (17) 121 F4
l'Échelle (08) 23 H1
l'Échelle-Saint-Aurin (80) 21 E2
les Échelles (73) 131 G6
Échemines (10) 65 H2
Échemiré (49) 77 G4
Échenans (25) 88 B4
Échenans-sous-Mont-Vaudois (70) 88 C3
Échenay (52) 68 A1
Échenevex (01) 118 B3
Échenon (21) 102 B2
Échenoz-la-Méline (70) 87 G3
Échenoz-le-Sec (70) 87 G4
Échevannes (21) 86 A4
Échevannes (25) 103 H2
Échevis (26) 145 E4
Échevronne (21) 101 G2
Échigey (21) 102 A2
Échillais (17) 120 C1
Échilleuses (45) 63 G4
Echinghen (62) 1 F4
Échiré (79) 107 H3
Échirolles (38) 145 G3
Échouboulains (77) 64 C2
Échourgnac (24) 136 C3
Eckartswiller (67) 50 C4
Eckbolsheim (67) 51 E5
Eckwersheim (67) 51 E5
Éclaibes (59) 10 A3
Éclaires (51) 46 D2
Éclance (10) 67 E3
Éclans-Nenon (39) 102 D2
Éclaron-Braucourt-Sainte-Livière (52) 46 C6
Eclassan (07) 144 A3
Écleux (39) 103 E3
Éclimeux (62) 7 F1
Eclose (38) 130 D5
Éclusier-Vaux (80) 8 B5
Écluzelles (28) 41 F5
Écly (08) 23 G3
Écoche (42) 115 F5
Écoivres (62) 7 G2
École (73) 132 B4
École-Valentin (25) 87 F6
Écollemont (51) 46 C6
Écommoy (72) 78 B1
Écoquenéauville (50) 13 E4
Écorcei (61) 40 A5
les Écorces (25) 104 D1
Écorches (61) 39 F3
Écordal (08) 24 A3
Écorpain (72) 60 D6
Écos (27) 41 G1
Écot (25) 88 C5
Ecot-la-Combe (52) 68 B4
Écotay-l'Olme (42) 128 D5
Écouché (61) 38 D5
Écouen (95) 42 D2
Écouflant (49) 77 E4
Écouis (27) 19 E5
Écourt-Saint-Quentin (62) 8 D3
Écoust-Saint-Mein (62) 8 C3
Écouviez (55) 25 F3
l'Écouvotte (25) 87 G6
Écoyeux (17) 121 F2
Ecquedecques (62) 2 C6
Ecques (62) 2 B5
Ecquetot (27) 40 D1
Ecquevilly (78) 42 A3
Écrainville (76) 16 C4
Écrammeville (14) 13 G5
les Écrennes (77) 64 B1
Écretteville-lès-Baons (76) 17 E4
Écretteville-sur-Mer (76) 16 D3
Écriennes (51) 46 B5
Écrille (39) 117 G2
Écromagny (70) 88 A1
Écrosnes (28) 62 C1
Écrouves (54) 48 A5
Ectot-l'Auber (76) 17 F4
Ectot-lès-Baons (76) 17 E4
Écueil (51) 45 E1
Écueillé (36) 96 A2
Écuélin (59) 10 A3
Écuelle (70) 86 C4
Écuelles (71) 102 A4
Écuelles (77) 64 B3
Écuillé (49) 76 D3
Écuires (62) 6 D1
Écuisses (71) 101 E5
Éculleville (50) 12 B1
Écully (69) 130 A3
Écuras (16) 123 E4
Écurat (17) 121 E2
Écurcey (25) 88 C5
Écurey-en-Verdunois (55) 25 E5
Écurie (62) 8 B2
Écury-le-Repos (51) 45 F4
Écury-sur-Coole (51) 45 H3
Écutigny (21) 101 F2
Écuvilly (60) 21 F2
Edern (29) 53 G2
Édon (16) 122 D5
les Éduts (17) 108 A6
Eecke (59) 2 D4
Effiat (63) 113 H6
Effincourt (52) 68 A1
Effry (02) 10 A6
Égat (66) 199 H4
Égleny (89) 83 E2
Égletons (19) 125 G6
Égligny (77) 64 D2
Eglingen (68) 89 E2
l'Église-aux-Bois (19) 125 E4
Église-Neuve-de-Vergt (24) 137 F3
Église-Neuve-d'Issac (24) 136 D4
Égliseneuve-d'Entraigues (63) 126 D6
Égliseneuve-des-Liards (63) 127 H5
Égliseneuve-près-Billom (63) 127 G3
les Églises-d'Argenteuil (17) 121 G1
Églisolles (63) 128 C6
les Églisottes-et-Chalaures (33) 136 A3
Égly (91) 42 C6
Égreville (77) 64 B4
Égriselles-le-Bocage (89) 64 D5
Égry (45) 63 G5
Éguelshardt (57) 28 C6
Eguenigue (90) 88 D2
l'Éguille (17) 120 C3
Éguilles (13) 175 H5
Éguilly (21) 84 D6
Éguilly-sous-Bois (10) 67 E4
Éguisheim (68) 71 F5
Éguzon-Chantôme (36) 111 E3
Éhuns (70) 87 H2
Eichhoffen (67) 71 F2
Eincheville (57) 49 F2
Einvaux (54) 69 H1
Einville-au-Jard (54) 49 E5
Eix (55) 25 F6
Élan (08) 24 B2
Élancourt (78) 42 A4
Elbach (68) 89 E3
Elbeuf (76) 18 C5
Elbeuf-en-Bray (76) 19 G4
Elbeuf-sur-Andelle (76) 19 E4
Élencourt (60) 19 H2
Élesmes (59) 10 A2
Életot (76) 16 C3
Éleu-dit-Leauwette (62) 8 B1
Élincourt (59) 9 E4
Élincourt-Sainte-Marguerite (60) 21 F3
Élise-Daucourt (51) 46 C2
Ellecourt (76) 19 G1
Elliant (29) 53 H3
Ellon (14) 13 H6
Elne (66) 201 F3
Elnes (62) 2 A4
Éloie (90) 88 C2
Éloise (74) 118 A6
Éloyes (88) 70 B4
Elsenheim (67) 71 G4
Elvange (57) 49 E1
Elven (56) 55 H6
Elzange (57) 26 C3
Émagny (25) 87 E6
Émalleville (27) 40 D1
Émancé (78) 41 H6
Émanville (27) 40 C2
Émanville (76) 17 F4
Emberménil (54) 49 F5
Embres-et-Castelmaure (11) 187 H6
Embreville (80) 6 B5
Embrun (05) 161 E2
Embry (62) 1 H6
Émerainville (77) 43 E4
Émerchicourt (59) 9 E2
Émeringes (69) 116 A5
Éméville (60) 21 G6
Émiéville (14) 38 D1
Emlingen (68) 89 F3
Emmerin (59) 3 F5
Émondeville (50) 13 E3
Empeaux (31) 168 C6
Empurany (07) 143 H4
Empuré (16) 108 C6
Empury (58) 83 H6
Encausse (32) 168 C4
Encausse-les-Thermes (31) 184 B4
Enchastrayes (04) 161 F4
Enchenberg (57) 28 B6
Encourtiech (09) 185 E5
Endoufielle (32) 168 C6
Énencourt-le-Sec (60) 19 H5
Énencourt-Léage (60) 19 H5
Enfonvelle (52) 69 E6
Engayrac (47) 151 G5
Engente (10) 67 F3
Engenville (45) 63 F4
Enghien-les-Bains (95) 42 C3
Engins (38) 145 F2
Englancourt (02) 9 H6
Englebelmer (80) 8 A4
Englefontaine (59) 9 G3
Englesqueville-en-Auge (14) 15 E3
Englesqueville-la-Percée (14) 13 G4
Englos (59) 3 F5
Engomer (09) 184 D5
Enguinegatte (62) 2 B5
Engwiller (67) 50 D3
Ennemain (80) 8 C6
Ennery (57) 26 C4
Ennery (95) 42 B2
Ennetières-en-Weppes (59) 3 F5
Ennevelin (59) 3 G6
Ennezat (63) 127 F2
Ennordres (18) 81 G5
Enquin-les-Mines (62) 2 B5
Enquin-sur-Baillons (62) 1 G5
Ens (65) 196 D1
Ensigné (79) 108 A5
Ensisheim (68) 71 F6
Ensuès-la-Redonne (13) 191 H5
Entrages (04) 177 F1
Entraigues (38) 146 A5
Entraigues (63) 127 G2
Entraigues-sur-la-Sorgue (84) 175 E2
Entrains-sur-Nohain (58) 83 E5
Entrammes (53) 58 D5
Entrange (57) 26 B3
Entraunes (06) 161 G5
Entraygues-sur-Truyère (12) 154 C2
Entre-Deux-Eaux (88) 70 D3
Entre-deux-Guiers (38) 131 G6
Entre-deux-Monts (39) 103 F6
Entrecasteaux (83) 193 G1
Entrechaux (84) 158 D5
Entremont (74) 132 C1
Entremont-le-Vieux (73) 131 H6
Entrepierres (04) 160 B5
Entrevaux (04) 178 B2
Entrevennes (04) 177 E2
Entrevernes (74) 132 B2
Entzheim (67) 50 D6
Enval (63) 127 E2
Enveitg (66) 199 G4
Envermeu (76) 17 H2
Envronville (76) 17 E4
Éourres (05) 159 H5
Eoux (31) 184 C2
Épagne (10) 66 D2
Épagne-Épagnette (80) 6 D4
Épagny (02) 21 H4
Épagny (21) 85 H5
Épagny (74) 132 A1
Épaignes (27) 15 G4
Épaney (14) 38 D3
Épannes (79) 107 G4
Éparcy (02) 10 B6
les Éparges (55) 47 H2
Épargnes (17) 120 D4
les Éparres (38) 130 D5
Épaumesnil (80) 6 D6
Épaux-Bézu (02) 44 B1
Épeautrolles (28) 62 A3
Épécamps (80) 7 F4
Épégard (27) 40 C1
Épehy (80) 8 D5
Épeigné-les-Bois (37) 95 G1
Épeigné-sur-Dême (37) 78 D3
Épénancourt (80) 21 F1
Épenède (16) 109 F6
Épenouse (25) 104 A1
Épenoy (25) 104 A2
Épense (51) 46 C3
Épercieux-Saint-Paul (42) 129 E3
Éperlecques (62) 2 A3
Épernay (51) 45 F2
Épernay-sous-Gevrey (21) 101 H2
Épernon (28) 41 G6
Eperrais (61) 60 D2
Épersy (73) 131 H3
Épertully (71) 101 F4
Épervans (71) 101 G5
les Epesses (85) 92 C4
Épeugney (25) 103 G2
Epfig (67) 71 G2
Épiais (41) 79 H2
Épiais-lès-Louvres (95) 43 E2
Épiais-Rhus (95) 42 B1
Épieds (02) 44 B2
Épieds (27) 41 F3
Épieds (49) 93 H2
Épieds-en-Beauce (45) 62 B6
Épierre (73) 132 C5
Épiez-sur-Chiers (54) 25 F4
Épiez-sur-Meuse (55) 47 H6
Épinac (71) 101 E3
Épinal (88) 69 H4
Épinay (27) 40 A2
Épinay-Champlâtreux (95) 42 D2
l'Épinay-le-Comte (61) 58 C1
Épinay-sous-Sénart (91) 43 E5
Épinay-sur-Duclair (76) 17 F5
Épinay-sur-Odon (14) 14 A5
Épinay-sur-Orge (91) 42 D5
Épinay-sur-Seine (93) 42 D3
l'Épine (05) 159 G3
l'Épine (51) 46 A3
l'Épine (85) 90 B1
l'Épine-aux-Bois (02) 44 C3
Épineau-les-Voves (89) 65 F6
Épineu-le-Chevreuil (72) 59 G5
Épineuil (89) 84 A1
Épineuil-le-Fleuriel (18) 112 D2
Épineuse (60) 20 D5
Épineux-le-Seguin (53) 59 F6
Épiniac (35) 35 F5
Épinonville (55) 24 D6
Épinouze (26) 144 B1
Épinoy (62) 8 D3
Epiry (58) 99 H2
Épisy (77) 64 B3
Épizon (52) 68 B2
Éplessier (80) 20 A1
Éply (54) 48 C3
Époisses (21) 84 B4
Épône (78) 41 H3
Épothémont (10) 67 E2
Épouville (76) 15 F1
Époye (51) 23 F6
Eppe-Sauvage (59) 10 B4
Eppes (02) 22 C3
Eppeville (80) 21 G1
Epping (57) 28 B5
Épretot (76) 15 G1
Épreville (76) 16 C3
Épreville-en-Lieuvin (27) 15 H4
Épreville-en-Roumois (27) 18 A5
Épreville-près-le-Neubourg (27) 40 C1
Épron (14) 14 B4
Eps (62) 7 G1
Épuisay (41) 79 F1
Équancourt (80) 8 C5
Équemauville (14) 16 B6
Équennes-Éramecourt (80) 20 A2
Équeurdreville-Hainneville (50) 12 C2
Équevilley (70) 87 G2
Équevillon (39) 103 F5
Équihen-Plage (62) 1 E4
Équilly (50) 35 H2
Équirre (62) 2 A6
Éragny (95) 42 B2
Éragny-sur-Epte (60) 19 G5
Éraines (14) 38 D3
Éraville (16) 122 A4
Erbajolo (2B) 205 F2
Erbéviller-sur-Amezule (54) 49 E4
Erbray (44) 75 E1
Erbrée (35) 58 A4
Ercé (09) 185 E6
Ercé-en-Lamée (35) 57 F5
Ercé-près-Liffré (35) 57 G1
Erceville (45) 63 E4
Erches (80) 21 E2
Ercheu (80) 21 G2
Erchin (59) 8 D2
Erching (57) 28 A5
Erckartswiller (67) 50 C3
Ercourt (80) 6 C4
Ercuis (60) 20 C6
Erdeven (56) 54 D6
Éréac (22) 56 B1
Ergersheim (67) 50 D6
Ergnies (80) 7 E4
Ergny (62) 1 H5
Ergué-Gabéric (29) 53 G3
Érin (62) 7 F1
Éringes (21) 84 D4
Eringhem (59) 2 B2
Érize-la-Brûlée (55) 47 F4
Érize-la-Petite (55) 47 E3
Érize-Saint-Dizier (55) 47 F4
Erlon (02) 22 C2
Erloy (02) 9 H6
Ermenonville (60) 43 F1
Ermenonville-la-Grande (28) 62 A3
Ermenonville-la-Petite (28) 62 A3
Ermenouville (76) 17 E3
Ermont (95) 42 C3
Ernée (53) 58 C3
Ernemont-Boutavent (60) 19 H3
Ernemont-la-Villette (76) 19 G4
Ernemont-sur-Buchy (76) 19 E3
Ernes (14) 39 E2
Ernestviller (57) 49 H1
Erneville-aux-Bois (55) 47 G5
Ernolsheim-Bruche (67) 50 D6
Ernolsheim-lès-Saverne (67) 50 C4
Erny-Saint-Julien (62) 2 B5
Érôme (26) 144 A3
Érondelle (80) 6 D4
Érone (2B) 205 F1
Éroudeville (50) 12 D3
Erp (09) 185 E5
Erquery (60) 20 D4
Erquinghem-le-Sec (59) 3 E5
Erquinghem-Lys (59) 3 E4
Erquinvillers (60) 20 D4
Erquy (22) 34 A3
Err (66) 199 H4
Erre (59) 9 E2
Errevet (70) 88 C2
Errouville (54) 26 A3
Ersa (2B) 203 F1
Erstein (67) 71 H1
Erstroff (57) 49 G2
Ervauville (45) 64 C5
Ervillers (62) 8 B3
Ervy-le-Châtel (10) 66 A5
Esbareich (65) 183 H5
Esbarres (21) 102 B2
Esbly (77) 43 F3
Esboz-Brest (70) 88 A1
Escala (65) 183 G4
Escalans (40) 166 D2
l'Escale (04) 160 B6
Escales (11) 187 G3
Escalles (62) 1 F2
Escalquens (31) 169 G6
Escames (60) 19 H3
Escamps (46) 153 E4
Escamps (89) 83 F2
Escandolières (12) 154 A3
Escanecrabe (31) 184 B2
Escardes (51) 44 C5
l'Escarène (06) 195 G2
Escarmain (59) 9 F3
Escaro (66) 200 B4
Escassefort (47) 150 C2
Escatalens (82) 168 D2

F

G

H

I

J

K

L

M

Montardon (64) 182 C1
Montaren-
-et-Saint-Médiers (30) 174 B1
Montargis (45) 64 A6
Montarlot (77) 64 B3
Montarlot-lès-Rioz (70) 87 F5
Montarnaud (34) 173 E5
Montaron (58) 99 H4
Montastruc (47) 151 E3
Montastruc (65) 183 G3
Montastruc (82) 169 E1
Montastruc-de-Salies (31) 184 C5
Montastruc-
-la-Conseillère (31) 169 G4
Montastruc-Savès (31) 184 D2
le Montat (46) 152 C4
Montataire (60) 20 D6
Montauban (82) 169 E2
Montauban-
-de-Bretagne (35) 56 C2
Montauban-de-Luchon (31) 197 F1
Montauban-de-Picardie (80) 8 B5
Montauban-
-sur-l'Ouvèze (26) 159 F5
Montaud (34) 173 G4
Montaud (38) 145 F2
Montaudin (53) 58 B2
Montaulieu (26) 159 E4
Montaulin (10) 66 B3
Montaure (27) 18 C6
Montauriol (11) 186 A3
Montauriol (47) 151 F2
Montauriol (66) 201 E3
Montauriol (81) 170 D1
Montauroux (83) 178 B5
Montaut (09) 185 H3
Montaut (24) 137 E6
Montaut (31) 185 F2
Montaut (32) 183 H1
Montaut (40) 165 H4
Montaut (47) 151 F2
Montaut (64) 182 C3
Montaut-les-Créneaux (32) 167 H4
Montautour (35) 58 A3
Montauville (54) 48 B3
Montay (59) 9 F4
Montayral (47) 151 H3
Montazeau (24) 136 B5
Montazels (11) 186 D6
Montbard (21) 84 C3
Montbarla (82) 152 A5
Montbarrey (39) 102 D3
Montbarrois (45) 63 G5
Montbartier (82) 169 E2
Montbavin (02) 22 B3
Montbazens (12) 154 A3
Montbazin (34) 173 E6
Montbazon (37) 78 D6
Montbel (09) 186 B5
Montbel (48) 156 C2
Montbéliard (25) 88 C4
Montbéliardot (25) 104 C1
Montbellet (71) 116 B2
Montbenoît (25) 104 B3
Montberaud (31) 185 E4
Montbernard (31) 184 B2
Montberon (31) 169 F4
Montbert (44) 91 G1
Montberthault (21) 84 B5
Montbeton (82) 169 E2
Montbeugny (03) 114 A2
Montbizot (72) 60 A4
Montblainville (55) 24 C6
Montblanc (34) 188 D1
Montboillon (70) 87 E5
Montboissier (28) 62 A4
Montbolo (66) 200 D4
Montbonnot-
-Saint-Martin (38) 145 G2
Montboucher (23) 124 D1
Montboucher-
-sur-Jabron (26) 158 B2
Montboudif (15) 140 C1
Montbouton (90) 88 D4
Montbouy (45) 82 B1
Montboyer (16) 136 B1
Montbozon (70) 87 G4
Montbrand (05) 159 G2
Montbras (55) 68 D1
Montbray (50) 37 F3
Montbré (51) 45 F1
Montbrehain (02) 9 E5
Montbrison (42) 128 D4
Montbrison-sur-Lez (26) 158 C3
Montbron (16) 123 E4
Montbronn (57) 28 B6
Montbrun (46) 153 F3
Montbrun (48) 156 A4
Montbrun-Bocage (31) 185 E4
Montbrun-
-des-Corbières (11) 187 G3
Montbrun-Lauragais (31) 185 G1
Montbrun-les-Bains (26) 159 F6
Montcabrier (46) 152 A2
Montcabrier (81) 169 H5
Montcaret (24) 136 B5
Montcarra (38) 131 E4
Montcavrel (62) 1 G6
Montceau-et-Écharnant (21) 101 F3
Montceau-les-Mines (71) 100 D6
Montceaux (01) 116 B6
Montceaux-lès-Meaux (77) 43 H3
Montceaux-lès-Provins (77) 44 B5
Montceaux-lès-Vaudes (10) 66 B4
Montceaux-l'Étoile (71) 115 E3
Montceaux-Ragny (71) 116 B1
Montcel (63) 127 E1
Montcel (73) 131 H3
Montcenis (71) 100 D5
Montcet (01) 116 D5
Montcey (70) 87 G3
Montchaboud (38) 145 G3
Montchal (42) 129 F2
Montchâlons (02) 22 C4
Montchamp (14) 38 A3
Montchamp (15) 141 F4
Montchanin (71) 101 E6
Montcharvot (52) 86 D1
Montchaton (50) 36 D2
Montchaude (16) 121 H5
Montchauvet (14) 38 A2
Montchauvet (78) 41 G3
Montchenu (26) 144 B2
Montcheutin (08) 24 B5
Montchevrel (61) 39 G6
Montchevrier (36) 111 F2
Montclar (04) 160 D3
Montclar (11) 186 D4
Montclar (12) 171 F2
Montclar-
-de-Comminges (31) 184 D3
Montclar-Lauragais (31) 185 H2
Montclar-sur-Gervanne (26) 144 C6
Montclard (43) 142 A2
Montcléra (46) 152 B2
Montclus (05) 159 H3
Montclus (30) 157 G5
Montcombroux-
-les-Mines (03) 114 C3
Montcony (71) 102 B6
Montcorbon (45) 64 C6
Montcornet (02) 23 E2
Montcornet (08) 11 E6
Montcourt (70) 69 E6
Montcourt-Fromonville (77) 64 A3
Montcoy (71) 101 H5
Montcresson (45) 82 B1
Montcuit (50) 37 E1
Montcuq (46) 152 B4
Montcusel (39) 117 G3
Montcy-Notre-Dame (08) 24 B1
Montdardier (30) 172 D2
Montdauphin (77) 44 B4
Montdidier (57) 49 G3
Montdidier (80) 20 D2
Montdoré (70) 69 F6
Montdoumerc (46) 152 D5
Montdragon (81) 170 B4
Montdurausse (81) 169 G2
Monte (2B) 203 G6
Monteaux (41) 79 G5
Montebourg (50) 12 D3
Montech (82) 168 D2
Montécheroux (25) 88 C5
Montegrosso (2B) 202 C5
Montégut (32) 167 H5
Montégut (40) 166 C2
Montégut (65) 183 H4
Montégut-Arros (32) 183 F1
Montégut-Bourjac (31) 184 D2
Montégut-
-en-Couserans (09) 184 D5
Montégut-Lauragais (31) 186 B1
Montégut-Plantaurel (09) 185 G4
Montégut-Savès (32) 184 C1
Monteignet-
-sur-l'Andelot (03) 113 H6
le Monteil (15) 140 B2
le Monteil (43) 142 C4
le Monteil-au-Vicomte (23) 125 F1
Monteille (14) 15 E5
Monteils (12) 153 G5
Monteils (30) 173 H1
Monteils (82) 152 D6
Montel-de-Gelat (63) 126 B1
Montéléger (26) 144 B5
Montélier (26) 144 C5
Montélimar (26) 158 A2
le Montellier (01) 130 C1
Montels (09) 185 G5
Montels (34) 188 B2
Montels (81) 170 A2
Montembœuf (16) 123 E3
Montenach (57) 26 D2
Montenay (53) 58 C3
Montendre (17) 135 G1
Montendry (73) 132 B5
Montenescourt (62) 8 A2
Monteneuf (56) 56 B5
Montenils (77) 44 C4
Montenois (25) 88 B4
Montenoison (58) 99 F1
Montenoy (54) 48 D4
Montépilloy (60) 21 E6
Monteplain (39) 103 E2
Montépreux (51) 45 G5
Monterblanc (56) 55 G5
Montereau (45) 81 H1
Montereau-Fault-Yonne (77) 64 C2
Montereau-sur-le-Jard (77) 43 F6
Monterfil (35) 56 D3
Montérolier (76) 19 E2
Monterrein (56) 56 A4
Montertelot (56) 56 A4
Montescot (66) 201 F3
Montescourt-Lizerolles (02) 22 A2
Montespan (31) 184 C4
Montesquieu (34) 172 B6
Montesquieu (47) 150 D5
Montesquieu (82) 152 A6
Montesquieu-Avantès (09) 185 E5
Montesquieu-
-des-Albères (66) 201 F4
Montesquieu-Guittaut (31) 184 B2
Montesquieu-
-Lauragais (31) 185 H1
Montesquieu-
-Volvestre (31) 185 E3
Montesquiou (32) 167 F5
Montessaux (70) 88 A2
Montesson (78) 42 C3
Montestruc-sur-Gers (32) 167 H3
le Montet (03) 113 F3
Montet-et-Bouxal (46) 153 G1
Monteton (47) 150 C2
Monteux (84) 175 F1
Montévrain (77) 43 F4
Monteynard (38) 145 G4
Montézic (12) 154 C1
Montfa (09) 185 E4
Montfa (81) 170 C4
Montfalcon (38) 144 C2
Montfarville (50) 13 E2
Montfaucon (02) 44 B3
Montfaucon (25) 103 G1
Montfaucon (30) 174 D1
Montfaucon (46) 152 D1
Montfaucon-d'Argonne (55) 24 D6
Montfaucon-en-Velay (43) 143 F2
Montfaucon-Montigné (49) 75 F6
Montfermeil (93) 43 E3
Montfermier (82) 152 C5
Montfermy (63) 126 D2
Montferrand (11) 186 A2
Montferrand-
-du-Périgord (24) 137 G6
Montferrand-la-Fare (26) 159 F4
Montferrand-
-le-Château (25) 103 F1
Montferrat (38) 131 F5
Montferrat (83) 177 H5
Montferrer (66) 200 D4
Montferrier (09) 186 A6
Montferrier-sur-Lez (34) 173 F5
Montfey (10) 65 H5
Montfiquet (14) 13 G6
Montfleur (39) 117 F3
Montflours (53) 58 D4
Montflovin (25) 104 A3
Montfort (04) 176 D1
Montfort (25) 103 F2
Montfort (49) 93 G1
Montfort (64) 181 G1
Montfort-en-Chalosse (40) 165 F4
Montfort-l'Amaury (78) 41 H4
Montfort-le-Gesnois (72) 60 C5
Montfort-sur-Argens (83) 177 F6
Montfort-sur-Boulzane (11) 200 B2
Montfort-sur-Meu (35) 56 D2
Montfort-sur-Risle (27) 18 A5
Montfranc (12) 171 E3
Montfrin (30) 174 C3
Montfroc (26) 159 G6
Montfuron (04) 176 C3
Montgaillard (09) 185 H6
Montgaillard (11) 187 G6
Montgaillard (40) 166 A4
Montgaillard (65) 183 E4
Montgaillard (81) 169 G3
Montgaillard (82) 168 B2
Montgaillard-de-Salies (31) 184 C4
Montgaillard-
-Lauragais (31) 185 H1
Montgaillard-sur-Save (31) 184 B3
Montgardin (05) 160 C2
Montgardon (50) 12 C5
Montgaroult (61) 38 D4
Montgauch (09) 184 D5
Montgaudry (61) 60 C2
Montgazin (31) 185 F2
Montgé-en-Goële (77) 43 F2
Montgeard (31) 185 H2
Montgellafrey (73) 132 C6
Montgenèvre (05) 147 F4
Montgenost (51) 44 C6
Montgérain (60) 20 D3
Montgermont (35) 57 E2
Montgeron (91) 42 D5
Montgeroult (95) 42 B2
Montgesoye (25) 103 H2
Montgesty (46) 152 B2
Montgey (81) 170 A6
Montgibaud (19) 124 C5
Montgilbert (73) 132 C5
Montgirod (73) 132 D5
Montgiscard (31) 185 G1
Montgivray (36) 111 G1
Montgobert (02) 21 H5
Montgon (08) 24 A4
Montgradail (11) 186 C4
Montgras (31) 184 D1
Montgreleix (15) 140 D1
Montgru-Saint-Hilaire (02) 44 B1
Montguers (26) 159 F5
Montgueux (10) 66 A3
Montguillon (49) 76 C2
Montguyon (17) 135 H2
les Monthairons (55) 47 F2
Montharville (28) 62 A4
Monthault (35) 37 F6
Monthaut (11) 186 C4
Monthelie (21) 101 G3
Monthelon (51) 45 E2
Monthelon (71) 100 C4
Monthenault (02) 22 C4
Montheries (52) 67 G4
Montherlant (60) 20 A6
Monthermé (08) 11 E6
Monthiers (02) 44 B2
Monthieux (01) 130 B1
Monthion (73) 132 C4
Monthodon (37) 79 E3
Monthoiron (86) 94 D6
Monthois (08) 24 B5
Montholier (39) 102 D4
Monthou-sur-Bièvre (41) 79 H5
Monthou-sur-Cher (41) 79 H6
Monthuchon (50) 37 E1
Monthurel (02) 44 C2
Monthureux-le-Sec (88) 69 F4
Monthureux-sur-Saône (88) 69 E5
Monthyon (77) 43 G2
Monticello (2B) 202 D5
Montier-en-Der (52) 67 F1
Montier-en-l'Isle (10) 67 E3
Montiéramey (10) 66 C4
Montierchaume (36) 96 D5
Montiers (60) 20 D4
Montiers-sur-Saulx (55) 68 A1
Monties (32) 184 B1
Montignac (24) 138 A3
Montignac (33) 149 H1
Montignac (65) 183 F3
Montignac-Charente (16) 122 B3
Montignac-de-Lauzun (47) 151 E2
Montignac-le-Coq (16) 136 C1
Montignac-Toupinerie (47) 150 D2
Montignargues (30) 173 H2
Montigné (16) 122 A2
Montigné-le-Brillant (53) 58 C5
Montigné-lès-Rairies (49) 77 G3
Montigny (14) 14 A6
Montigny (18) 98 A1
Montigny (45) 63 E5
Montigny (54) 49 G6
Montigny (72) 60 B1
Montigny (76) 17 G6
Montigny-
-aux-Amognes (58) 99 E3
Montigny-
-devant-Sassey (55) 24 D4
Montigny-en-Arrouaise (02) 9 F6
Montigny-en-Cambrésis (59) 9 F4
Montigny-en-Gohelle (62) 8 C1
Montigny-en-Morvan (58) 100 A2
Montigny-en-Ostrevent (59) 8 D2
Montigny-la-Resle (89) 83 G1
Montigny-l'Allier (02) 43 H1
Montigny-
-le-Bretonneux (78) 42 B5
Montigny-le-Chartif (28) 61 G3
Montigny-le-Franc (02) 22 D2
Montigny-le-Gannelon (28) 61 H6
Montigny-le-Guesdier (77) 65 E2
Montigny-Lencoup (77) 64 C2
Montigny-Lengrain (02) 21 G5
Montigny-lès-Arsures (39) 103 E4
Montigny-lès-Cherlieu (70) 87 E2
Montigny-lès-Condé (02) 44 C3
Montigny-
-lès-Cormeilles (95) 42 C3
Montigny-les-Jongleurs (80) 7 F3
Montigny-lès-Metz (57) 26 B5
Montigny-les-Monts (10) 66 A5
Montigny-
-lès-Vaucouleurs (55) 47 H6
Montigny-lès-Vesoul (70) 87 F3
Montigny-Montfort (21) 84 C4
Montigny-Mornay-Villeneuve-
-sur-Vingeanne (21) 86 B4
Montigny-
-Saint-Barthélemy (21) 84 C5
Montigny-sous-Marle (02) 22 D1
Montigny-
-sur-Armançon (21) 84 D5
Montigny-sur-Aube (21) 67 F6
Montigny-sur-Avre (28) 40 D5
Montigny-sur-Canne (58) 99 G4
Montigny-sur-Chiers (54) 25 G4
Montigny-sur-Crécy (02) 22 C2
Montigny-sur-l'Ain (39) 103 E6
Montigny-sur-l'Hallue (80) 7 H5
Montigny-sur-Loing (77) 64 A3
Montigny-sur-Meuse (08) 11 E4
Montigny-sur-Vence (08) 24 A2
Montigny-sur-Vesle (51) 22 D5
Montilliers (49) 93 E1
Montillot (89) 83 G4
Montilly (03) 113 H1
Montilly-sur-Noireau (61) 38 B4
Montils (17) 121 F4
les Montils (41) 79 H4
Montipouret (36) 111 G1
Montirat (11) 187 E3
Montirat (81) 153 H6
Montireau (28) 61 G2
Montiron (32) 168 B5
Montivernage (25) 88 A6
Montivilliers (76) 15 F1
Montjardin (11) 186 C5
Montjaux (12) 171 H1
Montjavoult (60) 19 G6
Montjay (05) 159 G4
Montjay (71) 102 B5
Montjean (16) 108 C6
Montjean (53) 58 B5
Montjean-sur-Loire (49) 75 H4
Montjoi (11) 187 F5
Montjoi (82) 151 H6
Montjoie-
-en-Couserans (09) 185 E5
Montjoie-le-Château (25) 88 D5
Montjoie-Saint-Martin (50) 35 H5
Montjoire (31) 169 F4
Montjoux (26) 158 D3
Montjoyer (26) 158 B3
Montjustin (04) 176 B3
Montjustin-et-Velotte (70) 87 H3
Montlandon (28) 61 G2
Montlaur (11) 187 F4
Montlaur (12) 171 G3
Montlaur (31) 169 G6
Montlaur-en-Diois (26) 159 F2
Montlaux (04) 176 D1
Montlauzun (46) 152 B5
Montlay-en-Auxois (21) 84 C6
Montlebon (25) 104 B2
Montlevicq (36) 111 H1
Montlevon (02) 44 C3
Montlhéry (91) 42 C6
Montliard (45) 63 G6
Montlieu-la-Garde (17) 135 G2
Montlignon (95) 42 C2
Montliot-et-Courcelles (21) 85 E1
Montlivault (41) 80 A3
Montlognon (60) 43 F1
Montloué (02) 23 E2
Montlouis (18) 97 F5
Montlouis-sur-Loire (37) 79 E5
Montluçon (03) 112 D4
Montluel (01) 130 B2
Montmachoux (77) 64 C3
Montmacq (60) 21 F4
Montmagny (95) 42 D3
Montmahoux (25) 103 G3
Montmain (21) 102 A3
Montmain (76) 17 H6
Montmançon (21) 86 B6
Montmarault (03) 113 F4
Montmarlon (39) 103 F4
Montmartin (60) 21 E4
Montmartin-
-en-Graignes (50) 13 F5
Montmartin-le-Haut (10) 67 E4
Montmartin-sur-Mer (50) 36 D2
Montmaur (05) 160 A2
Montmaur (11) 186 A1
Montmaur-en-Diois (26) 159 E1
Montmaurin (31) 184 A3
Montmédy (55) 25 E3
Montmeillant (08) 23 G2
Montmelard (71) 115 G4
Montmelas-
-Saint-Sorlin (69) 129 G1
Montmélian (73) 132 A5
Montmerle-sur-Saône (01) 116 B6
Montmerrei (61) 39 E5
Montmeyan (83) 177 E5
Montmeyran (26) 144 B6
Montmin (74) 132 B2
Montmirail (51) 44 C4
Montmirail (72) 61 E5
Montmiral (26) 144 C3
Montmirat (30) 173 H3
Montmirey-la-Ville (39) 102 C1
Montmirey-le-Château (39) 102 D1
Montmoreau-
-Saint-Cybard (16) 122 B6
Montmorency (95) 42 D3
Montmorency-Beaufort (10) 67 E1
Montmorillon (86) 109 H3
Montmorin (05) 159 G3
Montmorin (63) 127 G4
Montmorot (39) 102 D6
Montmort (71) 100 B6
Montmort-Lucy (51) 45 E3
Montmotier (88) 69 G6
Montmoyen (21) 85 F2
Montmurat (15) 153 H2
Montner (66) 200 D2
Montoillot (21) 101 F1
Montoir-de-Bretagne (44) 73 H4
Montoire-sur-le-Loir (41) 79 E2
Montois-la-Montagne (57) 26 B4
Montoison (26) 144 B6
Montoldre (03) 114 A4
Montolieu (11) 186 D2
Montolivet (77) 44 B4
Montonvillers (80) 7 G5
Montord (03) 113 H4
Montory (64) 181 G4
Montot (21) 102 B2
Montot (70) 86 D4
Montot-sur-Rognon (52) 68 A3
Montouliers (34) 188 A2
Montoulieu (09) 185 H6
Montoulieu (34) 173 F2
Montoulieu-
-Saint-Bernard (31) 184 C3
Montournais (85) 92 C5
Montours (35) 35 H5
Montourtier (53) 59 E3
Montoussé (65) 183 G4
Montoussin (31) 184 D2
Montoy-Flanville (57) 26 C5
Montpellier (34) 173 F5
Montpellier-
-de-Médillan (17) 121 E4
Montpensier (63) 113 G6
Montperreux (25) 104 A4
Montpeyroux (12) 155 E2
Montpeyroux (24) 136 B5
Montpeyroux (34) 172 D5
Montpeyroux (63) 127 F4
Montpezat (30) 173 H3
Montpézat (32) 184 C1
Montpezat (47) 151 E4
Montpezat-de-Quercy (82) 152 D5
Montpezat-
-sous-Bauzon (07) 157 F1
Montpinchon (50) 37 E2
Montpinier (81) 170 C5
Montpitol (31) 169 G4
Montplonne (55) 47 E5
Montpollin (49) 77 G3
Montpon-Ménestérol (24) 136 B4
Montpont-en-Bresse (71) 116 D1
Montpothier (10) 44 C6
Montpouillan (47) 150 B3
Montrabé (31) 169 F5
Montrabot (50) 37 H1
Montracol (01) 116 D5
Montravers (79) 92 D4
Montréal (07) 157 F3
Montréal (11) 186 C3
Montréal (32) 167 E2
Montréal (89) 84 B4
Montréal-la-Cluse (01) 117 G5
Montréal-les-Sources (26) 159 E4
Montrécourt (59) 9 F3
Montredon (46) 153 H2
Montredon-
-des-Corbières (11) 188 A3
Montredon-
-Labessonnié (81) 170 D4
Montregard (43) 143 F3
Montréjeau (31) 184 A4
Montrelais (44) 76 B5
Montrem (24) 137 E3
Montrésor (37) 95 H2
Montret (71) 102 A6
Montreuil (28) 41 F4
Montreuil (62) 6 D1
Montreuil (85) 107 E2
Montreuil (93) 42 D4
Montreuil-au-Houlme (61) 38 D5
Montreuil-aux-Lions (02) 44 A2
Montreuil-Bellay (49) 93 G2
Montreuil-Bonnin (86) 108 D1
Montreuil-des-Landes (35) 58 A3
Montreuil-en-Auge (14) 15 E5
Montreuil-en-Caux (76) 18 D2
Montreuil-en-Touraine (37) 79 F5
Montreuil-Juigné (49) 76 D4
Montreuil-la-Cambe (61) 39 E3
Montreuil-l'Argillé (27) 39 H3
Montreuil-le-Chétif (72) 59 H3
Montreuil-le-Gast (35) 57 E1
Montreuil-le-Henri (72) 78 D1
Montreuil-Poulay (53) 59 E2
Montreuil-
-sous-Pérouse (35) 57 H2
Montreuil-sur-Barse (10) 66 C4
Montreuil-sur-Blaise (52) 67 G1
Montreuil-sur-Brêche (60) 20 C4
Montreuil-sur-Epte (95) 41 G1
Montreuil-sur-Ille (35) 57 F1
Montreuil-sur-Loir (49) 77 E3
Montreuil-sur-Lozon (50) 13 E6
Montreuil-sur-Maine (49) 76 D3
Montreuil-sur-Thérain (60) 20 B5
Montreuil-
-sur-Thonnance (52) 68 A1
Montreuillon (58) 99 H2
Montreux (54) 49 H6
Montreux-Château (90) 88 D3
Montreux-Jeune (68) 88 D3
Montreux-Vieux (68) 88 D3
Montrevault (49) 75 G5
Montrevel (38) 131 E5
Montrevel (39) 117 F3
Montrevel-en-Bresse (01) 116 D3
Montrichard (41) 79 G6
Montricher-Albanne (73) 146 C2
Montricoux (82) 169 G1
Montrieux-en-Sologne (41) 80 C4
Montrigaud (26) 144 C2
Montriond (74) 119 F4
Montrodat (48) 155 H3
Montrol-Sénard (87) 110 A6
Montrollet (16) 123 G1
Montromant (69) 129 G3
Montrond (05) 159 H4
Montrond (39) 103 E5
Montrond-le-Château (25) 103 G2
Montrond-les-Bains (42) 129 E4
Montrosier (81) 153 F6
Montrottier (69) 129 G3
Montroty (76) 19 G4
Montrouge (92) 42 D4
Montrouveau (41) 79 E2
Montroy (17) 106 D5
Montrozier (12) 154 D4
Montry (77) 43 G3
Monts (37) 78 D6
Monts (60) 20 A6
Monts-en-Bessin (14) 14 A5
Monts-en-Ternois (62) 7 G2
Monts-sur-Guesnes (86) 94 B4
les Monts-Verts (48) 141 F5
Montsalès (12) 153 G3
Montsalier (04) 176 B1
Montsalvy (15) 154 B1
Montsapey (73) 132 C5
Montsauche-
-les-Settons (58) 100 B1
Montsaugeon (52) 86 B3
Montsaunès (31) 184 C4
Montsec (55) 47 H3
Montsecret (61) 38 A4
Montségur (09) 186 A6
Montségur-sur-Lauzon (26) 158 B4
Montselgues (07) 156 D3
Montséret (11) 187 H4
Montsérié (65) 183 H4
Montseron (09) 185 F5
Montseveroux (38) 130 B6
Montsoreau (49) 94 A1
Montsoué (40) 166 A4
Montsoult (95) 42 D2
Montsûrs (53) 59 E4
Montsurvent (50) 36 D1
Montsuzain (10) 66 B2
Montureux-et-Prantigny (70) 86 D4
Montureux-lès-Baulay (70) 87 F1
Montusclat (43) 142 D4
Montussaint (25) 87 H5
Montussan (33) 135 F5
Montvalen (81) 169 G3
Montvalent (46) 138 D5
Montvalezan (73) 133 F4
Montvendre (26) 144 C5
Montverdun (42) 128 D3
Montvernier (73) 146 C1
Montvert (15) 139 G4
Montvicq (03) 113 E4
Montviette (14) 15 E6
Montville (76) 17 G5
Montviron (50) 35 H3
Montzéville (55) 25 E6
Monviel (47) 151 E2
Monze (11) 187 E4
Moon-sur-Elle (50) 13 F6
Moosch (68) 88 D1
Mooslargue (68) 89 F4
Moraches (58) 99 G1

N

O

P

Q

R

S

T

U

V

W

X

Y

Z

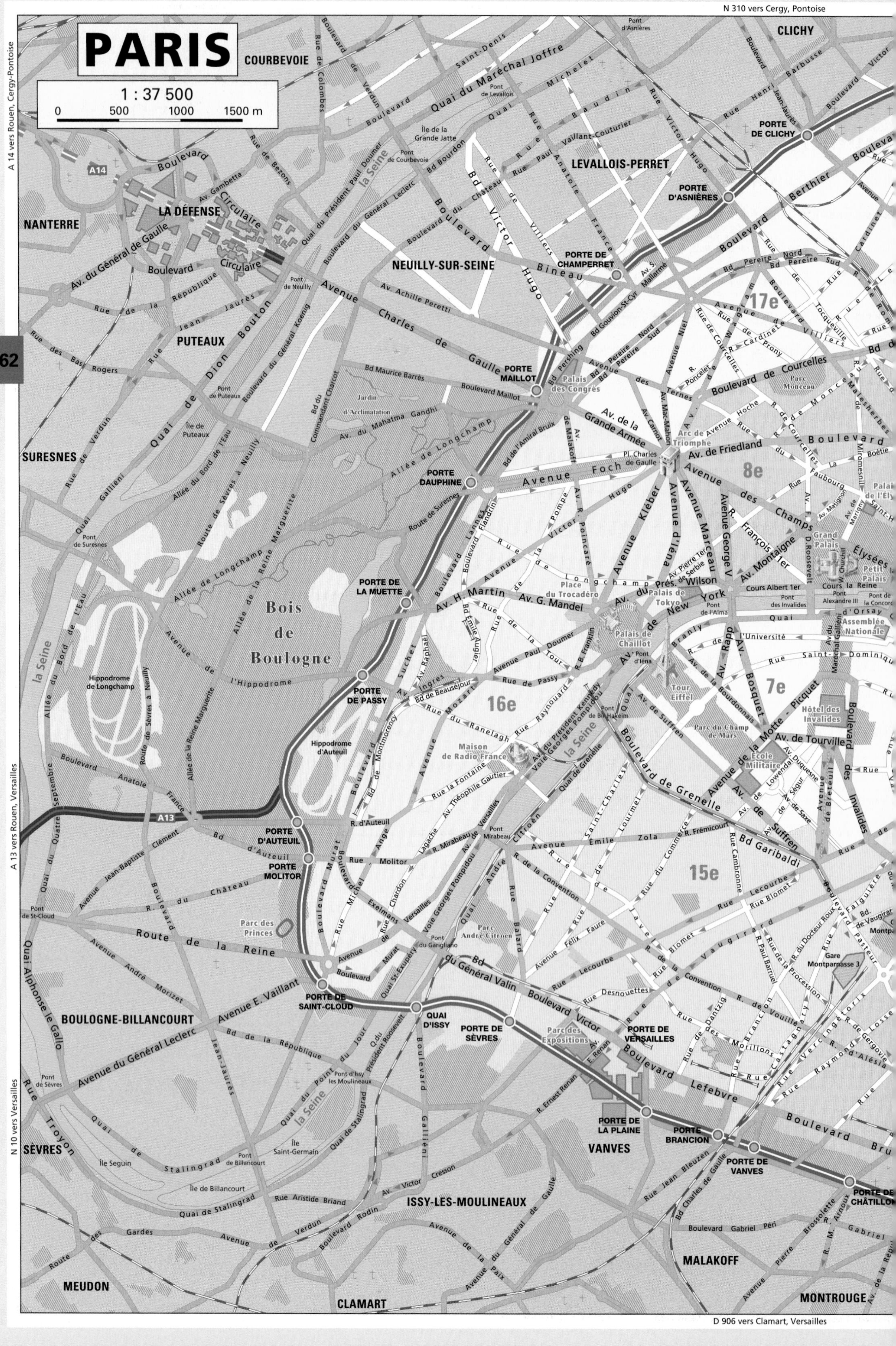
PARIS
1 : 37 500
0 500 1000 1500 m
N 310 vers Cergy, Pontoise
A 14 vers Rouen, Cergy-Pontoise
A 13 vers Rouen, Versailles
N 10 vers Versailles
D 906 vers Clamart, Versailles
COURBEVOIE
CLICHY
NANTERRE
LA DÉFENSE
LEVALLOIS-PERRET
NEUILLY-SUR-SEINE
PUTEAUX
SURESNES
BOULOGNE-BILLANCOURT
SÈVRES
MEUDON
CLAMART
ISSY-LES-MOULINEAUX
VANVES
MALAKOFF
MONTROUGE
Bois de Boulogne
Hippodrome de Longchamp
Hippodrome d'Auteuil
Jardin d'Acclimatation
Parc des Princes
17e
16e
15e
8e
7e
PORTE DE CLICHY
PORTE D'ASNIÈRES
PORTE DE CHAMPERRET
PORTE MAILLOT
PORTE DAUPHINE
PORTE DE LA MUETTE
PORTE DE PASSY
PORTE D'AUTEUIL
PORTE MOLITOR
PORTE DE SAINT-CLOUD
QUAI D'ISSY
PORTE DE SÈVRES
PORTE DE VERSAILLES
PORTE DE LA PLAINE
PORTE BRANCION
PORTE DE VANVES
PORTE DE CHÂTILLON
Palais des Congrès
Arc de Triomphe
Pl. Charles de Gaulle
Place du Trocadéro
Palais de Chaillot
Palais de Tokyo
Tour Eiffel
Parc du Champ de Mars
École Militaire
Hôtel des Invalides
Assemblée Nationale
Grand Palais
Petit Palais
Parc Monceau
Maison de Radio France
Parc André Citroën
Parc des Expositions
Gare Montparnasse 3
la Seine
Île de la Grande Jatte
Île de Puteaux
Île Seguin
Île de Billancourt
Île Saint-Germain
A14
A13
Avenue Charles de Gaulle
Avenue Foch
Av. de la Grande Armée
Av. des Champs Élysées
Avenue Kléber
Avenue d'Iéna
Avenue Marceau
Avenue George V
Av. Montaigne
Av. de Friedland
Boulevard de Courcelles
Boulevard Berthier
Boulevard Bineau
Bd Maurice Barrès
Boulevard Maillot
Av. du Mahatma Gandhi
Allée de Longchamp
Route de Suresnes
Av. H. Martin
Av. G. Mandel
Av. de New York
Boulevard de Grenelle
Bd Garibaldi
Boulevard Lefebvre
Boulevard Victor
Bd du Général Valin
Boulevard Murat
Boulevard Exelmans
Route de la Reine
Avenue du Général Leclerc
Avenue E. Vaillant
Quai Alphonse le Gallo
Quai de Stalingrad
Quai du Maréchal Joffre
Rue de Vaugirard
Rue Lecourbe
Rue de la Convention

A 1 vers Lille, Bruxelles
N 2 vers Senlis, Soissons
N3 vers Meaux
A 3 vers A 1, Lille, Bruxelles
N 34 vers Lagny
A 4 vers Metz, Nancy
N 20 vers Orléans, Étampes
A 6a vers A 10, Orléans, Lyon
A 6b vers A 10, Orléans, Lyon
ST-OUEN
ST-DENIS
AUBERVILLIERS
PANTIN
LE PRÉ ST-GERVAIS
LES LILAS
ST-MANDÉ
CHARENTON-LE-PONT
IVRY-SUR-SEINE
GENTILLY
PORTE DE SAINT-OUEN
PORTE DE CLIGNANCOURT
PORTE DE LA CHAPELLE
PORTE D'AUBERVILLIERS
PORTE DE LA VILLETTE
PORTE DE PANTIN
PORTE DU PRÉ ST-GERVAIS
PORTE DES LILAS
PORTE DE BAGNOLET
PORTE DE MONTREUIL
PORTE DE VINCENNES
PORTE DE SAINT-MANDÉ
PORTE DORÉE
PORTE DE CHARENTON
PORTE DE BERCY
QUAI D'IVRY
PORTE D'IVRY
PORTE D'ITALIE
PORTE DE GENTILLY
PORTE D'ORLÉANS
18e
19e
9e
10e
2e
1e
3e
20e
11e
4e
6e
5e
12e
14e
13e
Boulevard Ney
Boulevard Macdonald
Bd de Rochechouart
Bd de la Chapelle
Bd de Clichy
Bd Barbès
Bd Ornano
Avenue Jean Jaurès
Avenue de Flandre
Bd de la Villette
Bd de Belleville
Bd de Ménilmontant
Boulevard de Charonne
Boulevard Mortier
Boulevard Davout
Boulevard Soult
Boulevard Poniatowski
Boulevard Masséna
Boulevard Kellermann
Boulevard Jourdan
Bd Haussmann
Bd Malesherbes
Bd St-Martin
Bd de Sébastopol
Bd de Strasbourg
Boulevard St-Germain
Boulevard St-Michel
Boulevard Raspail
Boulevard du Montparnasse
Boulevard de Port Royal
Boulevard Arago
Bd St-Marcel
Boulevard de l'Hôpital
Av. des Gobelins
Avenue d'Italie
Cours de Vincennes
Av. de Saint-Mandé
Quai de Bercy
la Seine
Gare du Nord
Gare de l'Est
Gare Saint-Lazare
Gare de Lyon
Gare d'Austerlitz
Gare Montparnasse 1-2
Cimetière de Montmartre
Basilique du Sacré Coeur
Cité des Sciences et de l'Industrie
Géode
Zénith
Parc de la Villette
Cité de la Musique
Parc des Buttes Chaumont
Cimetière du Père Lachaise
Opéra Garnier
Grands Magasins
la Madeleine
Bourse
Place Vendôme
Place de la Concorde
Obélisque
Jardin des Tuileries
Musée du Louvre
Pyramide
Palais Royal
Forum des Halles
Centre Pompidou
Hôtel de Ville
Musée d'Orsay
Conciergerie
Île de la Cité
Notre-Dame
Île St-Louis
Pl. des Vosges
Place de la Bastille
Opéra de Paris Bastille
Place de la Nation
St-Germain des Prés
St-Sulpice
Palais du Luxembourg Sénat
Jardin du Luxembourg
Tour Montparnasse
Panthéon
Jardin des Plantes
Muséum National d'Histoire Naturelle
Palais Omnisports de Paris-Bercy
Bibliothèque Nationale de France F. Mitterrand
Place d'Italie
Place Denfert-Rochereau
Cimetière du Montparnasse
Parc Montsouris
Cité Universitaire
Stade Charléty
Place Félix Éboué
Bois de Vincennes
Lac Daumesnil
Pl. de la République

ENVIRONS DE PARIS
0 1 2 3 4 5 Km
264
PONTOISE
Génicourt
Butry-s.-Oise
Mériel
Anc. Abbaye du Val
Nerville-la-Forêt
Maffliers
Montsoult
Baillet-en-France
Villiers-Adam
Béthemont-la-Forêt
Chauvry
Paris International Golf Club
Attainville
Moisselles
Aérodrome d'Enghien-Moisselles
MÉRY-SUR-OISE
Frépillon
St-Ouen-L'Aumône
St-Gervais et St-Protais
BESSANCOURT
BOUFFEMONT
Forêt Dom. de Montmorency
Châ. de la Chasse
DOMONT
ÉZANVILLE
PIERRELAYE
TAVERNY
ST-LEU-LA-FORÊT
ÉRAGNY
BEAUCHAMP
Chaussée Jules César
ST-PRIX
Montlignon
Musée National de la Renaissance
Piscop
CONFLANS-STE-HONORINE
MONTIGNY-LES-CORMEILLES
LE PLESSIS-BOUCHARD
Andilly
Margency
MONTMORENCY
ST-BRICE-SOUS-FORÊT
HERBLAY
FRANCONVILLE
ERMONT
EAUBONNE
SOISY-SOUS-M.
GROSLAY
DEUIL-LA-BARRE
Hipp. d'Enghien
St-Maclou
Gaillon
CORMEILLES-EN-PARISIS
Moulin de Sannois
SANNOIS
ST-GRATIEN
ENGHIEN-LES-BAINS
MONTMAGNY
VILLETANEUSE
Forêt de St-Germain-en-Laye
La Frette-sur-Seine
MAISONS-LAFFITTE
Hippodrome de Maisons-Laffitte
ARGENTEUIL
EPINAY-SUR-SEINE
PIERREFITTE-SUR-SEINE
SARTROUVILLE
VILLENEUVE-LA-GARENNE
Basilique St-Denis
ST-DENIS
LE MESNIL-LE-ROI
HOUILLES
BEZONS
L'ÎLE-ST-DENIS
Stade de France
GENNEVILLIERS
COLOMBES
BOIS-COLOMBES
ASNIÈRES-S.-S.
ST-GERMAIN-EN-LAYE
MONTESSON
CARRIÈRES-S.-S.
LA GARENNE-COLOMBES
ST-OUEN
CLICHY
LE VÉSINET
CHATOU
LE PECQ
COURBEVOIE
NANTERRE
la Défense
LEVALLOIS-PERRET
Cim. de Montmartre
Butte Montmartre
Sacré-Cœur
NEUILLY-S.-S.
PUTEAUX
Parc Monceau
Gare St-Lazare
Gare du Nord
Gare de l'Est
CROISSY-S.-S.
Mont-Valérien
Arc de Triomphe
Champs Élysées
La Madeleine
Opéra
PARIS
MARLY-LE-ROI
SURESNES
Bagatelle
Grand Palais
Petit Palais
Pl. de la Concorde
BOUGIVAL
RUEIL-MALMAISON
Bois de Boulogne
Hipp. de Longchamp
Musée du Quai Branly
Tour Eiffel
Les Invalides
Mus. d'Orsay
Le Louvre
Centre Pompidou
Notre-Dame
LOUVECIENNES
Hippodrome d'Auteuil
Jardin du Luxembourg
Panthéon
LA CELLE-ST-CLOUD
VAUCRESSON
GARCHES
ST-CLOUD
Serres d'Auteuil
Parc A. Citroën
Jard. des Plantes
Mosquée
Gare d'Austerlitz
Rocquencourt
BOULOGNE-BILLANCOURT
Gare Montparnasse
Cimetière du Montparnasse
Arboretum de Chèvreloup
Manuf. Nat. de Porcelaine
Héliport de Paris Issy-les-M.
Parc des Expositions
Manuf. des Gobelins
Bibliothèque Nationale de France
LE CHESNAY
Marnes-la-Coquette
VILLE-D'AVRAY
ISSY-LES-M.
VANVES
Parc Montsouris
Stade Charléty
Grand et Petit Trianons
SÈVRES
Le Hameau de la Reine
VERSAILLES
CHAVILLE
MALAKOFF
MONTROUGE
GENTILLY
Château
MEUDON
CLAMART
CHÂTILLON
ARCUEIL
LE KREMLIN-BICÊTRE

Épinay-Champlâtreux
Domaine de Champlâtreux
Le Plessis-Luzarches
Jagny-sous-Bois
Golf de Plessis Bellefontaine
Villiers-le-Sec
Mareil-en-France
St-Léger
St-Martin
Butte de Châtenay
Châtenay-en-Fr.
Fontenay-en-Parisis
St-Aquilin
Le Mesnil-Aubry
Puiseux-en-France
Bois du Coudray
Hameau des Cèdres
le Vert Clos
MARLY-LA-VILLE
St-Witz
Chât. de Montmélian
Enclave de Mortefontaine
les Hauts de Montmélian
Péages
Val Montmélian
Bois de St-Laurent
Guincourt
Beaumarchais
Beaupré
Vémars
Aires de Service de Vémars
le Chemin de l'Étang
Moussy-le-Neuf
St-Vincent
DAMM.-EN-G.
la Résidence
Villeron
Aire de Repos de Villeron
Grange des Dimières
Autoroute du Nord
les Échabots
Moussy-le-Vieux
Longperrier
Maincourt
St-Leu-St-Gilles
le Cottage Delacroix
le Moulin
St-Justin
Aire de Repos de Chennevières
Chennevières-lès-Louvres
Mauregard
Villeneuve-sous-Dammartin
Le Plessis-Gassot
les Blatreux
GOUSSAINVILLE
LOUVRES
le Grand Pré
les Noues
Nord-Europe
Épiais-lès-L.
Bois Bleu
ÉCOUEN
Bouqueval
N104
Le Mesnil-Amelot
VILLIERS-LE-BEL
St-Didier
Ligne TGV
Roissy-en-France
Aérogare
AÉROPORT
Goussainville Vieux village
les Grands Champs
Le Thillay
Gare TGV
265
DE PARIS-CHARLES DE GAULLE
la Fauconnière
les Charmettes
les Marronniers
Golf de Gonesse
Vaudherland
Usines
SARCELLES
ARNOUVILLE-LÈS-G.
GONESSE
MITRY-MORY
Z.I. de Mitry-Compans
Z.I. du Moulin à Vent
Mory
la Madeleine
la Patte d'Oie de Gonesse
ZAC de Paris Nord 2
St-Médard
le Petit Tremblay
Lochères
GARGES-LÈS-G.
les Sablons
la Dame Blanche
Carnot
Bonneuil-en-France
Parc des Expositions Paris Nord
la Francilienne
Cité du Nord
les Acacias
la Lutèce
l'Avenir
AÉROPORT DE PARIS-LE BOURGET
la Haie Bertrand
A104 - E15
la Villette aux Aulnes
STAINS
la Croix Buard
Usine de construction d'automobiles
la Rose des Vents
les Cottages du Vert Galant
le Bois St-Denis
Mitry le Neuf
le Pont Yblon
Cité Jardin
DUGNY
Garonor
le Gros Saule
VILLEPINTE
TREMBLAY-EN-FRANCE
Morfondé
le Globe
Aérogare
le Merisier
la Croix Rouge
Ambourget
l'Ormeteau
les Beaudottes
SEVRAN
Pré Galant
les Sablons
Domaine du Vert Galant
VILLEPARISIS
Bois Fleuri
les Grands Bois
Maupertuis
Parc Départemental de la Courneuve
Beau Site
Sous Coudray
LE BLANC-MESNIL
Parc Forest. Nat. de Sevran
DENIS
l'Économie
LE BOURGET
les Sables
le Moulin Neuf
Rougemont
les Trèfles
Golf de la Poudrerie
Freinville
les Bosquets
VAUJOURS
LA COURNEUVE
les Six Routes
Paris Campagne
les Oiseaux
Cité Jardin
AULNAY-SOUS-BOIS
DRANCY
le Petit Groslay
l'Avenir Parisien
les Quatre Routes
la Flamiche
Nonneville
la Terre St-Blaise
les Merisiers
LIVRY-GARGAN
Coubron
COURTRY
Le Pin
Villevaudé
N.D. des Vertus
Fort d'Aubervilliers
AUBERVILLIERS
CLICHY-SOUS-BOIS
Cimetière Parisien
PANTIN
BOBIGNY
la Folie
LES PAVILLONS-SOUS-BOIS
Gargan
MONTFERMEIL
les Coudreaux
Aires de Service de Villevaudé
le Petit Noisy
BONDY
les Coquetiers
le Plateau
Aérodrome de Chelles-le-Pin
Chantereine
la Pomponnette
Bois de Brou
Parc de la Villette
Petit Pantin
les Bas Pays
NOISY-LE-SEC
Merlan
LE RAINCY
Franceville
CHELLES
Brou-sur-Chantereine
St-Germain
la Seigneurie
LE PRÉ-ST-GERVAIS
le Fond d'Orval
la Butte
VILLEMOMBLE
Dom. du Mont Chalats
ROMAINVILLE
LES LILAS
le Bois Perrier
Bois Châtel
GAGNY
les Pissottes
les Abbesses
VAIRES-SUR-MARNE
Parc des Buttes Chaumont
BAGNOLET
Golf de Rosny
Fort de Rosny
Changis
le Plateau d'Avron
l'Époque
Maison Blanche
l'Avenir
le Chênay
Gare de Vaires-Triage
Centrale Électrique
Base de Torcy
la Courtillière
ROSNY-SOUS-BOIS
Z.I. des Chanoux
les Fauvettes
NEUILLY-S.-M.
St-Pierre-St-Paul
Parc de Montreau
la Croix de Chavaux
MONTREUIL
NEUILLY-PLAISANCE
Cimetière du Père-Lachaise
Base Nautique
Anc. Chocolaterie Meunier
GOURNAY-SUR-MARNE
CHAMPS-S.-M.
NOISIEL
TORCY
St-Baudile
la Marne
Parc de Villeflix
FONTENAY-SOUS-BOIS
la Maltournée
les Coteaux
le Ru Nesle
Jardins de Champs
Mon. Meunier
le Parc
l'Arche Guédon
Pl. de la Bastille
les Rigollots
VINCENNES
la Varenne
BRY-S.-M.
NOISY-LE-GRAND
le Champy
le Luzard
la Ferme du Buisson
Gare de Lyon
Pl. de la Nation
Chât. de Vincennes
NOGENT-S.-M.
les Fontaines Giroux
Mont d'Est
Cité Descartes
le Mandinet
le Maubuée
Palais de la Porte Dorée
ST-MANDÉ
Parc de Bercy
Zoo
Parc Floral
LE PERREUX-S.-MARNE
la Butte Verte
LOGNES
le Segrais
Bois de Vincennes
INSEP
Pav. Baltard
la Fourchette de Bry
les Richardets
Autoroute de l'Est
A4 - E54
E15 - E50
CHARENTON-LE-PONT
Hipp. de Paris-Vincennes
Parc du Tremblay
VILLIERS-S.-M.
le Bois de Gaumont
les Yvris
Malnoue
D406 de Paris Est
Croissy-Beaubourg
ST-MAURICE
Gravelle
Île Fanac
JOINVILLE-LE-PONT
la Fourchette de Champigny
le Plant
les Luats
les Perroquets
St-Martin
Aérodr. de Lognes-Émerainville
Bois de Beaubourg
IVRY-S.-SEINE
Ivry Port
Alfort
Palissy
le Maroc
Cité Jardins
CHAMPIGNY-SUR-MARNE
Cœuilly
Parc de la Lande
Bois
LE PLESSIS-TRÉVISE
ÉMERAINVILLE
Aire de Service de la Soubriarde
MAISONS-ALFORT
École Nationale Vétérinaire
Anc. Abbaye St-Nicolas
St-Saturnin
le Val du Muguet
le Bois d'Emery
Cité Gagarine
le Vieux St-Maur
Fort de Champigny
Combault
Forêt
les Planètes
le Parc St-Maur
Champignol
les Hauts de Chennevières
Fort d'Ivry
ALFORTVILLE

266
MEUDON
CLAMART
CHÂTILLON
ARCUEIL
GENTILLY
LE KREMLIN-BICÊTRE
VIROFLAY
VÉLIZY-VILLACOUBLAY
FONTENAY-AUX-ROSES
BAGNEUX
CACHAN
VILLEJUIF
LE PLESSIS-ROBINSON
SCEAUX
BOURG-LA-REINE
L'HAŸ-LES-ROSES
CHEVILLY-LARUE
JOUY-EN-JOSAS
BIÈVRES
CHÂTENAY-MALABRY
BUC
Les Loges-en-Josas
Toussus-le-Noble
ANTONY
FRESNES
RUNGIS
IGNY
VERRIÈRES-LE-BUISSON
WISSOUS
MASSY
Saclay
Vauhallan
Villiers-le-Bâcle
PALAISEAU
AÉROPORT DE PARIS-ORLY
PARAY-VIEILLE-POSTE
CHILLY-MAZARIN
GIF-SUR-YVETTE
ORSAY
BURES-SUR-YVETTE
Champlan
MORANGIS
VILLEBON-S.-YVETTE
LONGJUMEAU
SAULX-LES-CHARTREUX
Villejust
LES ULIS
Gometz-le-Châtel
SAVIGNY-SUR-ORGE
Ballainvilliers
ÉPINAY-SUR-ORGE
VIRY-CHÂTILLON
Molières
Gometz-la-Ville
St-Jean-de-Beauregard
LA VILLE-DU-BOIS
Nozay
Villiers-s.-O.
VILLEMOISSON-SUR-ORGE
MORSANG-SUR-ORGE
LIMOURS
Janvry
LONGPONT-SUR-ORGE
STE-GENEVIÈVE-DES-BOIS
MONTLHÉRY
MARCOUSSIS
LINAS
Forges-les-Bains
Briis-sous-Forges
ST-MICHEL-SUR-ORGE
FLEURY-MÉROGIS
Autodrome de Linas-Montlhéry
Bois de la Forêt
Fontenay-lès-Briis
Leuville-sur-Orge
BRÉTIGNY-SUR-ORGE
Le Plessis-Pâté
BONDOUFLE
Vaugrigneuse
Bruyères-le-Châtel
Ollainville
ST-GERMAIN-LÈS-A.
St-Maurice-Montcouronne
ARPAJON
La Norville
EGLY
BREUILLET
Marolles-en-Hurepoix
Vert-le-Grand
St-Chéron
Leudeville
Boissy-sous-St-Yon
Vert-le-Petit
St-Vrain
Cheptainville
Sermaise
St-Sulpice-de-Favières
Torfou
Souzy-la-Briche
Lardy
Mauchamps
Chamarande

MAISONS-ALFORT
École Nationale Vétérinaire
ALFORTVILLE
St-Nicolas
St-Saturnin
Coeuilly
TRÉVISE
Forêt
Fort de Champigny
CHENNEVIÈRES-S.-M.
LA QUEUE-EN-BRIE
PONTAULT-COMBAULT
ST-MAUR-DES-FOSSÉS
VITRY-SUR-SEINE
CRÉTEIL
ORMESSON-S.-M.
Base de Plein Air et de Loisirs
Noiseau
Pontault
BONNEUIL-S.-M.
CHOISY-LE-ROI
THIAIS
SUCY-EN-BRIE
Forêt Domaniale Notre-Dame
la Francilienne
LÉSIGNY
ORLY
VALENTON
LIMEIL-BRÉVANNES
BOISSY-ST-LÉGER
MAROLLES-EN-BRIE
Santeny
Férolles-Attilly
VILLENEUVE-LE-ROI
VILLENEUVE-ST-GEORGES
Chât. de Gros Bois
Golf Blue Green
St-Julien de Brioude
Golf du Réveillon
Golf des Corbuches
267
CROSNE
YERRES
VILLECRESNES
Servon
Chevry-Cossigny
ATHIS-MONS
Fontaine Budé
Parc Caillebotte
Mandres-les-Roses
MONTGERON
BRUNOY
VIGNEUX-SUR-SEINE
BOUSSY-ST-ANTOINE
Périgny
BRIE-COMTE-ROBERT
JUVISY-S.-ORGE
DRAVEIL
EPINAY-SOUS-SÉNART
Varennes-Jarcy
Grisy-Suisnes
Forêt Domaniale de Sénart
QUINCY-SOUS-SÉNART
Pyramide de Brunoy
GRIGNY
Pont des Romains
SOISY-SUR-SEINE
COMBS-LA-VILLE
RIS-ORANGIS
Étiolles Colonial Country Club
Tigery
Évry-les-Châteaux
ÉVRY
Étiolles
LIEUSAINT
MOISSY-CRAMAYEL
Cathédrale
N104 - E15 - E50
Obélisque
Golf de Greenparc
ST-GERMAIN-LES-CORBEIL
COURCOURONNES
LE-VAL-DE-ROCHEFORT
Réau
Blue Green Golf de Villeray
LISSES
CORBEIL-ESSONNES
Aire de Service de Lisses
Aire de Serv. de Villabé
Villabé
SAINTRY-S.-SEINE
Forêt Rég. de Rougeau
Montereau-sur-le-Jard
Ormoy
NANDY
SAVIGNY-LE-TEMPLE
Écharcon
Morsang-sur-Seine
CESSON
Voisenon
Parc du Chât. d'Écharcon
Le Coudray-Montceaux
VERT-ST-DENIS
MENNECY
Seine-Port
St-Fargeau
MELUN
Fontenay-le-Vicomte
Golf de Chevannes-Mennecy
Chevannes
LA SEINE
Auvernaux
Parc animalier
LE MÉE-SUR-SEINE
BALLANCOURT-SUR-ESSONNE
PONTHIERRY
Boissise-le-Roi
Boissise-la-Bertrand

ENVIRONS DE LYON
0 1 2 3 4 5 Km
268
Chasselay
Poleymieux-au-Mont-d'Or
Albigny-sur-Saône
NEUVILLE-SUR-SAÔNE
Fleurieu-sur-Saône
Cailloux-sur-Fontaines
Marcilly-d'Azergues
Belmont-d'Azergues
Lissieu
Couzon-au-Mont-d'Or
Massif du Mont-d'Or
Fontaines-St-Martin
Rochetaillée-sur-Saône
Sathonay-Village
FONTAINES-SUR-SAÔNE
Sathonay-Camp
RILLIEUX-LA-PAPE
Lozanne
Civrieux-d'Azergues
Fleurieux-sur-l'Arbresle
Dommartin
Limonest
St-Romain-au-Mont-d'Or
Collonges-au-Mont-d'Or
Golf de Lyon Salvagny
Fort du Paillet
Eveux
Lentilly
Sourcieux-les-Mines
Couvent de la Tourette
ST-DIDIER-AU-MONT-D'OR
ST-CYR-AU-MONT-D'OR
CALUIRE-ET-CUIRE
La Tour-de-Salvagny
DARDILLY
CHAMPAGNE-AU-MONT-D'OR
Aire de Service de Dardilly
Fort de Montessuy
Parc de Lacroix-Laval
Fort de la Duchère
Marcy-l'Étoile
Charbonnières-les-Bains
ÉCULLY
Parc de la Tête d'Or
VILLEURBANNE
Col de la Croix du Ban
Ste-Consorce
Pollionnay
St-Genis-les-Ollières
Fort de Loyasse
N.-D. de Fourvière
St-Nizier
Cath. St-Jean
St-Bonaventure
Place Bellecour
LYON
Grézieu-la-Varenne
TASSIN-LA-DEMI-LUNE
Fort St-Irénée
Centre de Recherche sur le Cancer
Vaugneray
CRAPONNE
FRANCHEVILLE
STE-FOY-LÈS-LYON
Halle Tony Garnier
Cimetière de la Guillotière
Château de Bénévent
Brindas
Fort du Bruissin
Aqueducs romains
LA MULATIÈRE
Stade de Gerland
St-Laurent-de-Vaux
CHAPONOST
OULLINS
ST-FONS
Aérodrome de Lyon-Brindas
Aqueduc du Gier
École St-Thomas d'Aquin
Messimy
Fort de Côte Lorette
Aires de Service de Pierre-Bénite
PIERRE-BÉNITE
Château de Beauregard
ST-GENIS-LAVAL
VÉNISSIEUX
Thurins
Soucieu-en-Jarrest
BRIGNAIS
IRIGNY
Fort de Montcorin
FEYZIN
Fort de Champvillars
Raffinerie de Feyzin
Vourles
Rontalon
Orliénas
Aire de Service de Solaize
Vernaison
CORBAS
Charly
St-Laurent-d'Agny
Taluyers
Solaize
St-Vincent
Pavillon de Cornevent
Chaussan
Montagny
Millery
Aire de Service de Sérézin-du-Rhône
ST-SYMPHORIEN-D'OZON
Simandres
Mornant
Aqueduc romain
St-Sorlin
Sérézin-du-Rhône
GRIGNY
Chassagny
Ternay
Communay
Aires de Service de Communay
GIVORS
St-Andéol-le-Château
Chuzelles
LE RHÔNE
A46 - E15 - E70
A7 - E15
A6 - E15

MONTLUEL
MIRIBEL
RILLIEUX-LA-PAPE
VAULX-EN-VELIN
DÉCINES-CHARPIEU
MEYZIEU
JONAGE
CHASSIEU
BRON
GENAS
ST-PRIEST
VÉNISSIEUX
ST-BONNET-DE-MURE
St-Laurent-de-Mure
CHARVIEU-CHAVAGNEUX
LA VERPILLIÈRE
ST-QUENTIN-FALLAVIER
VILLEFONTAINE
Heyrieux
St-Pierre-de-Chandieu
CORBAS
MIONS
Toussieu
Chaponnay
Marennes
Valencin
Luzinay
St-Just-Chaleyssin
Villette-de-Vienne
Chuzelles
Diémoz
Grenay
Colombier-Saugnieu
Satolas-et-Bonce
Janneyrias
Pusignan
Jons
Villette-d'Anthon
Niévroz
Balan
Dagneux
Béligneux
Beynost
St-Maurice-de-Beynost
Neyron
Sathonay-Village
Cailloux-sur-Fontaines
AÉROPORT LYON-ST-EXUPÉRY
Camp de la
269

ENVIRONS DE MARSEILLE
0 1 2 3 4 5 Km
270
MARSEILLE
RADE DE MARSEILLE
GARDANNE
SIMIANE-COLLONGUE
CABRIÈS
LES PENNES-MIRABEAU
SEPTÈMES-LES-VALLONS
PLAN-DE-CUQUES
ALLAUCH
LA PENNE-SUR-HUVEAUNE
CASSIS
CAP CROISETTE
Mimet
CHAÎNE DE L'ÉTOILE
Pilon du Roi
la Grande Étoile
Île Ratonneau
Île Pomègues
Îles du Frioul
Château d'If
Île Maire
Île de Jarre
Île Plane
Île de Riou
RÉSERVE NATURELLE DE L'ARCHIPEL DE RIOU
LES CALANQUES
Massif de Marseilleveyre
Mont Puget
Col de la Gineste
Forêt Domaniale de la Gardiole
Mont Carpiagne
Champ de Tir de Carpiagne
Monts de la Gineste
Anse de l'Estaque
l'Estaque
Port de Corbière
Port de l'Estaque
Port de Niolon
Tunnel du Rove
Gare d'Aix-en-Provence TGV
Vieux Port
N.-D. de la Garde
Abbaye St-Victor
Fort St-Jean
Fort St-Nicolas
Stade Vélodrome
Parc Borély
Cité Le Corbusier
Gare St-Charles
Calanque de Sormiou
Cap Morgiou
Sormiou
Morgiou
Callelongue
les Goudes
Porto-Torres (Sardegna) - 13h45
Porto-Vecchio - 14h
l'Île Rousse - 11h30
Calvi - 11h30
Ajaccio - 12h
Propriano - 14h30
Bastia - 13h
A7
A50
A55
A51

ENVIRONS DE LILLE
0 1 2 3 4 5 Km
271
MENEN
(Menin)
WEVELGEM
Marke
Lauwe
Houthem
WERVIK
COMINES
(Komen)
COMINES
Wervicq-
-Sud
Bousbecque
HALLUIN
Rekkem
Aalbeke
Sterhoek
Risquons
tout
Bas-
-Warneton
Warneton
(Waasten)
Commune
de Warneton
le Vieil Dieu
RONCQ
NEUVILLE-
-EN-FERRAIN
MOUSCRON
(MOESKROEN)
Nouveau
Monde
Luingne
Deûlémont
LINSELLES
Ste-Marguerite
TOURCOING
Mont-à-Leu
Frelinghien
QUESNOY-
-SUR-DEÛLE
BONDUES
Châť. du
Vert-Bois
les Ballons
MOUVAUX
WATTRELOS
Beaulieu
Verlinghem
WAMBRECHIES
MARCQ-
-EN-BARŒUL
ROUBAIX
CROIX
LYS-
-LEZ-LANNOY
PÉRENCHIES
Lompret
MARQUETTE-
-LEZ-LILLE
WASQUEHAL
Lannoy
Toufflers
Prémesques
ST-ANDRÉ-
-LEZ-LILLE
LA MADELEINE
HEM
Capinghem
LAMBERSART
Sailly-
-lez-Lannoy
MONS-
-EN-BARŒUL
Flers-
-le-Bourg
Forest-
-sur-Marque
Séquedin
LILLE
VILLENEUVE-
-D'ASCQ
Willems
Hallennes-
-lez-Haubourdin
HAUBOURDIN
LOOS
Lezennes
Tressin
Chéreng
RONCHIN
Anstaing
Emmerin
FACHES-
-THUMESNIL
Gruson
Santes
WATTIGNIES
LESQUIN
Sainghin-
-en-Mélantois
Bouvines
Vendeville
Noyelles-
-lès-Seclin
Templemars
AÉROPORT
DE LILLE-LESQUIN
Cysoing
Péronne-
-en-Mélantois
Houplin-
-Ancoisne
Fretin
Louvil
SECLIN
Herrin
Gondecourt
Avelin
Ennevelin
Cobrieux
Allennes-
-les-Marais
Genech
Chemy
TEMPLEUVE
ANNŒULLIN
Pont-à-Marcq
Attiches
Carnin

France administrative (F)

(NL) Overzicht departementen
(D) Departementskarte
(GB) Département map
Mapa departamental (E)
Carta dipartimentale (I)

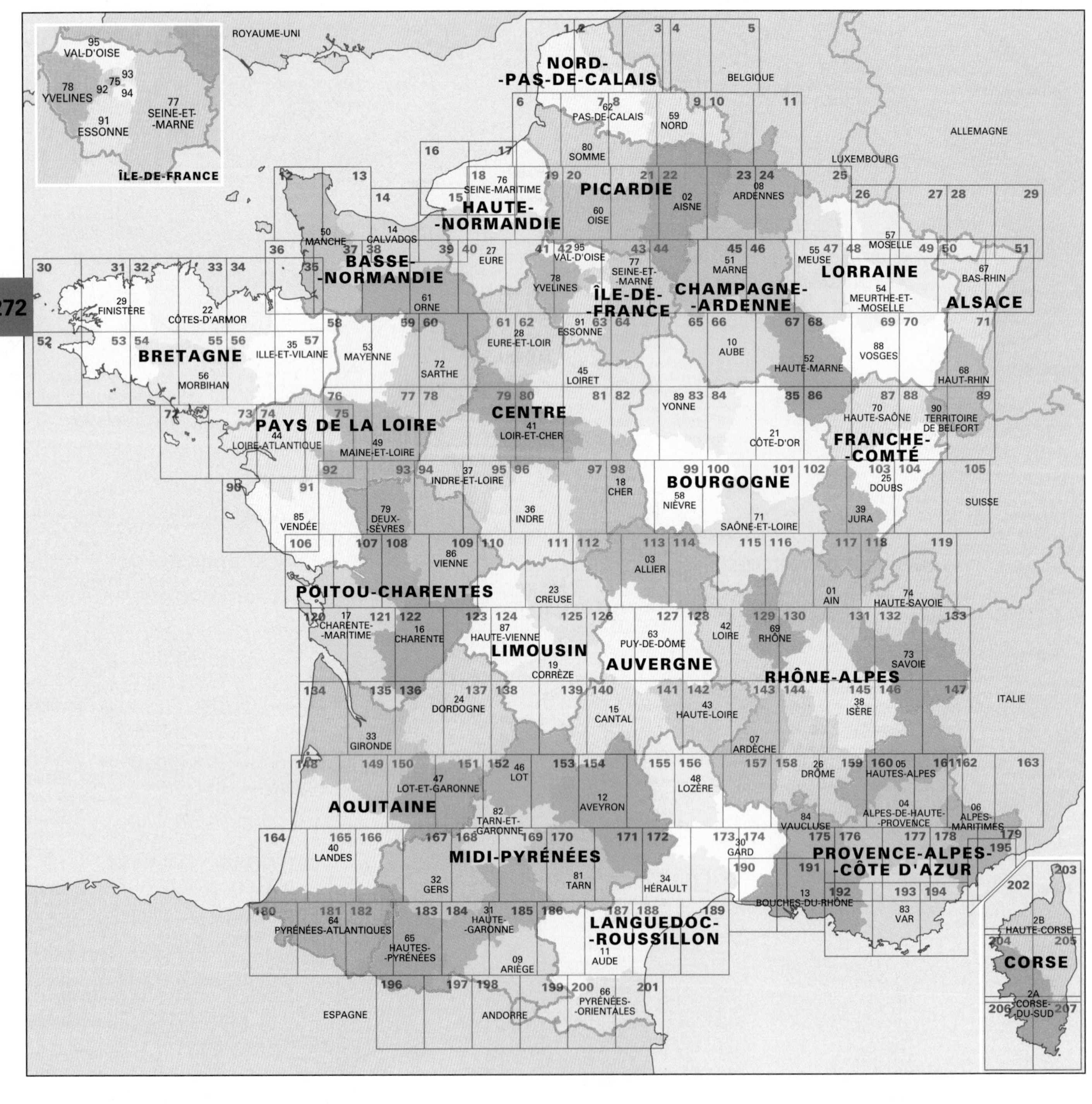

01 Ain
02 Aisne
03 Allier
04 Alpes-de-Haute-Provence
05 Hautes-Alpes
06 Alpes-Maritimes
07 Ardèche
08 Ardennes
09 Ariège
10 Aube
11 Aude
12 Aveyron
13 Bouches-du-Rhône
14 Calvados
15 Cantal
16 Charente
17 Charente-Maritime
18 Cher
19 Corrèze
2A Corse-du-Sud
2B Haute-Corse
21 Côte-d'Or
22 Côtes-d'Armor
23 Creuse
24 Dordogne
25 Doubs
26 Drôme
27 Eure
28 Eure-et-Loir
29 Finistère
30 Gard
31 Haute-Garonne
32 Gers
33 Gironde
34 Hérault
35 Ille-et-Vilaine
36 Indre
37 Indre-et-Loire
38 Isère
39 Jura
40 Landes
41 Loir-et-Cher
42 Loire
43 Haute-Loire
44 Loire-Atlantique
45 Loiret
46 Lot
47 Lot-et-Garonne
48 Lozère
49 Maine-et-Loire
50 Manche
51 Marne
52 Haute-Marne
53 Mayenne
54 Meurthe-et-Moselle
55 Meuse
56 Morbihan
57 Moselle
58 Nièvre
59 Nord
60 Oise
61 Orne
62 Pas-de-Calais
63 Puy-de-Dôme
64 Pyrénées-Atlantiques
65 Hautes-Pyrénées
66 Pyrénées-Orientales
67 Bas-Rhin
68 Haut-Rhin
69 Rhône
70 Haute-Saône
71 Saône-et-Loire
72 Sarthe
73 Savoie
74 Haute-Savoie
75 Paris
76 Seine-Maritime
77 Seine-et-Marne
78 Yvelines
79 Deux-Sèvres
80 Somme
81 Tarn
82 Tarn-et-Garonne
83 Var
84 Vaucluse
85 Vendée
86 Vienne
87 Haute-Vienne
88 Vosges
89 Yonne
90 Territoire de Belfort
91 Essonne
92 Hauts-de-Seine
93 Seine-Saint-Denis
94 Val-de-Marne
95 Val-d'Oise

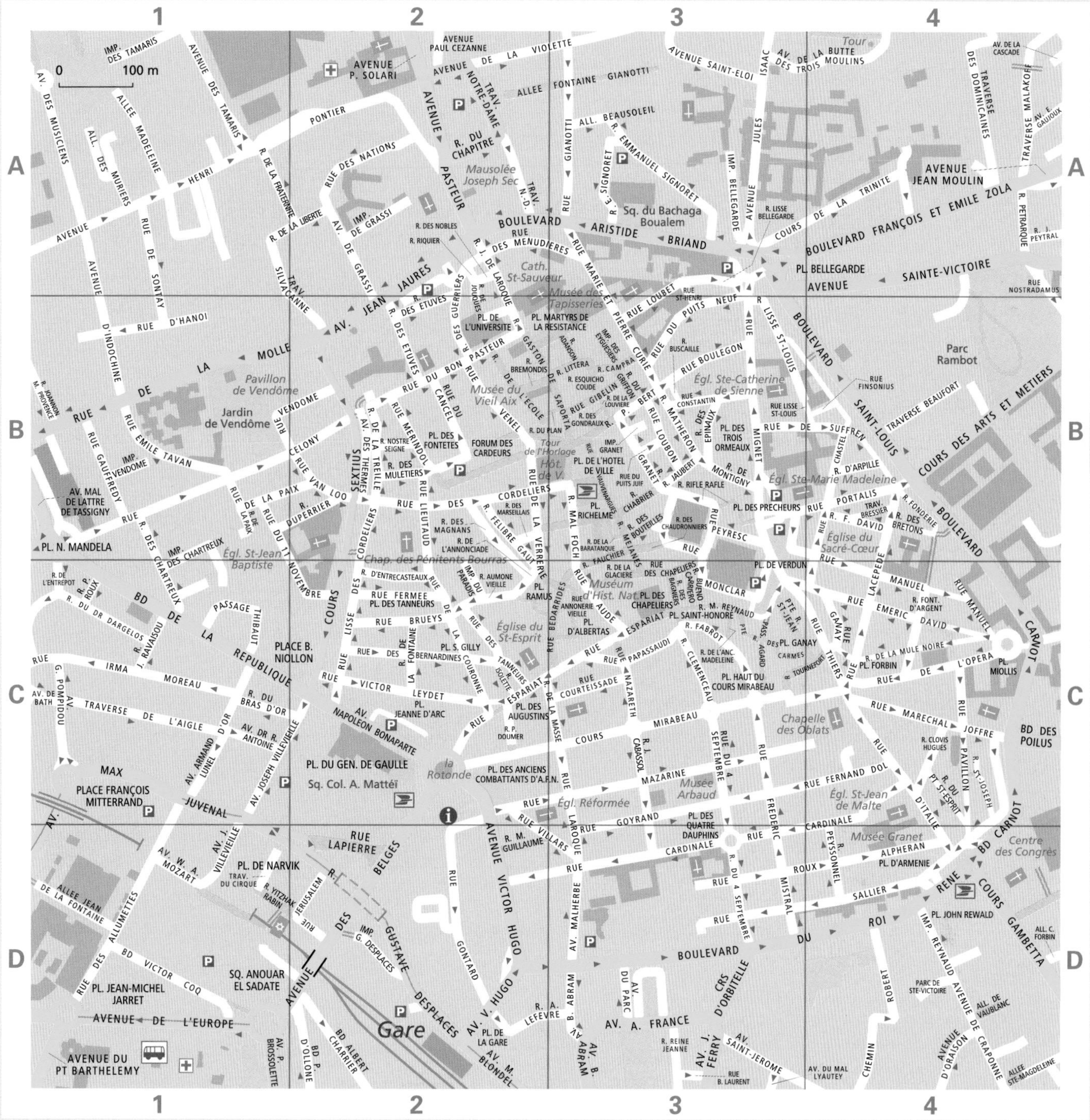

ADANSON (Rue) B3
AGARD (Passage) C3
AIGLE D'OR (Traverse de l') C1
ALBERT CHARRIER (Boulevard) D2
ALBERTAS (Place d') C3
ALLUMETTES (Rue des) D1
ANATOLE FRANCE (Avenue) D3
ANCIENNE MADELEINE (Rue de l') C3
ANCIENS COMBATTANTS D'A.F.N. (Place des) C2
ANDRE LEFEVRE (Rue) D2-D3
ANNONCIADE (Rue de l') C2
ANNONERIE VIEILLE (Rue) C3
ANOUAR EL SADATE (Square) D1
ARISTIDE BRIAND (Boulevard) A2-A3
ARMAND LUNEL (Avenue) C1
ARMENIE (Place d') D4
ARPILLE (Rue d') B4
ARTS ET METIERS (Cours des) B4
AUDE (Rue) C3
AUGUSTINS (Place des) C2
AUMONE VIEILLE (Rue) C2
BAGNIERS (Rue des) C3
BARATANQUE (Rue de la) B3
BARTHELEMY NIOLLON (Place) C2
BATH (Avenue de) C1
BEAUFORT (Traverse) B4
BEAUSOLEIL (Allée) A3
BEDARRIDES (Rue) C3
BELGES (Avenue des) D1-C2
BELLEGARDE (Impasse) A3
BELLEGARDE (Place) A3
BENJAMIN ABRAM (Avenue) D3
BERNARDINES (Rue des) C2
BON PASTEUR (Rue du) B2
BONIFACE LAURENT (Rue) D3
BOULEGON (Rue) B3
BOUTEILLES (Rue des) B3
BRAS D'OR (Rue du) C1-C2
BREMONDIS (Rue) B2-B3
BRESSIER (Traverse) B4
BRETONS (Rue des) B4
BRUEYS (Rue) C2
BUENO CARRIERO (Rue) C3
BUSCAILLE (Rue) B3
BUTTE DES TROIS MOULINS (Avenue de la) A3-A4
CAMPRA (Rue) B3
CANCEL (Rue du) B2
CARDEURS (Forum des) B2
CARDINALE (Rue) D2-C4
CARMES (Petite rue des) C3-C4
CARNOT (Boulevard) B4-D4
CASCADE (Avenue de la) A4
CELONY (Rue) B1-B2
CHABRIER (Rue) B3
CHAPELIERS (Place des) C3
CHAPELIERS (Rue des) B3-C3
CHAPITRE (Rue du) A2
CHARTREUX (Impasse des) B1-C1
CHARTREUX (Rue des) B1-C1
CHASTEL (Rue) B3-C4
CHAUDRONNIERS (Rue des) B3
CIRQUE (Traverse du) D1
CLAUDE FORBIN (Allée) D4
CLEMENCEAU (Rue) C3
CLOVIS HUGUES (Rue) C4
CONSTANTIN (Rue) B3
CORDELIERS (Rue des) B2-B3
COURONNE (Rue de la) C2
COURTEISSADE (Rue) C3
CRAPONNE (Avenue de) D4
DOCTEUR DARGELOS (Rue du) C1
DOCTEUR RENEE ANTOINE (Avenue) C1
DOMINICAINES (Traverse des) A4
DUPERRIER (Rue) B1-B2
ECOLE (Rue de l') B2
EMERIC DAVID (Rue) C3-C4
EMILE GAUJOUX (Avenue) A4
EMILE TAVAN (Rue) B1
EMMANUEL SIGNORET (Rue) A3
ENTRECASTEAUX (Rue d') C2
ENTREPOT (Rue de l') C1
EPINAUX (Rue des) B3
ESPARIAT (Rue) C2-C3
ESQUICHO COUDE (Rue) B3
ETUVES (Rue des) A2-B2
EUROPE (Avenue de l') D1
EYGUESIERS (Impasse des) B3
FABROT (Rue) C3
FAUCHIER (Rue) B3-C3
FELIBRE GAUT (Rue) B2-C2
FELICIEN DAVID (Rue) B4
FERMEE (Rue) C2
FERNAND DOL (Rue) C3-C4
FINSONIUS (Rue) B4
FONDERIE (Rue) B4
FONTAINE (Rue de la) C2
FONTAINE D'ARGENT (Rue) C4
FONTAINE GIANOTTI (Allée) A2-A3
FONTETES (Place des) B2
FORBIN (Place) C4
FRANÇOIS ET EMILE ZOLA (Bd) A3-A4
FRANÇOIS MITTERRAND (Place) C1
FRATERNITE (Rue de la) A1-A2
FREDERIC MISTRAL (Rue) C3-D3
GAMBETTA (Cours) D4
GANAY (Place) C4
GANAY (Rue) C4
GARE (Place de la) D2
GASTON DE SAPORTA (Rue) B2-B3
GAUFFREDY (Rue) B1
GENERAL DE GAULLE (Place du) C2
GEORGES POMPIDOU (Avenue) C1
GIANOTTI (Rue) A3
GIBELIN (Rue) B3
GLACIERE (Rue de la) C3
GONDRAUX (Rue des) B3
GONTARD (Rue) C2-D2
GOYRAND (Rue) C3-D3
GRANET (Impasse) B3
GRANET (Rue) B3
GRASSI (Avenue de) A2-B2
GRASSI (Impasse de) A2
GRIFFON (Rue du) B3
GUERRIERS (Rue des) A2-B2
GUSTAVE DESPLACES (Impasse) D2
GUSTAVE DESPLACES (Rue) D2
HANOI (Rue d') B1
HAUT DU COURS MIRABEAU (Place) C3
HENRI PONTIER (Avenue) A1-A2
HOTEL DE VILLE (Place de l') B3
INDOCHINE (Avenue d') A1-B1
IRMA MOREAU (Rue) C1
ISOLETTE (Rue) C2
ITALIE (Rue d') C4-D4
JACQUES DE LAROQUE (Rue) A2-B2
JAUBERT (Rue) B3
JEAN DE LA FONTAINE (Allée) D1
JEAN JAURES (Avenue) A2-B2
JEAN MOULIN (Avenue) A4
JEAN PEYTRAL (Rue) A4
JEAN-MICHEL JARRET (Place) D1
JEANNE D'ARC (Place) C2
JERUSALEM (Rue) D2
JOANNON MARCEL PROVENCE (Rue) B1
JOHN REWALD (Place) D4
JOSEPH CABASSOL (Rue) C3-D3
JOSEPH RAVAISOU (Rue) C1
JOSEPH VILLEVIEILLE (Avenue) D1-C2
JOUQUES (Rue de) A2-B2
JULES FERRY (Avenue) D3
JULES ISAAC (Avenue) A3
LACEPEDE (Rue) B4-C4
LAPIERRE (Rue) D1-D2
LAROQUE (Rue) C3-D3
LIBERTE (Rue de la) A1-A2
LIEUTAUD (Rue) B2-C2
LISSE BELLEGARDE (Rue) A3-B3
LISSE DES CORDELIERS (Rue) B2-C2
LISSE SAINT-LOUIS (Rue) B3-B4
LITTERA (Rue) B3
LOUBET (Rue) A3-B3
LOUBON (Rue) B3
LOUVIERE (Rue de la) B3
MADELEINE (Allée) A1
MAGNANS (Rue des) B2-C2
MALAKOFF (Traverse) A4
MALHERBE (Avenue) D3
MANUEL (Rue) B3-C4
MARCEL GUILLAUME (Rue) D2-D3
MARECHAL DE LATTRE DE TASSIGNY (Avenue) B1
MARECHAL FOCH (Rue) B3-C3
MARECHAL JOFFRE (Rue) C4
MARECHAL LYAUTEY (Avenue du) D3
MARIE ET PIERRE CURIE (Rue) A3-B3
MARIUS REYNAUD (Rue) C3
MARSEILLAIS (Rue des) B2-B3
MARTYRS DE LA RESISTANCE (Place) B3
MASSE (Rue de la) C2-C3
MATHERON (Rue) B3
MAURICE BLONDEL (Avenue) D2
MAX JUVENAL (Avenue) C1-D1
MAZARINE (Rue) C2-C3
MEJANES (Rue) B3-C3
MENUDIERES (Rue des) A2-A3
MERINDOL (Rue) B2
MIGNET (Rue) A3-B3
MIOLLIS (Place) C4
MIRABEAU (Cours) C2-C3
MOLLE (Rue de la) B1-B2
MONCLAR (Rue) B3-C3
MONTIGNY (Rue de) B3
MULE NOIRE (Rue de la) C4
MULETIERS (Rue des) B2
MURIERS (Allée des) A1
MUSICIENS (Avenue des) A1
NAPOLEON BONAPARTE (Avenue) C2
NARVIK (Place de) D2
NATIONS (Rue des) A2
NAZARETH (Rue) C3
NELSON MANDELA (Place) B1
NOBLES (Rue des) A2
NOSTRADAMUS (Rue) A4-B4
NOSTRE SEIGNE (Rue) B2
NOTRE-DAME (Traverse) A2
11 NOVEMBRE (Rue du) B1-C2
OPERA (Rue de l') C4
ORAISON (Avenue d') D4
ORBITELLE (Cours d') D3
PAIX (Rue de la) B1-B2
PAPASSAUDI (Rue) C3
PARADIS (Impasse du) C2
PARC (Avenue du) D3
PASTEUR (Avenue) A2
PAUL BERT (Rue) B3
PAUL CEZANNE (Avenue) A2
PAUL D'OLLONE (Boulevard) D2
PAUL DOUMER (Rue) C2
PAUL ROUX (Rue) C1
PAVILLON (Rue) C4-D4
PETIT BARTHELEMY (Avenue du) D1
PETIT SAINT-ESPRIT (Rue du) C4-D4
PETRARQUE (Rue) A4
PEYRESC (Rue) B3
PEYSSONNEL (Rue) C4-D4
PHILIPPE SOLARI (Avenue) A2
PIERRE BROSSOLETTE (Avenue) D1
PLAN (Rue du) B2-B3
POILUS (Boulevard des) C4
PORTALIS (Rue) B3-B4
PRECHEURS (Place des) B3
PUITS JUIF (Rue du) B3
PUITS NEUF (Rue du) A3-B3
QUATRE DAUPHINS (Place des) D3
4 SEPTEMBRE (Rue du) C3-D3
RAMUS (Place) C3
REINE JEANNE (Rue) D3
REPUBLIQUE (Boulevard de la) C1-C2
REYNAUD (Impasse) D4
RICHELME (Place) B3
RIFLE RAFLE (Rue) B3
RIQUIER (Rue) A2
ROBERT (Chemin) D4
ROI RENE (Boulevard du) D2-D4
ROUX ALPHERAN (Rue) D3-D4
SAINT-ELOI (Avenue) A3
SAINT-HENRI (Rue) A3-B3
SAINT-HONORE (Place) C3
SAINT-JEAN (Petite rue) C3-C4
SAINT-JEROME (Avenue) D3
SAINT-JOSEPH (Rue) C4
SAINT-LOUIS (Boulevard) A3-B4
SAINTE-MAGDELEINE (Allée) D4
SAINTE-VICTOIRE (Avenue) A3-A4
SAINTE-VICTOIRE (Parc de) D4
SALLIER (Rue) D3-D4
SERAPHIN GILLY (Place) C2
SEXTIUS (Cours) B2-C2
SILVACANNE (Traverse) A1-B2
SONTAY (Rue de) A1-B1
SUFFREN (Rue de) B3-B4
TAMARIS (Avenue des) A1
TAMARIS (Impasse des) A1
TANNEURS (Place des) C2
TANNEURS (Rue des) C2
THERMES (Avenue des) B2
THIBAUT (Passage) C1
THIERS (Rue) C3-C4
TOURNEFORT (Rue) C3-C4
TREILLE (Rue de la) B2
TRINITE (Cours de la) A3-A4
TROIS ORMEAUX (Place des) B3
UNIVERSITE (Place de l') B2
VAN LOO (Rue) B2
VAUBLANC (Allée de) D4
VAUVENARGUES (Rue) B3
VENDOME (Impasse) B1
VENDOME (Rue) B1-B2
VENEL (Rue) B2
VERDUN (Place de) C3
VERRERIE (Rue de la) B2-C3
VICTOR COQ (Boulevard) D1
VICTOR HUGO (Avenue) C2-D2
VICTOR LEYDET (Rue) C2
VILLARS (Rue) C2-D3
VIOLETTE (Avenue de la) A2-A3
WOLFGANG-AMADEUS MOZART (Avenue) C1-D1
YITZHAK RABIN (Rue) D1-D2
YVES MONTAND (Allées) D1

AMIENS

ABBAYE (Impasse de l') A2
ADEODAT LEFEVRE (Rue) C3-C4
AGUESSEAU (Place d') C3
AIME MERCHEZ (Rue) C1
ALBERT 1ER (Mail) D2-D3
ALBERT CATOIRE (Rue) C2
ALBERT DAUPHIN (Passage) C2
ALBERT DAUPHIN (Rue) C2
ALBERT ROZE (Rue) C1-D2
ALEXANDRE FATTON (Rue) C4-D4
ALFRED MANESSIER (Rue) A2
ALLART (Rue) D3
ALPHONSE FIQUET (Passage) D4
ALPHONSE PAILLAT (Rue) D2-D3
ALSACE LORRAINE (Boulevard d') . . C4-D4
AMIRAL COURBET (Rue de l') D3-C4
AMIRAL LEJEUNE (Rue de l') C1
AMONT (Port d') B4-C4
ANATOLE FRANCE (Rue) B1
ANDRE (Rue) B3-C3
ANTONIN (Rue) B3
ARBRE AUX QUARANTE ECUS (Promenade de l') B4
ARC-EN-CIEL (Résidence) A1
ARCHERS (Rue des) B3-A4
ARISTIDE BRIAND (Place) B3-B4
ARTUS (Cour) B1
AUGUSTINS (Rue des) B4-C4
BAILLAGE (Passage du) C2
BAILLON (Rue) A2-B2
BAINS NEVEUX (Passage des) B2
BARABAN (Boulevard) A3-B4
BARETTE (Rue de la) C4
BARRIERE DU GAYANT (Rue de la) A2
BASSE DES TANNEURS (Rue) B2
BAUDELOCQUE (Rue) A2-A3
BEAUVAIS (Rue de) C1-C2
BECQUERELLES (Passage des) A3
BECQUERELLES (Rue des) A3
BELFORT (Boulevard de) D3-D4
BELIDOR (Rue) A3
BELU (Passage) B4
BELU (Quai) B4
BLANQUETAQUE (Rue) B4
BOERS (Rue des) A2
BONDES (Rue des) B3-B4
BONNARDS (Rue des) A4
BONVALLET (Rue) A1
BOUT DE LA VEILLERE (Rue du) B2
BRIQUES (Rue des) B1
BUISSONS (Impasse des) A1
CAMILLE CLAUDEL (Rue) A2
CANGE (Boulevard du) B4
CANNETTES (Rue des) C4
CANTERAINE (Rue) B3
CARDON (Rue) C4
CARNOT (Boulevard) C1-D1
CASTILLE (Rue de) D4
CATHERINE DE LICE (Rue) A3
CAUDRON (Rue) D3-D4
CAUMARTIN (Rue) C1
CELESTINS (Boulevard des) A3
CERISY (Rue) C1
CHAPEAU DE VIOLETTES (Rue du) B2
CHARLES DE FOUCAULD (Rue) D4
CHARLES NUNGESSER (Rue) B1
CHARLES TELLIER (Quai) A1-B1
CHAUDRONNIERS (Rue des) B2-C2
CLAIRONS (Passage des) A3
CLAIRONS (Rue des) A3-B4
CLAUDIUS-ANTOINE SERRASSAINT (Rue) D4
CLOITRE DE LA BARGE (Rue du) C3
COCHER (Rue du) B1
COCHES (Passage des) A3
COCHES (Rue des) A3
COMMANDANT DEFONTAINE (Rue du) B1
CONDE (Rue de) B2
CONTRE HALAGE (Chemin de) A3
CONTRESCARPE (Rue de la) D4
CORDELIERS (Rue des) C2
CORDIER (Rue) A4
CORMONT (Rue) C3
CORPS NUDS SANS TESTE (Rue des) . . C3
CORROYERS (Rue des) B1
CRESSENT (Rue) B1
CRIGNONS (Rue des) C3
CYPRES CHAUVES (Allée des) A4-B4
DAHOMEY (Impasse du) A1-A2
DALLERY (Rue) A3
DAME JEANNE (Rue) B4
DAMIS (Rue) D4
DARLINGTON (Square de) A2-A3
DAVELUY (Rue) B3
DEBAUSSAUX (Rue) A1
DECOURT (Rue) A4
DELAHAYE (Rue) A1
DELAMBRE (Rue) C2
DEPORTES (Rue des) A2-A3
DESPREZ (Rue) C1-D1
2ÈME D.B. (Rue de la) C1-C2
DODANE (Rue de la) B3-B4
DOM BOUQUET (Rue) D1
DOM GRENIER (Rue) D1
DON (Place du) B3
DON (Rue du) B3
DOUBLES CHAISES (Rue des) B2
DUMERIL (Rue) C2
DUPETIT (Impasse) D4
DUPUIS (Rue) C4
DUSEVEL (Rue) C3
DUTHOIT (Rue) D2-D3
ECLUSE (Quai de l') A2
ÉCUYER (Rue de l') B1
EDISON DUMIN (Square) B3
EDMOND FONTAINE (Rue) A3-B3
EDOUARD BRANLY (Esplanade) D1
EDOUARD DAVID (Rue) B3
ELOI MOREL (Rue) A3-A4
EMILE ZOLA (Rue) D3
ENGOULVENT (Rue d') B3-B4
ENTONNOIR (Rue de l') B2
ERNEST CAUVIN (Rue) C3-D3
FAIDHERBE (Boulevard) B1-C1
FAUVEL (Square) B2
FERNEL (Rue) B3
FEURRE (Place au) B2
FIL (Place au) B2-C2
FLAMANT (Rue) B1
FLATTERS (Rue) B3-C3
FLORIMOND LEROUX (Rue) B2
FONTAINE D'AMOUR (Rue de la) A3
FOSSE (Rue du) D4
FOSSIER (Impasse) D4
FRANÇAIS LIBRES (Rue des) A3
FRANCOIS MEUSNIER (Rue) D1
FRANCS MURIERS (Rue des) B2-B3
FREDERIC PETIT (Rue) C1-D1
FUSILLES (Boulevard des) A2-A3
GAMBETTA (Place) C2
GANTIERS (Rue des) B3
GARIBALDI (Boulevard) B1
GAUDISSART (Rue) B3-B4
GAULTHIER DE RUMILLY (Rue) D2
GENERAL DE GAULLE (Avenue du) A3
GENERAL LECLERC (Rue du) B2-C2
GEORGES ANTOINE (Rue) D4
GERMAIN BLEUET (Rue) C1
GLORIETTE (Rue) C4
GRAINVILLE (Rue) B3
GRAND VIDAME (Rue du) B1
GRANGES (Rue des) B3
GRENIER ET BERNARD (Rue) B3
GRESSET (Rue) C2
GUIDE (Rue) A2-B2
GUYENCOURT (Boulevard) D1
HALAGE (Chemin de) A3-B4
HALLES (Passage des) B2-C2
HAUTE DES TANNEURS (Rue) B2-B3
HAUTES CORNES (Rue des) B4
HENRI BARBUSSE (Rue) C2
HENRI DUNANT (Rue) B1-B2
HENRI IV (Rue) C3
HENRI SENE (Square) C1
HENRIETTE DUMUIN (Rue) B1-B2
HENSON (Allée des) A1
HOCQUET (Rue du) B3-C4
HOTEL DE VILLE (Place de l') C2
HOTOIE (Rue de la) B1-B2
HUCHERS (Rue des) B3
HUGUENOTS (Rue des) D1
JACOBINS (Rue des) C2-D3
JARDIN DES PLANTES (Boulevard du) A2-B2
JEAN CALVIN (Rue) B1-C2
JEAN CATELAS (Rue) B1-C2
JEAN GODRIS (Place) B2
JEAN GODRIS (Rue) B2
JEAN JAURES (Rue) B1
JEAN MERMOZ (Rue) C4
JEAN XXIII (Rue) C4
JEANNE NATIERE (Rue) B2
JORON (Impasse) B3-C3
JOURS (Promenade des) A3-A4
JULES BARNI (Rue) D4
JULES BOCQUET (Square) C3
JULES LARDIERE (Rue) C2-D2
JULES LEFEBVRE (Rue) D1
KRUGER (Place) A2
LAFAYETTE (Rue) A2
LAFLEUR (Place) B3
LAFLEUR (Venelle) B3
LAMARCK (Rue) D2-C3
LAMARTINE (Rue) C4-D4
LAMETH (Rue) C4
LAVALARD (Rue) C2-D2
LAVOISIER (Résidence) A3
LE NOTRE (Rue) D1-D2
LEDIEU (Rue) A1-B1
LEMERCHIER (Rue) D3
LEON BLUM (Rue) C2
LEON DEBOUVERIE (Place) C2
LEON GONTIER (Place) C1
LESUEUR (Rue) C3
LHOMOND (Rue) C1
LIN (Rue au) B2
LOGIS DU ROI (Passage du) C3
LOMBARDS (Rue des) C2-C3
LONGUEVILLE (Place) D2
LOUIS DEWAILLY (Place) C1
LOUIS SELLIER (Place) A1-B1
LOUVELS (Rue des) D1-D2
MAI (Rue de) A3
MAIGNAN LARIVIERE (Boulevard) . . D1-D2
MAJOTS (Rue des) B3
MALMAISON (Rue de la) C2
MARC SANGNIER (Rue) C1
MARCHE AUX CHEVAUX (Rue du) B1
MARCHE AUX HERBES (Square du) . . B2-B3
MARCHE LANSELLES (Rue du) B2-C2
MARECHAL DE LATTRE DE TASSIGNY (Rue du) C1-D1
MARECHAL JOFFRE (Place du) D3
MARISSONS (Rue des) B3
MARMOUSETS (Venelle des) B3
MAROTTE (Rue) D3
MARTIN BLEU DIEU (Rue) C1
MATTRE (Rue le) D2
MAUBERT (Place) B2
MAURICE THEDIE (Rue) C1
MAURICE VAST (Place) C2
METZ (Rue de) B2-C2
METZ L'EVEQUE (Rue de) C3-C4
MICHEL CARBONNELLE (Rue) A3
MINIMES (Rue des) A3
MONMIGNON (Impasse) B1
MORLIERE (Rue de la) C4
MOTTE (Rue) B3-B4
MOULIN NEUF (Rue du) B2
NOTRE-DAME (Place) C3
NOYON (Rue de) D4
ORATOIRE (Rue de l') C4
OREE DU BOIS (Rue de l') A1
ORFEVRES (Rue des) B2-B3
OTAGES (Rue des) D3
PARCHEMINIERS (Rue des) A3
PARIS (Rue de) D1
PARMENTIER (Place) B3-B4
PASSERELLE (Quai de la) A2-B2
PASTEUR (Boulevard) D1-D2
PAUL TELLIER (Rue) D4
PERU LOREL (Rue) D3
PHILIPPE D'AUXY (Rue) A4
PIERRE DUBOIS (Rue) C3
PIERRE L'HERMITE (Rue) D3
PIERRE MARIE SAGUEL (Square) C2
PIERRE MENDES FRANCE (Avenue) A1
PIERRE MENDES-FRANCE (Square) C3
PINGRE (Rue) B2
PLEIADE (Allée de la) C3-C4
PLUMETTE (Rue de la) B3
PONT A MOINET (Rue du) B3
PONT BECQUET (Rue du) B3
PORION (Rue) C3
PORT (Boulevard du) B1
PORT D'AVAL (Boulevard du) B1-B2
POTIER (Rue) A2
POUDRIERE (Rue de la) C1
PUVIS DE CHAVANNES (Rue) D2
RABUISSONS (Impasse des) D2
RENE GOBLET (Place) D3-D4
REPUBLIQUE (Rue de la) C2-D2
RESISTANCE (Rue de la) A2-B2
RINCHEVAUX (Rue des) B3
RIQUIER (Rue) B2
ROBERT DE LUZARCHES (Rue) C3
ROBERT PIERRE (Rue) C1
ROUEN (Rue de) D1
SAINT-DIDIER (Impasse) C3
SAINT-GERMAIN (Place) B2
SAINT-GERMAIN (Rue) B2
SAINT-HONORE (Rue) D1
SAINT-JACQUES (Rue) B1-B2
SAINT-JULIEN (Place) A3
SAINT-LEU (Petite rue) B3
SAINT-LEU (Rue) A3-B3
SAINT-MARTIN AUX WAIDES (Rue) . . C2-C3
SAINT-MAURICE (Quai) A2
SAINT-MICHEL (Place) C3
SAINT-PATRICE (Rue) C2
SAINT-PIERRE (Chaussée) A3
SAINT-ROCH (Rue) B1
SAINT-SULPICE (Boulevard) A2-A3
SAINTE-CATHERINE (Placette) B2
SAINTE-CATHERINE (Rue) B2
SAINTES-CLAIRES (Rue des) A3
SAMAROBRIVA (Passerelle) B4
SANDRINE (Passage) A3
SERGENTS (Rue des) C2-C3
SIRE FIRMIN LEROUX (Rue) C3
SŒURS GRISES (Square des) B2
SOMME (Quai de la) A1
SOURIRE D'AVRIL (Passage du) A3
STROCK (Passage) A2
SUZANNE FILACHET (Allée) A4
TAGAULT (Rue) B2-B3
TEINTURIERS (Rue des) A1-A2
TEINTURIERS PROLONGEE (Rue des) . . A1
TOURNECOEFFE (Impasse) B2
TROIS CAILLOUX (Rue des) C2-D3
TURPIN (Rue) B4-C4
UNION (Rue de l') D1
VADE (Rue) C4
VALLEE (Rue de la) C4
VANMARCKE (Rue) B3
VASCOSAN (Rue) D4
VEILLERE (Grande rue de la) A2-B2
VEILLERE (Petite rue de la) B2-B3
VERGEAUX (Rue des) C2
VEZIER (Impasse) A2
VICTOR HUGO (Rue) C3-D3
VINCENT AURIOL (Rue) D3-D4
VIVIEN (Rue) D3
VIVIER (Rue du) C4
VOCLIN (Rue) B1
VOGEL (Place) B2
VULFRAN WARME (Rue) D4

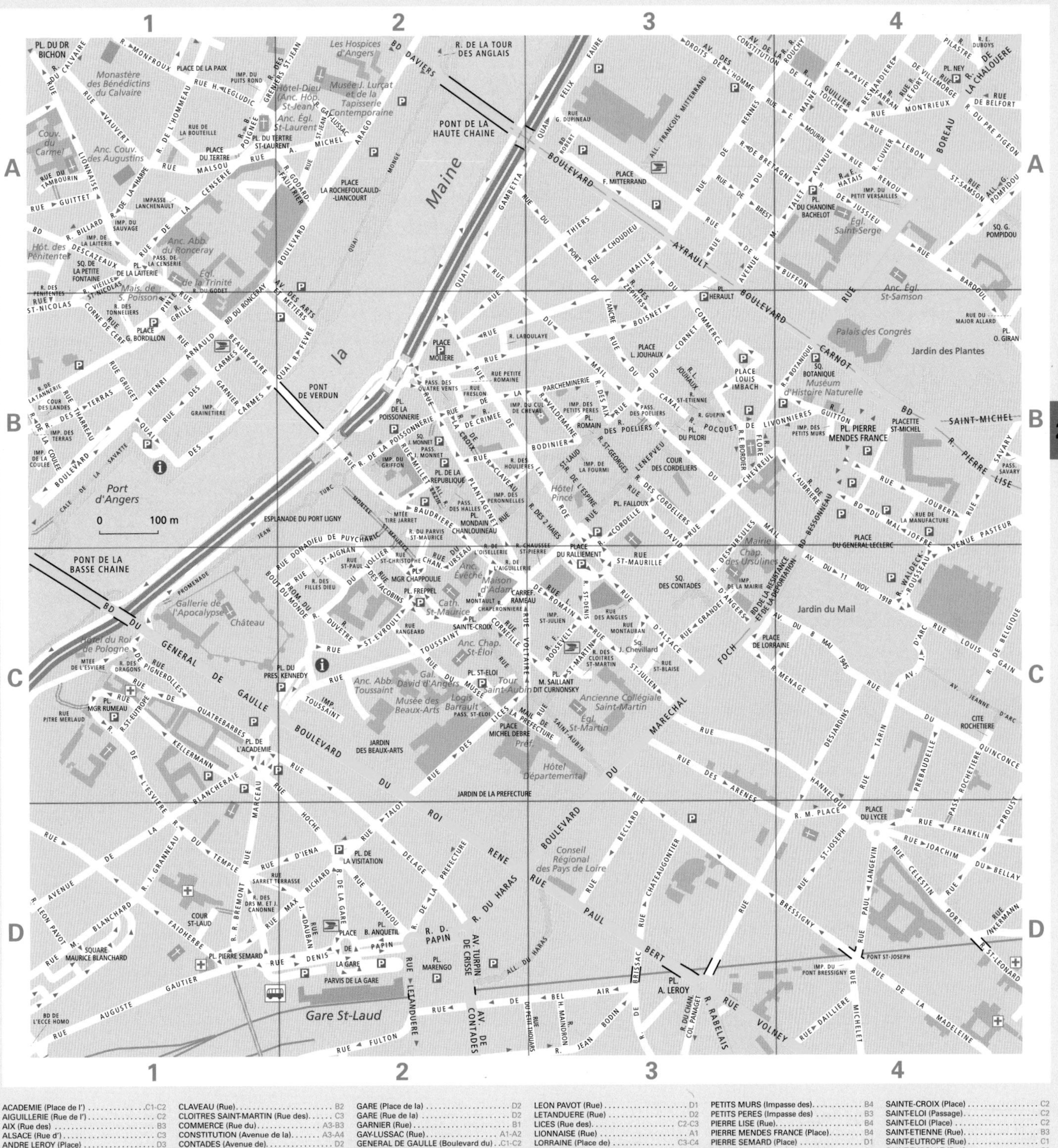
1
2
3
4
A
B
C
D
Maine
la
Port d'Angers
0 100 m
PONT DE LA HAUTE CHAINE
PONT DE VERDUN
PONT DE LA BASSE CHAINE
Monastère des Bénédictins du Calvaire
Les Hospices d'Angers
Musée J. Lurçat et de la Tapisserie Contemporaine
Anc. Couv. des Augustins
Anc. Abb. du Ronceray
Égl. de la Trinité
Château
Gallerie de l'Apocalypse
Hôtel du Roi de Pologne
Cath. St-Maurice
Logis Pincé
Anc. Abb. Toussaint
Musée des Beaux-Arts
Logis Barrault
Tour Saint-Aubin
Ancienne Collégiale Saint-Martin
Hôtel Départemental
Préf.
Conseil Régional des Pays de Loire
Gare St-Laud
Jardin des Plantes
Jardin du Mail
Palais des Congrès
Muséum d'Histoire Naturelle
Égl. Saint-Serge
Anc. Égl. St-Samson
Mairie
JARDIN DES BEAUX-ARTS
JARDIN DE LA PREFECTURE
BOULEVARD AYRAULT
BOULEVARD CARNOT
BD SAINT-MICHEL
BD DU GENERAL DE GAULLE
BOULEVARD DU ROI RENE
MARECHAL FOCH
PL. DU RALLIEMENT
PL. PIERRE MENDES FRANCE
PLACE DU GENERAL LECLERC
PLACE DU LYCEE
PL. PIERRE SEMARD
PARVIS DE LA GARE

AVIGNON

277

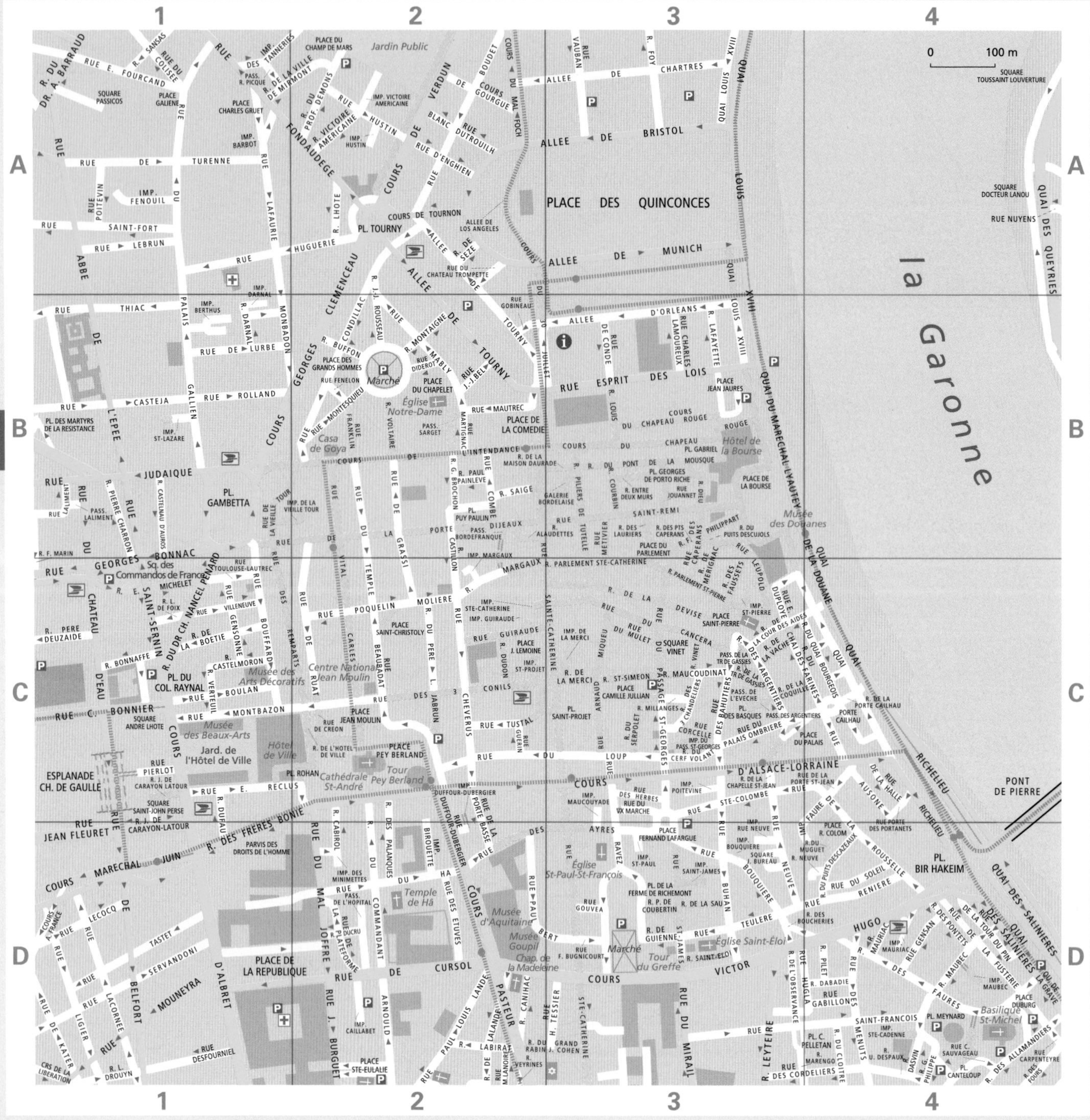
1
2
3
4
A
B
C
D
0
100 m
Jardin Public
PLACE DU CHAMP DE MARS
PLACE DES QUINCONCES
ALLEE DE CHARTRES
ALLEE DE BRISTOL
ALLEE DE MUNICH
ALLEE D'ORLEANS
QUAI LOUIS XVIII
QUAI DU MARECHAL LYAUTEY
QUAI DE LA DOUANE
QUAI RICHELIEU
QUAI DES SALINIERES
QUAI DES QUEYRIES
la Garonne
SQUARE TOUSSAINT LOUVERTURE
SQUARE DOCTEUR LANOU
RUE NUYENS
PONT DE PIERRE
PL. BIR HAKEIM
PL. TOURNY
COURS DE TOURNON
ALLEE DE TOURNY
COURS DE VERDUN
COURS GEORGES CLEMENCEAU
RUE FONDAUDEGE
RUE HUGUERIE
RUE DE TURENNE
RUE SAINT-FORT
RUE LEBRUN
RUE THIAC
RUE DE LURBE
RUE CASTEJA
RUE ROLLAND
RUE JUDAIQUE
PL. GAMBETTA
PL. DES MARTYRS DE LA RESISTANCE
Marché
PLACE DES GRANDS HOMMES
Église Notre-Dame
Casa de Goya
PLACE DU CHAPELET
PLACE DE LA COMEDIE
COURS DE L'INTENDANCE
COURS DU CHAPEAU ROUGE
Hôtel de la Bourse
PLACE DE LA BOURSE
Musée des Douanes
RUE ESPRIT DES LOIS
PLACE JEAN JAURES
RUE SAINTE-CATHERINE
RUE PORTE DIJEAUX
RUE DU LOUP
COURS D'ALSACE-LORRAINE
PLACE DU PALAIS
PORTE CAILHAU
PLACE SAINT-PIERRE
SQUARE VINET
PL. CAMILLE JULLIAN
Centre National Jean Moulin
Musée des Arts Décoratifs
PL. DU COL. RAYNAL
Musée des Beaux-Arts
Hôtel de Ville
Jard. de l'Hôtel de Ville
PLACE PEY BERLAND
Cathédrale St-André
Tour Pey Berland
ESPLANADE CH. DE GAULLE
SQUARE ANDRE LHOTE
COURS MARECHAL JUIN
PARVIS DES DROITS DE L'HOMME
Temple du Hâ
PLACE DE LA REPUBLIQUE
RUE DE CURSOL
Musée d'Aquitaine
Musée Goupil
Chap. de la Madeleine
COURS PASTEUR
COURS VICTOR HUGO
Église St-Paul-St-François
Marché
Tour du Greffe
Église Saint-Eloi
RUE DU MIRAIL
PL. MEYNARD
Basilique St-Michel
PLACE DUBURG
PL. CANTELOUP
PLACE STE-EULALIE
PL. C. PELLETAN
RUE DES CORDELIERS
CRS DE LA LIBERATION

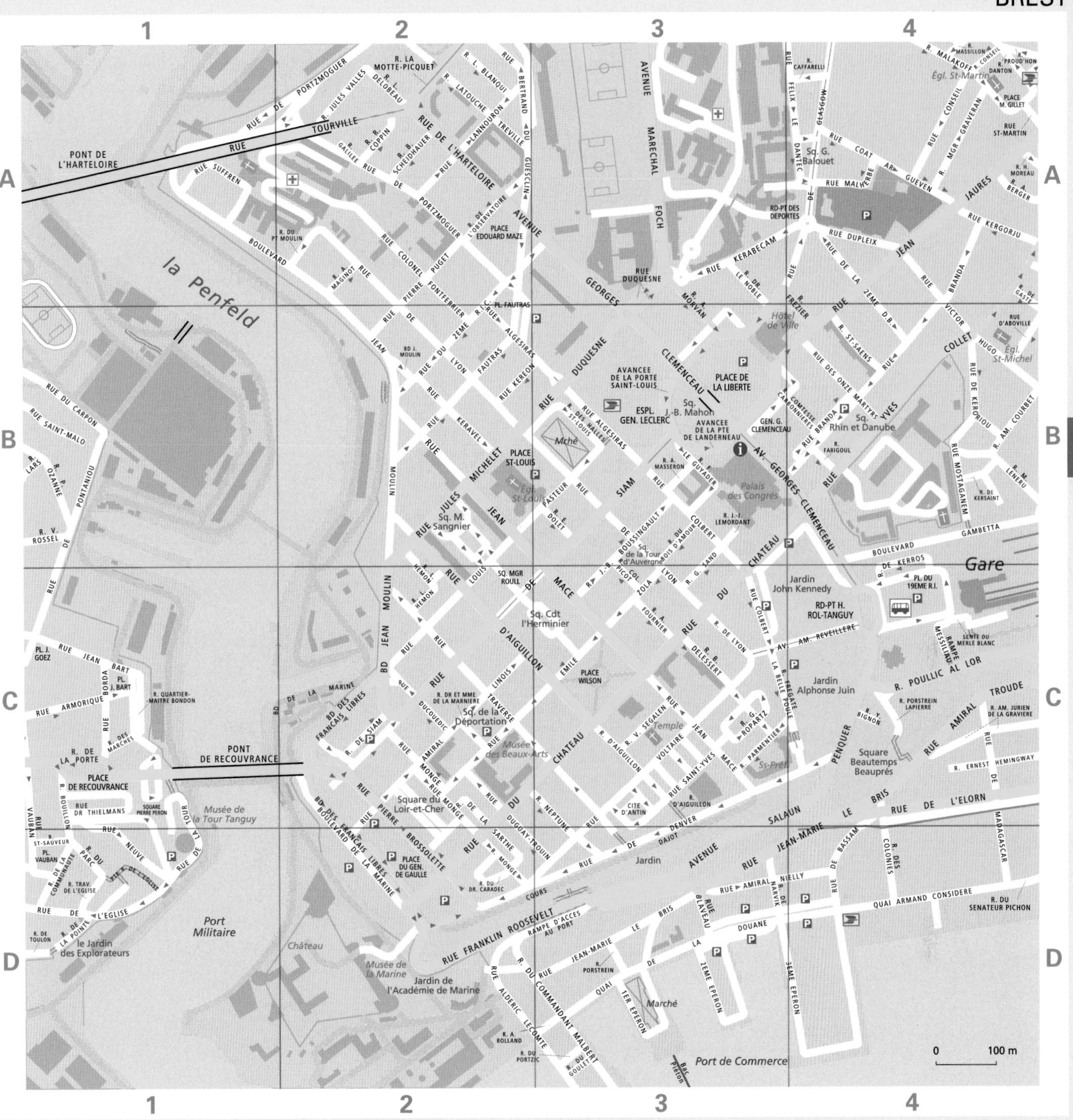
1
2
3
4
A
B
C
D
PONT DE L'HARTELOIRE
RUE TOURVILLE
RUE SUFFREN
RUE DE PORTZMOGUER
RUE DE L'HARTELOIRE
R. LA MOTTE-PICQUET
AVENUE MARECHAL FOCH
RUE DE SIAM
la Penfeld
PL. FAUTRAS
PLACE EDOUARD MAZE
AVENUE GEORGES CLEMENCEAU
RUE DUQUESNE
RUE KERABECAM
Sq. G. Balouet
RD-PT DES DEPORTES
RUE MALHERBE
RUE COAT AR GUEVEN
RUE JEAN JAURES
RUE KERGORJU
RUE DUPLEIX
Égl. St-Martin
PLACE M. GILLET
RUE ST-MARTIN
Hôtel de Ville
PLACE DE LA LIBERTE
AVANCEE DE LA PORTE SAINT-LOUIS
ESPL. GEN. LECLERC
Sq. J.-B. Mahon
AVANCEE DE LA PTE DE LANDERNEAU
GEN. G. CLEMENCEAU
Sq. Rhin et Danube
RUE DES ONZE MARTYRS
RUE YVES COLLET
RUE VICTOR HUGO
Égl. St-Michel
PLACE ST-LOUIS
Égl. St-Louis
Mché
Sq. M. Sangnier
RUE JEAN JAURES
Palais des Congrès
BOULEVARD GAMBETTA
Gare
PL. DU 19EME R.I.
RD-PT H. ROL-TANGUY
Jardin John Kennedy
RUE JEAN MACE
Sq. Cdt l'Herminier
RUE D'AIGUILLON
PLACE WILSON
Sq. de la Tour d'Auverne
BD JEAN MOULIN
BOULEVARD DES FRANCAIS LIBRES
Sq. de la Déportation
Musée des Beaux-Arts
RUE DU CHATEAU
Temple
Jardin Alphonse Juin
R. POULLIC AL LOR
RUE AMIRAL TROUDE
Square Beautemps Beaupré
RUE DE L'ELORN
AVENUE SALAUN PENQUER
RUE JEAN-MARIE LE BRIS
PONT DE RECOUVRANCE
PLACE DE RECOUVRANCE
Musée de la Tour Tanguy
Square du Loir-et-Cher
PLACE DU GEN. DE GAULLE
RUE PIERRE BROSSOLETTE
Jardin
COURS DAJOT
QUAI ARMAND CONSIDERE
R. DU SENATEUR PICHON
Port Militaire
le Jardin des Explorateurs
Château
Musée de la Marine
Jardin de l'Académie de Marine
RUE FRANKLIN ROOSEVELT
RAMPE D'ACCES AU PORT
QUAI DE LA DOUANE
2EME EPERON
3EME EPERON
1ER EPERON
Marché
Port de Commerce
Bac Piéton
0
100 m

CAEN

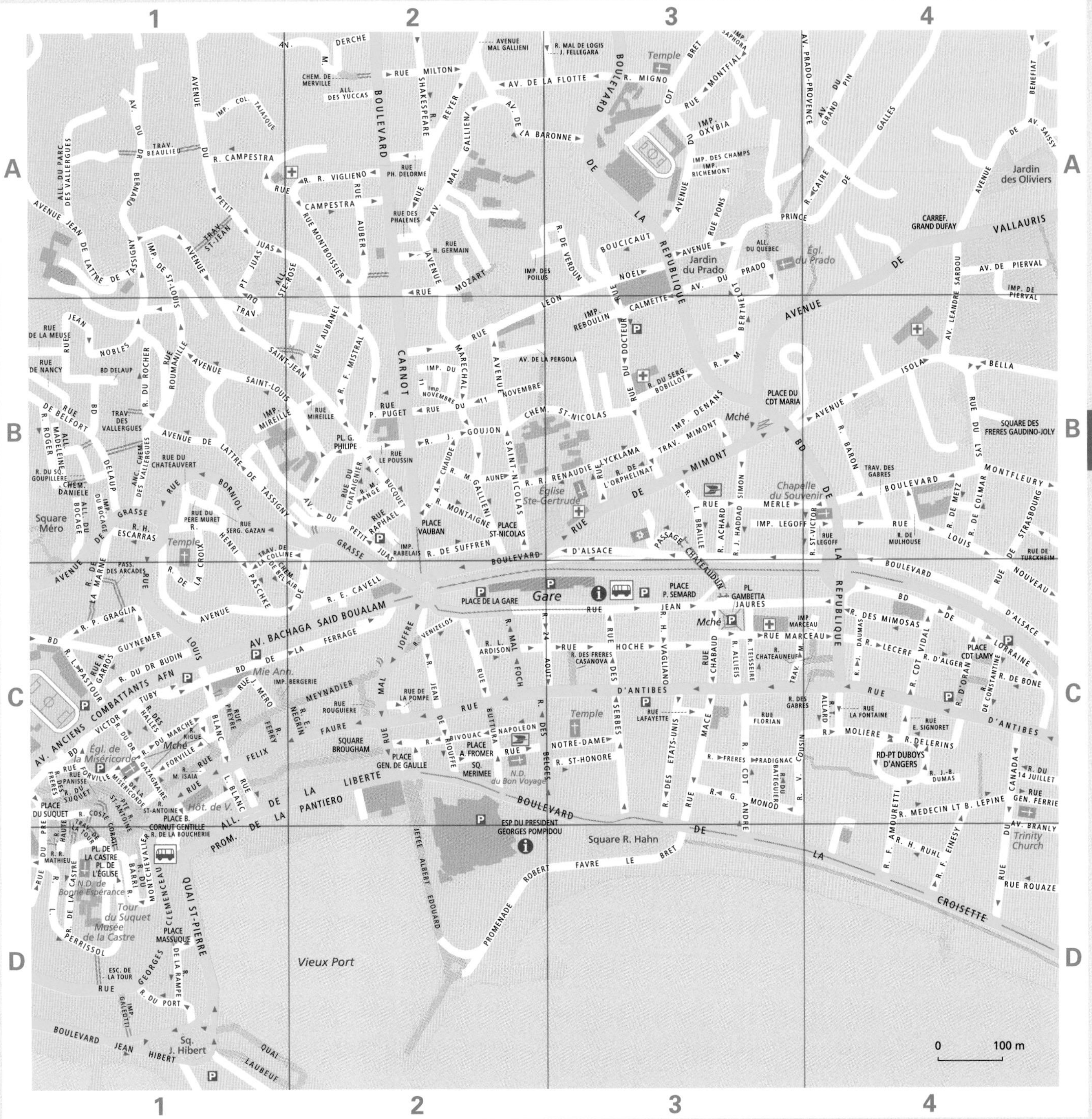

CLERMONT-FERRAND

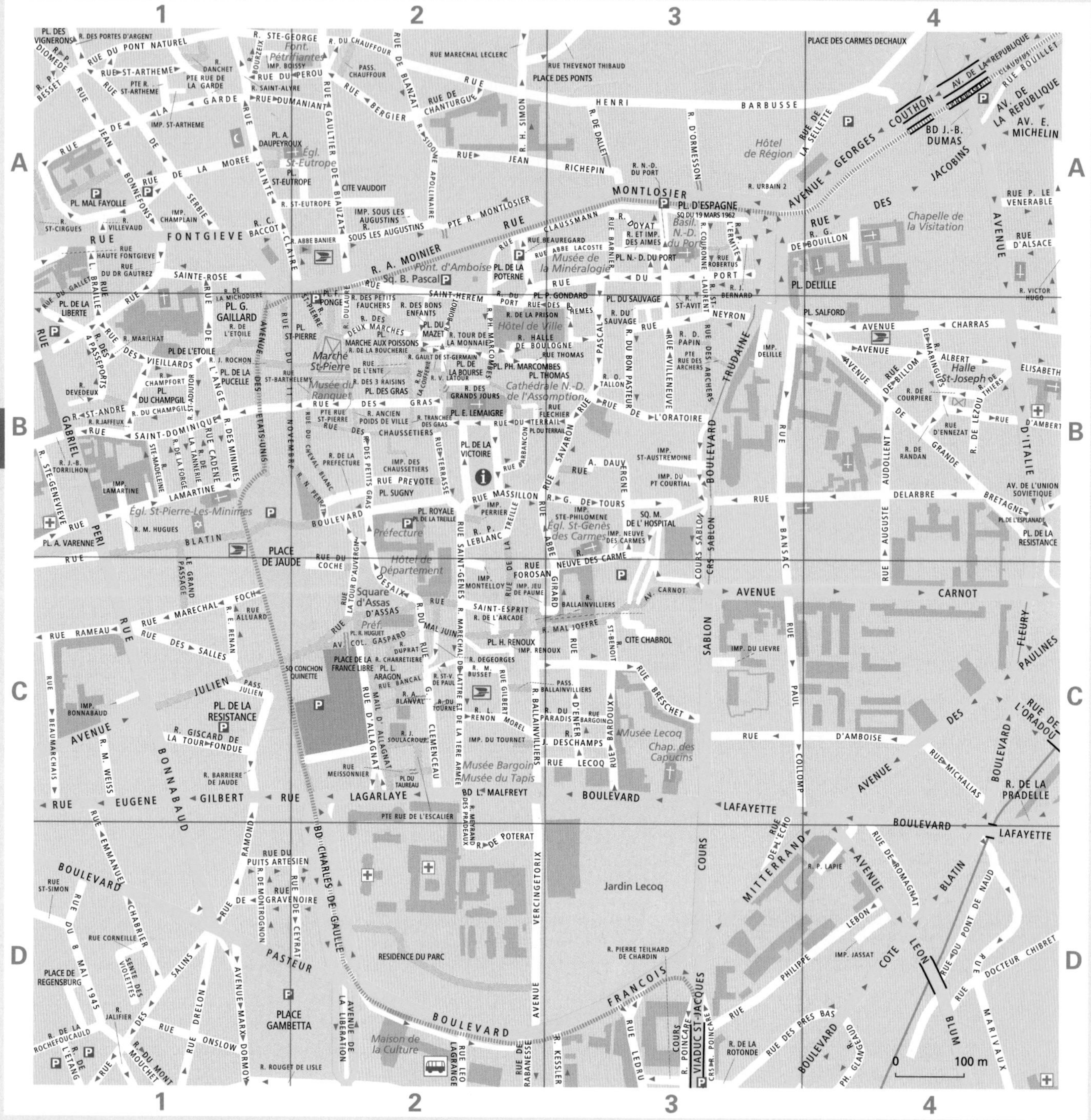

- ABBE BANIER (Rue) A1-A2
- ABBE DAUPEYROUX (Place) A1
- ABBE GIRARD (Rue) B2-C3
- ABBE LACOSTE (Rue) A2-A3
- AIMES (Rue des) A3
- ALBERT ELISABETH (Avenue) B4
- ALEXANDRE VARENNE (Place) B1
- ALLAGNAT (Mail d') C2
- ALLAGNAT (Rue d') C2
- ALLUARD (Rue) C1
- ALSACE (Rue d') A4
- AMBERT (Rue d') B4
- AMBOISE (Rue d') C3-C4
- ANCIEN POIDS DE VILLE (Rue) B2
- ANDRE MOINIER (Rue) A2-A3
- ANGE (Rue de l') A1-B1
- ANTOINE DAUVERGNE (Rue) B3
- ARCADE (Rue de l') C2
- ARCHERS (Petite rue des) B3
- ARCHERS (Rue des) B3
- ARTAUD BLANVAL (Rue) C2
- ASSAS (Rue d') C2
- AUGUSTE AUDOLLENT (Rue) B4-C4
- BALLAINVILLIERS (Passage) C2
- BALLAINVILLIERS (Rue) C2-C3
- BANCAL (Rue) C2
- BANSAC (Rue) B3-C3
- BARBANCON (Rue) B2
- BARDOUX (Rue) C3
- BARGOIN (Rue) C3
- BARNIER (Rue) A3
- BARRIERE DE JAUDE (Rue) C1
- BEAUMARCHAIS (Rue) C1
- BEAUREGARD (Rue) A2
- BERGIER (Rue) A2
- BILLOM (Rue de) B4
- BLANZAT (Rue de) A2
- BLATIN (Rue) B1-C1
- BOHEMES (Rue des) B2-B3
- BOIROT (Rue) B2
- BOISSY (Impasse) A1
- BON PASTEUR (Rue du) B3
- BONNABAUD (Impasse) C1
- BONNABAUD (Rue) B1-D1
- BONS ENFANTS (Rue des) A2-B2
- BOUCHERIE (Rue de la) B2
- BOUILLET (Rue) A4
- BOURSE (Place de la) B2
- BOURZEIX (Rue) A1
- BRESCHET (Rue) C3
- CADENE (Rue) B1
- CARMES DECHAUX (Place des) A4
- CARNOT (Avenue) C3-C4
- CEYRAT (Rue de) D2
- CHABROL (Cité) C3
- CHAMPFORT (Rue) B1
- CHAMPGIL (Place du) B1
- CHAMPGIL (Rue du) B1
- CHAMPLAIN (Impasse) A1
- CHANTURGUE (Rue de) A2
- CHARLES DE GAULLE (Boulevard) C2-D2
- CHARRAS (Avenue) B3-B4
- CHARRETIERE (Rue) C2
- CHAUFFOUR (Passage) A2
- CHAUFFOUR (Rue du) A2
- CHAUSSETIERS (Impasse des) B2
- CHAUSSETIERS (Rue des) B2
- CHEVAL BLANC (Rue du) B2
- CLAUDE BACCOT (Rue) A1
- CLAUDIUS (Chaussée) A4
- CLAUSSMANN (Rue) B2-A3
- COCHE (Rue du) C2
- COIFFERIE (Rue de la) B2
- COLONEL GASPARD (Avenue) C2
- CONCHON QUINETTE (Square) C2
- CORNEILLE (Rue) D1
- COTE BLATIN (Boulevard) D3-D4
- COURONNE (Rue) A3
- COURPIERE (Rue de) B4
- DALLET (Rue de) A3
- DANCHET (Rue) A1
- DEGEORGES (Rue) C2
- DELARBRE (Rue) B3-B4
- DELILLE (Impasse) B3
- DELILLE (Place) A3
- DENIS PAPIN (Rue) B3
- DESAIX (Boulevard) B2-C2
- DEUX MARCHES (Rue des) B2
- DEVEDEUX (Rue) B1
- 19 MARS 1962 (Square du) A3
- DOCTEUR CHIBRET (Rue) D4
- DOCTEUR GAUTREZ (Rue du) A1
- DOYAT (Rue) A3
- DRELON (Rue) D1
- DULAURE (Rue) A2-B2
- DUMANIANT (Rue) A1-A2
- DUPRAT (Rue) C2
- ECHO (Rue de l') C3-D3
- EDMOND LEMAIGRE (Place) B2
- EDOUARD MICHELIN (Avenue) A4
- EMMANUEL CHABRIER (Rue) C1-D1
- ENFER (Rue d') C3
- ENNEZAT (Rue d') B4
- ENTE (Rue de l') B2
- ERNEST RENAN (Rue) C1
- ESCALIER (Petite rue de l') C2
- ESPAGNE (Place d') A3
- ESPLANADE (Place de l') B4
- ETANG (Rue de l') D1
- ETATS UNIS (Avenue des) B1
- ETOILE (Place de l') B1
- ETOILE (Rue de l') B1
- EUGENE GILBERT (Rue) C1
- FLECHIER (Rue) B2
- FLEURY (Boulevard) B4-D4
- FONTGIEVE (Rue) A1
- FORGE (Rue de la) B1
- FOROSAN (Rue) C2-C3
- FRANCE LIBRE (Place de la) C2
- FRANCIS PONGE (Place) A2
- FRANCOIS MITTERRAND (Bd) D2-D4
- GABRIEL PERI (Rue) B1
- GALLET (Rue du) A1-B1
- GAMBETTA (Place) D1
- GARDE (Petite rue de la) A1
- GARDE (Rue de la) A1
- GAULT DE ST-GERMAIN (Rue) B2
- GAULTIER DE BIAUZAT (Rue) A2
- GEORGES CLEMENCEAU (Rue) C2
- GEORGES COUTHON (Avenue) A3-A4
- GILBERT GAILLARD (Place) A1
- GILBERT MOREL (Rue) C2
- GISCARD DE LA TOUR FONDUE (Rue) C1
- GODEFROY DE BOUILLON (Rue) A3-A4
- GRANDE BRETAGNE (Avenue de) B4
- GRANDS JOURS (Rue des) B2
- GRAS (Place des) B2
- GRAS (Rue des) B1-B2
- GRAVENOIRE (Rue de) D1-D2
- GREGOIRE DE TOURS (Rue) B2-B3
- HALLE DE BOULOGNE (Rue) B2-B3
- HAUTE FONTGIEVE (Rue) A1
- HENRI BARBUSSE (Rue) A2-A4
- HENRI SIMON (Rue) A2
- HIPPOLYTE RENOUX (Place) C2
- 8 MAI 1945 (Rue du) D1
- ITALIE (Avenue d') A4-B4
- JEAN-BAPTISTE TORRILHON (Rue) B1
- JACOBINS (Rue des) A3-A4
- JACQUES BERNARD (Rue) A3
- JALIFIER (Rue) D1
- JASSAT (Impasse) D4
- JAUDE (Place de) C2
- JEAN BONNEFONS (Rue) A1
- JEAN DESCHAMPS (Rue) C2-C3
- JEAN RICHEPIN (Rue) A2-A3
- JEAN ROCHON (Rue) B1
- JEAN SOULACROUP (Rue) C2
- JEAN-BAPTISTE DUMAS (Boulevard) A4
- JEU DE PAUME (Impasse) C2
- JULIEN (Avenue) C1
- JULIEN (Passage) C1
- KESSLER (Rue) D3
- LAFAYETTE (Boulevard) C2-D4
- LAGARLAYE (Rue) C1-C2
- LAMARTINE (Impasse) B1
- LAMARTINE (Rue) B1
- LE GRAND PASSAGE B1-C1
- LECOQ (Rue) C2-C3
- LEDRU (Rue) D3
- LEO LAGRANGE (Rue) D2
- LEON BLUM (Avenue) C4-D4
- LEON MALFREYT (Boulevard) C2
- LEZOUX (Rue de) B4
- LIBERATION (Avenue de la) D2
- LIBERTE (Place de la) B1
- LIEVRE (Impasse du) C3
- LOUIS ARAGON (Place) C2
- LOUIS BRAILLE (Rue) A1-B1
- LOUIS RENON (Rue) C2
- MARCHE AUX POISSONS (Place) B2
- MARECHAL DE LATTRE ET DE LA 1ERE ARMEE (Rue) C2
- MARECHAL FAYOLLE (Place) A1
- MARECHAL FOCH (Rue) C1
- MARECHAL JOFFRE (Rue) C2-C3
- MARECHAL JUIN (Rue du) C2
- MARECHAL LECLERC (Rue) A2
- MARILHAT (Rue) B1
- MARINGUES (Rue de) B4
- MARIVAUX (Rue) D4
- MARX DORMOY (Avenue) D1
- MASSILLON (Rue) B2
- MAURICE BUSSET (Rue) C2
- MAURICE WEISS (Rue) C1
- MAZET (Place du) B2
- MEISSONNIER (Rue) C2
- MEYRAND DES PRADEAUX (Rue) C2-D2
- MICHALIAS (Rue) C4
- MICHEL DE L'HOSPITAL (Square) B3
- MICHEL HUGUES (Rue) B1
- MICHODIERE (Rue de la) A1-B1
- MINIMES (Rue des) B1
- MONT MOUCHET (Rue du) D1
- MONTELLOY (Impasse) C2
- MONTLOSIER (Petite rue) A2-A3
- MONTLOSIER (Rue) A2-A3
- MONTROGNON (Rue de) D1
- MOREE (Rue de la) A1
- NESTOR PERRET (Rue) B2
- NEUVE DES CARMES (Impasse) B3-C3
- NEUVE DES CARMES (Rue) B3-C3
- NEYRON (Rue) B3
- NOTRE DAME DU PORT (Place) A3
- NOTRE DAME DU PORT (Rue) A3
- OMER TALLON (Rue) B3
- ONSLOW (Rue) D1
- 11 NOVEMBRE (Rue du) A1-B2
- ORADOU (Rue de l') C4
- ORATOIRE (Rue de l') B3
- ORMESSON (Rue d') A3
- PARADIS (Rue du) C2-C3
- PARC (Résidence du) D2
- PASCAL (Rue) A3-B3
- PASTEUR (Boulevard) D1-D2
- PAUL COLLOMP (Rue) C3
- PAUL DIOMEDE (Rue) A1
- PAUL GONDARD (Place) B2
- PAUL LAPIE (Rue) D4
- PAUL LEBLANC (Rue) B2
- PAULINES (Avenue des) C4
- PEROU (Rue du) A1-A2
- PERRIER (Impasse) B2
- PETIT COURTIAL (Impasse du) B3
- PETITS FAUCHERS (Rue des) A2-B2
- PETITS GRAS (Rue des) B2
- PHILIPPE GLANGEAUD (Rue) D4
- PHILIPPE LEBON (Rue) D3-D4
- PHILIPPE MARCOMBES (Place) B2
- PHILIPPE MARCOMBES (Rue) B2
- PIERRE BESSET (Rue) A1
- PIERRE LE VENERABLE (Rue) A4
- PIERRE L'ERMITE (Rue) A3
- PIERRE TEILHARD DE CHARDIN (Rue) D3
- PONT DE NAUD (Rue du) D4
- PONT NATUREL (Rue du) A1
- PONTS (Place des) A2
- PORT (Rue du) B2-A3
- PORTES D'ARGENT (Rue des) A1
- POTERAT (Rue de) D2
- POTERNE (Place de la) A2
- PRADELLE (Rue de la) D4
- PREFECTURE (Rue de la) B2
- PRES BAS (Rue des) D3-D4
- PREVOTE (Rue) B2
- PRISON (Rue de la) B3
- PUCELLE (Place de la) B1
- PUITS ARTESIEN (Rue du) D1-D2
- 4 PASSEPORTS (Rue des) B1
- RABANESSE (Rue de) D2
- RAMEAU (Rue) C1
- RAMOND (Rue) C1-D1
- RANDAN (Rue de) B4
- RAYMOND POINCARE (Cours) D3
- REGENSBURG (Place de) D1
- RENOUX (Impasse) C2
- REPUBLIQUE (Avenue de la) A4
- RESISTANCE (Place de la) C2-B4
- RIBEYRE JAFFEUX (Rue) B1
- ROBERT HUGUET (Place) C2
- ROBERTUS (Rue) A3
- ROCHEFOUCAULD (Rue de la) D1
- ROMAGNAT (Rue de) C4-D4
- ROTONDE (Rue de la) D3
- ROUGET DE LISLE (Rue) D1-D2
- ROYALE (Place) B2
- SABLON (Cours) B3-D3
- SAINT-ADJUTOR (Rue) B1
- SAINT-ALYRE (Rue) A1
- SAINT-ANDRE (Rue) B1
- SAINT-ARTHEME (Impasse) A1
- SAINT-ARTHEME (Petite rue) A1
- SAINT-ARTHEME (Rue) A1
- SAINT-AUSTREMOINE (Impasse) B3
- SAINT-AVIT (Rue) A3-B3
- SAINT-BARTHELEMY (Rue) B2
- SAINT-BENOIT (Rue) C3
- SAINT-CIRGUES (Rue) A1
- SAINT-DOMINIQUE (Rue) B1
- SAINT-ESPRIT (Rue) C2
- SAINT-EUTROPE (Place) A2
- SAINT-EUTROPE (Rue) A1-A2
- SAINT-GENES (Rue) B2-C2
- SAINT-HEREM (Rue) A2-B2
- SAINT-LAURENT (Rue) A3-B3
- SAINT-PIERRE (Petite rue) B2
- SAINT-PIERRE (Place) B2
- SAINT-PIERRE (Rue) A2-B2
- SAINT-SIMON (Rue) D1
- SAINT-VINCENT DE PAUL (Rue) C2
- SAINTE-CLAIRE (Rue) A1-A2
- SAINTE-GENEVIEVE (Rue) B1
- SAINTE-GEORGE (Rue) A1-A2
- SAINTE-MADELEINE (Rue) B1
- SAINTE-PHILOMENE (Impasse) B3
- SAINTE-ROSE (Rue) A1-B1
- SAVARON (Rue) B2-B3
- SELLETTE (Rue de la) A3-A4
- SERBIE (Rue de) A1
- SIDOINE APOLLINAIRE (Rue) A2
- SOUS LES AUGUSTINS (Impasse) A2
- SOUS LES AUGUSTINS (Rue) A2
- SUGNY (Place) B2
- TANNERIE (Rue de la) B1
- TAUREAU (Place du) C2
- TERRAIL (Place du) B3
- TERRAIL (Rue du) B2-B3
- TERRASSE (Rue) B2
- THEVENOT THIBAUD (Rue) A2-A3
- THIERS (Rue de) B4
- THOMAS (Place) B2
- THOMAS (Rue) B2-B3
- TOUR D'AUVERGNE (Rue la) B2-C2
- TOUR DE LA MONNAIE (Rue) B2
- TOURNET (Impasse du) C2
- TOURNET (Rue du) C2
- TRANCHEE DES GRAS (Rue) B2
- TREILLE (Rue de la) B2-C2
- 3 RAISINS (Rue des) B2
- TRUDAINE (Boulevard) B3
- UNION SOVIETIQUE (Avenue de l') B4
- URBAIN 2 (Rue) A3
- VAUDOIT (Cité) A2
- VERCINGETORIX (Avenue) C2-D2
- VERDIER LATOUR (Rue) B2
- VIADUC SAINT-JACQUES D3
- VICTOIRE (Place de la) B2
- VICTOR HUGO (Rue) A4
- VIEILLARDS (Rue des) B1
- VIGNERONS (Place des) A1
- VILLENEUVE (Rue) A3-B3
- VILLEVAUD (Rue) A1
- VIOLETTES (Sente des) D1

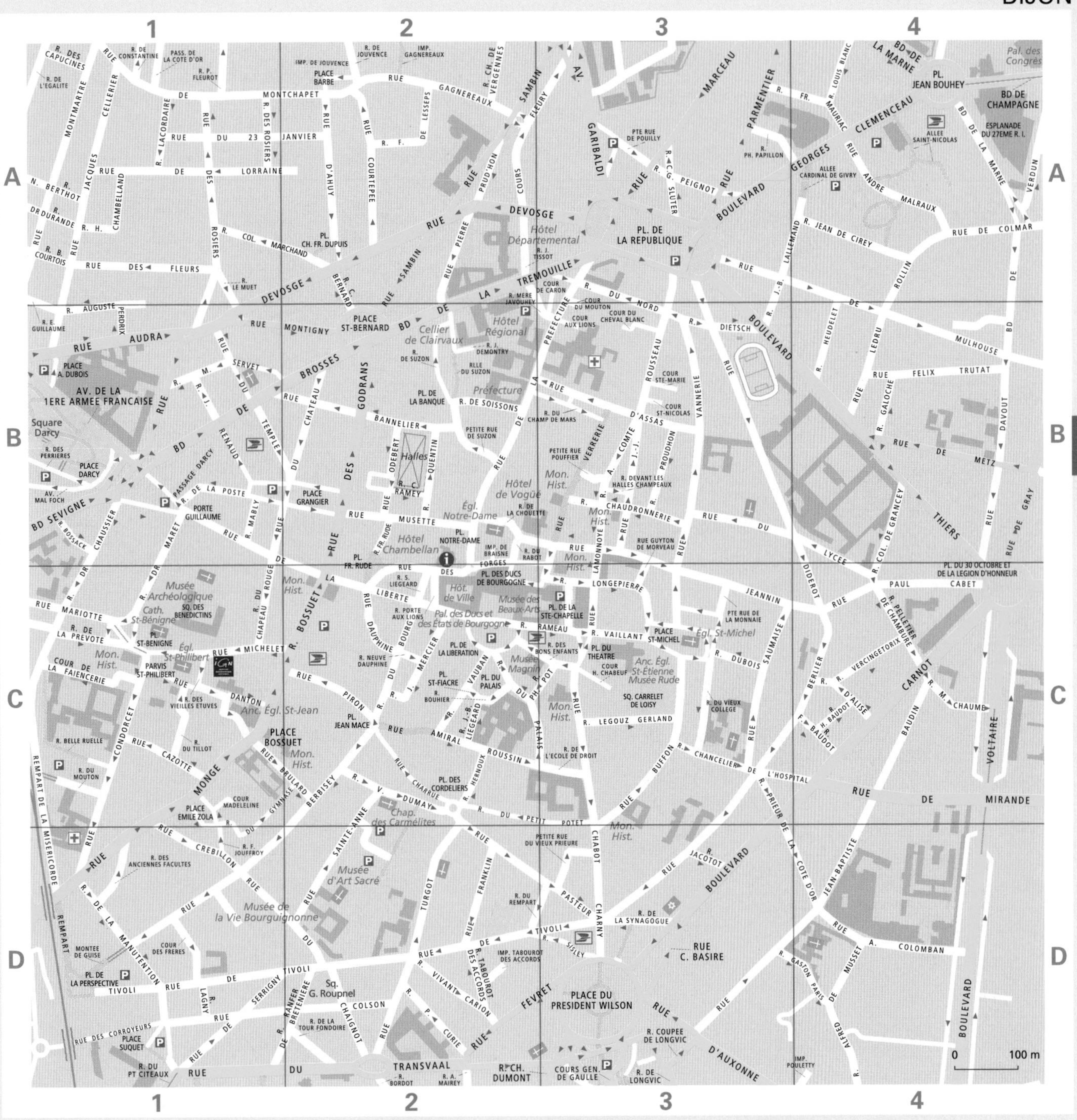

AHUY (Rue d') A2
ALFRED DE MUSSET (Rue) D4
ALISE (Rue d') C4
ALPHONSE MAIREY (Rue) D2
AMIRAL ROUSSIN (Rue) C2-C3
ANCIENNES FACULTES (Rue des) D1
ANDRE COLOMBAN (Rue) D4
ANDRE MALRAUX (Rue) A4
ASSAS (Rue d') B2-B3
AUDRA (Rue) B1
AUGUSTE COMTE (Rue) B3
AUGUSTE DUBOIS (Place) B1
AUGUSTE PERDRIX (Rue) A1-B1
AUXONNE (Rue d') D3
BANNELIER (Rue) B1-B2
BANQUE (Place de la) B2
BARBE (Place) A2
BELLE RUELLE (Rue) C1
BENEDICTINS (Square des) C1
BERBISEY (Rue) D1-C2
BERLIER (Rue) D3-C4
BERNARD COURTOIS (Rue) A1
BONS ENFANTS (Rue des) C2-C3
BORDOT (Rue) D2
BOSSACK (Rue) B1
BOSSUET (Place) C1-C2
BOSSUET (Rue) C2
BOUHIER (Rue) C2
BOURG (Rue du) C2
BRAISNE (Impasse de) B2
BROSSES (Boulevard de) B1-B2
BRULARD (Rue) C1-C2
BUFFON (Rue) C3-D3
CAPUCINES (Rue des) A1
CARDINAL DE GIVRY (Allée) A4
CARNOT (Boulevard) D3-C4
CARON (Cour de) A3-B3
CARRELET DE LOISY (Square) C3
CAZOTTE (Rue) C1
CHABOT CHARNY (Rue) C3-D3
CHAIGNOT (Rue du) D1-D2
CHAMP DE MARS (Rue du) B2-B3
CHAMPAGNE (Boulevard de) A4
CHANCELIER DE L'HOSPITAL (Rue) C3-C4
CHAPEAU ROUGE (Rue du) B1-C1
CHARLES DE VERGENNES (Rue) A2
CHARLES DUMONT (Rue) D3
CHARLES FRANCOIS DUPUIS (Place) A2
CHARRUE (Rue) C2
CHATEAU (Rue du) B1-B2
CHAUDRONNERIE (Rue) B3
CHEVAL BLANC (Cour du) B3
CHOUETTE (Rue de la) B2-B3
CLAUDE BASIRE (Rue) D3
CLAUDE BERNARD (Rue) A2-B2
CLAUDE RAMEY (Rue) B2
CLAUS SLUTER (Rue) A3
COLMAR (Rue de) A4
COLONEL DE GRANCEY (Rue) B4-C4
COLONEL MARCHAND (Rue) A1-A2
COLSON (Rue) D1-D2
CONDORCET (Rue) C1-D1
CONSTANTINE (Rue de) A1
CORDELIERS (Place des) C2
CORROYEURS (Rue des) D1
COTE D'OR (Passage de la) A1
COUPEE DE LONGVIC (Rue) D3
COURTEPEE (Rue) A2
CREBILLON (Rue) C1-D1
DANTON (Rue) C1
DARCY (Passage) B1
DARCY (Place) B1
DAUPHINE (Rue) C2
DAVOUT (Rue) B4
DEVANT LES HALLES CHAMPEAUX
(Rue) B3
DEVOSGE (Rue) B1-A3
DIDEROT (Rue) A3-C4
DIETSCH (Rue) B3
DOCTEUR CHAUSSIER (Rue) B1-C1
DOCTEUR DURANDE (Rue) A1
DOCTEUR MARET (Rue) B1-C1
DUBOIS (Rue) C3
DUCS DE BOURGOGNE
(Place des) B2-C3
ECOLE DE DROIT (Rue de l') C2-C3
EGALITE (Rue de l') A1
EMILE ZOLA (Place) C1
EUGENE GUILLAUME (Rue) B1
FAIENCERIE (Cour de la) C1
FELIX TRUTAT (Rue) B4
FERDINAND DE LESSEPS (Rue) A2
FEVRET (Rue) D2-D3
FLEURS (Rue des) A1
FLEURY (Cours) A2-A3
FORGES (Rue des) B2-C2
FRANCOIS BAUDOT (Rue) C4
FRANCOIS JOUFFROY (Rue) C1-D1
FRANCOIS MAURIAC (Rue) A3-A4
FRANCOIS RUDE (Place) B2-C2
FRANCOIS RUDE (Rue) B2
FRANKLIN (Rue) D2
FRERES (Cour des) D1
GABRIEL PEIGNOT (Rue) A3
GAGNEREAUX (Impasse) A2
GAGNEREAUX (Rue) A2
GALOCHE (Rue) B4
GARIBALDI (Avenue) A3
GASTON PARIS (Rue) D3-D4
GENERAL DE GAULLE (Cours) D3
GEORGES CLEMENCEAU
(Boulevard) A3-A4
GODRANS (Rue des) B2-C2
GRANGIER (Place) B1-B2
GRAY (Rue de) B4-C4
GUILLAUME (Porte) B1
GUISE (Montée de) D1
GUYTON DE MORVEAU (Rue) B3-C3
GYMNASE (Rue du) D1-C2
HENRI BAUDOT (Rue) C4
HENRI CHABEUF (Cour) C3
HENRY CHAMBELLAND (Rue) A1
HERNOUX (Rue) C2
HEUDELET (Rue) A4-B4
JACOTOT (Rue) D3
JACQUES CELLERIER (Rue) A1-B1
JAMES DEMONTRY (Rue) B2
JEAN BOUHEY (Place) A4
JEAN DE CIREY (Rue) A4
JEAN MACE (Place) C2
JEAN RENAUD (Rue) B1
JEAN-BAPTISTE BAUDIN (Rue) D3-C4
JEAN-BAPTISTE LALLEMAND (Rue) B3-A4
JEAN-BAPTISTE LIEGEARD (Rue) C2
JEAN-JACQUES ROUSSEAU (Rue) A3-B3
JEANNIN (Rue) B3-C4
JOSEPH TISSOT (Rue) A2
JOUVENCE (Impasse de) A2
JOUVENCE (Rue de) A2
JULES MERCIER (Rue) C2
LACORDAIRE (Rue) A1
LAGNY (Rue) D1
LAMONNOYE (Rue) B3-C3
LEDRU ROLLIN (Rue) A4-B4
LEGOUZ GERLAND (Rue) C3
LIBERATION (Place de la) C2
LIBERTE (Rue de la) B1-C2
LIONS (Cour aux) B3
LONGEPIERRE (Rue) C3
LONGVIC (Rue de) D3
LORRAINE (Rue de) A1-A2
LOUIS BLANC (Rue) A4
LYCEE (Rue du) B3-C4
MABLY (Rue) B1
MADELEINE (Cour) C1
MANUTENTION (Rue de la) D1
MARCEAU (Rue) A3
MARECHAL FOCH (Avenue) B1
MARIOTTE (Rue) C1
MARNE (Boulevard de la) A4
MAURICE CHAUME (Rue) C4
MERE JAVOUHEY (Rue) A2-B3
METZ (Rue de) B4
MICHEL SERVET (Rue) B1-B2
MICHELET (Rue) C1-C2
MIRANDE (Rue de) C4
MISERICORDE (Rempart de la) C1-D1
MONGE (Rue) C1-D1
MONNAIE (Petite rue de la) C3
MONTCHAPET (Rue de) A1-A2
MONTIGNY (Rue) B1-B2
MONTMARTRE (Rue) A1
MOUTON (Cour du) A3-B3
MOUTON (Rue du) C1
MUET (Rue le) A1-B1
MULHOUSE (Rue de) A3-B4
MUSETTE (Rue) B2
NEUVE DAUPHINE (Rue) C2
NICOLAS BERTHOT (Rue) A1
NORD (Rue du) A3-B3
NOTRE DAME (Place) B2-C2
ODEBERT (Rue) B2
PALAIS (Place du) C2
PALAIS (Rue du) C2-C3
PARMENTIER (Rue) A3
PASTEUR (Rue) C2-D3
PAUL CABET (Rue) C4
PELLETIER DE CHAMBURE (Rue) C4
PERRIERES (Rue des) B1
PERSPECTIVE (Place de la) D1
PETIT CITEAUX (Rue du) D1
PETIT POTET (Rue du) C2-C3
PHILIBERT PAPILLON (Rue) A3-A4
PHILIPPE POT (Rue) C2-C3
PIERRE CURIE (Rue) D2
PIERRE FLEUROT (Rue) A1
PIERRE PRUD'HON (Rue) A2
PIRON (Rue) C2
PORTE AUX LIONS (Rue) C2
POSTE (Rue de la) B1
POUFFIER (Petite rue) B3
POUILLY (Petite rue de) A3
POULETTY (Impasse) D4
PREFECTURE (Rue de la) B2-A3
1ERE ARMEE FRANCAISE
(Avenue de la) B1
PRESIDENT WILSON (Place du) D3
PREVOTE (Rue de la) C1
PRIEUR DE LA COTE D'OR (Rue) C3-D4
PROUDHON (Rue) B3
QUENTIN (Rue) B2
RABOT (Rue du) B2
RAMEAU (Rue) C2-C3
RANFER DE BRETENIERE (Rue) D1-D2
REMPART (Rue du) D2-D3
REPUBLIQUE (Place de la) A3
ROSIERS (Rue des) A1-B1
SAINT-BENIGNE (Place) C1
SAINT-BERNARD (Place) B2
SAINTE-ANNE (Rue) C2-D2
SAINTE-CHAPELLE (Place de la) C3
SAINTE-MARIE (Cour) B3
SAINT-FIACRE (Place) C2
SAINT-MICHEL (Place) C3
SAINT-NICOLAS (Allée) A4
SAINT-NICOLAS (Cour) B3
SAINT-PHILIBERT (Parvis) C1
SAMBIN (Rue) B2-A3
SAUMAISE (Rue) C3
SERRIGNY (Rue de) D1-D2
SEVIGNE (Boulevard) B1
SISLEY (Rue) D2-D3
SOISSONS (Rue de) B2
STEPHEN LIEGEARD (Rue) C2
SUQUET (Place) D1
SUZON (Petite rue de) B2
SUZON (Rue de) B2
SUZON (Ruelle du) B2
SYNAGOGUE (Rue de la) D3
TABOUROT DES ACCORDS (Impasse) D2
TABOUROT DES ACCORDS (Rue) D2
TEMPLE (Rue du) B1-B2
THEATRE (Place du) C3
THIERS (Boulevard) A3-C4
TILLOT (Rue du) C1
TIVOLI (Rempart) D1
TIVOLI (Rue de) D1-D3
TOUR FONDOIRE (Rue de la) D2
TRANSVAAL (Rue du) D1-D3
TREMOUILLE (Boulevard de la) B2-A3
30 OCTOBRE ET DE LA LEGION
D'HONNEUR (Place du) C4
TURGOT (Rue) C2-D2
VAILLANT (Rue) C3
VANNERIE (Rue) B3-C3
VAUBAN (Rue) C2
VERCINGETORIX (Rue) C4
VERDUN (Boulevard de) A4-B4
VERRERIE (Rue) B3-C3
VICTOR DUMAY (Rue) C2
VIEILLES ETUVES (Rue des) C1
VIEUX COLLEGE (Rue du) C3
VIEUX PRIEURE (Petite rue du) D3
27EME REGIMENT D'INFANTERIE
(Esplanade du) A4
23 JANVIER (Rue du) A1-A2
VIVANT CARION (Rue) D2
VOLTAIRE (Boulevard) C4-D4

GRENOBLE

ABBE DE LA SALLE (Rue)............ B4
ABEL SERVIEN (Rue)............ A4
ABREUVOIR (Rue de l')............ B3
AGIER (Rue d')............ A3
AGUTTE SEMBAT (Boulevard)............ B3-C3
AIGLE (Rue de l')............ D2
ALBERT 1ER DE BELGIQUE (Avenue)............ D3-D4
ALEXANDRE 1ER DE YOUGOSLAVIE (Rue)............ B2-B3
ALMA (Rue de l')............ A4-B4
ALPHAND (Rue)............ B4
ALPHONSE TERRAY (Rue)............ C1
ALSACE (Rue d')............ B2
ALSACE LORRAINE (Avenue)............ B1-B2
AMIRAL COURBET (Rue)............ B1
AMOUREUX (Cour des)............ D3
ANCIEN CHAMP DE MARS (Rue de l')............ B2
ANDRE MAGINOT (Rue)............ D2-D3
ANDRE MALRAUX (Place)............ C3-C4
ANDRE REAL (Rue)............ B1
APVRIL (Place d')............ C4
ARAGO (Rue)............ A1
ARISTIDE BERGES (Rue)............ A1-B1
ARISTIDE BRIAND (Place)............ A1
ARSONVAL (Rue d')............ A1-B1
ARTS (Rue des)............ C1
AUBERT DUBAYET (Rue)............ C2-C3
AUGEREAU (Rue)............ D2
AUGUSTE GACHE (Rue)............ A4-B4
AUGUSTINS (Rue des)............ A3
BAINS (Rue des)............ C1-C2
BARBILLON (Rue)............ B1
BARNAVE (Rue)............ A4
BARRAL (Rue)............ D2
BAYARD (Rue)............ A4-B4
BEAUBLACHE (Rue)............ B1
BEAUREGARD (Chemin)............ C2
BEAUX TAILLEURS (Rue des)............ A4
BECCARIA (Rue)............ C4
BEETHOVEN (Rue)............ D1
BELGRADE (Rue de)............ A3-B3
BERANGER (Rue)............ C2-B3
BERGERS (Rue des)............ C2
BERRIAT (Cours)............ B1-C2
BERTHE DE BOISSIEUX (Rue)............ D2-C3
BERULLE (Place de)............ A3
BEYLE STENDHAL (Rue)............ B4-C4
BILLEREY (Rue)............ B2
BLANC FONTAINE (Rue)............ B3
BOIS D'ARTAS (Chemin)............ D2
BOISSET (Rue)............ C2
BONNE (Rue de)............ B3
BONS ENFANTS (Rue des)............ C2
BOSSUS (Cour des)............ C3
BRESSIEUX (Rue)............ B3
BROCHERIE (Impasse)............ A4
BROCHERIE (Rue)............ A4
CAMILLE DESMOULINS (Rue)............ D1
CAPUCHE (Chemin de la)............ D3
CASIMIR BRENIER (Rue)............ B1-A2
CASIMIR PERIER (Rue)............ B4-C4
CHALEMONT (Montée)............ A3
CHAMPIONNET (Place)............ C2
CHAMPOLLION (Rue)............ B4-C4
CHARLES GOUNOD (Rue)............ D1
CHARLES MICHELS (Square)............ D1
CHARLES TARTARI (Rue)............ C3-C4
CHARLES TESTOUD (Rue)............ D1-D2
CHARREL (Rue)............ D1
CHAULNES (Cour de)............ A3
CHENOISE (Rue)............ A4
CITADELLE (Pont de la)............ A4
CLAUDE BERNARD (Quai)............ A1-A2
CLAUDE BROSSE (Quai)............ A4
CLAVEYSON (Place)............ A3
CLEMENT (Rue)............ C1
CLERCS (Rue des)............ A3-A4
CLOT BEY (Rue)............ B2-B3
COLBERT (Rue)............ C1
COLONEL BOUGAULT (Rue)............ D4
COLONEL DENFERT ROCHEREAU (Rue)............ B1
COLONEL DUMONT (Rue)............ D2
COLONEL LANOYERIE (Rue)............ D1-D2
COMBATTANTS D'AFRIQUE DU NORD (Allée des)............ C4-D4
COMMANDANT GILOT (Rue)............ D2
COMMANDANT ROZAN (Rue)............ D1
CONDILLAC (Rue)............ B3-B4
CONDORCET (Place)............ C2
CONDORCET (Rue)............ C1-C2
CORATO (Voie de)............ A1-A4
CORNEILLE (Rue)............ B3
CORNELIE GEMOND (Rue)............ B4
CREPU (Rue)............ B1-C1
CREQUI (Quai)............ A2
CUJAS (Rue)............ A3
CYMAISE (Place de la)............ A3
DAUPHINE (Rue du)............ C1
DAUPHINS (Passage des)............ B3
DESAIX (Rue)............ D2
DIABLES BLEUS (Boulevard des)............ D4
DIODORE RAHOULT (Rue)............ A3
DOCTEUR BALLY (Rue du)............ B3
DOCTEUR HERMITE (Rue)............ D1
DOCTEUR LEON MARTIN (Place du)............ B3-C3
DOCTEUR MAZET (Rue du)............ A2-B2
DOCTEUR VALOIS (Square du)............ B3
DOMINIQUE VILLARS (Rue)............ B4
DOUDART DE LAGREE (Rue)............ C2-D2
DOYEN GOSSE (Place)............ A1-B1
DROITS DE L'HOMME (Parvis des)............ A3
EDGAR QUINET (Rue)............ B1-C1
EDOUARD BRANLY (Rue)............ A1
EDOUARD REY (Boulevard)............ A2-B3
ELISEE RECLUS (Rue)............ D3
EMILE AUGIER (Rue)............ B2
EMILE GUEYMARD (Rue)............ A1-B1
ESPLANADE (Boulevard de l')............ A1
ESTOC (Rue de l')............ A1
ETIENNE FOREST (Rue)............ B1-B2
ETIENNE MARCEL (Rue)............ C1
ETOILE (Place de l')............ B3-C3
EUGENE FAURE (Rue)............ B4
EXPILLY (Rue)............ B3
EYMARD (Impasse)............ D1
FANTIN LATOUR (Rue)............ B4-C4
FELIX POULAT (Rue)............ B3
FELIX VIALLET (Avenue)............ B1-A3
FER A CHEVAL (Rue du)............ A4
FONTAINE (Cours la)............ C2-B3
FRANCE (Quai de)............ A2
FRANCOIS MITTERRAND (Esplanade)............ A4
FRANCOIS RAOULT (Rue)............ C3
FREDERIC TAULIER (Rue)............ A4
GABRIEL PERI (Rue)............ B1-C1
GALILEE (Rue)............ C1
GAMBETTA (Boulevard)............ A2-D3
GARE (Place de la)............ B1
GENERAL CHAMPON (Avenue)............ D4
GENERAL DE BEYLIE (Rue)............ B4
GENERAL DURAND (Rue)............ D4
GENERAL JANSSEN (Rue)............ D1
GENERAL MARCHAND (Rue)............ B4
GENERAL RAMBEAUD (Rue)............ D2
GENISSIEU (Rue)............ C2
GENTIL BERNARD (Rue)............ B3
GODEFROY SILVESTRI (Square)............ C3
GORDES (Place de)............ A3
GRAILLE (Quai de la)............ A1
GRANDE RUE............ A3-B3
GRENETTE (Place)............ B3
GUETAL (Rue)............ B3
GUSTAVE RIVET (Place)............ D3
GUY ALLARD (Rue)............ D2
GUY PAPE (Rue)............ A3
HAUQUELIN (Rue)............ A4
HAXO (Rue)............ B4-C4
HEBERT (Rue)............ B4
HECTOR BERLIOZ (Rue)............ A3
HENRI DING (Rue)............ D3
HERBES (Place aux)............ A3-A4
HIPPOLYTE BOUVIER (Rue)............ C1
HOCHE (Rue)............ C3
HUBERT DUBEDOUT (Place)............ A2
HUMBERT II (Rue)............ C2-C3
IRVOY (Rue)............ D1
ISERE (Rue de l')............ A1
JACQUELINE MARVAL (Place)............ C2-D2
JARDIN HOCHE (Allée du)............ C3-D4
JAY (Rue)............ B2
JEAN ACHARD (Place)............ B3-B4
JEAN BISTESI (Rue)............ C4-D4
JEAN BOCQ (Rue)............ C4
JEAN JAURES (Cours)............ D1-A2
JEAN MACE (Rue)............ A1-B1
JEAN PAIN (Boulevard)............ C4
JEAN PERROT (Avenue)............ D4
JEAN PREVOST (Rue)............ C1-D1
JEAN-BAPTISTE PRADEL (Rue)............ C2
JEAN-FRANCOIS HACHE (Rue)............ A4
JEAN-JACQUES ROUSSEAU (Rue)............ A3-B4
JESUS (Chemin)............ C2
JOSEPH REY (Rue)............ B1-D1
JULES VIOLLE (Rue)............ A2
KLEBER (Rue)............ D2
LAFAYETTE (Rue)............ B3-A4
LAKANAL (Rue)............ C2-C3
LAMARTINE (Rue)............ B3-C3
LAVALETTE (Place de)............ A4
LAZARE CARNOT (Rue)............ C2-D2
LESDIGUIERES (Rue)............ C2-B4
LIBERTE (Rue de la)............ B3-B4
LIEUTENANT CHANARON (Rue du)............ C2
LIEUTENANT DE QUINSONAS (Rue)............ D1
LIEUTENANT-COLONEL TROCARD (Rue)............ D2
LIONNE (Rue de)............ A4
LONDRES (Rue de)............ D1
LORRAINE (Rue de)............ A4
LOUIS VALLIER (Impasse)............ D1
LYCEE (Passage du)............ B4
LYON (Route de)............ A1
MABLY (Rue)............ B4
MADELEINE (Rue)............ A3-A4
MALLIFAUD (Rue)............ D3-D4
MANEGE (Rue du)............ C4
MARCEAU (Rue)............ D2
MARCEL BENOIT (Rue)............ B4
MARCEL DEPREZ (Rue)............ A2
MARCEL PORTE (Rue)............ D3-D4
MARCEL REYMOND (Cour)............ A4
MARECHAL DODE (Rue)............ B2
MARECHAL FOCH (Boulevard)............ D2-D3
MARECHAL JOFFRE (Boulevard)............ D3-C4
MARECHAL LYAUTEY (Boulevard)............ C3-C4
MARECHAL RANDON (Avenue)............ A4
MARIUS GONTARD (Pont)............ A2
MARIUS GONTARD (Rue)............ A2-A3
MAURICE GIGNOUX (Rue)............ A2-A3
MEGISSERIE (Rue de la)............ C1
METZ (Place de)............ C4
MICHELET (Rue)............ C1
MIKADO (Cour du)............ D4
MILLET (Rue)............ B3
MINIMES (Rue des)............ A4
MIRIBEL (Rue de)............ B3
MOIDIEU (Rue)............ A2-A3
MOLIERE (Rue)............ B3
MOMES (Cour des)............ C4
MONTAGNES RUSSES (Chemin des)............ C1-C2
MONTORGE (Rue)............ B3
MOULIN DE CANEL (Rue du)............ B1
MOUNIER (Quai)............ A3
NARVIK (Rue de)............ D3
NESTOR CORNIER (Rue)............ D3
NEW YORK (Rue de)............ D1
NICOLAS CHORIER (Rue)............ C1
NOTRE-DAME (Place)............ A4
NURSERY (Rue de la)............ B1-C1
PAIX (Rue de la)............ A4-B4
PALAIS (Rue du)............ A3-A4
PALAIS DE JUSTICE (Passage du)............ A3
PALANKA (Rue de)............ A2-B3
PAPET (Rue)............ D1
PARIS (Rue de)............ C1-D1
PASTEUR (Place)............ D4
PAUL BERT (Rue)............ B3-C3
PAUL DIJON (Rue)............ C2
PAUL JANET (Rue)............ D4
PAUL MISTRAL (Place)............ C4-D4
PAUL VALLIER (Place)............ C4
PERE MARION (Rue)............ B3
PERRIERE (Quai)............ A2-A3
PHALANSTERE (Rue du)............ C2
PHILIS DE LA CHARCE (Rue)............ B3
PIERRE ARTHAUD (Rue)............ C2
PIERRE DUCLOT (Rue)............ A4
PIERRE DUPONT (Rue)............ D1
PIERRE LOTI (Rue)............ D4
PIERRE SEMARD (Rue)............ B1
PIERRE TERMIER (Rue)............ D1
PINAL (Rue)............ B1-B2
PONT SAINT-JAIME (Rue du)............ A4
PORTE DE FRANCE (Pont de la)............ A2
POSTE (Rue de la)............ B3
PRESIDENT CARNOT (Rue)............ A4
400 COUVERTS (Rue des)............ B1-C1
4 SEPTEMBRE (Rue du)............ B1-C1
4EME REGIMENT DU GENIE (Rue du)............ C4-D4
400 COUVERTS (Traverse des)............ B1
RAOUL BLANCHARD (Rue)............ B3-B4
RAYMOND BANK (Rue)............ B1
RENAULDON (Rue)............ A4
REPUBLIQUE (Rue de la)............ B3-B4
ROBERT DUBARLE (Rue)............ D3
SAINT-ANDRE (Place)............ A3
SAINT-BRUNO (Place)............ C1
SAINTE-CLAIRE (Place)............ A4-B4
SAINTE-URSULE (Rue)............ A4
SAINT-FRANCOIS (Rue)............ B3
SAINT-HUGUES (Rue)............ A4
SAINT-JACQUES (Rue)............ B3
SAINT-JOSEPH (Rue)............ C3-C4
SAINT-LAURENT (Pont)............ A3-A4
SAINT-NICOLAS (Rue)............ A2
SAULT (Rue de)............ B3
SERGENT BOBILLOT (Rue)............ D2
SERVAN (Rue)............ A4-B4
STALINGRAD (Rue de)............ D3
STEPHANE JAY (Quai)............ A2-A4
STRASBOURG (Rue de)............ C3-C4
SUEDE (Avenue de)............ C1
TEMPLE (Place du)............ A4
THIERS (Rue)............ D1-B2
TILLEULS (Place des)............ A4
TRES CLOITRES (Rue)............ A4
TROCADERO (Rue du)............ C1
TURENNE (Rue de)............ D1-C2
VALBONNAIS (Rue du)............ A4
VALENTIN HAUY (Place)............ C4
VAUBAN (Rue)............ B2-B3
VAUCANSON (Place)............ B3
VERDUN (Place)............ B4
VICAT (Rue)............ B3
VICTOR HUGO (Place)............ B2-B3
VIEUX TEMPLE (Rue du)............ A4
VIZILLE (Avenue de)............ B1-D1
VIZILLE (Impasse de)............ C1
VOLTAIRE (Rue)............ B4

ABLOIS (Rue d') C3
ABREUVOIR (Rue de l') B2
ADMYRAULT (Rue) B2
AIMABLE NANETTE (Rue de l') C3
AIME BONPLAND (Allée) A1
ALBERT 1ER (Rue) A3
ALCIDE D'ORBIGNY (Rue) A3-A4
ALIENOR D'AQUITAINE (Rue) A1
AMELOT (Rue) B3-B4
AMERIGO VESPUCCI (Avenue) D2
AMERIQUES (Avenue) D2
AMIRAL MEYER (Quai) C3
AMOS BARBOT (Rue) A3
ANGLAIS (Cour des) A3
ARCERE (Rue) A3
ARCHIMEDE (Rue de l') C3
ARMIDE (Rue de l') D2-C3
ARSENAL (Rue de l') B3
AUFREDY (Rue) B2
AUGUSTINS (Rue des) B2-B3
BALANCE (Impasse de la) C3
BALANGERIE (Rue) C1-C2
BARENTIN (Place) C2
BASTION SAINT-NICOLAS (Rue du) C3-D4
BAZOGES (Rue) B2-B3
BEARNOISE (Rue de la) A2
BELIER (Impasse du) A3
BEURRE (Rue du) B3
BLETTERIE (Rue) B3
BONNES FEMMES (Rue des) A3
BONPLAND (Impasse) A4
BONPLAND (Rue) A4-B4
BRAVE RONDEAU (Rue du) B3-A4
BRIQUETTERIE (Rue de la) A1
BUFFETERIE (Rue) A3-A4
BUJAUD (Rue) B3
CAILLE (Palce de la) B3
CANARDS (Rue des) C3
CAP OUEST (Place) C4
CAPRICORNE (Impasse du) A3
CARDINAL (Rue) D2
CARENAGE (Quai du) C3
CARMES (Rue des) C2
123EME REGIMENT D'INFANTERIE (Avenue du) C3-D3
CHAINE (Rue de la) C2
CHALOUPE (Rue de la) C3
CHARLES PROU (Allée) A1
CHARRUYER (Résidence) B1
CHATEAU VAUCLERC (Rue du) A2
CHAUDRIER (Rue) B2-A3
CHEF DE VILLE (Rue) B2
CIMETIERE (Rue du) C2
CLAUDE MASSE (Rue) A1
CLOCHE (Rue de la) C2
CLOUTIERS (Rue des) A3
COLLEGE (Impasse du) A3
COLLEGE (Rue du) A3
COLMAR (Avenue de) D3-D4
COMMANDANT DE LA MOTTE ROUGE (Place du) C3
COMMANDERIE (Cour de la) B2
COMTESSE (Rue de la) C3-C4
CORDELIERS (Avenue des) A4
CORDELIERS (Place des) A4
CORDERIES (Rue des) A4-B4
CORDOUAN (Rue du) A3
COUREAULEURS (Place des) C3
COTRE (Passage du) C3
CREPEAU (Avenue) D1-D2
DAMES (Cours des) C2
DAMES (Rue des) B3
DANEMARK (Rue du) A1
DANIEL MASSIOU (Rue) A3-A4
DELAYANT (Rue) A2-A3
DESIREE (Rue la) D1-D2
2 MOULINS (Rue des) C1
DOCTEUR SCHWEITZER (Rue du) B4
DRAKKAR (Passage du) C3
DUC (Rue du) B3-C3
DUPATY (Rue) B2-B3
DUPERRE (Passage) B2-C2
DUPERRE (Quai) C2-C3
ECHELLE CHAUVIN (Rue) A3-A4
ECHELLE DE LA COURONNE (Rue) A4
ECLUSE (Terre plein de l') C2-D2
ECOLES (Rue des) A2
ECREVISSE (Impasse de l') C2
ESCALE (Rue de l') B2
EUGENE FROMENTIN (Rue) B2
EUGENE THOMAS (Rue) C4
EVESCOT (Rue de l') A3-A4
FABRIQUE (Rue de la) C3
FAGOTS (Rue des) C1
FERDINAND FAIDEAU (Allée) A1-C1
FERNAND BRAUDEL (Parvis) D2
FERTE (Rue de la) B3
FLEURIAU (Rue) A2-B3
FONDERIES (Rue des) A4-B4
FORME (Rue de la) A3-B3
FOURCHE (Place de la) C3
FOURCHE (Rue de la) C3
FRANÇOIS MITTERRAND (Esplanade) D2
FREGATE (Passage de la) C3
FRERES PRECHEURS (Rue des) A4
GABUT (Quai du) C3
GAMBETTA (Rue) A3-A4
GARGOULLEAU (Rue) A2-A3
GEMEAUX (Impasse des) B3
GENERAL DE GAULLE (Avenue du) C3-D4
GENERAL GALLIENI (Rue du) B3
GENERAL LECLERC (Avenue du) A1-A2
GENTILSHOMMES (Rue des) B3
GEORGES SIMENON (Quai) C3
GEORGETTE (Quai de la) C3-D3
GOELETTE (Passage de la) C3
GRILLE (Rue de la) B3
GROLLES (Cour de) A3
GROSSE HORLOGE (Rue de la) B2-C2
GUIGNETTE (Rue de la) C3-D4
HONNEUR (Quai d') D3
HORLOGE (Pont de l') B3
HOTEL DE VILLE (Place de l') B3
HOTEL DE VILLE (Rue de l') B3
8 MAI (Place du) C1
ITOUT Y FAUT (Impasse) A3
JAILLOT (Rue) A3
JARS (Rue des) D4
JEAN BAPTISTE MARCET (Place) B4
JEAN GUITON (Avenue) B1
JEAN GUITON (Impasse) B1
JEAN MOULIN (Pont) C4
JEAN-BAPTISTE MARCET (Place) B3
JOFFRE (Boulevard) D3-C4
JOURDAN (Rue) A1
LA ROCHELLE (Rue de) B3
LADAUGE (Cours) C3
LEONCE VIELJEUX (Rue) B1-C2
LOUIS ARAGON (Rue) D2
LOUIS DURAND (Quai) C3-B4
LOUIS PRUNIER (Quai) D3
LOUIS SUIRE (Pont) B3
LOUP MARIN (Rue le) D1-D2
MAIL (Allée du) C1
MARANS (Quai de) C3-C4
MARECHAL FOCH (Place du) C2
MARIETTES (Rue des) B3
MARIONNETTES (Rue des) C3
MAUBEC (Quai) C3-B4
MAURICE DELMAS (Avenue) B1-C1
MERCIERS (Rue des) A3-B3
MERVAULT (Rue) A3
METZ (Avenue de) A1
MICHEL CREPEAU (Avenue) D1-D2
MINAGE (Passage du) A3
MINAGE (Rue du) A3
MOLIERE (Impasse) A1
MOLIERE (Rue) A1
MONNAIE (Avenue de la) C1
MONTAIGNE (Rue) D2
MOUREILLES (Rue des) B3
MULHOUSE (Avenue de) C4-D4
MURAILLES (Rue des) A3
NICOLAS VENETTE (Rue) B2
NORVEGE (Rue de) B1
NOTRE (Allée le) B1-C1
NOUE (Rue la) A2-B2
OUVRAGE A CORNES (Rue de l') C4-D4
PALAIS (Rue du) B2
PARADIS (Rue du) C3
PARC (Rue du) A1
PAUL BONNARME (Allée) B1-C1
PAUL GARREAU (Rue) B1
PAULEON (Rue) A3
PERNELLE (Rue) A2-B2
PETITE SIRENE (Place de la) C3
PIERRE SEMARD (Place) D4
POISSONS (Impasse des) A4
PORT (Petite rue du) C2-B3
PORT (Rue du) B3-C3
PORTE NEUVE (Avenue de la) A1-B2
PORTE NEUVE (Rue de la) B1-B2
PORTE ROYALE (Avenue de la) A4
PRECHE (Rue du) B3-B4
PRES (Rue des) A1
4 SERGENTS (Rue des) A1
QUINTINIE (Allée la) C1
RAMBAUD (Rue) A2-A3
RASTEAU (Square) B2
REAUMUR (Rue) C1-B2
REIMS (Place de) A2
REMPART DES VOILIERS (Rue du) A4
REMPART SAINT-CLAUDE (Rue du) C3-C4
REMPARTS (Chemin des) C1-A2
RENE GAUTIER (Rue) B2
SAINT-CLAUDE (Rue) C3-B4
SAINT-COME (Rue) A2-B2
SAINT-DOMINIQUE (Rue) A4
SAINT-FRANCOIS (Rue) A4
SAINT-JEAN D'ACRE (Esplanade) D1-C2
SAINT-JEAN DU PEROT (Rue) C1-C2
SAINT-LEONARD (Rue) B2
SAINT-LOUIS (Rue) A4-B4
SAINT-MICHEL (Cour) B3
SAINT-MICHEL (Place) B3
SAINT-MICHEL (Rue) B3
SAINT-NICOLAS (Passerelle) B3
SAINT-NICOLAS (Rue) B3-C3
SAINTS (Cour des) A3
SAINTS PERES (Rue des) C1-C2
SAINT-SAUVEUR (Rue) B3
SAINT-YON (Rue) A3-B3
SAINTES CLAIRES (Rue des) A2-A3
SARDINERIE (Rue) B3-C3
SENAC DE MEILHAN (Rue) D2
SOLETTE (Rue de la) B3-C3
SUEDE (Rue de) A1-B1
SUR LES MURS (Rue) C1-C2
TALLEMANT DES REAUX (Rue) B2
TAMARIS (Allée des) D1
TEMPLE (Cour du) B2
TEMPLE (Rue du) B2-B3
TEMPLIERS (Rue des) B2
THEOPHRASTE RENAUDOT (Rue) C1
THIERS (Impasse) B4
THIERS (Rue) A3-B4
3 FUSEAUX (Rue des) B3
VALIN (Quai) C3
VERDIERE (Rue) B2-C2
VERDUN (Place de) A2
VIERGE (Impasse de la) A3-A4
VILLENEUVE (Rue) B3-A4
VOILIERS (Rue des) A4

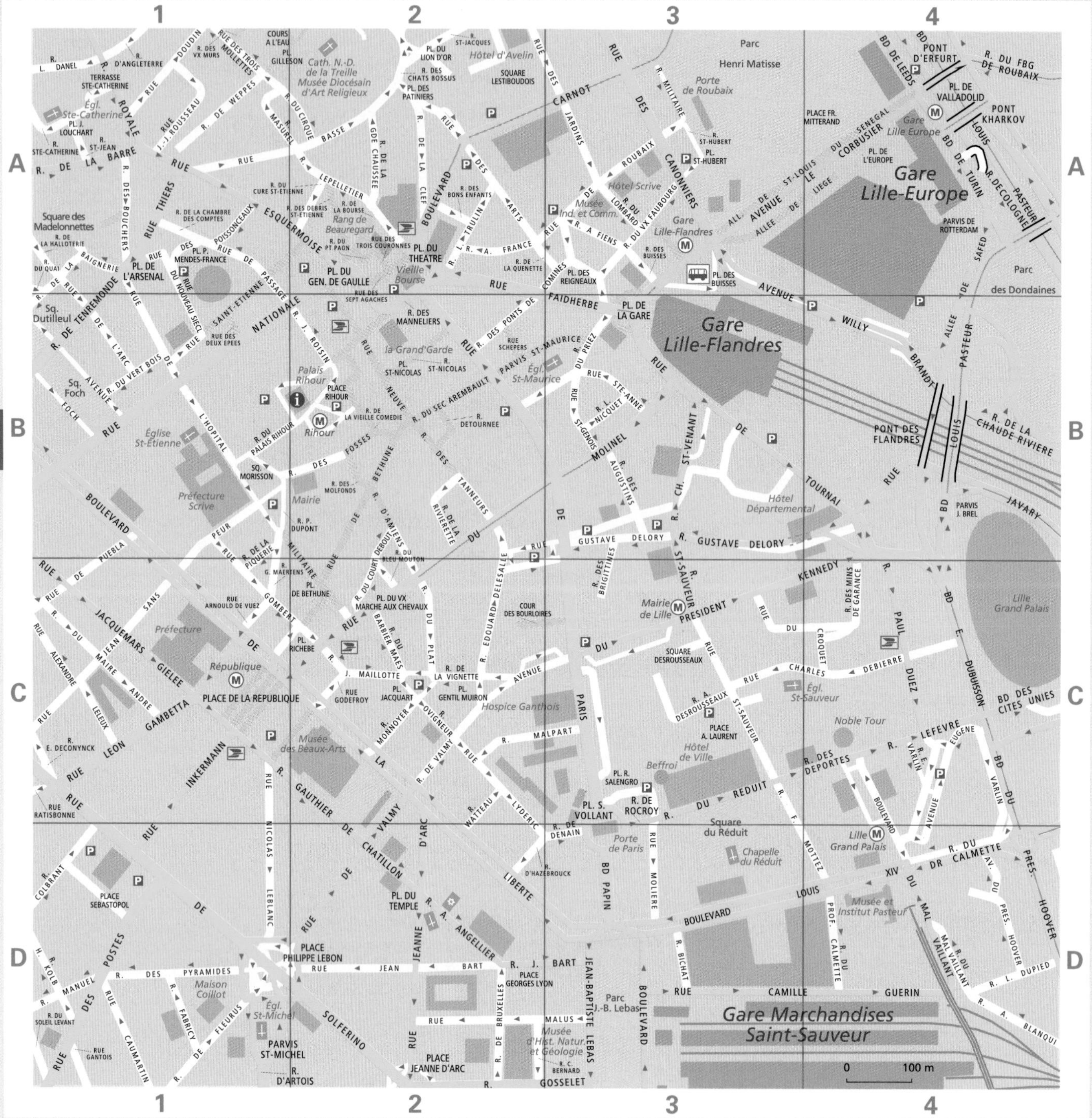

LILLE

A FIENS (Rue) A3
A L'EAU (Cours) A2
ALEXANDRE DESROUSSEAUX (Rue) C3
ALEXANDRE LELEUX (Rue) C1
AMIENS (Rue d') B2-C2
ANATOLE FRANCE (Rue) A2
ANGLETERRE (Rue d') A1
ARC (Rue de l') A1-B1
ARNOULD DE VUEZ (Rue) C1
ARSENAL (Place de l') A1
ARTOIS (Rue d') D1
ARTS (Rue des) A2
AUGUSTE ANGELLIER (Rue) D2
AUGUSTE BLANQUI (Rue) D4
AUGUSTIN LAURENT (Place) C3
AUGUSTINS (Rue des) B3
BAIGNERIE (Rue de la) A1-B1
BARBIER MAES (Rue du) C2
BARRE (Rue de la) A1
BASSE (Rue) A1-A2
BETHUNE (Place de) C2
BETHUNE (Rue de) B2-C2
BICHAT (Rue) D3
BLEU MOUTON (Rue du) C2
BONS ENFANTS (Rue des) A2
BOUCHERS (Rue des) A1
BOURLOIRES (Cour des) C2-C3
BOURSE (Rue de la) A2
BRIGITTINES (Rue des) B3-C3
BRUXELLES (Rue de) D2
BUISSES (Place des) A3
BUISSES (Rue des) A3
CAMILLE GUERIN (Rue) D3-D4
CANONNIERS (Rue des) A3
CARNOT (Boulevard) A2-A3
CAUMARTIN (Rue) D1
CHAMBRE DES COMPTES (Rue de la) A1
CHARLES DEBIERRE (Rue) C3-C4
CHARLES ST-VENANT (Rue) B3
CHATS BOSSUS (Rue des) A2
CHAUDE RIVIERE (Rue de la) B4
CIRQUE (Rue du) A1-A2
CITES UNIES (Boulevard des) C4
CLAUDE BERNARD (Rue) D2
CLEF (Rue de la) A2
COLBRANT (Rue) D1
COLOGNE (Rue de) A4
COURT DEBOUT (Rue du) B2-C2
CROQUET (Rue du) C3-C4
CURE ST-ETIENNE (Rue du) A2
DEBRIS ST-ETIENNE (Rue des) A2
DENAIN (Rue de) D3
DEPORTES (Rue des) C3-C4
DESROUSSEAUX (Square) C3
DETOURNEE (Rue) B2
DEUX EPEES (Rue des) B1
DOCTEUR CALMETTE (Rue du) D4
DOUDIN (Rue) A1
EDOUARD DELESALLE (Rue) B2-C2
EMILE DUBUISSON (Boulevard) B4-C4
ERFURT (Pont d') A4
ERNEST DECONYNCK (Rue) C1
ESQUERMOISE (Rue) A1-A2
EUGENE VARLIN (Avenue) C4-D4
EUGENE VARLIN (Rue) C4
EUROPE (Place de l') A4
FABRICY (Rue) D1
FAIDHERBE (Rue) A2-B3
FAUBOURG DE ROUBAIX (Rue du) A4
FLANDRES (Pont des) B4
FLEURUS (Rue de) D1
FOCH (Avenue) B1
FOSSES (Rue des) B1-B2
FRANÇOIS MITTERAND (Place) A4
FREDERIC MOTTEZ (Rue) C3-D4
GANTOIS (Rue) D1
GARE (Place de la) B3
GAUTHIER DE CHATILLON (Rue) C1-D2
GENERAL DE GAULLE (Place du) A2-B2
GENTIL MUIRON (Place) C2
GEORGES LYON (Place) D2
GEORGES MAERTENS (Rue) B1-C1
GILLESON (Place) A1-A2
GODEFROY (Rue) C2
GOMBERT (Rue) B1-C2
GOSSELET (Rue) D2-D3
GRANDE CHAUSSEE (Rue de la) A2
GUSTAVE DELORY (Rue) B2-B4
HALLOTERIE (Rue de la) A1
HAZEBROUCK (Rue d') D2-D3
HENRI KOLB (Rue) D1
HOPITAL MILITAIRE (Rue de l') A1-C2
INKERMANN (Rue) C1-D1
JACQUART (Place) C2
JACQUEMARS GIELEE (Rue) B1-C1
JACQUES BREL (Parvis) B4
JACQUES LOUCHART (Place) A1
JARDINS (Rue des) A2-A3
JAVARY (Rue) B4
JEAN BART (Rue) D2-D3
JEAN ROISIN (Rue) B2
JEAN SANS PEUR (Rue) B1-C1
JEAN-BAPTISTE LEBAS (Boulevard) D3
JEAN-JACQUES ROUSSEAU (Rue) A1
JEANNE D'ARC (Place) D2
JEANNE D'ARC (Rue) C2-D2
JEANNE MAILLOTTE (Rue) C2
KHARKOV (Pont) A4
LE CORBUSIER (Avenue) B3-A4
LEEDS (Boulevard de) A4
LEFEVRE (Rue) C4
LEON GAMBETTA (Rue) C1
LEON TRULIN (Rue) A2
LEONARD DANEL (Rue) A1
LEPELLETIER (Rue) A2
LESTIBOUDOIS (Square) A2
LIBERTE (Boulevard de la) B1-D3
LIEGE (Allée de) A3-A4
LION D'OR (Place du) A2
LOMBARD (Rue du) A3
LOUIS DUPIED (Rue) D4
LOUIS NICQUET (Rue) B3
LOUIS PASTEUR (Boulevard) A4-B4
LOUIS XIV (Boulevard) D3-D4
LYDERIC (Rue) C2-D3
MAIRE ANDRE (Rue du) C1
MALPART (Rue) C2-C3
MALUS (Rue) D2-D3
MANNELIERS (Rue des) A2-B2
MANUEL (Rue) D1
MARECHAL VAILLANT (Bd du) C4-D4
MARECHAL VAILLANT (Rue du) D4
MASUREL (Rue) A1-A2
MILITAIRE (Rue) A3
MOLFONDS (Rue des) B2
MOLIERE (Rue) C3-D3
MOLINEL (Rue du) C2-B3
MONNOYER (Rue) C2
MORISSON (Square) B1
MOULINS DE GARANCE (Rue des) B4-C4
NATIONALE (Rue) B1-A2
NEUVE (Rue) B2
NICOLAS LEBLANC (Rue) C1-D1
NOUVEAU SIECLE (Rue du) A1-B1
OVIGNEUR (Rue) C2
PALAIS RIHOUR (Rue du) B1-B2
PAPIN (Boulevard) D3
PARIS (Rue de) B2-C3
PASSAGE (Rue de) A1-B2
PATINIERS (Place des) A2
PAUL DUEZ (Rue) B4-C4
PETIT PAON (Rue du) A2
PHILIPPE LEBON (Place) D1
PIERRE DUPONT (Rue) B1
PIERRE MENDES-FRANCE (Place) A1
PIQUERIE (Rue de la) B1-C1
PLAT (Rue du) C2
POISSONCEAUX (Rue des) A1
PONTS DE COMINES (Rue des) B2-A3
POSTES (Rue des) D1
PRESIDENT HOOVER (Avenue du) D4
PRESIDENT HOOVER (Bd du) C4-D4
PRESIDENT KENNEDY (Avenue du) C2-B4
PRIEZ (Rue du) B3
PROFESSEUR CALMETTE (Rue du) D4
PUEBLA (Rue de) B1-C1
PYRAMIDES (Rue des) D1
QUAI (Rue du) A1
QUENETTE (Rue de la) A2-A3
RATISBONNE (Rue) C1
REDUIT (Rue du) C3
REIGNEAUX (Place des) A3
REPUBLIQUE (Place de la) C1-C2
RICHEBE (Place) C1-C2
RIHOUR (Place) B2
RIVIERETTE (Rue de la) B2
ROCROY (Rue de) C3-D3
ROGER SALENGRO (Place) C3-D3
ROTTERDAM (Parvis de) A4
ROUBAIX (Rue de) A2-A3
ROYALE (Rue) A1
SAFED (Allée de) A4-B4
SAINT-ETIENNE (Rue) B1-A2
SAINT-GENOIS (Rue) B3
SAINT-HUBERT (Place) A3
SAINT-HUBERT (Rue) A3
SAINT-JACQUES (Rue) A2
SAINT-JEAN (Rue) A1
SAINT-LOUIS DU SENEGAL (All. de) A3-A4
SAINT-MAURICE (Parvis) B2-B3
SAINT-MICHEL (Parvis) D1
SAINT-NICOLAS (Place) B2
SAINT-NICOLAS (Rue) B2
SAINT-SAUVEUR (Rue) B3-C3
SAINTE-ANNE (Rue) B3
SAINTE-CATHERINE (Rue) A1
SAINTE-CATHERINE (Terrasse) A1
SCHEPERS (Rue) B2
SEBASTOPOL (Place) C1-D1
SEC AREMBAULT (Rue du) B2
SEPT AGACHES (Rue des) A2
SIMON VOLLANT (Place) C3-D3
SOLEIL LEVANT (Rue du) D1
SOLFERINO (Rue de) C1-D2
TANNEURS (Rue des) B2
TEMPLE (Place du) D2
TENREMONDE (Rue de) A1-B1
THEATRE (Place du) A2-B2
THIERS (Rue) A1
TOURNAI (Rue de) B3-B4
TROIS COURONNES (Rue des) A2
TROIS MOLLETTES (Rue des) A1
TURIN (Boulevard de) A4
VALLADOLID (Place de) A4
VALMY (Rue de) C2-D2
VERT BOIS (Rue du) B1
VIEILLE COMEDIE (Rue de la) B2
VIEUX FAUBOURG (Rue du) A3
VIEUX MARCHE AUX CHEVAUX (Place du) C2
VIEUX MURS (Rue des) A1
VIGNETTE (Rue de la) C2
WATTEAU (Rue) C2-D2
WEPPES (Rue de) A1
WILLY BRANDT (Avenue) A3-B4

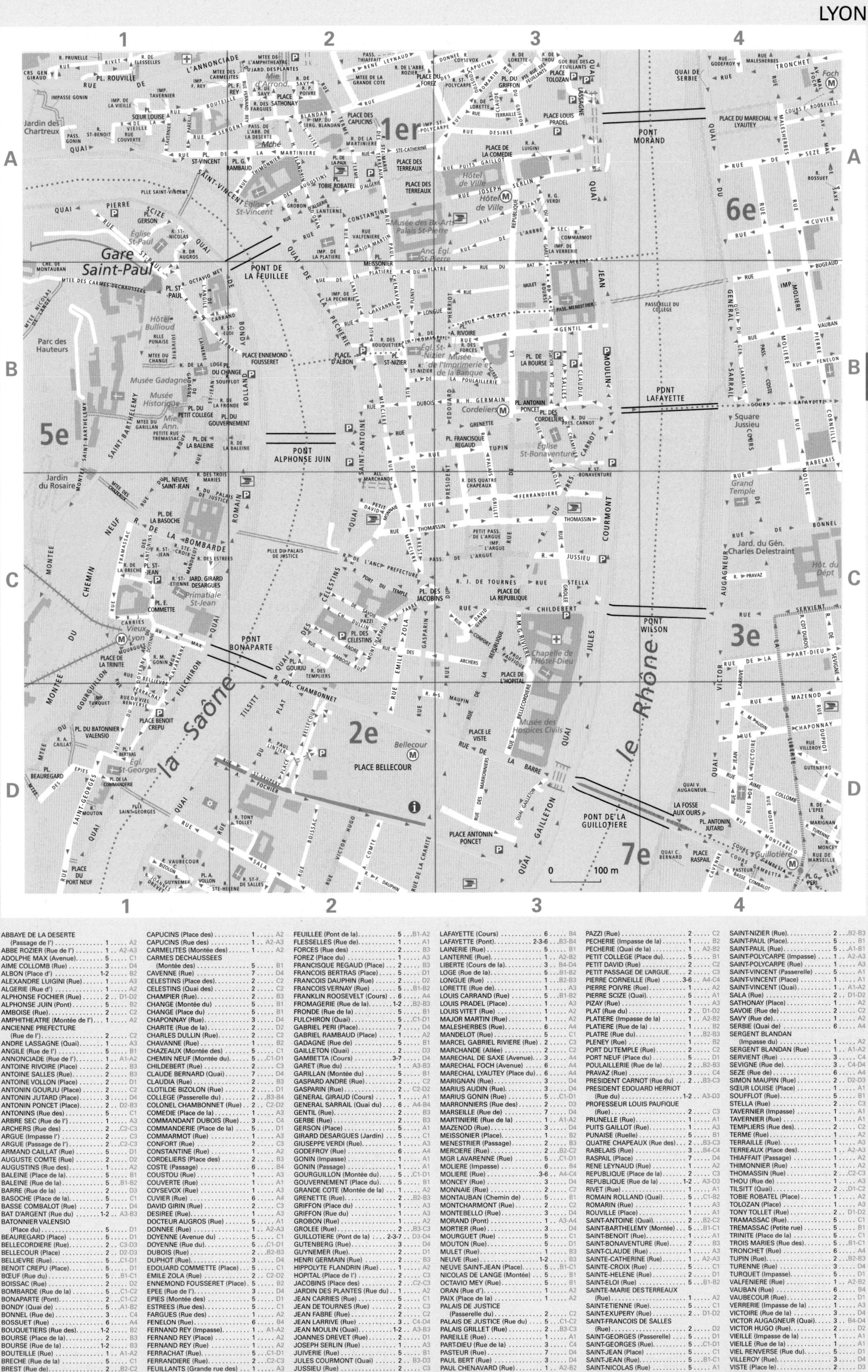
1
2
3
4
A
B
C
D
1er
2e
3e
5e
6e
7e
la Saône
le Rhône
Gare Saint-Paul
PONT DE LA FEUILLEE
PONT ALPHONSE JUIN
PONT BONAPARTE
PONT MORAND
PONT LAFAYETTE
PONT WILSON
PONT DE LA GUILLOTIERE
PLACE BELLECOUR
Bellecour
PLACE DES TERREAUX
Hôtel de Ville
Musée des Bx-Arts Palais St-Pierre
PLACE DE LA COMEDIE
PLACE LOUIS PRADEL
PLACE TOLOZAN
PLACE DES CAPUCINS
PLACE SATHONAY
Parc des Hauteurs
Jardin des Chartreux
Jardin du Rosaire
Musée Gadagne
Musée Historique
Primatiale St-Jean
Vieux Lyon
Cordeliers
Église St-Bonaventure
PLACE DE LA REPUBLIQUE
PL. DES JACOBINS
PL. DES CELESTINS
PLACE DE L'HOPITAL
Chapelle de l'Hôtel-Dieu
Musée des Hospices Civils
PLACE ANTONIN PONCET
Musée de l'Imprimerie et de la Banque
Égl. St-Nizier
Square Jussieu
Grand Temple
Jard. du Gén. Charles Delestraint
Hôt. du Dépt
PLACE DU MARECHAL LYAUTEY
Foch
Guillotière
PLACE RASPAIL
LA FOSSE AUX OURS
PLACE DU PORT NEUF
Égl. St-Georges
0
100 m

MARSEILLE

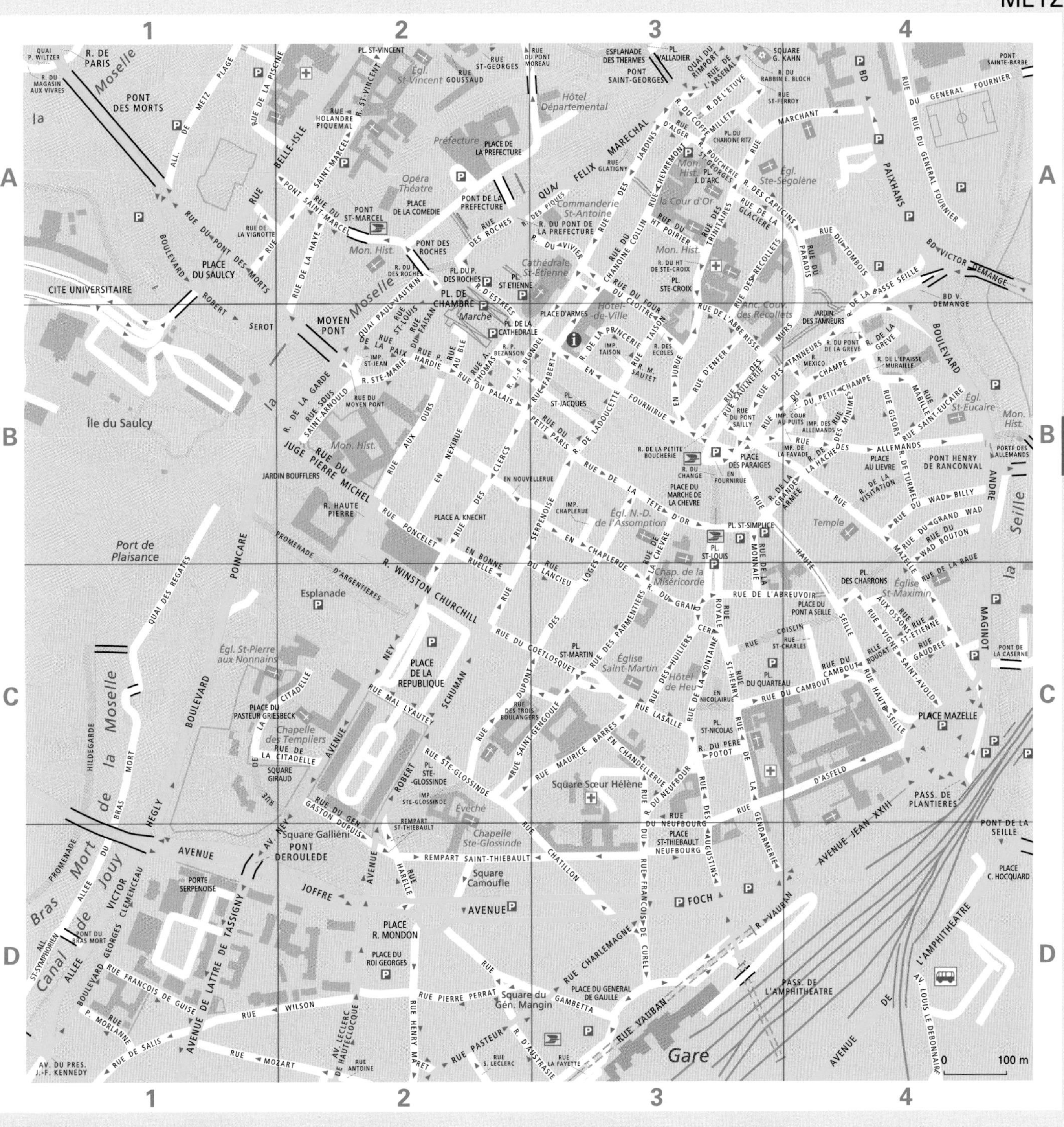
1
2
3
4
A
B
C
D
Moselle
PONT DES MORTS
CITE UNIVERSITAIRE
PLACE DU SAULCY
Île du Saulcy
MOYEN PONT
Préfecture
PLACE DE LA PREFECTURE
Opéra Théatre
PLACE DE LA COMEDIE
QUAI FELIX MARECHAL
Hôtel Départemental
Cathédrale St-Etienne
PLACE D'ARMES
Hôtel de-Ville
Marché
Commanderie St-Antoine
La Cour d'Or
Égl. Ste-Ségolène
Égl. St-Vincent
Égl. St-Eucaire
Temple
Église St-Maximin
PLACE MAZELLE
PLACE DES CHARRONS
PLACE DU MARCHE DE LA CHEVRE
Égl. N.-D. de l'Assomption
Chap. de la Miséricorde
Église Saint-Martin
Hôtel de Heu
Port de Plaisance
Esplanade
Égl. St-Pierre aux Nonnains
Chapelle des Templiers
PLACE DE LA REPUBLIQUE
Square Sœur Hélène
Évêché
Chapelle Ste-Glossinde
Square Galliéni
PONT DEROULEDE
PORTE SERPENOISE
Square Camoufle
PLACE R. MONDON
Square du Gén. Mangin
PLACE DU GENERAL DE GAULLE
Gare
PASS. DE L'AMPHITHEATRE
AVENUE JEAN XXIII
PASS. DE PLANTIERES
PONT DE LA SEILLE
PLACE C. HOCQUARD
PONT HENRY DE RANCONVAL
Canal de Jouy
Bras Mort
la Seille
0
100 m

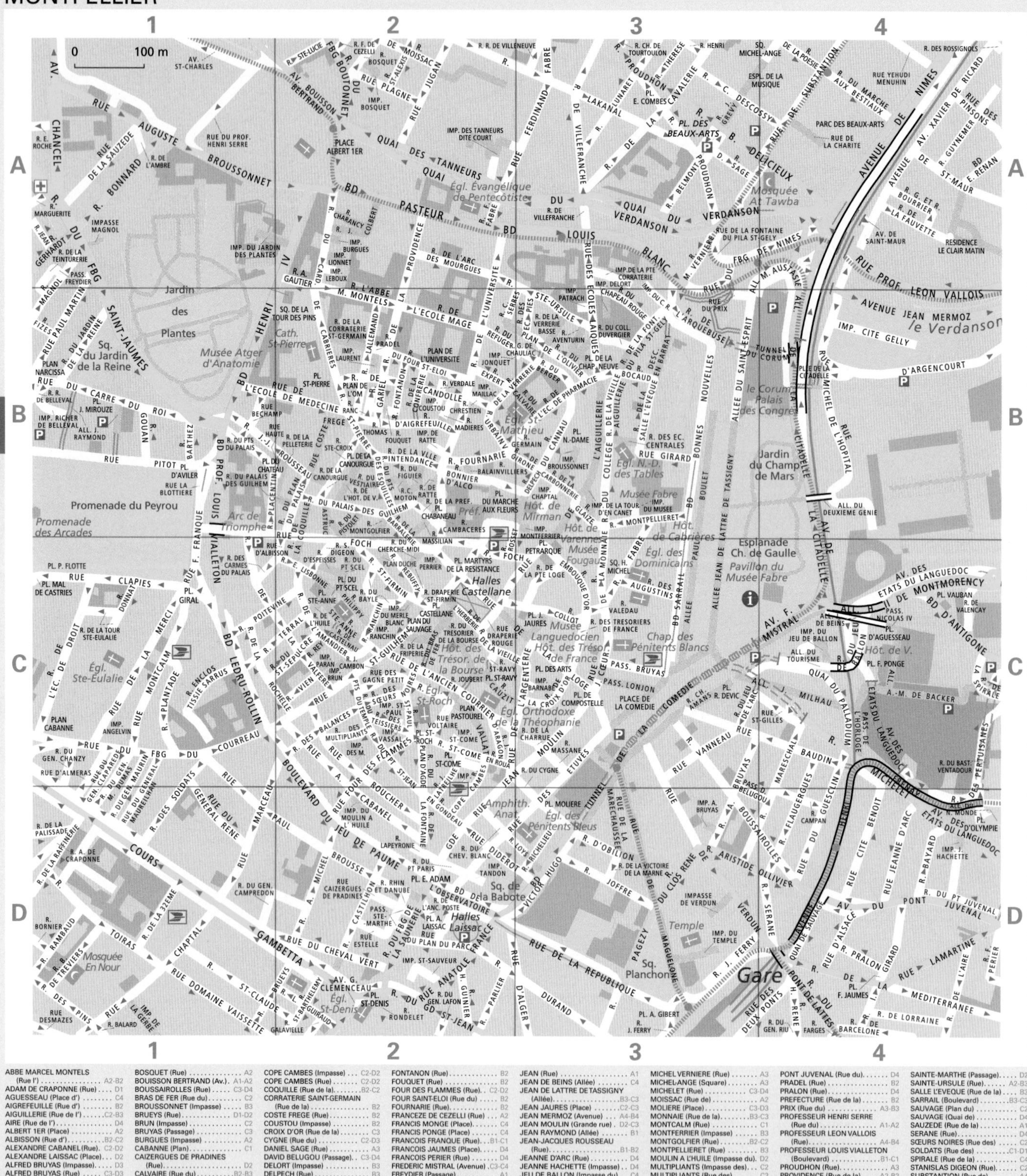
1
2
3
4
A
B
C
D
0
100 m
Jardin des Plantes
Sq. du Jardin de la Reine
Musée Atger d'Anatomie
Cath. St-Pierre
Promenade du Peyrou
Promenade des Arcades
Arc de Triomphe
Égl. Ste-Eulalie
Mosquée En Nour
Égl. St-Denis
Halles Laissac
Sq. de la Babote
Amphith. Anat.
Égl. des Pénitents Bleus
Halles Castellane
Égl. St-Roch
Égl. Orthodoxe de la Théophanie
Hôt. des Trésor. de la Bourse
Musée Languedocien
Hôt. des Trésor. de France
Chap. des Pénitents Blancs
Égl. N.-D. des Tables
Musée Fabre
Égl. des Dominicains
Hôt. de Varennes
Musée Fougau
Hôt. de Mirman
Préf.
Égl. St-Mathieu
Égl. Évangélique de Pentecôtiste
Mosquée At Tawba
le Corum Palais des Congrès
Jardin du Champ de Mars
Esplanade Ch. de Gaulle
Pavillon du Musée Fabre
Hôt. de V.
Temple
Sq. Planchon
Gare
le Verdanson
PARC DES BEAUX-ARTS
PL. DES BEAUX-ARTS
BD LOUIS BLANC
QUAI DU VERDANSON
BD PASTEUR
QUAI DES TANNEURS
RUE AUGUSTE BROUSSONNET
BD HENRI IV
BD PROF. LOUIS VIALLETON
BD LEDRU-ROLLIN
COURS GAMBETTA
BOULEVARD DU JEU DE PAUME
RUE DE LA REPUBLIQUE
AVENUE DE NIMES
RUE PROF. LEON VALLOIS
AVENUE JEAN MERMOZ
PLACE DE LA COMEDIE
TUNNEL DE LA COMEDIE
TUNNEL DU CORUM
ALLEE JEAN DE LATTRE DE TASSIGNY
AV. DE LA CITADELLE
AV. F. MISTRAL
BD SARRAIL
BD VICTOR HUGO
RUE DE LA MEDITERRANEE
R. DE LORRAINE

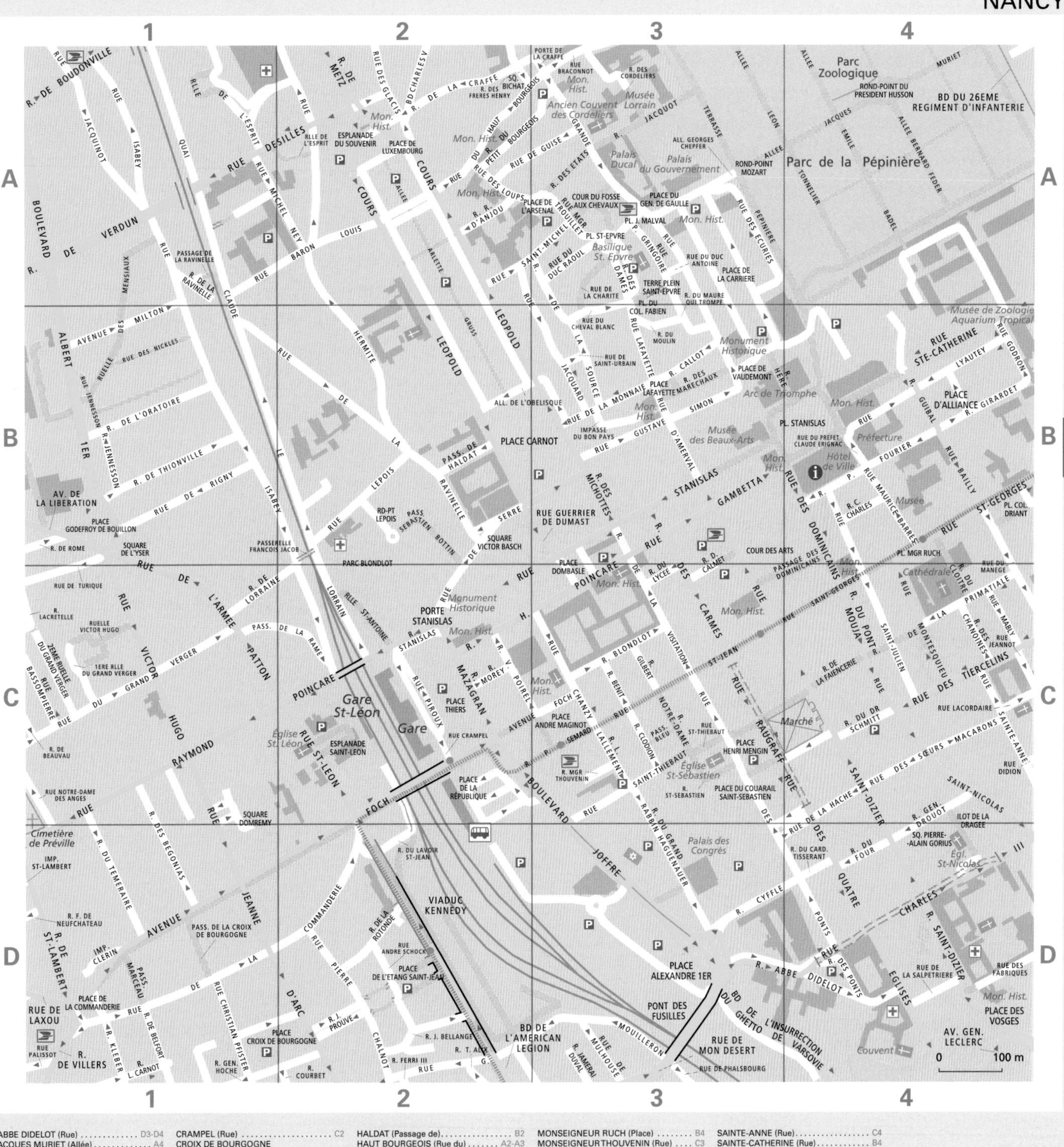

ABBE DIDELOT (Rue) D3-D4
ACQUES MURIET (Allée) A4
ALBERT 1ER (Boulevard) A1-B1
ALEXANDRE 1ER (Place) D3
ALLIANCE (Place d') B4
AMERICAN LEGION (Boulevard de l') ... D2
AMERVAL (Rue d') B3
ANDRE MAGINOT (Place) C3
ANDRE SCHOCK (Rue) D2
ARLETTE GRUSS (Allée) A2-B2
ARMEE PATTON (Rue de l') B1-C2
ARSENAL (Place de l') A2-A3
ARTS (Cours des) C3-C4
BAILLY (Rue) B4
BARON LOUIS (Rue) A1-A2
BASSOMPIERRE (Rue) C1
BEAUVAU (Rue de) C1
BEGONIAS (Rue des) C1-D1
BELFORT (Rue de) D1
BENIT (Rue) C3
BERNARD FEDER (Allée) A4
BICHAT (Square) A2
BLEU (Passage) C3
BLONDLOT (Parc) B2
BLONDLOT (Rue) C3
BON PAYS (Impasse du) B3
BOUDONVILLE (Rue de) A1
BRACONNOT (Rue) A3
CALLOT (Rue) B3
CARDINAL TISSERANT (Rue du) D4
CARMES (Rue des) B3-C3
CARNOT (Place) B2-B3
CARRIERE (Place de la) A3-B4
CHANOINES (Rue des) C4
CHANZY (Rue) C3
CHARITE (Rue de la) A3
CHARLES III (Rue) D4
CHARLES V (Boulevard) A2
CHEVAL BLANC (Rue du) B3
CHRISTIAN PFISTER (Rue) D1
CLAUDE CHARLES (Rue) B4
CLAUDE LE LORRAIN (Quai) A1-C2
CLERIN (Impasse) D1
CLODION (Rue) C3
CLOITRE (Rue du) B4-C4
COLONEL DRIANT (Place) B4
COLONEL FABIEN (Place du) A3-B3
COMMANDERIE (Place de la) D1
COMMANDERIE (Rue de la) D1-C2
CORDELIERS (Rue des) A3
COUARAIL SAINT-SEBASTIEN
(Place du) C3
COURBET (Rue) D2
CRAFFE (Porte de la) A2-A3
CRAFFE (Rue de la) A2
CRAMPEL (Rue) C2
CROIX DE BOURGOGNE
(Passage de la) D1
CROIX DE BOURGOGNE (Place) D1-D2
CYFFLE (Rue) D3-D4
DAMES (Rue des) A3
DESILLES (Rue) A1-A2
2EME RUELLE DU GRAND VERGER C1
DIDION (Rue) C4
DOCTEUR SCHMITT (Rue du) C4
DOMBASLE (Place) B3-C3
DOMINICAINS (Passage des) C3-B4
DOMINICAINS (Rue des) B4-C4
DOMINIQUE CALMET (Rue) B3-C3
DOMREMY (Square) C1
DRAGEE (Ilot de la) C4-D4
DUC ANTOINE (Rue du) A3
DUC RAOUL (Rue du) A3
ECURIES (Rue des) A3
EMILE BADEL (Allée) A4
ESPRIT (Ruelle de l') A1-A2
ETANG SAINT-JEAN (Place de l') D2
ETATS (Rue des) A3
FABRIQUES (Rue des) D4
FAIENCERIE (Rue de la) C4
FERRI III (Rue) D2
FOCH (Avenue) D1-C3
FOSSE AUX CHEVAUX (Cour du) A3
FOUR (Rue du) D4
FRANCOIS DE NEUFCHATEAU (Rue) ... D1
FRANCOIS JACOB (Passage) B2
FRERES HENRY (Rue des) A2
FUSILLES (Pont des) D3
GABRIEL MOUILLERON (Rue) D2-D3
GAMBETTA (Rue) B3-B4
GENERAL DE GAULLE (Place du) A3
GENERAL DROUOT (Rue) C4-D4
GENERAL HOCHE (Rue) D1
GENERAL LECLERC (Avenue) D4
GEORGES CHEPFER (Allée) A3
GILBERT (Rue) C3
GIRARDET (Rue) B4
GLACIS (Rue des) A2
GODEFROY DE BOUILLON (Place) B1
GODRON (Rue) B4
GRAND RABBIN HAGUENAUER
(Rue du) C3-D3
GRAND VERGER (1ERE ruelle du) C1
GRAND VERGER (Rue du) C1
GRANDE RUE A3-B3
GUERRIER DE DUMAST (Rue) B2-B3
GUIBAL (Rue) B4
GUISE (Rue de) A2-A3
GUSTAVE SIMON (Rue) B3
HACHE (Rue de la) D3-C4
HALDAT (Passage de) B2
HAUT BOURGEOIS (Rue du) A2-A3
HENRI MENGIN (Place) C3
HENRI POINCARE (Rue) C2-B3
HERE (Rue) B3-B4
HERMITE (Rue) A2-B2
INSURRECTION DU GHETTO
DE VARSOVIE (Boulevard de l') .. D3-D4
ISABEY (Rue) A1-C2
JACQUARD (Rue) A2-B3
JACQUES BELLANGE (Rue) D2
JACQUES MURIET(Allée) A3-A4
JACQUINOT (Rue) A1
JACQUOT (Rue) A3
JAMERAI DUVAL (Rue) D3
JEAN PROUVE (Rue) D2
JEANNE D'ARC (Rue) C1-D2
JEANNOT (Rue) C4
JENNESSON (Rue) B1
JOFFRE (Boulevard) C2-D3
JOSEPH MALVAL (Place) A3
KENNEDY (Viaduc) C2-D2
KLEBER (Rue) D1
LACORDAIRE (Rue) C4
LACRETELLE (Rue) C1
LAFAYETTE (Place) B3
LAFAYETTE (Rue) B3
LAVOIR SAINT-JEAN (Rue du) D2
LAXOU (Rue de) D1
LAZARE CARNOT (Rue) D1
LEON TONNELIER (Allée) A3-A4
LEOPOLD (Cours) A2-B3
LEOPOLD LALLEMENT (Rue) C3
LEPOIS (Rond-point) B2
LEPOIS (Rue) B2
LIBERATION (Avenue de la) B1
LORRAINE (Rue de) C1-C2
LOUPS (Rue des) A2
LUXEMBOURG (Place de) A2
LYAUTEY (Rue) B4
LYCEE (Rue du) C3
MABLY (Rue) C4
MANEGE (Rue du) B4-C4
MARCEAU (Passage) D1
MARECHAUX (Rue des) B3
MAURE QUITROMPE (Rue du) A3-B3
MAURICE BARRES (Rue) B4
MAZAGRAN (Rue) C2
MENSIAUX (Ruelle des) A1-B1
METZ (Rue de) A2
MICHEL NEY (Rue) A1-A2
MICHOTTES (Rue des) B3
MILTON (Avenue) A1-B1
MON DESERT (Rue de) D3
MONNAIE (Rue de la) B3
MONSEIGNEUR RUCH (Place) B4
MONSEIGNEUR THOUVENIN (Rue) C3
MONSEIGNEUR TROUILLET (Rue) A3
MONTESQUIEU (Rue) B4-C4
MOREY (Rue) C2
MOULIN (Rue du) B3
MOZART (Rond-point) A3
MULHOUSE (Rue de) D3
NICKLES (Rue des) B1
NOTRE-DAME (Rue) C3
NOTRE-DAME DES ANGES (Rue) D1
OBELISQUE (Allée de l') B2-B3
ORATOIRE (Rue de l') B1
PALISSOT (Rue) D1
PEPINIERE (Terrasse) A3-B4
PETIT BOURGEOIS (Rue du) A2-A3
PHALSBOURG (Rue de) D3
PIERRE CHALNOT (Rue) D2
PIERRE FOURIER (Rue) B4
PIERRE GRINGOIRE (Rue) A3
PIERRE SEMARD (Rue) C2-C3
PIERRE-ALAIN GORIUS (Square) D4
PIROUX (Rue) C2
PONT MOUJA (Rue du) C4
PONTS (Rue des) C3-D4
PREFET CLAUDE ERIGNAC (rue du) B4
PRESIDENT HUSSON (Rond-point du) .. A4
PRIMATIALE (Rue de la) C4
QUATRE EGLISES (Rue des) C3-D4
RAME (Passage de la) C1-C2
RAUGRAFF (Rue) C3
RAVINELLE (Passage de la) A1
RAVINELLE (Rue de la) A1-B2
RAYMOND POINCARE (Rue) D1-C2
RENE D'ANJOU (Rue) A2
RÉPUBLIQUE (Place de la) C2
RIGNY (Rue de) B1
ROME (Rue de) B1
ROTONDE (Rue de la) D2
SAINT-ANTOINE (Ruelle) C2
SAINT-DIZIER (Rue) B3-D4
SAINT-EPVRE (Place) A3
SAINT-EPVRE (Terre-plein) A3
SAINT-GEORGES (Rue) C3-B4
SAINT-JEAN (Rue) C3
SAINT-JULIEN (Rue) B4-C4
SAINT-LAMBERT (Impasse) D1
SAINT-LAMBERT (Rue de) D1
SAINT-LEON (Esplanade) C2
SAINT-LEON (Rue) C2
SAINT-MICHEL (Rue) A2-A3
SAINT-NICOLAS (Rue) C4-D4
SAINT-SEBASTIEN (Rue) C3
SAINT-THIEBAUT (Rue) C3
SAINT-URBAIN (Rue de) B3
SAINTE-ANNE (Rue) C4
SAINTE-CATHERINE (Rue) B4
SALPETRIERE (Rue de la) D4
SEBASTIEN BOTTIN (Passage de la) .. B2-C2
SERRE (Rue de) B2-C2
SŒURS MACARONS (Rue des) C4
SOURCE (Rue de la) A3-B3
SOUVENIR (Esplanade du) A2
STANISLAS (Place) B4
STANISLAS (Porte) C2
STANISLAS (Rue) C2-B3
TEMERAIRE (Rue du) C1-D1
THIERRY ALIX (Rue) D2
THIERS (Place) C2
THIONVILLE (Rue de) B1
TIERCELINS (Rue des) C4
TURIQUE (Rue de) B1-C1
VAUDEMONT (Place de) B3
VERDUN (Rue de) A1
VICTOR BASCH (Square) B2
VICTOR HUGO (Rue) B1-C1
VICTOR HUGO (Ruelle) C1
VICTOR POIREL (Rue) C2-C3
VILLERS (Rue de) D1
26EME REGIMENT D'INFANTERIE
(Boulevard du) A4
VISITATION (Rue de la) B3-C3
VOSGES (Place des) D4
YSER (Square de l') B1

NANTES

ABREUVOIR (Rue de l') ... B2
ADOLPHE MOITIE (Rue) ... A3
AFFRE (Rue) ... B2-C2
AGUESSEAU (Rue d') ... A3
ALBERT DE MUN (Rue) ... D1-D2
ALEXIS RICORDEAU (Place) ... C3-D3
ALPHONSE GAUTTE (Rue) ... B1
ANCIENNE MONNAIE (Rue de l') ... C3
ANCIN (Rue d') ... D1
ANDRE CRETAUX (Passage) ... D4
ANDRE MORICE (Quai) ... D2-D3
ANIZON (Rue) ... C1
ARCHE SECHE (Rue de l') ... B2-C2
ARGENTRE (Rue d') ... A3
ARISTIDE BRIAND (Place) ... B1
ARMAND BROSSARD (Rue) ... A2-B2
ARTHUR COLINET (Square) ... B2
ATHENAS (Rue) ... C1
AUDRAN (Impasse) ... A4
AUGUSTE BRIZEUX (Rue) ... A1-A2
AVENUE DE L'HOTEL-DIEU (Impasse de l') ... D3
BACLERIE (Rue de la) ... B3-C3
BACO (Allée) ... C3-C4
BACQUA (Rue) ... D2
BALEN (Rue) ... C3
BARILLERIE (Rue de la) ... C2-B3
BARON (Rue) ... D4
BASSE CASSERIE (Rue) ... B2-C2
BASSE PORTE (Rue) ... A2
BASSE SAULZAIE (Impasse de la) ... C3
BASTILLE (Rue de la) ... A1
BEAUREGARD (Rue) ... C3
BEAUREPAIRE (Rue) ... B2
BEAUSOLEIL (Rue) ... B3
BEL AIR (Rue de) ... A2
BELLE IMAGE (Rue) ... C3
BERGERE (Rue) ... A1
BERTHAUD (Passage) ... D4
BIAS (Rue) ... D2
BLETERIE (Rue de la) ... B3-C3
BLOIS (Rue de) ... C2
BOILEAU (Rue) ... B1-C2
BOISTORTU (Rue du) ... C2
BON PASTEUR (Place du) ... B2
BON SECOURS (Rue) ... C3
BONS FRANCAIS (Rue des) ... B3
BOSSUET (Rue) ... B3
BOUCHAUD (Passage) ... B3
BOUCHERIE (Rue de la) ... B2
BOUFFAY (Place du) ... C3
BOUFFAY (Rue du) ... C3
BOURGNEUF (Rue du) ... A2
BOURSE (Allée de la) ... C2-D2
BOURSE (Place de la) ... C2
BRANCAS (Allée) ... C2-C3
BREA (Rue de) ... D1
BRETAGNE (Place de) ... B2
BRIORD (Rue de) ... B3
BUDAPEST (Rue de) ... B1-B2
BUFFON (Rue) ... C1
CACAULT (Rue) ... B2
CADENIERS (Rue des) ... C1-D1
CALVAIRE (Rue du) ... B1-B2
CAMBRONNE (Cours) ... C1-D1
CAMILLE BERRUYER (Rue) ... B1
CAMILLE MELLINET (Esplanade) ... D1
CAP-HORNIERS (Rue des) ... D1
CAPITAINE CORHUMEL (Rue du) ... A1
CAPUCINS (Rue neuve des) ... D1
CARMELITES (Rue des) ... B3
CARMES (Rue des) ... B3
CARNOT (Avenue) ... B4-C4
CARROUSEL (Passage du) ... C4-D4
CASSARD (Allée) ... C2-C3
CASSINI (Rue) ... B1-C1
CEINERAY (Quai) ... A3-A4
CELINE SIMON (Passage) ... B2
CHANGE (Place du) ... B3
CHAPEAU ROUGE (Rue du) ... B1-C2
CHAPELIERS (Rue des) ... B3
CHATEAU (Rue du) ... B3-B4
CHATEAUBRIAND (Rue) ... A3
CHATELAINE (Passage de la) ... C1
CHAUVIN (Rue) ... A3-A4
CHENE D'ARON (Rue du) ... C2
CHEVAL BLANC (Rue du) ... B2-B3
CINQUANTE OTAGES (Cours des) ... C2-A3
CIRQUE (Place du) ... B2
CLAVURERIE (Rue de la) ... B2-C2
COLMAR (Rue de) ... D4
COLUMELLE (Rue) ... D4
COMMANDANT BOULAY (Rue) ... C2
COMMANDANT CHARCOT (Allée) ... B4
COMMANDANT D'ESTIENNE D'ORVES (Cours du) ... C3-C4
COMMERCE (Passage du) ... C2
COMMERCE (Place du) ... C2
COMMUNE (Rue de la) ... B3
CONTRESCARPE (Rue) ... B2-C2
COPERNIC (Rue) ... B1-C1
CORDELIERS (Rue des) ... A3
CORNEILLE (Rue) ... C1
COUEDIC (Rue du) ... C2
COUSTARD (Rue) ... C4
CREBILLON (Rue) ... C1-C2
CRUCY (Rue) ... C4
DELORME (Place) ... B1
DESCARTES (Rue) ... B1
DESHOULIERES (Rue) ... B1
DESSOUS-LE-CHENE (Rue de) ... D2
DEURBROUCQ (Rue) ... D2
DEUX PONTS (Rue des) ... B2
DIDIENNE (Rue) ... A2
DOCTEUR EMILE MEEUS (Allée) ... A1
DOCTEUR LOUIS BUREAU (Square) ... C1
DOUARD (Passage) ... D3-D4
DUCHESSE ANNE (Place de la) ... B4
DUGAST MATIFEUX (Rue) ... A4
DUGOMMIER (Rue) ... B1
DUGUAY TROUIN (Allée) ... C2-C3
DUGUESCLIN (Rue) ... C2-C3
DUQUESNE (Allée) ... A2-B2
DUVOISIN (Rue) ... B2-C2
ECHELLE (Rue de l') ... B2-C2
ECHEVINS (Rue des) ... C3
ECLUSE (Place de l') ... B2
ECOLES (Passage des) ... C1
EDMOND PRIEUR (Rue) ... A2
EDOUARD NORMAND (Place) ... A1
ELIE DELAUNAY (Rue) ... A4
EMERY (Rue de l') ... B3
EMILE MASSON (Rue) ... C4
EMILE PEHANT (Rue) ... C4-D4
ENFER (Rue d') ... A3
ERDRE (Allée d') ... A2-A3
ERLON (Rue d') ... A1-B1
ETATS (Rue des) ... B4-C4
EVECHE (Rue de l') ... A4-B4
FAIENCERIE (Rue de la) ... D3-D4
FALCONET (Rue) ... D1
FANNY PECCOT (Rue) ... B3
FAUSTIN HELIE (Rue) ... A1-B1
FELIBIEN (Rue) ... A1
FELIX EBOUE (Rue) ... D2
FELIX FOURNIER (Place) ... C2
FELTRE (Rue de) ... B2
FENELON (Rue) ... B3
FERNAND SOIL (Place) ... C2
FLECHIER (Rue) ... B3
FLESSELLES (Allée) ... C3
FOSSE (Quai de la) ... D1-C2
FOSSE (Rue de la) ... C2
FOUCAULT (Cours) ... D4
FOURCROY (Rue) ... C1-D1
FOURE (Rue) ... C4-D4
FRANCOIS SALIERES (Rue) ... C2
FRANKLIN (Rue) ... B1-C1
FRANKLIN ROOSEVELT (Cours) ... C2-C4
FREDUREAU (Rue) ... A1
FURET (Impasse) ... A4
GABRIEL CHEREAU (Square) ... D1
GABRIEL GUIST'HAU (Boulevard) ... B1
GAMBETTA (Rue) ... A4
GARDE DIEU (Rue) ... A3
GASTON MICHEL (Rue) ... D1-D2
GASTON VEIL (Rue) ... D2
GENERAL DE LA SALLE (Rue du) ... B4
GENERAL MEUSNIER (Rue) ... B1
GENERAUX PATTON ET WOOD (All. des) ... B4-C4
GEOFFROY DROUET (Rue) ... A4
GEORGES CLEMENCEAU (Rue) ... A4-B4
GORGES (Rue de) ... C2
GRASLIN (Place) ... C1
GRESSET (Rue) ... C1-D1
GRETRY (Rue) ... C1
GUEPIN (Rue) ... B2
GUERANDE (Rue de) ... C2
GUIBOURG DE LUZINAIS (Rue) ... A4
HALLES (Rue des) ... B2-B3
HARROUYS (Rue) ... A1-B1
HAUDAUDINE (Pont) ... D2
HAUTE CASSERIE (Rue) ... B2-C3
HAUTE MAILLARD (Impasse) ... B3
HAUTE SAULZAIE (Rue) ... C3
HENRI IV (Rue) ... A4-B4
HERONNIERE (Rue de l') ... C1-D1
HOTEL DE VILLE (Place de l') ... B3
HOTEL DE VILLE (Rue de l') ... B2-B3
HOTEL-DIEU (Avenue de l') ... D3-D4
ILE GLORIETTE (Allée de l') ... D2
INDUSTRIE (Rue de l') ... B1-A2
JACOBINS (Place des) ... B3
JEAN BART (Allée) ... C2-C3
JEAN DE LA FONTAINE (Rue) ... C1
JEAN JAURES (Rue) ... B1-A2
JEAN MONNET (Boulevard) ... C3-D4
JEAN-BAPTISTE DAVIAIS (Square) ... D2
JEAN-JACQUES ROUSSEAU (Rue) ... C1-C2
JEANNE D'ARC (Rue) ... A2-A3
JEMMAPES (Rue de) ... C4
JOHN KENNEDY (Cours) ... B4-C4
JOSEPH CAILLE (Rue) ... A1
JOSEPH PARIS (Passage) ... C4
JOSEPH PEIGNON (Impasse) ... C3
JUIVERIE (Rue de la) ... B3
JULES DUPRE (Cour) ... A4
JUTON (Impasse) ... D3
KERVEGAN (Rue) ... C2-C3
KLEBER (Rue) ... C1
LA PEROUSE (Square) ... C2
LABOUCHERE (Rue) ... A4
LAENNEC (Rue) ... C4-D4
LAFAYETTE (Rue) ... B1
LAMBERT (Rue) ... B3-C3
LE NOTRE (Rue) ... A2
LEBRUN (Rue) ... A4
LEKAIN (Rue) ... B1-C1
LEON BLUM (Rue) ... A3
LEON JAMIN (Rue) ... A2
LEON MAITRE (Rue) ... C3
LEOPOLD CASSEGRAIN (Rue) ... A2-B2
LESAGE (Rue) ... C1
LEVEQUE (Rue) ... D1
LORETTE DE LA REFOULAIS (Rue) ... A4
LOUIS LEVESQUE (Passage) ... A1
LOUIS PREAUBERT (Rue) ... C1
MADELEINE (Chaussée de la) ... C3-D4
MAGELLAN (Quai) ... D4
MAILLARD (Impasse) ... B3-B4
MAISON ROUGE (Allée de la) ... C3-C4
MALHERBE (Rue) ... B4
MARAIS (Rue du) ... B2-B3
MARC ELDER (Place) ... B4
MARCEAU (Rue) ... B1
MARCHIX (Rue du) ... A2-B2
MARECHAL DE LATTRE DE TASSIGNY (Rue) ... C1-D2
MARECHAL FOCH (Place) ... A4
MARECHAL JOFFRE (Rue) ... A4
MARECHAL LECLERC (Rue) ... B3
MARINS (Rue des) ... D1
MARIVAUX (Rue) ... C1
MARMONTEL (Impasse) ... D4
MARMONTEL (Rue) ... D4
MARNE (Rue de la) ... B3
MARTRAY (Place du) ... A2
MARTRAY (Ruelle du) ... A1-A2
MASSE (Cours) ... D4
MATHELIN RODIER (Rue) ... B4
MAUD MANNONI (Allée) ... A2
MAURICE DUVAL (Rue) ... A3
MAURICE SIBILLE (Rue) ... D1
MAYENCE (Rue de) ... C4-D4
MENOU (Rue) ... A1
MERCŒUR (Rue) ... B1-B2
MISERICORDE (Rue de) ... A1
MOLIERE (Rue) ... C1
MONCOUSU (Quai) ... D2-D3
MONNAIE (Place de la) ... C1
MONTAIGNE (Place) ... A1
MONTAUDOUINE (Rue) ... D1
MONTEIL (Rue) ... C4-D4
MOQUECHIEN (Rue) ... A3
MOULIN (Rue du) ... B3
NATIONS-UNIES (Boulevard des) ... D1-D2
NEPTUNE (Allée) ... C3
NEPTUNE (Place) ... C3
NEWTON (Place) ... B1
NOTRE-DAME (Rue) ... B3
OGEE (Rue) ... A3-A4
OLIVETTES (Cour des) ... D4
OLIVETTES (Rue des) ... C4-D4
OLIVIER DE CLISSON (Cours) ... C3
ORATOIRE (Place de l') ... A4-B4
ORLEANS (Allée d') ... B2-C2
ORLEANS (Passage d') ... C2
ORLEANS (Rue d') ... C2
PAGAN (Rue) ... C3
PAIX (Rue de la) ... B3-C3
PARE (Rue) ... B2
PAUL BELLAMY (Rue) ... A3
PAUL DUBOIS (Rue) ... B3-C3
PAUL-EMILE LADMIRAULT (Place) ... C1
PELISSON (Rue) ... C3-C4
PENITENTES (Rue des) ... A3
PENTHIEVRE (Allée) ... B2-C2
PERELLE (Rue) ... D4
PEROUSE (Rue la) ... C2
PERRAULT (Rue) ... D3-D4
PETIT BACCHUS (Rue du) ... C3
PETIT BOURGNEUF (Ruelle du) ... A2
PETIT PASSAGE SAINT-YVES ... A1
PETITE HOLLANDE (Place de la) ... C2-D2
PETITES ECURIES (Rue des) ... B3-C3
PETITS MURS (Place des) ... B2
PIERRE CHEREAU (Rue) ... B2
PILORI (Place du) ... B3
PIRON (Rue) ... C1
POISSONNIERS (Rue des) ... C3
POMMERAYE (Passage) ... C2
PONT MORAND (Place du) ... A3
PONT SAUVETOUT (Rue du) ... B2
PORT AU VIN (Rue du) ... C2
PORT COMMUNEAU (Place du) ... A3
PORT MAILLARD (Allée du) ... C3-C4
PORTAIL (Rue) ... B3
PORTE NEUVE (Rue) ... A1-A2
POULE NOIRE (Passage de la) ... D4
PRE NIAN (Rue du) ... B2
PREFET BONNEFOY (Rue) ... A4
PREMION (Rue) ... B4
PRESIDENT EDOUARD HERRIOT (Rue) ... A2-B2
PROFESSEUR YVES BOQUIEN (Rue) ... D2
PUITS D'ARGENT (Rue du) ... C2
QUAI DES TANNEURS (Ruelle du) ... A2
RACINE (Rue) ... C1
RAMEAU (Rue) ... C1-C2
REFUGE (Rue du) ... A3
REGNARD (Rue) ... C1
REGNIER (Rue) ... C2
RICHEBOURG (Rue de) ... B4
RIEUX (Rue de) ... D4
ROGER SALENGRO (Place) ... A3
ROI ALBERT (Rue du) ... A3-B4
ROTONDE (Pont de la) ... C4
ROYALE (Place) ... C2
RUBENS (Rue) ... C2
SAINT-ANDRE (Cours) ... A3-A4
SAINT-CLEMENT (Impasse) ... A4
SAINT-DENIS (Rue) ... A3-B3
SAINT-JEAN (Place) ... B3
SAINT-JEAN (Rue) ... A3-B3
SAINT-JULIEN (Rue) ... C2
SAINT-LAURENT (Impasse) ... B4
SAINT-LEONARD (Rue) ... A3-B3
SAINT-NICOLAS (Rue) ... C2
SAINT-PHILIBERT (Place) ... D2
SAINT-PIERRE (Cours) ... A4-B4
SAINT-PIERRE (Place) ... B3-B4
SAINT-PIERRE (Rue) ... B3-B4
SAINT-SIMILIEN (Place) ... A2
SAINT-VINCENT (Place) ... B3
SAINT-VINCENT (Rue) ... B3
SAINT-YVES (Passage) ... A1
SAINTE-CATHERINE (Rue) ... C2
SAINTE-CROIX (Place) ... B3-C3
SAINTE-CROIX (Rue) ... B3
SAINTE-ELISABETH (Place) ... A1
SAINTE-MARIE (Cour) ... B2
SANLECQUE (Rue) ... D3-D4
SANTEUIL (Rue) ... C2
SARRAZIN (Rue) ... A1-A2
SAVERNE (Rue de) ... D4
SCRIBE (Rue) ... C1-C2
SIMEON FOUCAULT (Rue) ... A2-A3
STRASBOURG (Rue de) ... A3-C4
SUFFREN (Rue) ... C1
SULLY (Rue) ... A4
TALENSAC (Rue) ... A2-A3
TANNEURS (Allée des) ... B2-A3
THUROT (Rue) ... C2
TIRAND LO BLANC (Place) ... B3
TONKINOIS (Passage) ... D3-D4
TOURNEFORT (Rue) ... A3-A4
TOURVILLE (Quai de) ... D2
TRAVERS (Rue) ... B3
TREMPERIE (Allée de la) ... C3
TREPIED (Rue du) ... A1-A2
TROIS CROISSANTS (Rue des) ... B2-B3
TURENNE (Quai) ... D2-C3
UNION (Rue de l') ... B3-B4
VAUBAN (Rue) ... C2
VERDUN (Rue de) ... B3
VERSAILLES (Quai de) ... A3
VIARME (Place) ... A1
VICTOR SCHOELCHER (Passerelle) ... D1
VIEIL HOPITAL (Rue du) ... C3
VIEILLES DOUVES (Rue des) ... B2-C2
VIGNES (Rue des) ... D1
VIGNOLLE (Impasse) ... A4
VOLONTAIRES DE LA DEFENSE PASSIVE (Place des) ... B1
VOLTAIRE (Rue) ... C1

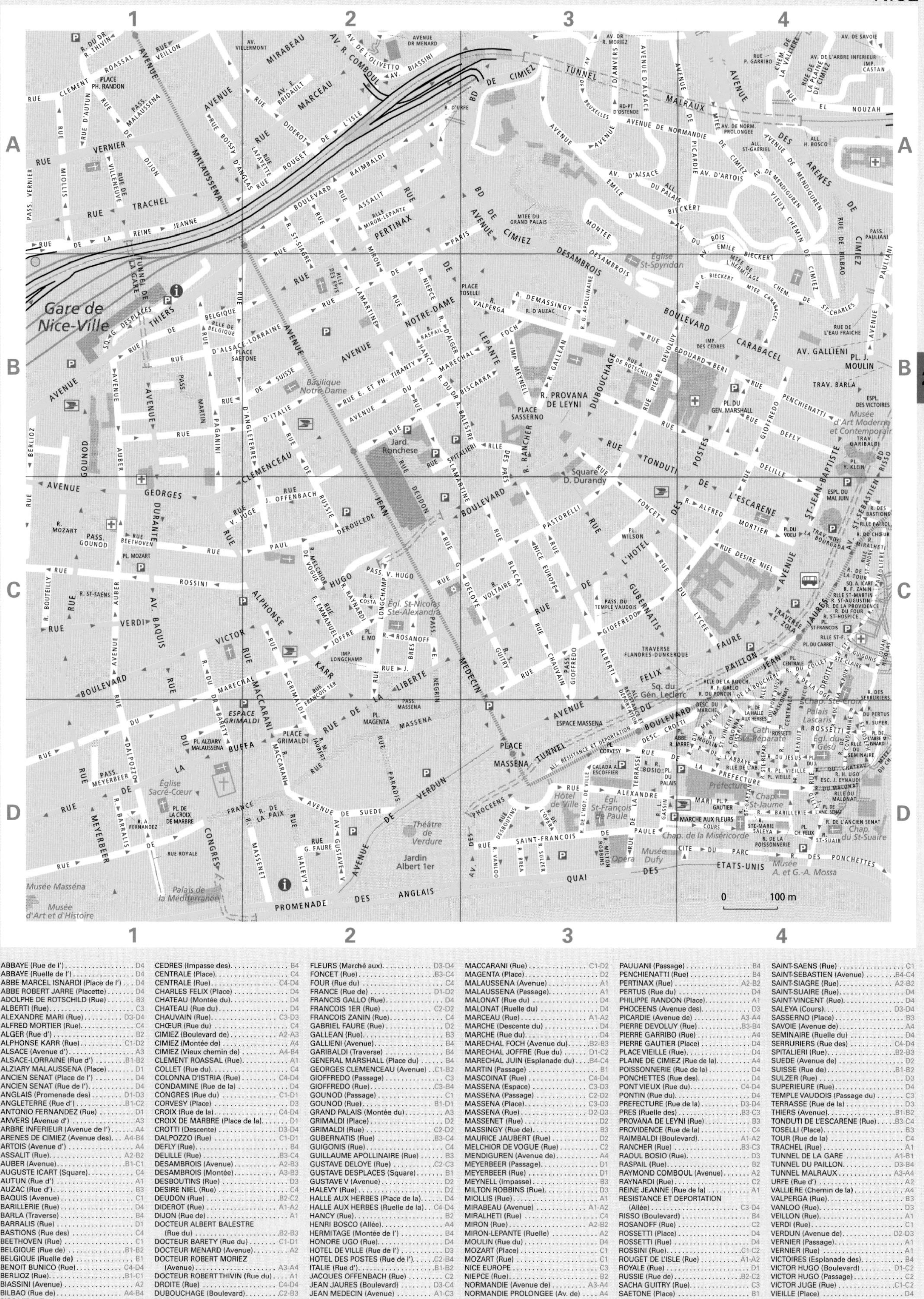

ABBAYE (Rue de l') D4
ABBAYE (Ruelle de l') D4
ABBE MARCEL ISNARDI (Place de l') D4
ABBE ROBERT JARRE (Placette) D4
ADOLPHE DE ROTSCHILD (Rue) B3
ALBERTI (Rue) C3
ALEXANDRE MARI (Rue) D3-D4
ALFRED MORTIER (Rue) C4
ALGER (Rue d') B2
ALPHONSE KARR (Rue) C1-D2
ALSACE (Avenue d') A3
ALSACE-LORRAINE (Rue d') B1-B2
ALZIARY MALAUSSENA (Place) D1
ANCIEN SENAT (Place de l') D4
ANCIEN SENAT (Rue de l') D4
ANGLAIS (Promenade des) D1-D3
ANGLETERRE (Rue d') B1-C2
ANTONIO FERNANDEZ (Rue) D1
ANVERS (Avenue d') A3
ARBRE INFERIEUR (Avenue de l') A4
ARENES DE CIMIEZ (Avenue des) A4-B4
ARTOIS (Avenue d') A4
ASSALIT (Rue) A2-B2
AUBER (Avenue) B1-C1
AUGUSTE ICART (Square) C4
AUTUN (Rue d') A1
AUZAC (Rue d') B3
BAQUIS (Avenue) C1
BARILLERIE (Rue) D4
BARLA (Traverse) B4
BARRALIS (Rue) D1
BASTIONS (Rue des) C4
BEETHOVEN (Rue) C1
BELGIQUE (Rue de) B1-B2
BELGIQUE (Ruelle de) B1
BENOIT BUNICO (Rue) C4-D4
BERLIOZ (Rue) B1-C1
BIASSINI (Avenue) A2
BILBAO (Rue de) A4-B4
BISCARRA (Rue) B2-B3
BLACAS (Rue) C3
BOIS (Avenue du) A3-A4
BOISSY D'ANGLAS (Rue) A1-A2
BOUCHERIE (Rue de la) C4-D4
BOUCHERIE (Ruelle de la) C4-D4
BOURGADA (Traverse de la) C4
BOUTEILLY (Rue) C1
BREA (Rue) D3
BRUXELLES (Avenue de) A3
BUFFA (Rue de la) D1-D2
CALADA AUGUSTE ESCOFFIER D3
CARABACEL (Boulevard) B3-B4
CARABACEL (Montée) B4
CARRET (Place du) C4
CASTAN (Impasse) A4
CEDRES (Impasse des) B4
CENTRALE (Place) C4
CENTRALE (Rue) C4-D4
CHARLES FELIX (Place) D4
CHATEAU (Montée du) D4
CHATEAU (Rue du) D4
CHAUVAIN (Rue) C3-D3
CHŒUR (Rue du) C4
CIMIEZ (Boulevard de) A2-A3
CIMIEZ (Montée de) A4
CIMIEZ (Vieux chemin de) A4-B4
CLEMENT ROASSAL (Rue) A1
COLLET (Rue du) C4
COLONNA D'ISTRIA (Rue) C4-D4
CONDAMINE (Rue de la) D4
CONGRES (Rue du) C1-D1
CORVESY (Place) D3
CROIX (Rue de la) C4-D4
CROIX DE MARBRE (Place de la) D1
CROTTI (Descente) D3-D4
DALPOZZO (Rue) C1-D1
DEFLY (Rue) B4
DELILLE (Rue) B3-C4
DESAMBROIS (Avenue) A2-B3
DESAMBROIS (Montée) A3-B3
DESBOUTINS (Rue) D3
DESIRE NIEL (Rue) C4
DEUDON (Rue) B2-C2
DIDEROT (Rue) A1-A2
DIJON (Rue de) A1
DOCTEUR ALBERT BALESTRE (Rue du) B2-B3
DOCTEUR BARETY (Rue du) C1-D1
DOCTEUR MENARD (Avenue) A2
DOCTEUR ROBERT MORIEZ (Avenue) A3-A4
DOCTEUR ROBERT THIVIN (Rue du) A1
DROITE (Rue) C4-D4
DUBOUCHAGE (Boulevard) C2-B3
DURANTE (Avenue) B1-C1
EAU FRAICHE (Rue de l') B4
EDOUARD BERI (Rue) B3-B4
EL NOUZAH (Rue) A4
EMILE BIECKERT (Avenue) A3-B4
EMILE NEGRIN (Passage) C2-D2
EMILE ZOLA (Traverse) C4
EMMA ET PHILIPPE TIRANTY (Rue) B2
EMMANUEL BRIDAULT (Avenue) A2
EMMANUEL COSTA (Rue) C2
EPIS (Ruelle des) B2
ETATS-UNIS (Quai des) D3-D4
EUGENE EMMANUEL (Rue) C2
EUGENE MO (Place) C2
FELIX FAURE (Avenue) D3-C4
FLANDRES-DUNKERQUE (Traverse) C4-D4
FLEURS (Marché aux) D3-D4
FONCET (Rue) B3-C4
FOUR (Rue du) C4
FRANCE (Rue de) D1-D2
FRANCIS GALLO (Rue) D4
FRANCOIS 1ER (Rue) C2-D2
FRANCOIS ZANIN (Rue) C4
GABRIEL FAURE (Rue) D2
GALLEAN (Rue) B3
GALLIENI (Avenue) B4
GARIBALDI (Traverse) B4
GENERAL MARSHALL (Place du) B4
GEORGES CLEMENCEAU (Avenue) C1-B2
GIOFFREDO (Passage) C3
GIOFFREDO (Rue) C3-B4
GOUNOD (Passage) C1
GOUNOD (Rue) B1-D1
GRAND PALAIS (Montée du) A3
GRIMALDI (Place) D2
GRIMALDI (Rue) C2-D2
GUBERNATIS (Rue) B3-C4
GUIGONIS (Rue) C4
GUILLAUME APOLLINAIRE (Rue) B3
GUSTAVE DELOYE (Rue) C2-C3
GUSTAVE DESPLACES (Square) B1
GUSTAVE V (Avenue) D2
HALEVY (Rue) D2
HALLE AUX HERBES (Place de la) D4
HALLE AUX HERBES (Ruelle de la) C4-D4
HANCY (Rue) B2
HENRI BOSCO (Allée) A4
HERMITAGE (Montée de l') B4
HONORE UGO (Rue) D4
HOTEL DE VILLE (Rue de l') D3
HOTEL DES POSTES (Rue de l') C2-B4
ITALIE (Rue d') B1-B2
JACQUES OFFENBACH (Rue) C2
JEAN JAURES (Boulevard) D3-C4
JEAN MEDECIN (Avenue) A1-C3
JEAN MOULIN (Place) B4
JESUS (Place du) D4
JESUS (Rue du) D4
JOSEPH BRES (Rue) C2
JOUAN NICOLAS (Rue) C4
JULES EYNAUDI (Escalier) D4
JULES GILLY (Rue) D4
LAFAYETTE (Rue) A2
LAMARTINE (Rue) A2-C3
LEPANTE (Rue de) A2-B3
LIBERTE (Rue de la) C2-D2
LOGE (Rue de la) C4-D4
LONGCHAMP (Impasse) C2
LONGCHAMP (Rue) C2-D2
LOUIS GASSIN (Rue) D3
LYCEE (Rue du) C3-C4
MACCARANI (Rue) C1-D2
MAGENTA (Place) D2
MALAUSSENA (Avenue) A1
MALAUSSENA (Passage) A1
MALONAT (Rue du) D4
MALONAT (Ruelle du) D4
MARCEAU (Rue) A1-A2
MARCHE (Descente du) D4
MARCHE (Rue du) D4
MARECHAL FOCH (Avenue du) B2-B3
MARECHAL JOFFRE (Rue du) D1-C2
MARECHAL JUIN (Esplanade du) B4-C4
MARTIN (Passage) B1
MASCOINAT (Rue) C4-D4
MASSENA (Espace) C3-D3
MASSENA (Passage) C2-D2
MASSENA (Place) C3-D3
MASSENA (Rue) D2-D3
MASSENET (Rue) D2
MASSINGY (Rue de) B3
MAURICE JAUBERT (Rue) D2
MELCHIOR DE VOGUE (Rue) C2
MENDIGUREN (Avenue de) A4
MEYERBEER (Passage) D1
MEYERBEER (Rue) D1
MEYNELL (Impasse) B3
MILTON ROBBINS (Rue) D3
MIOLLIS (Rue) A1
MIRABEAU (Avenue) A1-A2
MIRALHETI (Rue) C4
MIRON (Rue) A2-B2
MIRON-LEPANTE (Ruelle) A2
MOULIN (Rue du) D4
MOZART (Place) C1
MOZART (Rue) C1
NICE EUROPE C3
NIEPCE (Rue) B2
NORMANDIE (Avenue de) A3-A4
NORMANDIE PROLONGEE (Av. de) A4
NOTRE-DAME (Avenue) B2-A3
OLIVETTO (Avenue de l') A2
OPERA (Rue de l') D3
OSTENDE (Rond-point d') A3
PAGANINI (Rue) B1-C1
PAIROLIERE (Rue) C4
PAIROLIERE (Ruelle) C4
PAIX (Rue de la) D2
PALAIS (Allée du) A3-A4
PALAIS (Place du) D3
PARADIS (Rue) D2
PARC (Cité du) D3-D4
PARIS (Rue de) B2-A3
PASTORELLI (Rue) C2-B3
PAUL DEROULEDE (Rue) C1-C2
PAULIANI (Avenue) A4-B4
PAULIANI (Passage) B4
PENCHIENATTI (Rue) B4
PERTINAX (Rue) A2-B2
PERTUS (Rue du) D4
PHILIPPE RANDON (Place) A1
PHOCEENS (Avenue des) D3
PICARDIE (Avenue de) A3-A4
PIERRE DEVOLUY (Rue) B3-B4
PIERRE GARRIBO (Rue) A4
PIERRE GAUTIER (Place) D4
PLACE VIEILLE (Rue) D4
PLAINE DE CIMIEZ (Rue de la) A4
POISSONNERIE (Rue de la) D4
PONCHETTES (Rue des) D4
PONT VIEUX (Rue du) C4-D4
PONTIN (Rue du) D4
PREFECTURE (Rue de la) D3-D4
PRES (Ruelle des) B3-C3
PROVANA DE LEYNI (Rue) B3
PROVIDENCE (Rue de la) C4
RAIMBALDI (Boulevard) A1-A2
RANCHER (Rue) B3-C3
RAOUL BOSIO (Rue) D3
RASPAIL (Rue) B2
RAYMOND COMBOUL (Avenue) A2
RAYNARDI (Rue) C2
REINE JEANNE (Rue de la) A1
RESISTANCE ET DEPORTATION (Allée) C3-D4
RISSO (Boulevard) B4
ROSANOFF (Rue) C2
ROSSETTI (Place) D4
ROSSETTI (Rue) D4
ROSSINI (Rue) C1-C2
ROUGET DE L'ISLE (Rue) A1-A2
ROYALE (Rue) D1
RUSSIE (Rue de) B2-C2
SACHA GUITRY (Rue) C3
SAETONE (Place) B1
SAINT-ANDRE (Ruelle) C4
SAINT-AUGUSTIN (Rue) C4
SAINT-CHARLES (Chemin de) B4
SAINTE-CLAIRE (Rue) C4
SAINTE-MARIE (Rue) D4
SAINTE-REPARATE (Rue) D4
SAINT-FRANCOIS (Place) C4
SAINT-FRANCOIS (Rue) C4
SAINT-FRANCOIS (Ruelle) C4
SAINT-FRANCOIS DE PAULE (Rue) D3
SAINT-GABRIEL (Allée) A4
SAINT-GAETAN (Rue) D4
SAINT-HOSPICE (Rue) C4
SAINT-JEAN-BAPTISTE (Avenue) B4-C4
SAINT-JOSEPH (Rue) D4
SAINT-MARTIN (Ruelle) C4
SAINT-SAENS (Rue) C1
SAINT-SEBASTIEN (Avenue) B4-C4
SAINT-SIAGRE (Rue) A2-B2
SAINT-SUAIRE (Rue) D4
SAINT-VINCENT (Rue) D4
SALEYA (Cours) D3-D4
SASSERNO (Place) B3
SAVOIE (Avenue de) A4
SEMINAIRE (Ruelle du) D4
SERRURIERS (Rue des) C4-D4
SPITALIERI (Rue) B2-B3
SUEDE (Avenue de) D2
SUISSE (Rue de) B1-B2
SULZER (Rue) D3
SUPERIEURE (Rue) D4
TEMPLE VAUDOIS (Passage du) C3
TERRASSE (Rue de la) D3
THIERS (Avenue) B1-B2
TONDUTI DE L'ESCARENE (Rue) B3-C4
TOSELLI (Place) B3
TOUR (Rue de la) C4
TRACHEL (Rue) A1
TUNNEL DE LA GARE A1-B1
TUNNEL DU PAILLON D3-B4
TUNNEL MALRAUX A3-A4
URFE (Rue d') A2
VALLIERE (Chemin de la) A4
VALPERGA (Rue) B3
VANLOO (Rue) D3
VEILLON (Rue) A1
VERDI (Rue) C1
VERDUN (Avenue de) D2-D3
VERNIER (Passage) A1
VERNIER (Rue) A1
VICTOIRES (Esplanade des) B4
VICTOR HUGO (Boulevard) D1-C2
VICTOR HUGO (Passage) C2
VICTOR JUGE (Rue) C1-C2
VIEILLE (Place) D4
VILLENEUVE (Rue de) A1
VILLERMONT (Avenue) A1
VOEU (Place du) C4
VOLTAIRE (Rue) C3
WILSON (Place) C3
YVES KLEIN (Place) B4

NÎMES

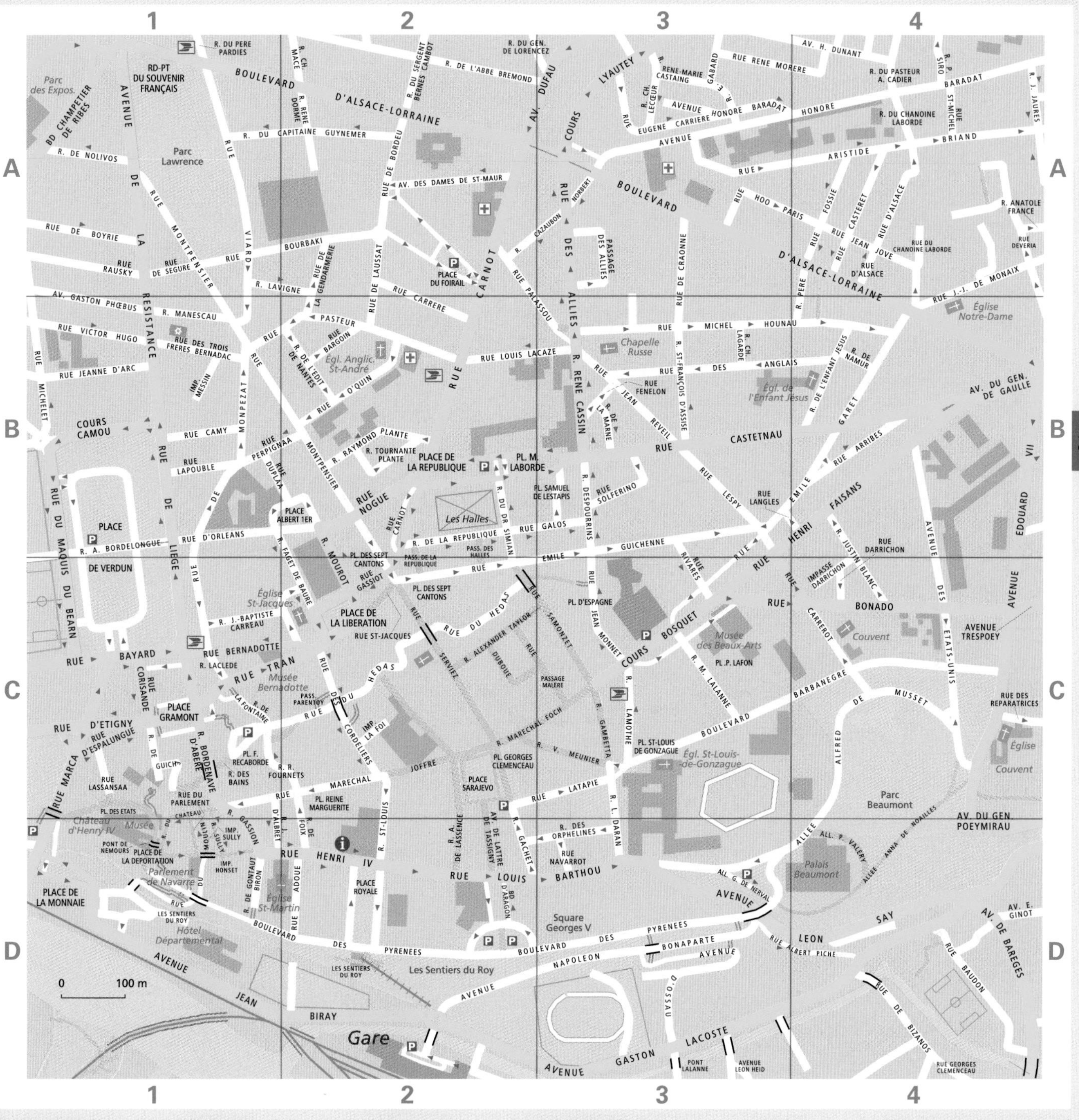

ABBE BREMOND (Rue de l') A2-A3
ADOUE (Rue) D2
ALBERT 1ER (Place) B2
ALBERT PICHE (Rue) D3-D4
ALEXANDER TAYLOR (Rue) C2-C3
ALFRED DE LASSENCE (Rue) C2-D2
ALFRED DE MUSSET (Allée) D3-C4
ALLIES (Passage des) A3
ALLIES (Rue des) A3-B3
ALSACE (Rue d') A4
ALSACE-LORRAINE (Boulevard d') A1-B4
AMBROISE BORDELONGUE (Rue) B1
ANATOLE FRANCE (Rue) A4
ANGLAIS (Rue des) B3-B4
ANNA DE NOAILLES (Allée) D3-C4
ARAGON (Boulevard d') D2
ARISTIDE BRIAND (Rue) A3-A4
ARRIBES (Rue) B4
BAINS (Rue des) C1
BARBANEGRE (Boulevard) C3-C4
BAREGES (Avenue de) D4
BARGOIN (Rue) B2
BAUDON (Rue) D4
BAYARD (Rue) C1
BERNADOTTE (Rue) C1-C2
BIZANOS (Rue de) D4
BONADO (Rue) C3-C4
BORDENAVE D'ABERE (Rue) C1
BORDEU (Rue de) A2
BOSQUET (Cours) C3
BOURBAKI (Rue) A1-A2
BOYRIE (Rue de) A1
CAMOU (Cours) B1
CAMY (Rue) B1
CAPITAINE GUYNEMER (Rue du) A1-A2
CARNOT (Rue) A2-C2
CARRERE (Rue) A2-B2
CARREROT (Rue) B3-C4
CASTERET (Rue) A4
CASTETNAU (Rue) B3-B4
CAZAUBON NORBERT (Rue) A2-A3
CHAMPETIER DE RIBES (Boulevard) A1
CHANOINE LABORDE (Rue du) A4-B4
CHARLES LAGARDE (Rue) B3
CHARLES LECOEUR (Rue) A3
CHARLES MACE (Rue) A2
CHATEAU (Rue du) C1-D1
CORDELIERS (Rue des) C2
CORISANDE (Rue) C1
CRAONNE (Rue de) A3-B3
DAMES DE SAINT-MAUR (Av. des) A2
DARRICHON (Impasse) B4-C4
DARRICHON (Rue) C4
DEPORTATION (Place de la) D1
DESPOURRINS (Rue) B3
DEVERIA (Rue) A4
DOCTEUR SIMIAN (Rue du) B2-C2
DUBOUE (Rue) C2-C3
DUFAU (Avenue) A2-A3
DUPLAA (Rue) B1-B2
EDIT DE NANTES (Rue de l') B2
EDOUARD VII (Avenue) B4-C4
EMILE GARET (Rue) C3-B4
EMILE GINOT (Avenue) D4
EMILE GUICHENNE (Rue) C2-B3
ENFANT JESUS (Rue de l') B4
ERNEST GABARD (Rue) A3
ESPAGNE (Place d') C3
ESPALUNGUE (Rue d') C1
ETATS (Place des) C1
ETATS-UNIS (Avenue des) B4-C4
ETIGNY (Rue d') C1
EUGENE CARRIERE (Rue) A3
FAGET DE BAURE (Rue) B1-C2
FENELON (Rue) B3
FOI (Impasse la) C2
FOIRAIL (Place du) A2
FOIX (Rue de) C2-D2
FONTAINE (Rue de la) C1
FOSSIE (Rue) A4
FRANÇOIS RECABORDE (Place) C1
GACHET (Rue) C2-D2
GALOS (Rue) B2-B3
GAMBETTA (Rue) C3
GASSION (Rue) C1-D1
GASSIOT (Rue) C2
GASTON LACOSTE (Avenue) D2-D3
GASTON PHŒBUS (Avenue) A1-B1
GAVE (Impasse du) D1
GENDARMERIE (Rue de la) A2-B2
GENERAL DE GAULLE (Avenue du) B4
GENERAL DE LORENCEZ (Rue du) A2-A3
GENERAL POEYMIRAU (Av. du) C4-D4
GEORGES CLEMENCEAU (Place) C2
GEORGES CLEMENCEAU (Rue) D4
GERARD DE NERVAL (Allée) D3
GONTAUT BIRON (Rue de) D1
GRAMONT (Place) C1
GUICHE (Rue de) C1
HALLES (Passage des) B2-C2
HEDAS (Rue du) C1-C3
HENRI DUNANT (Avenue) A4
HENRI FAISANS (Rue) C3-B4
HENRI IV (Impasse) D1
HENRI IV (Rue) D1-D2
HONORE BARADAT (Avenue) A3-A4
HONSET (Impasse) D1
HOO PARIS (Rue) A3-A4
JEAN-BAPTISTE CARREAU (Rue) C1-C2
JEAN BIRAY (Avenue) D1-D2
JEAN JAURES (Rue) A4
JEAN JOVE (Rue) A4
JEAN MONNET (Rue) B3-C3
JEAN REVEIL (Rue) B3
JEAN-JACQUES DE MONAIX (Rue) A4-B4
JEANNE D'ALBRET (Rue) C1-D1
JEANNE D'ARC (Rue) B1
JUSTIN BLANC (Rue) B4-C4
LACLEDE (Rue) C1
LALANNE (Pont) D3
LAMOTHE (Rue) C3
LANGLES (Rue) B3-B4
LAPOUBLE (Rue) B1
LASSANSAA (Rue) C1
LATAPIE (Rue) C2-C3
LATTRE DE TASSIGNY (Avenue de) C2-D2
LAUSSAT (Rue de) A2-B2
LAVIGNE (Rue) A1-A2
LEON DARAN (Rue) C3-D3
LEON HEID (Avenue) D3
LEON SAY (Avenue) D3-D4
LESPY (Rue) B3
LIBERATION (Place de la) C2
LIEGE (Rue de) B1-C1
LOUIS BARTHOU (Rue) D2-D3
LOUIS LACAZE (Rue) B2-B3
LYAUTEY (Cours) A3
MALERE (Passage) C3
MANESCAU (Rue) B1
MAQUIS DU BEARN (Rue du) B1-C1
MARCA (Rue) C1-D1
MARECHAL FOCH (Rue) C2-C3
MARECHAL JOFFRE (Rue) C1-C2
MARGUERITE LABORDE (Place) B3
MARNE (Rue de la) B3
MATHIEU LALANNE (Rue) C3
MESSIN (Impasse) B1
MICHEL HOUNAU (Rue) B3-B4
MICHELET (Rue) A1-B1
MONNAIE (Place de la) D1
MONPENSIER (Rue) A1
MONPEZAT (Rue de) B1-C1
MONTPENSIER (Rue) A1-C2
MOULIN (Rue du) C1-D1
MOUROT (Rue) B2-C2
NAMUR (Rue de) B4
NAPOLEON BONAPARTE (Avenue) D2-D3
NAVARROT (Rue) D3
NEMOURS (Pont de) D1
NOGUE (Rue) B2
NOLIVOS (Rue de) A1
O'QUIN (Rue) B2
ORLEANS (Rue d') B1-B2
ORPHELINES (Rue des) D2-D3
OSSAU (Avenue d') D3
PALASSOU (Rue) A2-B3
PARENTOY (Passage) C2
PARLEMENT (Rue du) C1-D1
PASTEUR (Rue) B1-B2
PASTEUR ALPHONSE CADIER (Rue du) A4
PAUL LAFON (Place) C3
PAUL VALERY (Allée) D4
PAULINE SIRO (Rue) A4
PERE (Rue) A4-B4
PERE PARDIES (Rue du) A1
PERPIGNAA (Rue) B1-B2
PYRENEES (Boulevard des) D1-D3
RAUSKY (Rue) A1
RAYMOND PLANTE (Rue) B2
REINE MARGUERITE (Place) C2
RENE CASSIN (Rue) B3
RENE DORME (Rue) A2
RENE FOURNETS (Rue) C1-C2
RENE MARIE CASTAING (Rue) A3
RENE MORERE (Rue) A3-A4
REPARATRICES (Rue des) C4
REPUBLIQUE (Passage de la) B2-C2
REPUBLIQUE (Place de la) B2
REPUBLIQUE (Rue de la) B2
RESISTANCE (Avenue de la) A1-B1
RIVARES (Rue) B3-C3
ROYALE (Place) D2
SAINT-FRANÇOIS D'ASSISE (Rue) B3
SAINT-JACQUES (Rue) C2
SAINT-LOUIS (Rue) C2-D2
SAINT-LOUIS DE GONZAGUE (Place) C3
SAINT-MICHEL (Rue) A4
SAMONZET (Rue) C2-C3
SAMUEL DE LESTAPIS (Place) B3
SARAJEVO (Place) C2
SEGURE (Rue de) A1
SENTIERS DU ROY (les) D1-D2
SEPT CANTONS (Place des) C2
SERGENT BERNES CAMBOT (Rue du) A2
SERVIEZ (Rue) C2
SOLFERINO (Rue) B3
SOUVENIR FRANÇAIS (Rond-point du) A1
SULLY (Impasse) D1
SULLY (Rue) C1-D1
TOURNANTE PLANTE (Rue) B2
TRAN (Rue) C1-C2
TRESPOEY (Avenue) C4
TROIS FRERES BERNADAC (Rue des) B1
VALERY MEUNIER (Rue) C2-C3
VERDUN (Place de) C1
VIARD (Rue) A1-B1
VICTOR HUGO (Rue) B1

PERPIGNAN

0 100 m
Jardin Exotique
AV. LOUIS TORCATIS
PONT JOFFRE
BOULEVARD DE LA FRANCE LIBRE
RD-PT DE LA TET
RD-PT DE LA MEDITERRANEE
AVENUE JOSEPH ROUS
BOULEVARD GEORGES CLEMENCEAU
PLACE DE LA RESISTANCE
PONT GEN. DE LARMINAT
PL. DE LA VICTOIRE
Musée la Casa Païral
Le Castillet
PL. DE VERDUN
Promenade des Platanes
BOULEVARD THOMAS WILSON
Palais des Congrès
Square Bir Hakeim
COURS MARIE-LOUIS DE LASSUS
Jardin Public
AVENUE DES PERVENCHES
Mie Castillet
Cath. St-Jean-Baptiste
Campo Santo
Chap. St-Dominique
Chap. N.-D. de Lourdes
Préf.
Hôt. de Ville
Hôtel du Dépt
PL. DE LA REPUBLIQUE
Marché
Musée H. Rigaud
Chap. St-Sacrement
Évêché
PLACE ST-JOSEPH
Jardin de la Miranda
Égl. St-Jacques
Sq. Jeantet Violet
PLACE JEAN PAYRA
PL. DU 8 MAI 1945
Pal. Consulaire
Sq. Arago
Anc.Hôp. Militaire
Jard. à Bausil
Musée de l'Algérie Française
Égl. N.-D. La Réal
Muséum
PLACE JEAN MOULIN
PL. DU 24EME REGIMENT D'INFANTERIE DE MARINE
BD ANATOLE FRANCE
AV. J. MERMOZ
Mie Ann.
Palais des Rois de Majorque
PL. DU DOCTEUR RENE PUIG
BOULEVARD DES PYRENEES
AV. J. PANCHOT
AVENUE GILBERT BRUTUS
BOULEVARD FELIX MERCADER
Cim. St-Martin
Jardin des Remparts
BOULEVARD HENRI POINCARE
RD-PT DE LA CROIX ROUGE
AV. P. CAMBRES
BOULEVARD ARISTIDE BRIAND
AVENUE GEORGES GUYNEMER
Égl. de J.-C. des Sts des Derniers Jours

1
2
3
4
A
B
C
D
0
100 m
Église Ste-Thérèse
Église Protestante Baptiste
PLACE CHARLES MARTEL
PLACE JEAN DE BERRY
Tour du Cordier
Jardin Petite Villette
BD DE L'ABBE G. FREMONT
BOULEVARD
RESIDENCE MOZART
Moulin de Chasseigne
Église Saint-Jean de Montierneuf
PLACE MONTIERNEUF
CITE DALESMES
PLACE CHOCQUIN DE SARZEC
PLACE PROSPER MERIMEE
Jardin de la Grotte des Druides
SQUARE CH.-E. DE FERRIERES
PLACE BERTRAND DU GUESCLIN
Église St-Germain
Jardin des Plantes
Hôtel Fumé
PLACE DE LA LIBERTE
Hôtel-Dieu
Église
PL. CHARLES VII
PLACE DU JARDIN DES DROITS DE L'HOMME
Marché Couvert
PLACE CHARLES DE GAULLE
PLACE ALPHONSE LE PETIT
Église N.-D. -la-Grande
SQUARE DU BON PASTEUR
Gare
Temple
Conseil Général
PLACE ARISTIDE BRIAND
Préfecture
Musée Rupert de Chièvres
Égl. St-Porchaire
Ancienne Église St-Savin
Église Saint-Paul
Hôtel de Région
PL. DU MARECHAL PHILIPPE LECLERC
Hôtel de Ville
SQUARE DE LA REPUBLIQUE
Chapelle Saint-Louis
PLACE DE LA CATHEDRALE ET DU CARD. PIE
Ancien Palais Épiscopal
Cathédrale Saint-Pierre
Baptistère St-Jean
Musée Ste-Croix
Égl. Saint-Hilaire de la Celle
PONT ACHARD
RES. DU PARC SAINT-HILAIRE
CITE DE LA TRAVERSE
ESCALIER DU DIABLE
RUE DES REMPARTS

REIMS

ALBERT REVILLE (Rue) B2-A3
ANATOLE FRANCE (Cours) C3
ANDRE MALRAUX (Esplanade) D1
ANDRIEUX (Rue) A2-B3
ANJOU (Rue d') C3
ARBALETE (Rue de l') B2-B3
ARISTIDE BRIAND (Place) B4
ARLETTE REMIA-COUDRON (Rue) D1
ARQUEBUSE (Rue de l') C1
AUGUSTINS (Rue des) C4-D4
AVENAY (Rue d') B3
BACQUENOIS (Rue) C1
BARBATRE (Rue du) D4
BARREE (Place) C3-C4
BELLE IMAGE (Rue de la) B3
BELLE TOUR (Rue) C4
BERTIN (Rue) B3
BETHLEEM (Rue de) A4
BIR HAKEIM (Rue) C1
BOCQUAINE (Chaussée) D1
BONHOMME (Rue) B3
BOUCHERIES (Rue des) B2
BOULARD (Rue) D2-D3
BOULINGRIN (Place du) A2-A3
BRAS D'OR (Impasse) B2-B3
BRULEE (Rue) D2-D3
BUIRETTE (Rue) C1-C2
CADRAN SAINT-PIERRE (Rue du) B2
CAMILLE LENOIR (Rue) A4-B4
CAPUCINS (Rue des) C2-D3
CAPUCINS (Square des) D2
CAQUE (Rue) C1
CARDINAL DE LORRAINE (Rue) C3
CARDINAL GOUSSET (Rue du) A4-B4
CARDINAL LUCON (Place du) C3
CARMELITES (Impasse des) C2
CARMELITES (Rue des) C2
CARNEGIE (Place) C3
CARNOT (Rue) C3
CARROUGE (Rue du) B2
CERES (Rue) B3-B4
CERF-VOLANT (Impasse du) C3
CERNAY (Rue de) B4
CESAR POULAIN (Rue) C4
CHABAUD (Rue) C1-D2
CHAIX D'EST ANGE (Rue) A2
CHAMP DE MARS (Rue du) A2-A3
CHANOINE WARNIER (Parvis) B4
CHANZY (Rue) C2-D3
CHAPELAINS (Rue des) B2-C2
CHAPITRE (Passage du) C3
CHAPITRE (Place du) C3
CHARLES SARAZIN (Square) B3
CHATEAU PORTE MARS (Rue du) A2
CHATIVESLE (Rue de) C1-B2
CLAIRMARAIS (Rue de) B1
CLIQUOT BLERVACHE (Rue) B4
CLOITRE (Rue du) C3
CLOU DANS LE FER (Rue du) B2-C2
CLOVIS (Rue) C2-D2
COLBERT (Rue) B2-B3
COLIN (Place) D1
COLONEL DRIANT (Rue du) B1-B2
COMMERCE (Passage du) C2
COMTE D'ARTOIS (Impasse du) C2
CONDORCET (Rue) C2
CONTRAI (Rue de) D3-D4
COQUEBERT (Rue) A3-A4
CORDELIERS (Rue des) C3-C4
CORDELIERS (Square des) C4
COTTA (Rue) B3
COURCELLES (Rue de) B1
COURMEAUX (Rue) B3-B4
DAUPHINOT (Cour) A4-B4
DEFRANCOIS (Rue) D4
DESAUBEAU (Boulevard) A2
DIDEROT (Rue) C4
DOCTEUR CHEVRIER (Place du) A4
DOCTEUR JACQUIN (Rue) B2-B3
DOCTEUR POZZI (Rue du) A3
DORIGNY (Rue) A4
DROUET D'ERLON (Place) B1-C2
ECHELLES (Cour des) B4
ECREVEES (Rue des) B2
ECREVISSE (Rue de l') B3-C3
ECU (Rue de l') B4
EDOUARD MIGNOT (Rue) A1
EDOUARD VAILLANT (Rue) D4
ELUS (Rue des) C2-B3
EMILE CAZIER (Rue) B3
EQUERRE (Rue de l') D3
ERLON (Galerie d') C2
ETAPE (Rue de l') B2-C2
EUGENE DESTEUQUE (Rue) C3-B4
EUSTACHE DESCHAMPS (Rue) A4
FILLES DIEU (Rue des) C3-C4
FOCH (Boulevard) B1-A2
FORUM (Place du) B3
FUSELIERS (Rue des) C3-D3
GABELLE (Rue de la) B3-C3
GAMBETTA (Rue) D3-D4
GARE (Cour de la) B1
GASTON POITEVIN (Place) D2
GENERAL BARATIER (Rue du) B3-B4
GENERAL DE GAULLE (Avenue du) . . . D1-D2
GENERAL ESTIENNE (Rue du) B1
GENERAL LECLERC (Boulevard du) . . . B1-D1
GENERAL SARRAIL (Rue du) A2-B2
GERBERT (Rue) D4
GODINOT (Place) C3-C4
GRAND CREDO (Rue du) B3-C3
GRENIER A SEL (Rue du) B3
GROSSE ECRITOIRE (Rue de la) B2
GRUE (Rue de la) B3-C3
GUILLAUME DE MACHAULT (Rue) C3
HENRI DELACROIX (Rue) D1
HENRI IV (Rue) A2-B2
HENRI JADART (Rue) C2
HENRI MENU (Rue) C2
HINCMAR (Rue) D1-C3
HOTEL DE VILLE (Place de l') B2-B3
HOUZEAU MUIRON (Rue) C4
ÎLOT JADART C2
IRENEE LELIEVRE (Rue) D1
ISLE (Rue de l') C4
JACOBINS (Rue des) D2-C3
JACOBINS (Square des) C3
JACQUART (Rue) A4
JARD (Rue du) D2-D3
JEAN D'ORBAIS (Rue) D2
JEAN JAURES (Avenue) B4
JEAN LE LOUP (Rue) D2
JEAN-BAPTISTE LANGLET (Cours) . . . B2-C3
JEAN-JACQUES ROUSSEAU (Rue) . . . B3-B4
JEANNE D'ARC (Rue) B1-C2
JEANNE D'ARC (Square) C3
JOFFRE (Boulevard) B1-A2
JOVIN (Rue) A2
JULES CESAR (Boulevard) A2
JULES LOBET (Place) B2
JUSTICE (Impasse de la) A3
JUSTICE (Rue de la) A3
KELLERMANN (Rue) A3-A4
LABORI (Rue) C4
LAGRIVE (Rue) D4
LAON (Avenue de) A2
LAON (Pont de) A2
LAURENT DERAMEZ (Rue) A4-B4
LEGENDRE (Rue) B3
LEON BOURGEOIS (Place) B3
LEVANT (Impasse du) C4
LIBERGIER (Rue) D1-C2
LIEUTENANT HERDUIN (Rue) D3-D4
LINGUET (Rue) A3-B3
LOGES COQUAULT (Place des) D3
LOUIS BERTON (Rue) C4-D4
LOUIS ROEDERER (Boulevard) B1-C1
LUNDY (Boulevard) A2-B4
LUNDY (Impasse) B4
LUXEMBOURG (Rue du) B3
MACON (Rue de) B4-C4
MACQUART (Rue) A4
MAGDELEINE (Rue de la) C1-D1
MARC (Rue du) B3
MARCEL THIL (Rue) A1
MARIE STUART (Rue) C4
MARIE-CLEMENCE FOURIAUX (Rue) A1
MARLOT (Rue) D2-D3
MARMOUZETS (Rue des) B3
MARS (Porte de) A2
MARS (Rue de) A2-B3
MARTYRS DE LA RESISTANCE (Place) . . C3
MARX DORMOY (Rue) C2
MAUCROIX (Rue) A1
MAURICE NOIROT (Boulevard) C1-D1
MOISSONS (Rue des) B4-C4
MONT D'ARENE (Rue du) A1
MONTESQUIEU (Rue) A4
MONTLAURENT (Rue) D4
MONTOISON (Rue) B4-C4
MURS (Rue des) C4-D4
MYRON HERRICK (Place) C2-C3
NANTEUIL (Rue de) B3
NICOLAS HENRIOT (Rue) B4
NOEL (Rue) B2
NOTRE DAME DE L'EPINE (Rue) B3
OLIVIER METRA (Rue) A3
ORMESSON (Rue d') A4
ORPHELINS (Rue des) D3-D4
PAIX (Boulevard de la) B4-D4
PASTEUR (Boulevard) D4
PAUL ADAM (Rue) D3
PAUL BOCQUET (Square) D1
PAUL DOUMER (Boulevard) D1-D2
PAUL JAMOT (Place) C4
PAYEN (Rue) D1
PERSEVAL (Rue) B4
PETIT ARSENAL (Rue du) B3
PETIT FOUR (Rue du) B2
PIERRE BROSSOLETTE (Rue) A1
PIPER (Rue) B4-C4
PLUCHE (Rue) B3
POISSONNIERS (Rue des) C1
POL NEVEUX (Rue) C3
POLONCEAU (Allée) D1
PONSARDIN (Rue) B4-D4
POUILLY (Rue de) B2
PREAU (Rue du) C3
PRESIDENT F ROOSEVELT (Rue) A1-A2
PRISON DU BAILLAGE (Rue de la) B3
RAINSSANT (Rue) D1
RAYMOND GUYOT (Rue) A4
RENE ET HENRI DRUARD (Square) C2
RENE HUET (Rue) A4
RENFERMERIE (Rue de la) B2
REPUBLIQUE (Place de la) A2
ROBERT DE COUCY (Rue) C3
ROCKEFELLER (Rue) C2-C3
ROGIER (Impasse) B3-B4
ROGIER (Rue) B3-B4
ROMAINS (Rue des) A1
ROUILLE (Rue) B2
ROYALE (Place) B3-C3
SAINT-BRICE (Rue de) B1-C1
SAINT-ETIENNE (Impasse) C3
SAINT-GILLES (Passage) D4
SAINT-HILAIRE (Rue) A3-B3
SAINT-JACQUES (Passage) C2
SAINT-JUST (Rue) C3
SAINT-MARCEAUX (Boulevard) C4-D4
SAINT-PIERRE LES DAMES (Rue) C3-C4
SAINT-SYMPHORIEN (Rue) C3
SAINT-YON (Rue) B3-B4
SALIN (Rue) B2
SALLE (Impasse de la) C2
SALLE (Rue de la) C2
SAVOYE (Rue de) A3-A4
7 ET 8 MAI 1945 (Allée des) B1-A2
SOLIDARITE (Place de la) C2
STALINGRAD (Place) D1
SUBE (Passage) C2
TALLEYRAND (Passage) C2
TALLEYRAND (Rue de) B2-C2
TAMBOUR (Rue de) B3
TAPISSERIES (Impasse des) C3
TELLIERS (Rue des) B2
TEMPLE (Rue du) A2-B3
TEMPLIERS (Rue des) B3-A4
THEODORE DUBOIS (Rue) C2
THIERS (Rue) B2
THILLOIS (Rue de) C1-C2
TIRELIRE (Impasse de la) B2
TIRELIRE (Rue de la) A2-B2
TOURNELLES (Rue des) C3
TRESOR (Rue du) C3
TRIANON (Rue de) B1
TROIS RAISINETS (Rue des) B3-C4
TRONSSON DUCOUDRAY (Rue) C2-C3
TRUDAINE (Rue) B3
UNIVERSITE (Rue de l') C3-D4
VAUTHIER LE NOIR (Rue) C3
VENISE (Rue de) D3
VESLE (Pont de) D1
VESLE (Rue de) D1-C2
VICTIMES DE LA GESTAPO (Square des) C2
VILLEMINOT HUART (Rue) A2
VOLTAIRE (Rue) D3-B4
WARNIER (Rue) B4
WERLE (Rue) A3-A4

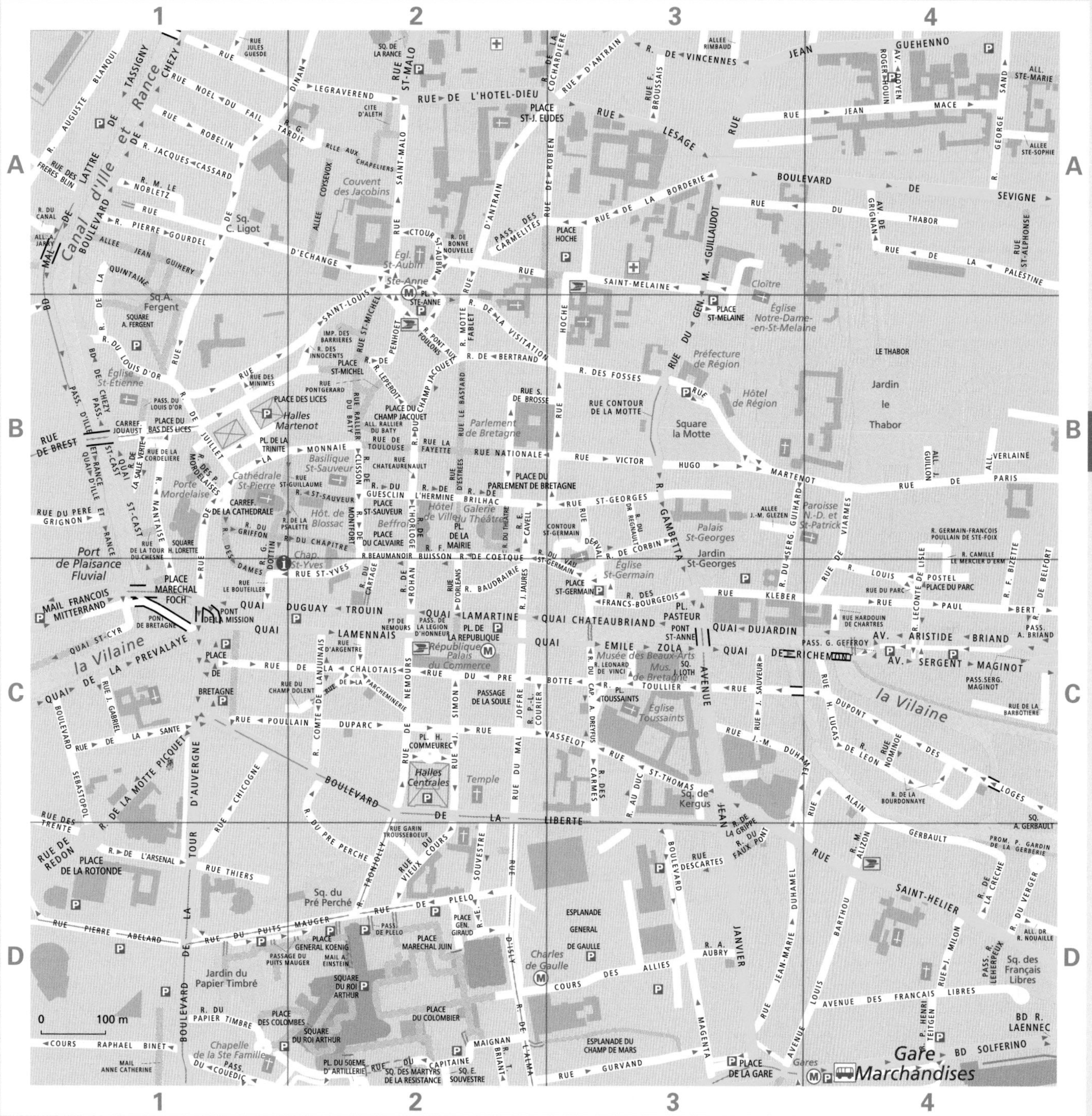

ALAIN FERGENT (Square) B1
ALAIN GERBAULT (Rue). C3-D4
ALAIN GERBAULT (Square). D4
ALBERT AUBRY (Rue). D3
ALBERT EINSTEIN (Mail) D2
ALETH (Cité d') A2
ALFRED JARRY (Allée). A1
ALLIES (Cours des). D2-D3
ALMA (Rue de l'). D2
ANNE CATHERINE (Mail). D1
ANTRAIN (Rue d'). B2-A3
ARGENTRE (Rue d') C2
ARISTIDE BRIAND (Avenue) C4
ARISTIDE BRIAND (Passage). C4
ARSENAL (Rue de l') D1
AUGUSTE BLANQUI (Rue). A1
BARBOTIERE (Rue de la) C4
BARRIERES (Impasse des). B2
BAS DES LICES (Place du) B1
BASTARD (Rue le). B2
BAUDRAIRIE (Rue) C2
BEAUMANOIR (Rue). B2
BEAUMONT (Boulevard de). D3
BELFORT (Rue de). B4-C4
BERTRAND (Rue de). B2-B3
BONNE NOUVELLE (Rue de) A2
BORDERIE (Rue de la) A3
BOURDONNAYE (Rue de la) C4
BOUTEILLER (Rue le) C1
BREST (Rue de). B1
BRETAGNE (Place de). C1
BRETAGNE (Pont de) C1
BRILHAC (Rue de) B2
CALVAIRE (Place du). B2
CAMILLE LE MERCIER D'ERM (Rue) . . B4-C4
CANAL (Impasse du) A1
CAP ALFRED DREYFUS (Rue du). C3
CAPITAINE MAIGNAN (Rue du). D2
CARMELITES (Passage des). A2
CARMES (Rue des) C3
CARREFOUR JOUAUST (Rue) B1
CARTAGE (Rue du) B2-C2
CATHEDRALE (Carrefour de la) B1
CHALOTAIS (Rue de la) C1-C2
CHAMP DE MARS (Esplanade du) . . D2-D3
CHAMP DOLENT (Rue du) C1-C2
CHAMP JACQUET (Place du). B2
CHAMP JACQUET (Rue du) B2
CHAPELIERS (Ruelle aux) A2
CHAPITRE (Rue du). B1-B2
CHATEAUBRIAND (Quai) C2-C3
CHATEAURENAULT (Rue) B2
CHEVAUX (Ruelle aux). A2
CHEZY (Boulevard de) A1-B1
CHICOGNE (Rue). C1-D1
50EME REGIMENT D'ARTILLERIE
(Place du) D2
CLISSON (Rue de). B2
COCHARDIERE (Rue de la). A3
COETQUEN (Rue de) B2
COLOMBES (Place des) D1-D2
COLOMBIER (Place du). D2
COMTE DE LANJUINAIS (Rue) C2
CONTOUR DE LA MOTTE (Rue) B3
CONTOUR DE SAINT-AUBIN (Rue) A2
CORBIN (Rue de). B3-C3
CORDELIERE (Rue de la) B1
COUEDIC (Passage du). D1
COYSEVOX (Allée) A2
CRECHE (Rue de la) D4
DAMES (Rue des) B1-C1
DERVAL (Rue) B3-C3
DESCARTES (Rue) D3
DINAN (Rue de). B1-A2
10EME D'ARTILLERIE (Rue du). D2
DOCTEUR FRANCIS JOLY (Rue du). . D1-D2
DOCTEUR REGNAULT (Rue du). B3
DOCTEUR ROGER NOUAILLE (Allée) . . . D4
DOCTEUR ROUX (Rue du) D1
DOYEN ROGER HOUIN (Avenue) A4
DUC (Rue au). C3-D3
DUGUAY TROUIN (Quai) C1-C2
DUJARDIN (Quai) C3-C4
DUPONT DES LOGES (Rue). C3-C4
ECHANGE (Rue d') A1-A2
EDITH CAVELL (Rue). B2
EMILE SOUVESTRE (Rue) C2-D2
EMILE SOUVESTRE (Square) D2
EMILE ZOLA (Quai). C2-C3
ESTREES (Rue d') B2
FAUX PONT (Rue du) D3
FERDINAND BUISSON (Rue). B2
FOSSES (Rue des) B3
FRANCAIS LIBRES (Avenue des). D4
FRANCOIS BIZETTE (Rue) B4-C4
FRANCOIS BROUSSAIS (Rue). A3
FRANCOIS MITTERRAND (Mail) C1
FRANCS-BOURGEOIS (Rue des). C3
FRERES BLIN (Rue des) A1
GAMBETTA (Rue) B3-C3
GARE (Place de la) D3-D4
GARIN TROUSSEBOEUF (Rue) D2
GASTON TARDIF (Rue) A1-A2
GENERAL DE GAULLE (Esplanade). . D2-D3
GENERAL GIRAUD (Place). D2
GENERAL KOENIG (Place) D1-D2
GENERAL MAURICE GUILLAUDOT
(Rue du) A3-B3
GEORGE SAND (Rue). A4
GEORGES DOTTIN (Rue) B1-C1
GERMAIN-FRANCOIS POULLAIN DE
SAINTE-FOIX (Rue) B4
GRIFFON (Rue du) B1
GRIGNAN (Avenue de). A4
GRIPPE (Rue de la) C3-D3
GUESCLIN (Rue du) B2
GURVAND (Rue) D2-D3
GUSTAVE GEFFROY (Passage) C4
HARDOUIN DE CHARTRES (Rue) C4
HERMINE (Rue de l'). B2
HIPPOLYTE LUCAS (Rue) C4
HOCHE (Place). A2-A3
HOCHE (Rue). A3-B3
HONORE COMMEUREC (Place). C2
HORLOGE (Rue de l') B2
HOTEL DIEU (Rue de l') A2-A3
HYACINTHE LORETTE (Square). B1
ILLE ET RANCE (Passage d') B1
ILLE ET RANCE (Quai d') B1-C1
INNOCENTS (Rue des). B2
ISLY (Rue d') C2-D2
JACQUES CASSARD (Rue). A1
JACQUES GABRIEL (Rue) C1
JACQUES-MARIE GLEZEN (Allée). B3
JEAN GUEHENNO (Rue) A3-A4
JEAN GUIHERY (Allée). A1
JEAN JANVIER (Avenue). C3-D3
JEAN JAURES (Rue). B2-C2
JEAN MACE (Rue). A3-A4
JEAN MILON (Rue). D4
JEAN-MARIE DUHAMEL (Rue) D3-C4
JEANNE GUILLON (Allée) B4
JOSEPH LOTH (Square) C3
JOSEPH SAUVEUR (Rue). C3
JUILLET (Rue de) B1
JULES GUESDE (Rue) A1
JULES SIMON (Rue). C2
KLEBER (Rue) C3-C4
LA FAYETTE (Rue). B2
LAMARTINE (Quai). C2
LAMENNAIS (Quai) C1-C2
LE THABOR B3-A4
LECONTE DE LISLE (Rue). B4-C4
LEGION D'HONNEUR (Passage de la). . . C2
LEGRAVEREND (Rue) A1-A2
LEON (Rue de). C4
LEONARD DE VINCI (Rue) C3
LEPERDIT (Rue). B2
LESAGE (Rue) A3
LIBERTE (Boulevard de la) C1-D3
LICES (Place des) B1-B2
LOUIS BARTHOU (Avenue) D3-D4
LOUIS D'OR (Passage du) B1
LOUIS POSTEL (Rue) C4
MAGENTA (Boulevard). D3
MAIRIE (Place de la) B2
MARECHAL DE LATTRE DE TASSIGNY
(Boulevard). A1-B1
MARECHAL FOCH (Place) C1
MARECHAL JOFFRE (Rue du) C2
MARECHAL JUIN (Place). D2
MARIE ALIZON (Rue) C4-D4
MARTENOT (Rue). B3-B4
MARTYRS DE LA RESISTANCE
(Square des). D2
MICHEL LE NOBLETZ (Rue). A1
MINIMES (Rue des) B1
MISSION (Pont de la) C1
MONNAIE (Rue de la). C1-B2
MONTFORT (Rue de) B2
MOTTE (Square de la) B3
MOTTE FABLET (Rue). B2
MOTTE PICQUET (Rue de la). C1-D1
NANTAISE (Rue) B1-C1
NATIONALE (Rue). B2-B3
NEMOURS (Pont de). C2
NEMOURS (Rue de) C2
NOEL DU FAIL (Rue). A1
NOMINOE (Rue) C4
ORLEANS (Rue d') B2-C2
PALESTINE (Rue de la) A4
PAPIER TIMBRE (Rue du) D1
PARC (Place du). C4
PARC (Rue du). C4
PARCHEMINERIE (Rue de la). C2
PARIS (Rue de) B4
PARLEMENT DE BRETAGNE
(Place du) B2-B3
PASTEUR (Place). C3
PAUL BERT (Rue) C4
PAUL-LOUIS COURIER (Rue) C2
PENHOET (Rue de) B2
PERE GRIGNION (Rue du) B1
PIERRE ABELARD (Rue) D1
PIERRE GARDIN DE LA GERBERIE
(Promenade). D4
PIERRE GOURDEL (Rue). A1
PIERRE HENRI TEITGEN (Rue). D4
PLELO (Passage de) D2
PLELO (Rue de) D2
PONT AUX FOULONS (Rue). B2
PONTGERARD (Rue). B2
PORTES MORDELAISES (Rue des) B1
POULLAIN DUPARC (Rue) C1-C2
PRE BOTTE (Rue du). C2-C3
PRE PERCHE (Rue du) C2-D2
PREVALAYE (Quai de la). C1
PSALETTE (Rue de la). B1-B2
PUITS MAUGER (Passage du). D2
PUITS MAUGER (Rue du). D1-D2
QUINTAINE (Rue de la). A1-B1
RALLIER DU BATY (Allée) B2
RALLIER DU BATY (Rue) B2
RANCE (Square de la) A2
RAPHAEL BINET (Cours) D1
REDON (Rue de) D1
RENE LAENNEC (Boulevard). D4
RENE LEHERPEUX (Passage). D4
REPUBLIQUE (Place de la). C2
RICHEMONT (Quai de). C3-C4
RIMBAUD (Allée) A3
ROBELIN (Rue) A1
ROBIEN (Rue de). A2-A3
ROHAN (Rue de) B2-C2
ROI ARTHUR (Square du). D2
ROTONDE (Place de la). D1
SAINT-ALPHONSE (Rue). A4
SAINT-ANNE (Pont). C3
SAINT-CAST (Passage) B1
SAINT-CAST (Quai) B1-C1
SAINT-CYR (Quai) C1
SAINTE-ANNE (Place). A2-B2
SAINTE-MARIE (Allée) A4
SAINTE-SOPHIE (Allée) A4
SAINT-GEORGES (Rue). B3
SAINT-GERMAIN (Contour) B3-C3
SAINT-GERMAIN (Place). B3-C3
SAINT-GUILLAUME (Rue). B1-B2
SAINT-HELIER (Rue) C3-D4
SAINT-JEAN EUDES (Place). A3
SAINT-LOUIS (Rue) B1-A2
SAINT-MALO (Rue) A2
SAINT-MELAINE (Place) A3-B3
SAINT-MELAINE (Rue) A2-A3
SAINT-MICHEL (Place) B2
SAINT-MICHEL (Rue). A2-B2
SAINT-SAUVEUR (Place) B2
SAINT-SAUVEUR (Rue). B1-B2
SAINT-THOMAS (Rue) C3
SAINT-YVES (Rue). C1-B2
SALLE VERTE (Rue de la) B1
SALOMON DE BROSSE (Rue) B2-B3
SANTE (Rue de la) C1
SEBASTOPOL (Boulevard). C1-D1
SERGENT GUIHARD (Rue du) B3-C3
SERGENT MAGINOT (Avenue) C4
SERGENT MAGINOT (Passage). C4
SEVIGNE (Boulevard de) A3-A4
SOLFERINO (Boulevard) D3-D4
SOULE (Passage de la). C2
THABOR (Rue du). A3-A4
THEATRE (Rue du) B2
THEOPHILE BRIANT (Rue) D2
THIERS (Rue). D1
TOULLIER (Rue) C3
TOULOUSE (Rue de). B2
TOUR D'AUVERGNE
(Boulevard de la) C1-D1
TOUR DU CHESNE (Rue de la) B1
TOUSSAINTS (Place) C3
TRENTE (Rue des). C1-D1
TRINITE (Place de la) B1
TRONJOLLY (Rue). C2-D2
VASSELOT (Rue) C2-C3
VAU SAINT-GERMAIN (Rue du) B2-C3
VERGER (Rue du) D4
VERLAINE (Allée) B4
VIARMES (Rue de) B4-C4
VICTOR HUGO (Rue). B3
VIEUX COURS (Rue du) C2-D2
VINCENNES (Rue de) A3
VISITATION (Rue de la). B2-B3

ROUEN

ABBE COCHET (Rue de l') B2
ABBE DE L'EPEE (Rue) B4-C4
ADOLPHE CHERUEL (Rue) A4
ADRIEN AUZOUT (Impasse) A4
ADRIEN PASQUIER (Rue) C4-D4
AIMABLE FLOQUET (Rue) B4
AITRE SAINT-MACLOU (Place de l') C4
AITRE SAINT-NICAISE (Rue l') B4
ALAIN (Place) B4
ALAIN BLANCHARD (Rue) A2-B2
ALSACE-LORRAINE (Rue) D3-D4
AMBROISE FLEURY (Rue) C4-D4
AMIENS (Rue d') C3-D4
ANATOLE FRANCE (Rue) C1
ANCIEN HOTEL DE VILLE (Passage de l') C2
ANCIENNE PRISON (Rue de l') B2
ANCIENS MOULINS (Passage des) C3
ANDRE GIDE (Rue) C1-C2
ANDRE MAUROIS (Square) A4
ANVERS (Rue d') A1
ARMAND CARREL (Rue) C4-D4
ARPENTS (Rue des) D4
ARSINS (Rue des) B3-C3
ARTS (Place des) D2
AUGUSTE HOUZEAU (Rue) D3
AUGUSTINS (Rue des) D3-D4
AVALASSE (Rue de l') A3
BAC (Rue du) D3
BAILLIAGE (Rue du) B2-B3
BARTHELEMY (Place) C3
BASNAGES (Rue des) B2
BASSE VIEILLE TOUR (Place de la) D3
BEAUVOISINE (Place) A4
BEAUVOISINE (Rampe) A4
BEAUVOISINE (Rue) C3-A4
BEC (Rue du) C2-C3
BEFFROY (Rue) B3
BEGUINES (Rue des) B1-B2
BELGES (Boulevard des) B1-C1
BERNARD TISSOT (Place) A3
BIHOREL (Rue de) A4
BLAINVILLE (Rue de) A2
BOIELDIEU (Pont) D2
BONNETIERS (Rue des) C3-D3
BONS ENFANTS (Rue des) B1-B2
BOUCHERIES SAINT-OUEN (Rue des) C4
BOUQUET (Rue) A2
BOURG L'ABBE (Rue) B4
BOURSE (Quai de la) D2
BOUVREUIL (Rampe) B1-A2
BOUVREUIL (Rue) A3-B3
BRAS DE FER (Rue) A3-A4
BRAZZA (Rue de) A1-A2
BUFFON (Rue de) B1
CALENDE (Place de la) C3-D3
CAMILLE SAINT-SAENS (Petite rue) C2
CAMILLE SAINT-SAENS (Rue) C2
CAMPULLEY (Rue de) A2
CARMELITES (Petite rue des) B3-B4
CARMELITES (Rue des) B3-B4
CARMES (Place des) C3
CARMES (Rue des) C3
CARON (Impasse) B4
CARON (Rue) B4
CARVILLE (Rue de) B1
CATHEDRALE (Place de la) C3
CAUCHOISE (Place) B1
CAUCHOISE (Rampe) B1
CAUCHOISE (Rue) B1-B2
CAVELIER DE LA SALLE (Quai) D1
CERCLE (Rue du) B1-B2
CHAINE (Rue de la) C3
CHAMP DE MARS (Esplanade du) D4
CHAMP DES OISEAUX (Rue du) A3
CHAMPMESLE (Rue de la) C2-D2
CHAMPS MAILLETS (Rue des) B2
CHANGE (Rue du) C3
CHANOINES (Rue des) C3
CHARCOT (Promenade) D2
CHARLES LENEPVEU (Rue) B3
CHARRETTES (Rue des) C1-C2
CHASSELIEVRE (Rue) A1
CIDEVILLE (Rue de) D3
CIGOGNE (Rue de la) B3
CLAUDE GROULARD (Rue) A1
COIGNEBERT (Rue) B4
CONTRAT SOCIAL (Rue du) B1
CORDIER (Rue du) B3
CREVIER (Rue) A1-B1
CROIX DE FER (Rue de la) C3
CROIX VERTE (Rue de la) C3
CROSNE (Rue de) B1-B2
DAMIETTE (Rue) C3
DEFRANCE (Rue) B4
DESHAYS (Rue) B3
2 ANGES (Rue des) B4
DINANDERIE (Rue) B2
19 AVRIL 1944 (Place du) B3-C3
DOCKS (Rue des) D1
DOCTEUR ALFRED CERNE (Place du) B3
DOCTEUR BLANCHE (Rue du) C4
DOCTEUR LOUIS DUMENIL (Rue du) A1-A2
DOCTEUR ROBERT RAMBERT (Rue du) C2-D2
DONJON (Rue du) A3-B3
DUGUAY TROUIN (Rue) C1
DULONG (Rue) B3-B4
EAU DE ROBEC (Rue) C4
ECOLE (Rue de l') B3-C3
ECOSSE (Rue d') B3
ECUREUIL (Rue de l') B3
ECUYERE (Rue) B2-C2
EGLISE SAINT-GERVAIS (Place de l') A1
EMILE VERHAEREN (Rue) C2
EPICERIE (Rue de l') D3
ERNEMONT (Rue de l') A4
ESPACE DU PALAIS C2
ETAMEUR (Place de l') C3
ETOUPEE (Rue) B2
EUGENE BOUDIN (Rue) C3
EUGENE DELACROIX (Allée) C2-B3
EUGENE DUTUIT (Rue) D3-D4
FARDEAU (Rue du) C2
FARIN (Rue) A1
FAUCON (Rue) B3
FAULX (Rue des) C4
FLANDRE (Impasse de) B4
FLORENCE (Rue de) B1-B2
FONTENAY (Rue de) D4
FONTENELLE (Rue de) C1-B2
FOSSES LOUIS VIII (Rue des) B2-C3
FOULERIE (Rue de la) C4
FRANCE LIBRE (Promenade de la) C1-D2
GAILLARDBOIS (Place du) D3
GAMBETTA (Boulevard) D4
GAMBETTA (Résidence le) D4
GANTERIE (Rue) B2-C3
GARDE MONSIEUR (Rue) C4
GAUGUIN (Impasse) A4
GENERAL DE GAULLE (Place du) C3-B4
GENERAL GIRAUD (Rue du) C1-C2
GENERAL LECLERC (Rue du) C2-D3
GENERAL SARRAIL (Rue du) C4
GEORGES LANFRY (Rue) C3
GERICAULT (Rue) C4-D4
GIFFARD (Impasse) A1
GLACIERE (Rue de la) A3-B3
GRAND PONT (Rue) C2-D2
GRANDE MESURE (Passage de la) C4
GRANDE MESURE (Rue de la) C4
GRAVIER (Passage du) C2
GROS HORLOGE (Rue du) C2-C3
GUILLAUME LE CONQUERANT (Rue) B2-C2
GUILLAUME LION (Square) D3
GUSTAVE FLAUBERT (Avenue) B1
GUY DE MAUPASSANT (Rue) A1-A2
HARCOURT (Rue d') C1
HAUTE VIEILLE TOUR (Place de la) D3
HAUTS MARIAGES (Impasse des) C3-C4
HAVRE (Quai du) C1-D2
HENRI IV (Place) C1
HERBIERE (Rue) C2
HERBOUVILLE (Rue d') A1-A2
HOPITAL (Rue de l') C3
JACQUES CARTIER (Avenue) D1
JACQUES LELIEUR (Place) C2
JACQUES LELIEUR (Trémie) C2-D2
JACQUES VILLON (Rue) B3
JEAN LECANUET (Rue) B1-B3
JEAN MOULIN (Quai) D1-D2
JEAN REVEL (Rue) A1
JEAN-BAPTISTE DE LA SALLE (Place) A1
JEANNE D'ARC (Pont) D1-D2
JEANNE D'ARC (Rue) D2-A3
JOUVENET (Rue) A4
JOYEUSE (Rue de) B4
JUIFS (Rue aux) C2-C3
LAUMONIER (Rue) A2
LECAT (Rue de) A1-B1
LEGENDRE (Rue) A1
LEMERY (Rue de) B2
LEPECQ DE LA CLOTURE (Rue) A3
LEZURIER DE LA MARTEL (Rue) B1-A2
LIEU DE SANTE (Rue du) B1
LIEUTENANT AUBERT (Place du) C3-C4
LOUIS AUBER (Rue) A1
LOUIS BRUNE (Rue) D3
LOUIS MALLIOT (Rue) A3
LOUIS RICARD (Rue) A4-B4
LOUIS THUBEUF (Rue) A1
MAILLOTS SARRAZINS (Rue des) D3
MALADRERIE (Passage) A2
MALADRERIE (Rue) A2-A3
MALPALU (Rue) C3-D3
MARCEL DUCHAMP (Esplanade) B3
MARECHAL FOCH (Place) C2
MARNE (Boulevard de la) B1-A3
MARTAINVILLE (Rue) C3-D4
MARTIN LUTHER-KING (Place) C1-C2
MASSACRE (Rue) C2
MAULEVRIER (Rue du) B4
MAURICE LENFANT (Passage) C3
MICHEL CORRETTE (Rue) D1
MINIMES (Rue des) B4
MOLIERE (Rue) D3-C4
MONTBRET (Rue de) B3-B4
MORAND (Rue) B2-B3
MOULINET (Rue du) B2
MOYNE D'IBERVILLE (Place le) D1
NEUFCHATEL (Route de) A4
NICOLAS MESNAGER (Rue) A1
NICOLE ORESME (Rue) C2
NORD (Rue du) A4
NOSTRE (Rue le) C1
ORBE (Rue) B4-C4
ORLEANS (Boulevard d') D1
OURS (Rue aux) C2
PARIS (Quai de) D3-D4
PAUL PARAY (Rue) C2-D2
PERCIERE (Rue) B2-C2
PERE ADAM (Petite rue du) C3
PERE ADAM (Rue du) C3
PETIT DE JULLEVILLE (Rue) C3-D3
PETIT MOUTON (Rue du) C3-C4
PETIT PORCHE (Rue du) B3-B4
PETIT SALUT (Rue du) C2-C3
PHILIPPE AUGUSTE (Rue) B3
PIE (Rue de la) B1-C1
PIERRE CHIROL (Rue) D1
PIERRE CORNEILLE (Pont) D3
PIERRE CORNEILLE (Quai) D2-D3
PITRY (Rue) B4
PLEINS CHAMPS (Rue des) A4
POMME D'OR (Place de la) C4
PONT CODRILLE (Rue du) C4
PONT DE L'ARQUET (Rue du) C4
PORET DE BLOSSEVILLE (Rue) D1
PORTE AUX RATS (Rue) B2
PORTE DES CHAMPS (Avenue de la) C4
POTERNE (Rue de la) B2-C2
POUCHET (Rue) A2-A3
POUSSIN (Rue) A4-B4
PUCELLE D'ORLEANS (Place de la) C2
QUEBEC (Rue de) D3
RACINE (Rue) C1
RAFFETOT (Rue) A1
RAQUETTE (Rue de la) D3
REIMS (Rue de) A4
REMPART BOUVREUIL (Rue du) B3
REMPART MARTAINVILLE (Rue du) D4
RENARD (Impasse du) B1
RENARD (Rue du) A1-B1
REPUBLIQUE (Place de la) D3
REPUBLIQUE (Rue de la) C3-D3
REQUIS (Rue des) B4
RESTOUT (Place) B3
RICARDIERE (Rue) C2
RICHARD LALLEMANT (Rue) C3
ROBERT SCHUMAN (Rue) D4
ROCHE (Rue de la) B4
ROCHEFOUCAULD (Rue de la) A3
ROI (Rue du) A1
ROLLON (Rue) C2
ROSIER (Rue du) C3-C4
ROUGEMARE (Place de la) B3-B4
RUISSEL (Rue du) C4
SACRE (Rue du) B2
SAINT-AMAND (Passage) C3
SAINT-AMAND (Place) C3
SAINT-AMAND (Rue) C3
SAINT-ANDRE (Rue) A1-B2
SAINT-DENIS (Rue) D3
SAINT-ELOI (Rue) C1-C2
SAINT-ETIENNE DES TONNELIERS (Passage) D2
SAINT-GERVAIS (Rampe) A1
SAINT-GERVAIS (Rue) A1-B1
SAINT-GODARD (Place) B3
SAiNT-HERBLAND (Tunnel) C2-B3
SAINT-JACQUES (Rue) C1
SAINT-LO (Rue) C2-C3
SAINT-MARC (Place) D4
SAINT-MAUR (Impasse) A2
SAINT-MAUR (Rue) A2-B2
SAINT-NICAISE (Rue) B4
SAINT-NICOLAS (Rue) C3
SAINT-PATRICE (Rue) B2
SAINT-PIERRE DU CHATEL (Jardin) C2
SAINT-ROMAIN (Rue) C3
SAINT-SEVER (Quai) D1-D2
SAINT-VIVIEN (Place) C4
SAINT-VIVIEN (Rue) C4
SAINTE-CROIX-DES-PELLETIERS (Rue) B2
SAINTE-MARIE (Impasse) A4
SAINTE-MARIE (Rampe) A4
SAINTE-MARIE (Rue) A4
SAMUEL BOCHARD (Rue) C1
SAVONNERIE (Rue de la) D2-D3
SEILLE (Rue de la) B3
SENARD (Rue) A2
SOCRATE (Rue) C3
STANISLAS GIRARDIN (Rue) B1
TABARLY (Promenade) D2-D3
TABOURET (Impasse) A1
TABOURET (Rue) A1
TAMBOUR (Rue du) C2
THOMAS CORNEILLE (Rue) B1-C1
THOURET (Rue) C2
TOUR D'ARGENT (Impasse de la) B1
TOUR DE BEURRE (Rue de la) D2-C3
39EME R.I. (Place du) C4
VERDIERE (Rue) A4
VERDREL (Square) B2
VERGETIERS (Rue des) C2
VERT BUISSON (Rue du) B3-B4
VERTE (Rue) A2-A3
VICOMTE (Rue de la) C2
VICTOR HUGO (Rue) C4-D4
VIEUX MARCHE (Place du) C1-B2
VIEUX PALAIS (Rue du) C1
YSER (Boulevard del') A3-A4

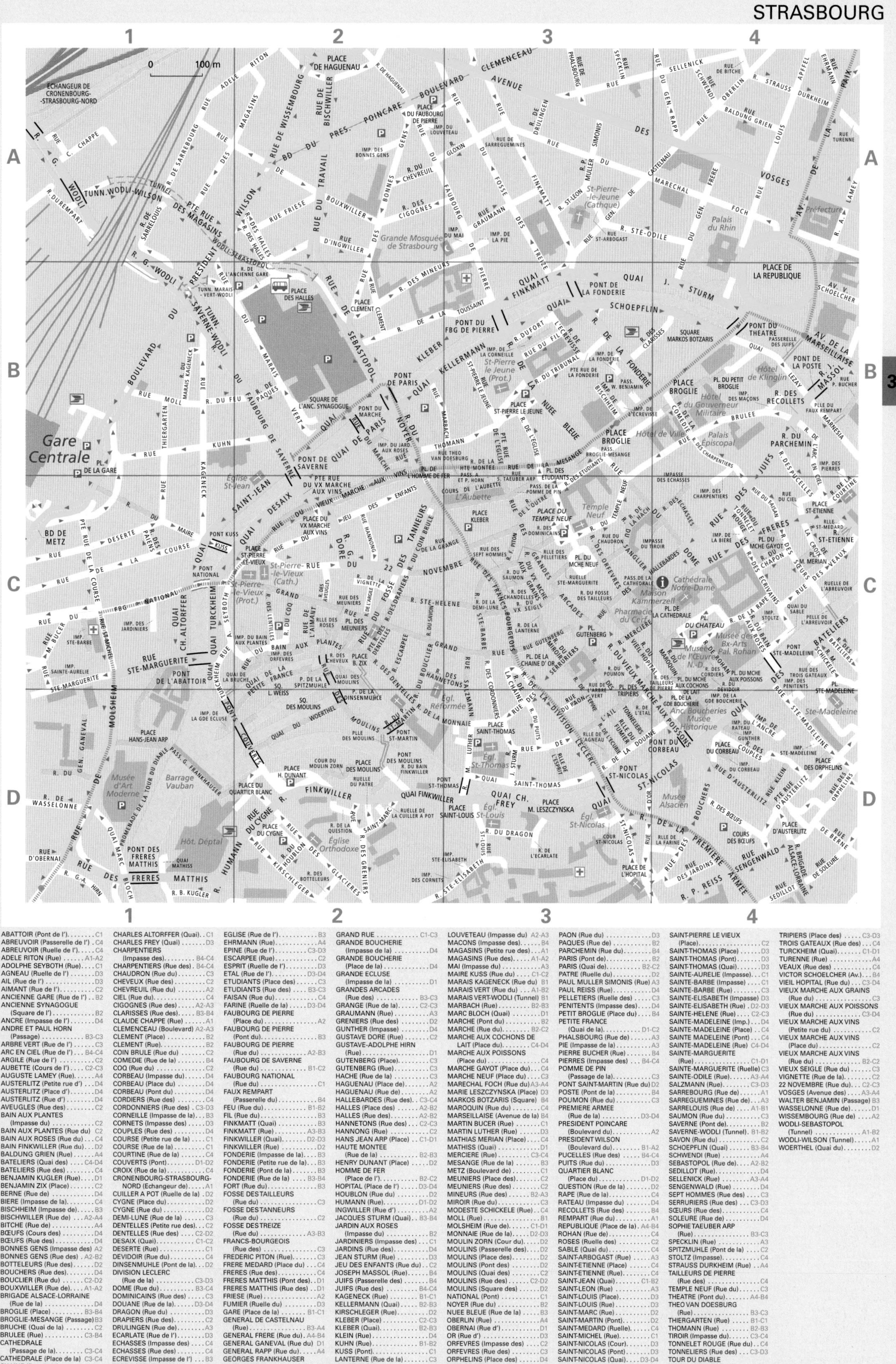

ABATTOIR (Pont de l') C1
ABREUVOIR (Passerelle de l') . C4
ABREUVOIR (Ruelle de l') C4
ADELE RITON (Rue) A1-A2
ADOLPHE SEYBOTH (Rue) C1
AGNEAU (Ruelle de l') D3
AIL (Rue de l') D3
AIMANT (Rue de l') C2
ANCIENNE GARE (Rue de l') . . B2
ANCIENNE SYNAGOGUE (Square de l') B2
ANCRE (Impasse de l') D4
ANDRE ET PAUL HORN (Passage) B3-C3
ARBRE VERT (Rue de l') C3
ARC EN CIEL (Rue de l') . . . B4-C4
ARGILE (Rue de l') C2
AUBETTE (Cours de l') C2-C3
AUGUSTE LAMEY (Rue) A4
AUSTERLITZ (Petite rue d') . . . D4
AUSTERLITZ (Place d') D4
AUSTERLITZ (Rue d') D4
AVEUGLES (Rue des) C2
BAIN AUX PLANTES (Impasse du) C2
BAIN AUX PLANTES (Rue du) C2
BAIN AUX ROSES (Rue du) . . . C4
BAIN FINKWILLER (Rue du) . . . D2
BALDUNG GRIEN (Rue) A4
BATELIERS (Quai des) C4-D4
BATELIERS (Rue des) C4
BENJAMIN KUGLER (Rue) D1
BENJAMIN ZIX (Place) C2
BERNE (Rue de) D4
BIERE (Impasse de la) C4
BISCHHEIM (Impasse de) B3
BISCHWILLER (Rue de) . . . A2-A4
BITCHE (Rue de) A4
BŒUFS (Cours des) D4
BŒUFS (Rue des) D4
BONNES GENS (Impasse des) A2
BONNES GENS (Rue des) . A2-B2
BOTTELEURS (Rue des) D2
BOUCHERS (Rue des) D4
BOUCLIER (Rue du) C2-D2
BOUXWILLER (Rue de) A1-A2
BRIGADE ALSACE-LORRAINE (Rue de la) D4
BROGLIE (Place) B3-B4
BROGLIE-MESANGE (Passage) B3
BRUCHE (Quai de la) C2
BRULEE (Rue) C3-B4
CATHEDRALE (Passage de la) C3-C4
CATHEDRALE (Place de la) C3-C4
CHAINE (Rue de la) C3-D3
CHAINE D'OR (Place de la) C3
CHANDELLES (Rue des) C3
CHAPON (Rue du) C4
CHARLES ALTORFFER (Quai) . . C1
CHARLES FREY (Quai) D3
CHARPENTIERS (Impasse des) B4-C4
CHARPENTIERS (Rue des) . B4-C4
CHAUDRON (Rue du) C3
CHEVEUX (Rue des) C2
CHEVREUIL (Rue du) A2
CIEL (Rue du) C4
CIGOGNES (Rue des) A2-A3
CLARISSES (Rue des) B3-B4
CLAUDE CHAPPE (Rue) A1
CLEMENCEAU (Boulevard) A2-A3
CLEMENT (Place) B2
CLEMENT (Rue) B2
COIN BRULE (Rue du) C2
COMEDIE (Rue de la) B4
COQ (Rue du) C2
CORBEAU (Impasse du) D4
CORBEAU (Place du) D4
CORBEAU (Pont du) D4
CORDIERS (Rue des) C4
CORDONNIERS (Rue des) . C3-D3
CORNEILLE (Impasse de la) . . . B3
CORNETS (Impasse des) D3
COUPLES (Rue des) D4
COURSE (Petite rue de la) C1
COURSE (Rue de la) C1
COURTINE (Rue de la) C4
COUVERTS (Pont) D1-D2
CROIX (Rue de la) C4
CRONENBOURG-STRASBOURG-NORD (Echangeur de) A1
CUILLER A POT (Ruelle de la) . D2
CYGNE (Place du) D2
CYGNE (Rue du) D2
DEMI-LUNE (Rue de la) C3
DENTELLES (Petite rue des) . . . C2
DENTELLES (Rue des) C2-D2
DESAIX (Quai) C1-C2
DESERTE (Rue) C1
DEVIDOIR (Rue du) C4
DINSENMUHLE (Pont de la) . . . D2
DIVISION LECLERC (Rue de la) C3-D3
DOME (Rue du) B3-C4
DOMINICAINS (Rue des) C3
DOUANE (Rue de la) D3-D4
DRAGON (Rue du) D3
DRAPIERS (Rue des) C2
DRULINGEN (Rue de) A3
ECARLATE (Rue de l') D3
ECHASSES (Impasse des) C4
ECHASSES (Rue des) C4
ECREVISSE (Impasse de l') . . . B3
ECREVISSE (Rue de l') B3
ECRIVAINS (Rue des) C4
ECURIE (Rue de l') D3
EGLISE (Petite rue de l') B3
EGLISE (Rue de l') B3
EHRMANN (Rue) A4
EPINE (Rue de l') C3-D3
ESCARPEE (Rue) C2
ESPRIT (Ruelle de l') D3
ETAL (Rue de l') D3-D4
ETUDIANTS (Place des) C3
ETUDIANTS (Rue des) B3-C3
FAISAN (Rue du) C4
FARINE (Ruelle de la) D3-D4
FAUBOURG DE PIERRE (Place du) A2
FAUBOURG DE PIERRE (Pont du) B3
FAUBOURG DE PIERRE (Rue du) A2-B3
FAUBOURG DE SAVERNE (Rue du) B1-C2
FAUBOURG NATIONAL (Rue du) C1
FAUX REMPART (Passerelle du) B4
FEU (Rue du) B1-B2
FIL (Rue du) B3
FINKMATT (Quai) B3
FINKMATT (Rue) A3-B3
FINKWILLER (Quai) D2-D3
FINKWILLER (Rue) D2
FONDERIE (Impasse de la) B3
FONDERIE (Petite rue de la) . . . B3
FONDERIE (Pont de la) B3
FONDERIE (Rue de la) B3-B4
FORT (Rue du) B3
FOSSE DES TAILLEURS (Rue du) C3
FOSSE DES TANNEURS (Rue du) C2
FOSSE DES TREIZE (Rue du) A3-B3
FRANCS-BOURGEOIS (Rue des) C3
FREDERIC PITON (Rue) C3
FRERE MEDARD (Place du) . . . C4
FRERES (Rue des) C4
FRERES MATTHIS (Pont des) . . D1
FRERES MATTHIS (Rue des) . . D1
FRIESE (Rue) A2
FUMIER (Ruelle du) D3
GARE (Place de la) B1-C1
GENERAL DE CASTELNAU (Rue) B3-A4
GENERAL FRERE (Rue du) . A4-B4
GENERAL GANEVAL (Rue du) D1
GENERAL RAPP (Rue du) A4
GEORGES FRANKHAUSER (Passage) D1
GEORGES WODLI (Rue) . . . A1-B1
GLACIERES (Rue des) D2
GLOXIN (Rue) A2-A3
GRAND RUE C1-C3
GRANDE BOUCHERIE (Impasse de la) D4
GRANDE BOUCHERIE (Place de la) D4
GRANDE ECLUSE (Impasse de la) D1
GRANDES ARCADES (Rue des) B3-C3
GRANGE (Rue de la) C2-C3
GRAUMANN (Rue) A3
GRENIERS (Rue des) D2
GUNTHER (Impasse) D4
GUSTAVE DORE (Rue) C2
GUSTAVE-ADOLPHE HIRN (Rue) D1
GUTENBERG (Place) C3
GUTENBERG (Rue) C3
HACHE (Rue de la) C3
HAGUENAU (Place de) A2
HAGUENAU (Rue de) A2
HALLEBARDES (Rue des) . . C3-C4
HALLES (Place des) A2-B2
HALLES (Rue des) A2-B2
HANNETONS (Rue des) . . . C2-C3
HANNONG (Rue) C2
HANS JEAN ARP (Place) . . C1-D1
HAUTE MONTEE (Rue de la) B2-B3
HENRY DUNANT (Place) D2
HOMME DE FER (Place de l') B2-C2
HOPITAL (Place de l') D3-D4
HOUBLON (Rue du) D2
HUMANN (Rue) D1-D2
INGWILLER (Rue d') A2
JACQUES STURM (Quai) . . B3-B4
JARDIN AUX ROSES (Impasse du) B2
JARDINIERS (Impasse des) . . . C1
JARDINS (Rue des) D4
JEAN STURM (Rue) D3
JEU DES ENFANTS (Rue du) . . C2
JOSEPH MASSOL (Rue) B4
JUIFS (Passerelle des) B4
JUIFS (Rue des) B4-C4
KAGENECK (Rue) B1-C1
KELLERMANN (Quai) B2-B3
KIRSCHLEGER (Rue) D2
KLEBER (Place) C2-C3
KLEBER (Quai) B2-B3
KLEIN (Rue) D4
KUHN (Rue) B1-B2
KUSS (Pont) C1
LANTERNE (Rue de la) C3
LENTILLES (Rue des) C2
LEZAY MARNESIA (Quai) B4
LOUIS APFFEL (Rue) A4
LOUISE WEISS (Square) C2
LOUVETEAU (Impasse du) A2-A3
MACONS (Impasse des) B4
MAGASINS (Petite rue des) . . . A1
MAGASINS (Rue des) A1-A2
MAI (Impasse du) A3
MAIRE KUSS (Rue du) C1-C2
MARAIS KAGENECK (Rue du) B1
MARAIS VERT (Rue du) . . . A1-B2
MARAIS VERT-WODLI (Tunnel) B1
MARBACH (Rue) B2-B3
MARC BLOCH (Quai) D1
MARCHE (Pont du) B2
MARCHE (Rue du) B2-C2
MARCHE AUX COCHONS DE LAIT (Place du) C4-D4
MARCHE AUX POISSONS (Place du) C4
MARCHE GAYOT (Place du) . . . C4
MARCHE NEUF (Place du) C3
MARECHAL FOCH (Rue du) A3-A4
MARIE LESZCZYNSKA (Place) D3
MARKOS BOTZARIS (Square) B4
MAROQUIN (Rue du) C4
MARSEILLAISE (Avenue de la) B4
MARTIN BUCER (Rue) C1
MARTIN LUTHER (Rue) D3
MATHIAS MERIAN (Place) C4
MATHISS (Quai) D1
MERCIERE (Rue) C3-C4
MESANGE (Rue de la) B3
METZ (Boulevard de) C1
MEUNIERS (Place des) C2
MEUNIERS (Rue des) C2
MINEURS (Rue des) B2-A3
MIROIR (Rue du) C3
MODESTE SCHICKELE (Rue) . . C4
MOLL (Rue) B1
MOLSHEIM (Rue de) C1-D1
MONNAIE (Rue de la) D2-D3
MOULIN ZORN (Cour du) D2
MOULINS (Passerelle des) D2
MOULINS (Place des) D2
MOULINS (Pont des) D2
MOULINS (Quai des) C2
MOULINS (Rue des) C2-D2
MOULINS (Square des) D2
NATIONAL (Pont) C1
NOYER (Rue du) B2
NUEE BLEUE (Rue de la) B3
OBERLIN (Rue) A4
OBERNAI (Rue d') D1
OR (Rue d') D3
ORFEVRES (Impasse des) C2
ORFEVRES (Rue des) C3
ORPHELINS (Place des) D4
ORPHELINS (Rue des) D4
OUTRE (Rue de l') C3
PAIENS (Rue des) C1
PAIX (Avenue de la) A4
PAON (Rue du) D3
PAQUES (Rue de) B2
PARCHEMIN (Rue du) B4
PARIS (Pont de) B2
PARIS (Quai de) B2-C2
PATRE (Ruelle du) D2
PAUL MULLER SIMONIS (Rue) A3
PAUL REISS (Rue) D4
PELLETIERS (Ruelle des) C3
PENITENTS (Impasse des) D4
PETIT BROGLIE (Place du) B4
PETITE FRANCE (Quai de la) D1-C2
PHALSBOURG (Rue de) A3
PIE (Impasse de la) A3
PIERRE BUCHER (Rue) B4
PIERRES (Impasse des) . . . B4-C4
POMME DE PIN (Passage de la) C3
PONT SAINT-MARTIN (Rue du) D2
POSTE (Pont de la) B4
POUMON (Rue du) C3
PREMIERE ARMEE (Rue de la) D3-D4
PRESIDENT POINCARE (Boulevard du) A2
PRESIDENT WILSON (Boulevard du) B1-A2
PUCELLES (Rue des) B4-C4
PUITS (Rue du) D3
QUARTIER BLANC (Place du) D1-D2
QUESTION (Rue de la) D2
RAPE (Rue de la) C4
RATEAU (Impasse du) D4
RECOLLETS (Rue des) B4
REMPART (Rue du) A1
REPUBLIQUE (Place de la) . A4-B4
ROHAN (Rue de) C4
ROSES (Ruelle des) C2
SABLE (Quai du) C4
SAINT-ARBOGAST (Rue) A3
SAINT-ETIENNE (Place) C4
SAINT-ETIENNE (Rue) C4
SAINT-JEAN (Quai) C1-B2
SAINT-LEON (Rue) A3
SAINT-LOUIS (Place) D3
SAINT-LOUIS (Rue) D3
SAINT-MARC (Rue) D2
SAINT-MARTIN (Pont) D2
SAINT-MEDARD (Ruelle) C4
SAINT-MICHEL (Rue) C1
SAINT-NICOLAS (Cour) D3
SAINT-NICOLAS (Pont) D3
SAINT-NICOLAS (Quai) D3-D4
SAINT-NICOLAS (Rue) D3
SAINT-PIERRE LE JEUNE (Place) B3
SAINT-PIERRE LE JEUNE (Rue) B3
SAINT-PIERRE LE VIEUX (Place) C2
SAINT-THOMAS (Place) D3
SAINT-THOMAS (Pont) D3
SAINT-THOMAS (Quai) D3
SAINTE-AURELIE (Impasse) . . . C1
SAINTE-BARBE (Impasse) C1
SAINTE-BARBE (Rue) C3
SAINTE-ELISABETH (Impasse) D3
SAINTE-ELISABETH (Rue) . D2-D3
SAINTE-HELENE (Rue) C2-C3
SAINTE-MADELEINE (Imp.) . . . D4
SAINTE-MADELEINE (Place) . . C4
SAINTE MADELEINE (Pont) . . . C4
SAINTE-MADELEINE (Rue) C4-D4
SAINTE-MARGUERITE (Rue) C1-D1
SAINTE-MARGUERITE (Ruelle) C3
SAINTE-ODILE (Rue) A3-A4
SALZMANN (Rue) C3-D3
SARREBOURG (Rue de) A1
SARREGUEMINES (Rue de) . . . A3
SARRELOUIS (Rue de) A1-B1
SAUMON (Rue du) C3
SAVERNE (Pont de) B2
SAVERNE-WODLI (Tunnel) . B1-B2
SAVON (Rue du) C2
SCHOEPFLIN (Quai) B3-B4
SCHWENDI (Rue) A4
SEBASTOPOL (Rue de) A2-B2
SEDILLOT (Rue) D4
SELLENICK (Rue) A3-A4
SENGENWALD (Rue) D4
SEPT HOMMES (Rue des) C3
SERRURIERS (Rue des) . . . C3-D3
SŒURS (Rue des) C4
SOLEURE (Rue de) D4
SOPHIE TAEUBER ARP (Rue) B3-C3
SPECKLIN (Rue) A3
SPITZMUHLE (Pont de la) C2
STOLTZ (Impasse) C4
STRAUSS DURKHEIM (Rue) . . A4
TAILLEURS DE PIERRE (Rue des) C4
TEMPLE NEUF (Rue du) C3
THEATRE (Pont du) A4-B4
THEO VAN DOESBURG (Rue) B3-C3
THIERGARTEN (Rue) B1-C1
THOMANN (Rue) B2-B3
TIROIR (Impasse du) C3-C4
TONNELET ROUGE (Rue du) . . C4
TONNELIERS (Rue des) C3-D3
TOUR DU DIABLE (Promenade de la) D1
TOUSSAINT (Rue de la) . . . B2-B3
TRAVAIL (Rue du) A2
TRIBUNAL (Rue du) B3
TRIPIERS (Place des) C3-D3
TROIS GATEAUX (Rue des) . . . C4
TURCKHEIM (Quai) C1-D1
TURENNE (Rue) A4
VEAUX (Rue des) C4
VICTOR SCHOELCHER (Av.) . . . B4
VIEIL HOPITAL (Rue du) . . . C3-D4
VIEUX MARCHE AUX GRAINS (Rue du) C3
VIEUX MARCHE AUX POISSONS (Rue du) C3-D4
VIEUX MARCHE AUX VINS (Petite rue du) C2
VIEUX MARCHE AUX VINS (Place du) C2
VIEUX MARCHE AUX VINS (Rue du) B2-C2
VIEUX SEIGLE (Rue du) C3
VIGNETTE (Rue de la) C2
22 NOVEMBRE (Rue du) . . . C2-C3
VOSGES (Avenue des) A3-A4
WALTER BENJAMIN (Passage) B3
WASSELONNE (Rue de) D1
WISSEMBOURG (Rue de) A2
WODLI-SEBASTOPOL (Tunnel) A1-B2
WODLI-WILSON (Tunnel) A1
WOERTHEL (Quai du) D2

TOULON

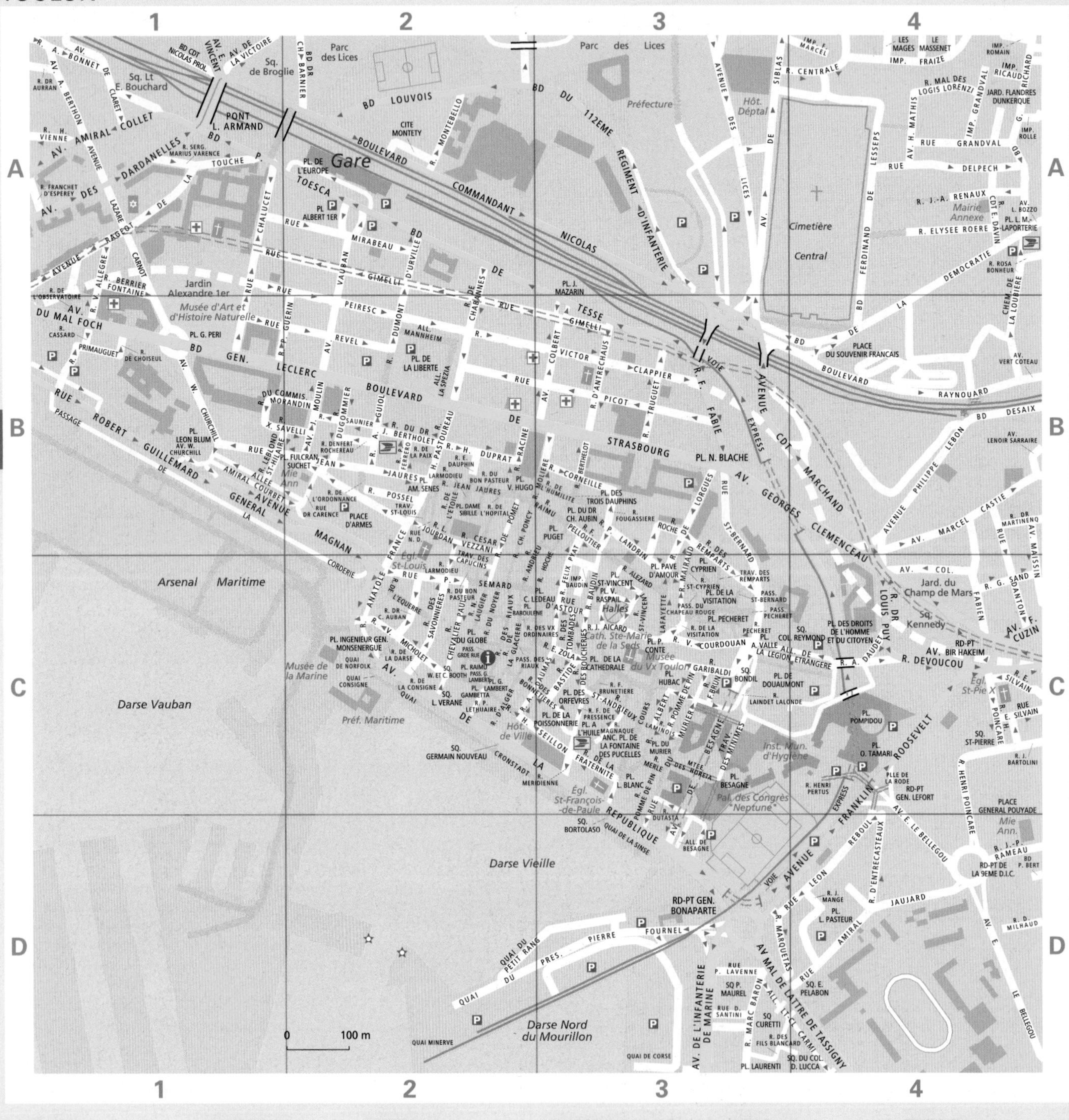
1
2
3
4
A
B
C
D
Gare
Parc des Lices
Sq. de Broglie
Sq. Lt E. Bouchard
Préfecture
Hôt. Déptal
Cimetière Central
Mairie Annexe
Jardin Alexandre 1er
Musée d'Art et d'Histoire Naturelle
Arsenal Maritime
Darse Vauban
Musée de la Marine
Préf. Maritime
Halles
Cath. Ste-Marie de la Seds
Musée du Vx Toulon
Hôt. de Ville
Égl. St-François-de-Paule
Inst. Mun. d'Hygiène
Pal. des Congrès "Neptune"
Jard. du Champ de Mars
Sq. Kennedy
Égl. St-Pie X
Darse Vieille
Darse Nord du Mourillon
RD-PT GEN. BONAPARTE
0 100 m
BD LOUVOIS
BOULEVARD COMMANDANT NICOLAS
BD DU 112EME REGIMENT D'INFANTERIE
BD DE TESSE
BD GEN. LECLERC
BOULEVARD DE STRASBOURG
AV. GEORGES CLEMENCEAU
AVENUE FRANKLIN ROOSEVELT
AV. DE LA REPUBLIQUE
QUAI DE CRONSTADT
QUAI MINERVE
QUAI DE CORSE

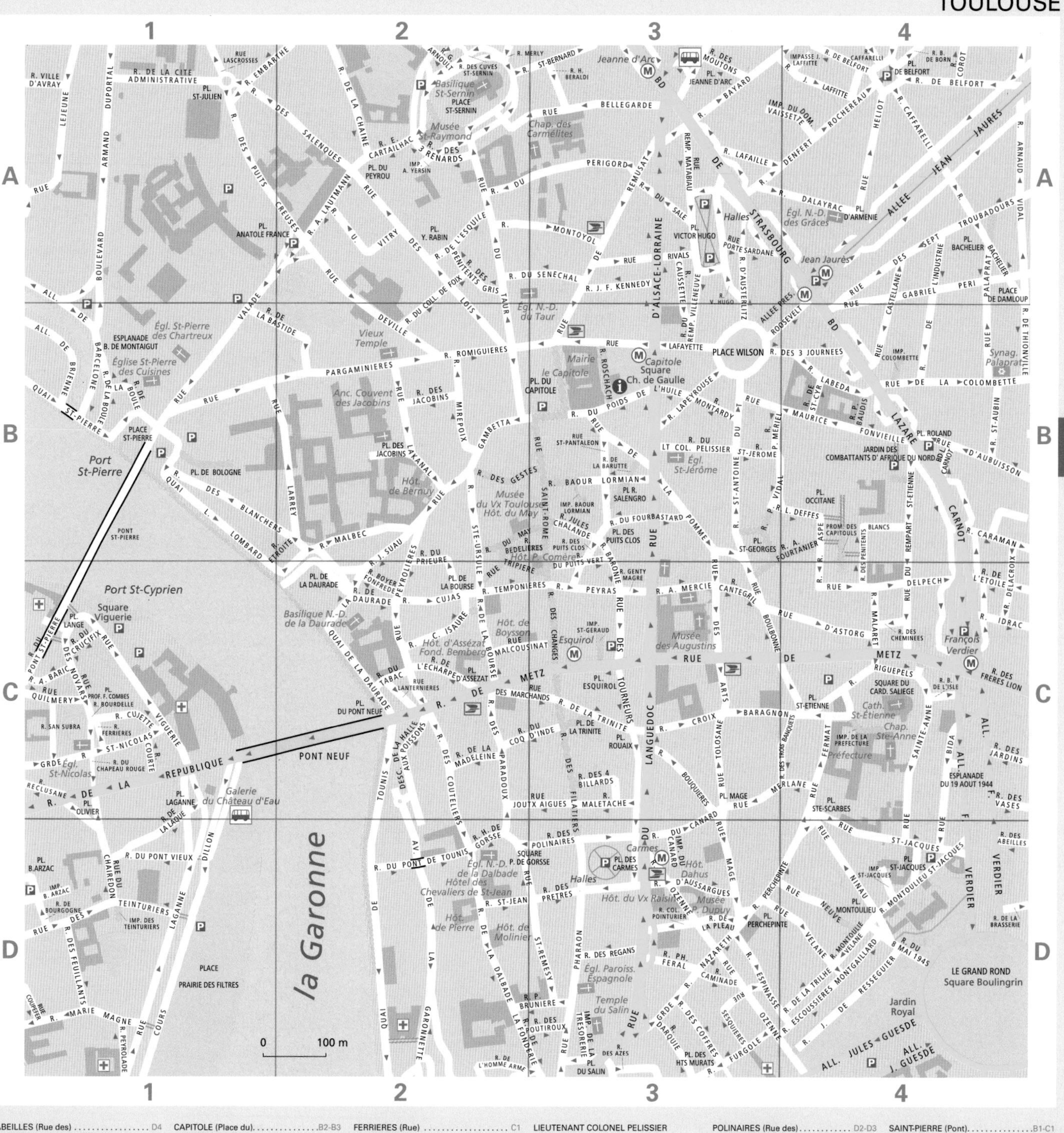

ABEILLES (Rue des) D4
ALBERT LAUTMANN (Rue) A2
ALEXANDRE FOURTANIER (Rue) B3-B4
ALEXANDRE YERSIN (Impasse) A2
ALSACE-LORRAINE (Rue d') A3-C3
ANATOLE FRANCE (Place) A1-A2
ANTONIN MERCIE (Rue) C3
ARMAND DUPORTAL (Boulevard) A1-B1
ARMENIE (Place d') A4
ARNAUD BARIC (Rue) C1
ARNAUD VIDAL (Rue) A4
ARTS (Rue des) B3-C3
ASSEZAT (Place d') C2
ASTORG (Rue d') C3-C4
AUBUISSON (Rue d') B4
AUSSARGUES (Rue d') D3
AUSTERLITZ (Rue d') A3-B3
AZES (Rue des) D3
BACHELIER (Place) A4
BACHELIER (Rue) A4
BAOUR LORMIAN (Impasse) B3
BAOUR LORMIAN (Rue) B3
BARCELONE (Allée de) A1-B1
BARONIE (Rue) B3-C3
BARUTTE (Rue de la) B3
BASTIDE (Rue de la) B1-B2
BAYARD (Rue) A3-A4
BEDELIERES (Rue) B2-B3
BELFORT (Place de) A4
BELFORT (Rue de) A4
BELLEGARDE (Rue) A2-A3
BENOIT ARZAC (Place) D1
BENOIT ARZAC (Impasse) D1
BERTRAND DE BORN (Rue) A4
BERTRAND DE L'ISLE (Rue) C4
BERTRAND DE MONTAIGUT (Esplanade) B1
BIDA (Rue) C4-D4
BLANCHERS (Rue des) B1-B2
BOLOGNE (Place de) B1
BOULBONNE (Rue) C3-C4
BOULE (Rue de la) B1
BOUQUIERES (Rue) C3
BOURDELLE (Rue) C1
BOURGOGNE (Rue de) D1
BOURSE (Place de la) C2
BOURSE (Rue de la) C2
BOYER FONFREDE (Rue) C2
BRASSERIE (Rue de la) D4
BRIENNE (Allée de) B1
CAFFARELLI (Rue) A4
CAMINADE (Rue) D3
CANARD (Impasse du) D3
CANARD (Rue du) C3-D3
CANTEGRIL (Rue) C3
CAPITOLE (Place du) B2-B3
CAPITOULS (Promenade des) B4-C4
CARAMAN (Rue) B4
CARDINAL SALIEGE (Square du) C4
CARMES (Place des) D3
CASTELLANE (Rue) A4-B4
CAUSSETTE (Rue) A3-B3
CHAINE (Rue de la) A2
CHAIREDON (Rue du) D1
CHANGES (Rue des) C3
CHAPEAU ROUGE (Rue du) C1
CHEMINEES (Rue des) C4
CITE ADMINISTRATIVE (Rue de la) A1
CLEMENCE ISAURE (Rue) C2
COFFRES (Rue des) D3
COLLEGE DE FOIX (Rue du) A2-B2
COLOMBETTE (Impasse) B4
COLOMBETTE (Rue de la) B4
COLONEL POINTURIER (Rue) D3
COMBATTANTS D'AFRIQUE DU NORD (Jardin des) B4
COQ D'INDE (Rue du) C2-C3
COROT (Rue) A4
COUPEFER (Rue) D1
COURTE (Rue) C1
COUTELIERS (Rue des) C2-D2
CROIX BARAGNON (Rue) C3-C4
CRUCIFIX (Rue du) C1
CUJAS (Rue) C2
CUJETTE (Rue) C1
CUVES SAINT-SERNIN (Rue des) A2
DALAYRAC (Rue) A3-A4
DALBADE (Rue de la) D2
DAMLOUP (Place de) A4-B4
DARQUIE (Rue) D3
DAURADE (Place de la) B2-C2
DAURADE (Quai de la) C2
DAURADE (Rue de la) C2
DELACROIX (Rue) B4-C4
DELPECH (Rue) C4
DENFERT ROCHEREAU (Rue) A3-A4
DEVILLE (Rue) A2-B2
DILLON (Cours) C1-D1
19 AOUT 1944 (Esplanade du) C4
ECHARPE (Rue de l') C2
EMBARTHE (Rue) A1-A2
EMILE CARTAILHAC (Rue) A2
ESCOUSSIERES MONTGAILLARD (Rue) D3-D4
ESPINASSE (Rue) D3-D4
ESQUILE (Rue de l') A2
ESQUIROL (Place) C3
ETOILE (Rue de l') C4
ETROITE (Rue) C1-B2
FERMAT (Rue) C4
FERRIERES (Rue) C1
FEUILLANTS (Rue des) D1
FILATIERS (Rue des) C3-D3
FONDERIE (Rue de la) D2-D3
FOURBASTARD (Rue du) B3
FRANCOIS VERDIER (Allée) C4-D4
FRERES LION (Rue des) C4
FURGOLE (Rue) D3
GABRIEL PERI (Rue) A4-B4
GAMBETTA (Rue) B2
GARONNETTE (Avenue de la) C2-D2
GATIEN ARNOULT (Rue) A2
GENTY MAGRE (Rue) C3
GESTES (Rue des) B2-B3
GRAND ROND (le) D4
HALLE AUX POISSONS (Descente de la) C2-D2
HAUTS MURATS (Place des) D3
HELIOT (Rue) A4
HENRI BERALDI (Rue) A3
HENRI DE GORSSE (Rue) D2
HOMME ARME (Rue de l') D2
8 MAI 1945 (Rue du) D4
IDRAC (Rue) C4
IMPASSSE DU DOMAINE VAISSETTE A3-A4
INDUSTRIE (Rue de l') A4-B4
JACOBINS (Place des) B2
JACOBINS (Rue des) B2
JACQUES LAFFITTE (Impasse) A4
JACQUES LAFFITTE (Rue) A3-A4
JARDINS (Rue des) C4
JEAN JAURES (Allée) A4
JEAN SUAU (Rue) B2-C2
JEANNE D'ARC (Place) A3
JOHN FITZGERALD KENNEDY (Rue) A3
JOUTX AIGUES (Rue) C2-C3
JULES CHALANDE (Rue) B3
JULES DE RESSEGUIER (Rue) D4
JULES GUESDE (Allée) D4
LABEDA (Rue) B4
LAFAILLE (Rue) A3
LAFAYETTE (Rue) B3
LAGANNE (Place) C1-D1
LAGANNE (Rue) D1
LAKANAL (Rue) B2
LANGE (Place) C1
LANGUEDOC (Rue du) C3-D3
LANTERNIERES (Rue) C2
LAPEYROUSE (Rue) B3
LAQUE (Rue de la) C1-D1
LARREY (Rue) B1-B2
LASCROSSES (Rue) A1
LAZARE CARNOT (Boulevard) A4-C4
LEJEUNE (Rue) A1
LIEUTENANT COLONEL PELISSIER (Rue du) B3
LOIS (Rue des) A2-B2
LOUIS DEFFES (Rue) B3-B4
LUCIEN LOMBARD (Quai) C1-B2
MADELEINE (Rue de la) C2
MAGE (Place) C3
MAGE (Rue) C3-D3
MALARET (Rue) C4
MALBEC (Rue) B2
MALCOUSINAT (Rue) C2-C3
MALETACHE (Rue) C3
MARCHANDS (Rue des) C2-C3
MARIE MAGNE (Rue) D1
MAURICE FONVIEILLE (Rue) B3-B4
MAY (Rue du) B2-B3
MERLANE (Rue) C3-C4
MERLY (Rue) A2
METZ (Rue de) C2-C4
MIREPOIX (Rue) B2
MONTARDY (Rue) B3
MONTOULIEU (Place) D4
MONTOULIEU SAINT-JACQUES (Rue) D4
MONTOULIEU VELANE (Rue) D4
MONTOYOL (Rue) A2-A3
MOUTONS (Rue des) A3
NAZARETH (Grande rue) D3
NEUF (Pont) C1-C2
NEUVE (Rue) D3-D4
NINAU (Rue) D4
NOVARS (Rue des) C1
OCCITANE (Place) B4
OLIVIER (Place) C1-D1
OZENNE (Rue) D3-D4
PALAPRAT (Rue) A4-B4
PARADOUX (Rue des) C2-D2
PARGAMINIERES (Rue) B1-B2
PAUL MERIEL (Rue) B3-B4
PAUL VIDAL (Rue) B3
PENITENTS BLANCS (Rue des) B4-C4
PENITENTS GRIS (Rue des) A2
PERCHEPINTE (Place) D3
PERCHEPINTE (Rue) D3-D4
PERIGORD (Rue du) A2-A3
PEYRAS (Rue) C3
PEYROLADE (Rue) D1
PEYROLIERES (Rue) B2-C2
PEYROU (Place du) A2
PHARAON (Rue) D3
PHILIPPE FERAL (Rue) D3
PIERRE BAUDIS (Rue) B4
PIERRE BRUNIERE (Rue) D2-D3
PIERRE DE GORSSE (Square) D2
PLEAU (Rue de la) D3
POIDS DE L'HUILE (Rue du) B3
POLINAIRES (Rue des) D2-D3
POMME (Rue de la) B3-C3
PONT DE TOUNIS (Rue du) D2
PONT NEUF (Place du) C2
PONT SAINT-PIERRE (Rue du) C1
PONT VIEUX (Rue du) D1
PORTE SARDANE (Rue) A3-A4
POUTIROUX (Rue des) D2-D3
PRAIRIE DES FILTRES (Place) D1
PREFECTURE (Impasse de la) C4
PRESIDENT ROOSEVELT (Allée) B3-A4
PRETRES (Rue des) D3
PRIEURE (Rue du) B2-C2
PROFESSEUR FRANCOIS COMBES (Place) C1
PUITS CLOS (Place des) B3
PUITS CLOS (Rue des) B3-C3
PUITS CREUSES (Rue des) A1-A2
PUITS VERT (Rue du) B3-C3
4 BILLARDS (Rue des) C3
QUILMERY (Rue) C1
RECLUSANE (Rue) C1
REGANS (Rue des) D3
REMPART MATABIAU (Rue) A3
REMPART SAINT-ETIENNE (Rue du) B4-C4
REMPART VILLENEUVE (Rue du) A3-B3
REMUSAT (Rue de) A3-B3
RENEE ASPE (Rue) B4-C4
REPUBLIQUE (Rue de la) C1
RIGUEPELS (Rue) C4
RIVALS (Rue) A3
ROGER SALENGRO (Place) B3
ROLAND (Place) B4
ROMIGUIERES (Rue) B2
ROSCHACH (Rue) B3
ROUAIX (Place) C3
SAINT-ANTOINE DU T (Rue) B3
SAINT-AUBIN (Rue) B4
SAINT-BERNARD (Rue) A2-A3
SAINT-CYR (Rue de) B4
SAINTE-ANNE (Rue) C4-D4
SAINTE-SCARBES (Place) C4-D4
SAINT-ETIENNE (Place) C4
SAINTE-URSULE (Rue) B2-C2
SAINT-GEORGES (Place) B3-C3
SAINT-GERAUD (Impasse) C3
SAINT-JACQUES (Impasse) D4
SAINT-JACQUES (Place) D4
SAINT-JACQUES (Rue) C4-D4
SAINT-JEAN (Rue) D2-D3
SAINT-JEROME (Rue) B3
SAINT-JULIEN (Place) A1
SAINT-NICOLAS (Grande rue) C1
SAINT-PANTALEON (Rue) B3
SAINT-PIERRE (Place) B1
SAINT-PIERRE (Pont) B1-C1
SAINT-PIERRE (Quai) B1
SAINT-REMESY (Rue) D2-D3
SAINT-ROME (Rue) B3-C3
SAINT-SERNIN (Place) A2
SALE (Rue du) A3
SALENQUES (Rue des) A1-A2
SALIN (Place du) D3
SAN SUBRA (Rue) C1
SENECHAL (Rue du) A2-A3
SEPT TROUBADOURS (Rue des) A4-B4
SESQUIERES (Rue) D3
STRASBOURG (Boulevard de) A3-A4
TABAC (Rue du) C2
TAUR (Rue du) A2-B2
TEINTURIERS (Impasse des) D1
TEINTURIERS (Rue des) D1
TEMPONIERES (Rue) C2-C3
THIONVILLE (Rue de) B4
TOLOSANE (Rue) C3
TOUNIS (Quai de) C2-D2
TOURNEURS (Rue des) C3
TRESORERIE (Impasse de la) D3
TRILHE (Rue de la) D4
TRINITE (Place de la) C3
TRINITE (Rue de la) C3
TRIPIERE (Rue) B2-C3
TROIS BANQUETS (Rue des) C4
3 JOURNEES (Rue des) B3-B4
3 RENARDS (Rue des) A2
URBAIN VITRY (Rue) A2
VALADE (Rue) B1-A2
VASES (Rue des) C4
VELANE (Rue) D3-D4
VICTOR HUGO (Place) A3
VICTOR HUGO (Rue) A3
VIGUERIE (Rue) C1
VILLE D'AVRAY (Rue) A1
WILSON (Place) B3
YITZHAK RABIN (Place) A2

TOURS

ALBERT THOMAS (Rue) A4
ALEXANDRE DUMAS (Rue) B1
ALFRED DE VIGNY (Rue) D3-D4
ALFRED MAME (Cité) C1
ALLERON (Rue) A1-B1
ALMA (Passage de l') D3
AMANDIERS (Rue des) A4
AMPERE (Rue) B1-C1
ANATOLE FRANCE (Place) A2-A3
ANDRE DUCHESNE (Rue) A1-B1
ARBALETE (Rue de l') B2
ARGENTINE (Rue d') D1
ARMORIAL (Cour de l') A4
ARSENAL (Rue de l') C1
AUBER (Rue) A4
AUGUSTE CHEVALLIER (Rue) D1
AUGUSTE COMTE (Rue) C3-C4
AUMONES (Place des) C4
AUMONES (Rue des) C4
AUMONT (Square d') B2
BABEUF (Rue) B4
BALAIS (Rue des) B1-B2
BALESCHOUX (Rue) B2
BALLAN (Rue de) A1
BALZAC (Rue de) B4-C4
BARRE (Rue de la) A4
BEAUNE SEMBLANCAY (Jardin de) A3
BELVEDERE (Rue du) C3-D3
BENJAMIN CONSTANT (Rue) A3
BERANGER (Boulevard) C1-C3
BERNARD PALISSY (Rue) B4
BERTHELOT (Rue) A3
BLAISE PASCAL (Rue) C4-D4
BOISDENIER (Rue de) D1-D4
BONS ENFANTS (Rue des) B2
BORDEAUX (Rue de) C3-C4
BOUCICAUT (Allée) A1
BOURDAISIERE (Allée de la) D4
BOURDE (Rue de la) C1-B2
BRICONNET (Rue) A2
BROCHE A ROTIR (Passage de la) A1
BUFFON (Rue de) B4
CALIFORNIE (Rue de la) D1-D2
CAMP DE MOLLE (Rue) B1
CAPUCINS (Rue des) A4
CARMES (Place des) A2
CARMES (Rue des) A2
CATHEDRALE (Place de la) A4
CERISIERS (Rue des) A2
CHALMEL (Rue) D4
CHAMP DE MARS (Rue du) A1
CHAMPOISEAU (Rue) B1-C1
CHANGE (Rue du) A2-B2
CHANOINEAU (Rue) C2
CHANOINES (Jardin des) A2
CHANTELOUP (Rue) A1
CHAPTAL (Rue) B3
CHARDONNET (Place du) B3
CHARLES GILLE (Rue) C3-C4
CHARLES GUINOT (Rue) D2
CHARLES V (Allée) B1
CHATEAUNEUF (Place de) B2
CHATEAUNEUF (Rue de) B2
CHINON (Rue de) D1
58 RUE GEORGE SAND (Impasse) C3
CLAUDE THION (Rue) D2
CLAUDE VIGNON (Rue) B2
CLOCHE (Rue de la) A4
CLOCHEVILLE (Rue de) C2-B3
CŒUR NAVRE (Passage du) A3
COLBERT (Rue) A3-A4
COMMERCE (Rue du) A2-A3
CONSTANTINE VOIE EST (Rue de) A2
CORDELIERS (Rue des) A3-A4
CORNEILLE (Rue) A3-B4
COURSET (Rue de) C2
CROC (Rue du) B1
CUILLERE (Rue de la) B2
CYGNE (Rue du) A4
DABILLY (Rue) B1
DAMIEN (Impasse) B4
DEPORTES (Rue des) B3
DESCARTES (Rue) B2
DOCTEUR (Rue du) A3
DOCTEUR BRETONNEAU (Rue du) A2
DOCTEUR GUERIN (Rue du) D3
DOCTEUR HERON (Rue du) C1
DOLVE (Rue de la) C3
DOREE (Rue) A2
DUPORTAL (Rue) D4
EDOUARD VAILLANT (Rue) C4
ELISE DREUX (Rue) C1
EMILE OTTIA (Passage) A2
EMILE ZOLA (Rue) B3-A4
ENTRAIGUES (Rue d') D1-C3
ESTELLE (Rue) D3
ETIENNE DOLET (Rue) C1-D1
ETIENNE MARCEL (Rue) A1-A2
ETIENNE PALLU (Rue) B3
EUGENE FLANDIN (Square) B2
EUGENE SUE (Rue) A1-A2
EUPATORIA (Rue) D3-D4
FERDINAND DUBREUIL (Rue) A1
FLEURY (Rue) A4
FOIRE LE ROI (Place) A3-A4
FRANCOIS 1ER (Jardin) A2-A3
FRANCOIS ARAGO (Rue) C1
FRANCOIS RICHER (Rue) C1-D1
FRANCOIS SICARD (Place) A4-B4
FRANCOIS TRUFFAUT (Place) C4
FROMONT (Rue) C1-D1
FUSILLES (Rue des) A3
GALPIN THIOU (Rue) D4
GAMBETTA (Rue) B3
GASTON PAILLHOU (Place) B2-C2
GENERAL CHANZY (Rue du) D1
GEORGE SAND (Rue) C3-D3
GEORGES COURTELINE (Rue) B1
GEORGES DELPERIER (Rue) B1-C1
GEORGET (Rue) C1-D2
GIRAUDEAU (Rue) C1-D1
GLASER VERY (Rue) B2-C2
GRAMMONT (Avenue de) C3-D4
GRAMMONT (Forum) C3-C4
GRAND MARCHE (Place du) B2
GRAND MARCHE (Rue du) B1-A2
GRAND PASSAGE (Galerie du) C4
GRANDIERE (Impasse de la) C2-C3
GRANDIERE (Rue de la) B2-C2
GRECOURT (Rue) C4-D4
GREGOIRE DE TOURS (Place) A4
GRILLE (Rue de la) A1-A2
GROSSE TOUR (Place de la) B1
GROSSE TOUR (Rue de la) B1-B2
GUESCLIN (Rue du) B1
HALLEBARDE (Rue de la) A1
HALLES (Carreau des) B2
HALLES (Place des) B1-B2
HALLES (Rue des) B2-B3
HENRI BARBUSSE (Rue) B1-B2
HENRI DE SEGOGNE (Square) A2
HENRI ROYER (Rue) B2
HERBES (Carroi aux) A1
HEURTELOUP (Boulevard) C3-B4
HOPITEAU (Rue de l') A4
HOUX (Rue des) B1-C1
INKERMANN (Rue d') C2-C3
JACOBINS (Passage des) A4
JAMES CANE (Rue) D3
JEAN DUVAL (Place) A1
JEAN JAURES (Place) C3
JEAN LEJUSTE (Rue) A1
JEAN MACE (Rue) B1
JEAN MEUNIER (Place) C2
JEAN-JACQUES ROUSSEAU (Rue) C1
JEHAN FOUQUET (Rue) C2-D2
JERUSALEM (Rue de) B2
JEU DE PAUME (Jardin) A3
JOULINS (Place des) A2
JULES CHARPENTIER (Rue) C1-B2
JULES FAVRE (Rue) A3-B3
JULES MOINAUX (Rue) A4
JULES SIMON (Impasse) B4
JULES SIMON (Rue) A4-B4
JULIEN LE ROY (Rue) B2
JULIEN LEROY (Square) B2
LAKANAL (Rue) C2-D2
LAMPROIE (Place de la) A2
LAMPROIE (Rue de la) A2
LAPLACE (Rue) B1
LAPONNERAYE (Rue) D3
LAVOISIER (Rue) A4
LEDRU-ROLLIN (Rue) C1
LEGION D'HONNEUR (Place de la) C1
LEON BOYER (Rue) C1
LEONARD DE VINCI (Rue) B2
LITTRE (Rue) A2
LONGUE ECHELLE (Rue de la) B2
LUCE (Rue de) B3
MADELEINE (Rue de la) A1-B1
MAILLE (Rue de) A2
MANOIR (Allée du) B4
MARCEAU (Rue) A2-C3
MARCHANT DUPLESSIS (Boulevard) D2
MARECHAL FOCH (Rue du) B2-A3
MARECHAL LECLERC (Place du) C4
MARESCOT (Place) B1
MARGUERON (Rue) D1
MAURES (Rue des) A4
METROPOLE (Galerie du) C3-C4
METZ (Rue de) D3
MICHEL DUCLOS (Impasse) B2-B3
MICHELET (Place) D3-D4
MICHELET (Rue) C4-D4
MINIMES (Rue des) B3-B4
MONNAIE (Rue de la) A2
MONNAIE TOURNOIS (Place de la) B2
MONSEIGNEUR MARCEL (Rue) A2
MONTLOUIS (Allée de) D4
MOQUERIE (Rue de la) A3
MURIER (Rue du) A2
NANTES (Rue de) C4
NAPOLEON (Pont) A1
NATIONALE (Galerie) B3
NATIONALE (Rue) A3-C3
NERICAULT DESTOUCHES (Rue) B2-B3
NICOLAS FRUMEAUD (Place) C1
ORANGERIE (Galerie de l') C3
ORFEVRES (Rue des) A2
ORIGET (Impasse) D2
ORIGET (Rue) D1-C3
ORLEANS (Quai d') A3-A4
PAIX (Rue de la) A2
PALAIS (Impasse du) B3-C3
PANIER FLEURI (Rue du) B2
PARMENTIER (Rue) D4
PASTEUR (Rue) D4
PAUL-LOUIS COURIER (Rue) A2
PENSEES (Impasse des) D4
PETIT FAUCHEUX (Rue du) A2
PETIT SAINT-MARTIN (Carroi du) A1
PETIT SAINT-MARTIN (Rue du) A1-B1
PETIT SOLEIL (Rue du) A2-B2
PHILIPPE LEBON (Rue) B1
PIERRE BOILLE (Rue) A4
PIMBERT (Rue) A3
PINAIGRIER (Rue) C3-D3
PLAILLY (Rue) D1
PLAT D'ETAIN (Rue du) D1
PLUMEREAU (Place) A2
POIRIER (Rue du) A2
PONT NEUF (Quai du) A1-A2
PORT DE BRETAGNE (Quai du) A1
PORT DE BRETAGNE (Rue du) A1
PREBENDES (Rue des) D3
PREFECTURE (Place de la) B4
PREFECTURE (Rue de la) B3-B4
PRESIDENT MERVILLE (Rue du) A2-B2
PREUILLY (Boulevard) A1
PSALETTE (Rue de la) A4
PUITS (Rue du) A2
14 JUILLET (Place du) B2
QUATRE FILS AYMON (Placis des) A1
4 SEPTEMBRE (Place du) D4
4 SEPTEMBRE (Rue du) D4
QUATRE VENTS (Rue des) A1-B1
RABELAIS (Impasse) B2
RABELAIS (Place) D1
RABELAIS (Rue) B2
RAPIN (Rue) B2
REMPART (Rue du) C4
RENE BOYLESVE (Rue) D3
RESISTANCE (Place de la) A3-B3
RICHE (Place de la) A1-B1
RICHELIEU (Rue) B2-B3
ROBERT PICOU (Place) A1
ROCHE MARC D'OR (Rue) A4
ROGER SALENGRO (Rue) D1-D4
ROTISSERIE (Rue de la) B2
ROUGET DE L'ISLE (Place) B1
ROUGET DE L'ISLE (Rue) B1
SAINT-ELOI (Place) C1
SAINT-ISIDORE (Rue) A1
SAINT-PIERRE PUELLIER (Jardin) A2
SAINT-SATURNIN (Carroi) A2
SAINT-SYMPHORIEN (Pont suspendu de) A4
SAN FRANCISCO (Rue) D1-D2
SCELLERIE (Rue de la) B3-A4
SEBASTOPOL (Rue de) C2-D3
SENTIER (Rue du) C3
SERGENT BOBILLOT (Rue du) D2
SERPE (Rue de la) B1-B2
SERPENT VOLANT (Rue du) A2-B2
SIMIER (Rue) C3
SOURDILLON (Square) B2
SULLY (Rue de) B2-B3
TANNEURS (Rue des) A1-A2
TOUR DE GUISE (Rue de la) A4
TRAVERSIERE (Rue) B4
TROIS ECRITOIRES (Rue des) B2
TROIS PAVES RONDS (Rue des) B2
TURONES (Place des) A4
URSULINES (Rue des) A4-B4
VAILLANT (Place) D4
VARENNES (Allée de) D4
VENDEE (Rue de la) C4
VERLAINE (Rue) B3
VERT GALANT (Jardin du) B2
VERTE (Rue) C1
VICTOIRE (Place de la) A1-B1
VICTOIRE (Rue de la) A1-B1
VICTOR HUGO (Rue) D1-C3
VICTOR LALOUX (Rue) B4-C4
VOLTAIRE (Rue) A3-B3
WILSON (Pont) A3